特集

国家公務員試験の新出題（時事・情報）を徹底解説！

令和 6 年度大卒程度国家公務員試験の基礎能力試験で出題された自然・人文・社会に関する時事および情報に関する出題から，学習効果の高い科目を選んで掲載した。時事は自然・人文・社会科学の知識が総合的に問われる問題であるため，『新スーパー過去問ゼミ 7 社会科学［増補版］』『同人文科学［増補版］』では一部に同一の問題を掲載している。

特集

国家公務員試験の新出題(時事・情報)を徹底解説！

変更点の確認

国家公務員試験の基礎能力試験（いわゆる教養試験）の出題分野が，令和6年度試験から変更された。

具体的には，これまで，「時事」「社会科学」「人文科学」「自然科学」という分野だったものが，「自然・人文・社会に関する時事，情報」となった。

国家一般職・国家専門職の変更点

	5年度	6年度
知能分野	27問 ▷文章理解：11問 ▷判断推理：8問 ▷数的推理：5問 ▷資料解釈：3問	24問 ▷文章理解：10問 ▷判断推理：7問 ▷数的推理：4問 ▷資料解釈：3問
知識分野	13問 ▷自然・人文・社会 〈時事を含む〉	6問 ▷自然・人文・社会に関する時事 ▷情報
合　計	40問	30問
解答時間	140分	110分

これにより，知能分野のウエートが従来にも増して大きくなり，知識分野の存在感が薄れている。人事院からは事前に，「自然・人文・社会に関する時事，情報」は「時事問題を中心とし，普段から社会情勢等に関心を持っていれば対応できるような内容」だと告知されていたため，特別な準備がいるのか，いらないのか迷った受験生も多かっただろう。

さて，実際はどうだったのか。今後の受験対策として，やるべきことを知るためにも，この［増補版］の特集を活用してほしい。

出題内容を深掘り

令和6年度の国家総合職（春試験）の出題内訳は次ページに，国家一般職，国家専門職はp.⑯に掲載した。まずはざっと見てほしい。選択肢ごとに，自然科学，人文科学，社会科学に分類している。こうして見ると，1問の中に，いろいろな知識が盛り込まれていることがわかる。しかも，1つの選択肢の中にも，日本史や生物といった複数科目のキーワードが混在していることがあるため，非常に複雑に感じるだろう。

しかし，見方を変えれば，これらは，「時事」でありながら，従来の知識分野（つまり，自然科学，人文科学，社会科学）で正誤の判断ができるということを表している。

これまでの「時事」は時事対策を徹底しなくては解けないことが多かったが，今回の新出題では，「高校時代までに学習した知識分野の内容」を使って誤りの選択肢を消していく，という手法を活かすことができる。このことは，「地方上級」や「市役所」を併願する受験者にとっては朗報だろう。地方上級や市役所対策として学習したことが，国家公務員試験でも使えるからだ。

実際の出題に挑戦

次ページからは，令和６年度大卒程度国家公務員試験の基礎能力試験で出題された「自然・人文・社会に関する時事」「情報」に関する出題から，学習効果の高い科目を選んで掲載した。新出題の過去問を使って，受験対策に役立ててほしい。

教養試験【基礎能力試験】出題内訳表

令和６年度　国家総合職（基礎能力試験）一般知識分野

No.	出題内容	選択肢	キーワード	自然科学	人文科学	社会科学
25	**近年の科学技術**	1	デュアルユース技術，ハーバー・ボッシュ法，R4経済安全保障推進法	化学		
		2	自動運転車，LiDAR，ドップラー効果	物理		
		3	パーソナルデータ，R4改正個人情報保護法，Emonotet	生物		法律
		4	量子暗号通信，量子力学の応用，光子による盗聴の検出	物理		
		5	衛星コンステレーション，静止衛星，米国「スターリンク」(R4)	地学		
26	国際情勢	1	2023年スーダン		地理	
		2	2023年ロシアのウクライナ侵攻		世界史	
		3	2023年日韓通貨交換（スワップ）協定再開			経済
		4	2023年米国ユネスコへの復帰			政治
		5	2023年サッカー女子ワールドカップ（オーストラリア・ニュージーランド）		地理	
27	新日本銀行券	1	新一万円札（渋沢栄一，赤レンガ駅舎）		日本史	
		2	新五千円札（津田梅子，藤）	生物	日本史	
		3	新千円札（北里柴三郎，富嶽三十六景）		日本史	
		4	偽造防止策，3Dホログラム，ホログラフィー原理	物理		
		5	「高精細すき入れ」，キャッシュレス決済，旧紙幣の使用期限			経済
28	**生物などを巡る最近の動向**	1	R5ジャイアントパンダの中国返還		日本史	政治
		2	オオサンショウウオ，「特定外来生物」	生物		
		3	世界人口の増加とタンパク質	生物		社会
		4	WHO感染症拡大の警告（マラリア，豚熱）		地理	
		5	医療品の供給不足，ウイルスの性質	生物		
29	近年の法改正	1	R3自然公園法	生物		
		2	R5改正食品表示基準	生物		
		3	R5改正活動火山対策特別措置法	地学		
		4	R4法人等による寄附の不当な勧誘の防止等に関する法律，R4改正消費者契約法			法律
		5	R5インボイス導入			経済
30	情報	1	商品バーコード作成のフローチャートの空欄補充形式	情報		

※出題内訳表の「出題内容」の欄が**太字**になっている問題は，本書p.❹～⓯で詳しく解説している（p.⓰も同様）。

近年の科学技術

自然・人文・社会に関する時事

近年の科学技術に関する記述として最も妥当なのはどれか。

【国家総合職・令和６年度】

1　民生と軍事の両方の目的に使用できる技術のことを**デュアルユース技術**という。たとえば，窒素と酸素だけから尿素を合成する**ハーバー・ボッシュ法**は，合成した尿素が肥料の原料になる一方で爆薬の原料にもなるため，デュアルユース技術とされる。令和４（2022）年の経済安全保障推進法では，ドローンなどのデュアルユース技術に関する研究を禁止することが定められた。

2　人間がハンドルやアクセル，ブレーキを操作することなく，完全に自動で走行する自動車をレベル２の自動運転車という。対象物に音波を照射して，その反射波の情報をもとに対象物のさまざまな情報を計測する技術をLiDARといい，多くの自動運転車に利用されている。この技術により，反射波の振幅から**ドップラー効果**を考慮することで対象物との距離がわかる。

3　ビッグデータのうち，特定の個人を識別できる生体情報のことを**パーソナルデータ**という。たとえば，瞳孔の直径は，個人に固有の大きさを持ち変化しないため，パーソナルデータとされる。令和４（2022）年の改正個人情報保護法により，企業が保有するパーソナルデータについては，Emotet（エモテット）などの暗号化ソフトウェアを使って暗号化することが義務づけられた。

4　データを暗号化し，光の粒子である光子（光量子）に暗号鍵を載せて通信する暗号通信のことを**量子暗号通信**という。量子暗号通信には，素粒子・原子核などの微視的な系を記述するために用いられる理論である**量子力学**が応用されている。暗号を載せる光子は，外部から触れられると状態が変化する特性があるため，情報が盗聴されたことを検出することが可能である。

5　多数の静止衛星を連携させて一体的に運用する仕組みを衛星コンステレーションという。静止衛星とは，地球の公転の周期と同じ周期で赤道上空を回っている衛星のことである。令和４（2022）年末時点で，米国のスペースX社は数十機の静止衛星を利用した衛星インターネットサービス「スターリンク」を赤道付近の地域に限って提供している。

難易度　＊＊

時事ニュース性 ★★
自然科学分野 ★★★
人文科学分野 ー
社会科学分野 ★

解説

科学技術の進歩は目まぐるしく，それに伴う法制度も追随する形で整備，改正等が行われている。最新情報のチェックは欠かさないように。

1 × **ハーバー・ボッシュ法は窒素と水素からアンモニアを合成する技術。**
ハーバー・ボッシュ法は，窒素と水素を反応させて**アンモニア**を合成する技術である。令和4（2022）年の経済安全保障推進法の基本方針では，極超音速や人工知能（AI），無人航空機（ドローン等）など，デュアルユース技術が外部に不当に利用された場合に国家・国民の安全を損なう事態を生じるおそれがあるものを「**特定重要技術**」と定義し，その研究開発支援を柱の一つとして挙げている。

2 × **自動運転技術は光の反射を利用するので，ドップラー効果とは無関係。**
完全に自動で走行するのはレベル5の自動運転車である。**LiDAR**とは，「Light Detection And Ranging」の略称で，対象物に光を照射して，その反射波の情報から対象物までの距離などさまざまな情報を計測する**リモートセンシング技術**である。ドップラー効果は波源や音源，観測者が動くときに実際の波長や音の周波数が変化する現象である。

3 × **特定の個人を識別できる生体情報やマイナンバーを個人情報（個人識別符号を持つ情報）という。**
パーソナルデータは個人の識別ができない情報も含む。DNA，顔特徴量，虹彩，声紋，歩行の態様，手指の静脈，指紋・掌紋は個人情報となる一方，瞳孔は明るさによって直径が変化するため，個人情報ではない。Emotetとは，主にメールの添付ファイルを感染経路としたマルウェア（不正プログラム）である。令和4（2022）年の**改正個人情報保護法**では，個人情報を暗号化して保管することを求めているが，義務ではない。

4 ◎ **量子暗号通信は光子が持つ量子力学の性質を用いられている。**
正しい。わが国では**Society 5.0**の実現のために必要な基盤技術の一環として，Beyond 5G，半導体，量子技術等次世代インフラ・技術の整備開発を推進している。量子暗号通信は，機微情報を取り扱う公的機関での利活用や金融・医療などの商用サービスへの展開も期待されている。

5 × **静止衛星は地球の自転周期と同じ周期で回っている。**
「スターリンク」は赤道付近の地域に限らず60以上の国・地域にサービス提供している（2024年現在）。数千機の低い高度を周回する非静止衛星から提供され，従来の衛星通信サービスに比べて高速かつ低遅延のデータ通信を実現している。

正答 4

国家総合職

生物などを巡る最近の動向

自然・人文・社会に関する時事

生物などを巡る最近の動向などに関する記述として最も妥当なのはどれか。

【国家総合職・令和６年度】

1　国際自然保護連合（IUCN）が，ジャイアントパンダを**絶滅危惧種**（Endangered）に選定したことを契機に，日本に貸与されていたジャイアントパンダのうち４頭が，2023年に中国に返還された。ジャイアントパンダは，日中国交正常化の記念に日本に寄贈されたことから，日本と中国の友好を示すシンボルとされてきた。日中国交正常化は，1972年に中曽根康弘内閣が日中平和友好条約を結び実現した。

2　オオサンショウウオは，日本の特別天然記念物に指定されている大型の両生類であり，河川が海に達する河口部に形成される扇状地に主に生息している。一方，オオサンショウウオの近縁種のチュウゴクオオサンショウウオは，アフリカ原産のウシガエルとともに，2023年に**「特定外来生物」**の指定が解除され，野外に放ったり逃がしたりすることは禁止されるものの，個人での飼育には申請や許可・届出の手続きが不要となった。

3　世界の人口は，2022年に100億人を上回り，2050年には150億人に達すると推計されている。人口増加などの影響による食料需要の増加を受けて，肉や魚に代わるタンパク源としてコオロギなどの昆虫食が注目されている。**タンパク質**は，ATP（アデノシン三リン酸）が多数つながってできている。タンパク質は，ヒトの体を構成する物質の中で，水分を除いた質量の割合で約20％を占めており，生命活動を行ううえで重要な働きを担っている。

4　世界保健機関（WHO）は，**気候変動**を背景に昆虫が媒介する感染症が拡大していると警告している。2023年，南アフリカ共和国でマラリアが，バングラデシュで豚熱が大流行し，多くの死者が出た。マラリアは，ハエが媒介する細菌に感染することで起こる病気で，南アフリカ共和国の大半を占める熱帯雨林気候に広く分布する照葉樹林が伐採されたことにより土地が不毛化したことが，マラリアが大流行した大きな要因の一つと考えられている。

5　**新型コロナウイルス感染症**の流行以降，種々の感染症の減少により，市場への医薬品の供給量が縮小する中，2023年秋，わが国では，インフルエンザなどの感染症が拡大したため鎮咳薬（咳止め）などの一部の医薬品の入手が困難になり，限られた供給量の中での有効活用が求められた。感染症の発生原因の一つである**ウイルス**は，タンパク質などでできた殻の中に遺伝情報が入った構造をしており，遺伝情報をもとにして増殖する点は生物と共通であるが，細胞という構造がない。

難易度　＊＊

解説

1は人文科学分野の知識を用いても正誤判断が可能である。また，試験前々年，前年の出来事からの出題もあり，試験より少し前の時期の出来事も確認しておきたい。

1 ×　ジャイアントパンダは危急種である。
ジャイアントパンダは絶滅危惧種であったが，近年は頭数が増加していることに伴い，2016年に国際自然保護連合（IUCN）は危機レベルを１つ下げ，**危急種**（Vulnerable）に分類した。また，日中国交正常化は田中角栄内閣の日中共同声明により実現した。日中平和友好条約は1978年に福田赳夫内閣が結んだものである。

2 ×　オオサンショウウオは四国，九州の一部の河川上流および中流域に生息する。
河口部に形成されるのは扇状地ではなく，**三角州**である。また，チュウゴクオオサンショウウオとウシガエルは「特定外来生物」に指定されている。「特定外来生物」を飼育するには申請が必要で，審査に通った場合のみ飼育が許可される。

3 ×　世界の人口は2022年に80億人を上回った。
世界の人口は2022には80億人を超え，2050年には97億人に達すると推計されている。また，タンパク質はATP（アデノシン三リン酸）ではなく，**アミノ酸**が多数つながってできている。加えて，タンパク質は，水分を除いたヒトの体を構成する物質の中で**約80%**を占める物質である。

4 ×　南アフリカ共和国でマラリア，バングラデシュで豚熱が大流行した事実はない。
南アフリカ共和国は１年を通してマラリアが流行している地域で2023年に特に大流行したわけではない。加えて，バングラデシュでは2023年に初めて**アフリカ豚熱**（ASP）の発生が確認されたが，これは豚熱とは別の病気である。さらに，マラリアは**寄生虫（原虫）**を持った蚊に刺されることで感染する病気である。また，南アフリカ共和国の気候は温帯夏雨気候，温暖湿潤気候，西岸海洋性気候，ステップ気候，砂漠気候，地中海性気候と地域により異なっている。そして，熱帯雨林気候に分布するのは**常緑広葉樹林**が多く，照葉樹林ではない。なお，マラリアの流行に不毛化は関係ない。

5 ◎　2023年の秋は鎮咳薬などの需要が高まり，入手困難になった。
正しい。インフルエンザ以外にも，RSウイルスやアデノウイルスなど，咳の症状が出る**ウイルス感染症**が2023年秋に流行した。

正答　5

気象や災害

自然・人文・社会に関する時事

気象や災害とそれらを巡る最近の動きに関する記述として最も妥当なのはどれか。

【国家一般職・令和６年度】

1　わが国の春から夏の変わり目には，**偏西風**が強くなり，オホーツク海高気圧の勢力が増す。この高気圧に覆われると，晴れて日射が強くなり，全国的に暑い日が続く。気象庁は，気温が**35度**を超えた段階で熱中症警戒アラートを発表し，熱中症への警戒を呼び掛けている。このアラートは1990年代から導入されており，2020年には，アラートが発表された際に公共施設を「クーリングシェルター」として開放することが各自治体に義務づけられた。

2　わが国の2023年の夏（６～８月）の全国平均気温は，統計開始以来，最も高かった。世界各地でも高い気温となり，同年７月に国連のグテーレス事務総長は，「**地球沸騰化**の時代が来た」と表現した。地球温暖化が進むと，氷河の融解や海水の膨張による海面上昇が予測される。サンゴ礁でできたインド洋のモルディブや太平洋上のツバルなどの島々は，海面が上昇すると水没するおそれがある。

3　わが国の夏から秋の変わり目には，**シベリア高気圧**の勢力が増し，**西高東低**の気圧配置となる。その時期に発生する**秋雨前線**に台風が近づき大雨をもたらす現象を，**線状降水帯**という。線状降水帯の発生予測は非常に困難なため，2023年現在，気象庁は，予測情報を出さず，線状降水帯が発生した際に速やかに「顕著な大雨に関する情報」を発表し，安全の確保を呼び掛けている。

4　地震の程度を表す尺度に震度とマグニチュード（M）がある。マグニチュードは，ある地点の地震動の強さの程度を表し，マグニチュードが１大きくなると地震のエネルギーは２倍，２大きくなると４倍に増える。2023年，トルコでM7.8 の地震が発生し，トルコとシリアで多数の死者，行方不明者が出た。被害が拡大した要因として耐震基準の運用の緩さが指摘されており，この地震を受けて，わが国では耐震基準の見直しが行われた。

5　2023年，ハワイのマウイ島で大規模な山火事が発生し，カモノハシやハリモグラといった固有種の生息地に甚大な被害をもたらした。山火事の主な原因は，伝統的な農業形態である焼畑農耕からの延焼と考えられている。山火事によって森林が大きく破壊された場合，土壌がない裸地となり，水分量が減少する。そのため，溶岩流の跡地などから始まる遷移と比べて，**遷移**が遅く進行する。

難易度　＊

時事ニュース性 ★★
自然科学分野 ★★★
人文科学分野 ★
社会科学分野 ★

解説

地球温暖化問題や，異常気象，災害等の問題は昨今のニュースと関連して出題されている。地学分野の復習とともに，得点できるよう押さえておきたい。

1 × **改正気候変動適応法により熱中症特別警戒アラートが新設された。**
偏西風は夏に日本の北を流れて弱まることが多い。また，夏は**太平洋高気圧**の勢力が増し，晴れて日射が強くなり全国的に暑い日が多い。**熱中症警戒アラート**とは，熱中症により人の健康に被害が生じるおそれがあるWBGT指数（暑さ指数）の値が33以上と予測された場合，環境庁と気象庁が共同で発表する。熱中症警戒アラートは2021年度に全国で運用を開始，2024年４月１日全面施行の改正気候変動適応法では一段階上の熱中症特別警戒アラートが発表された際，公共施設を**クーリングシェルター**として解放することが各自治体に義務づけられた。

2 ◎ **2023年６～８月の全国平均気温は統計開始以来最も高かった。**
正しい。2023年の夏の日本の平均気温は，北・東・西日本でかなり高く，1898年の統計開始以降の夏として最も高い気温となった。また，日本に限らず世界各地でも猛暑となり，国連のグテーレス事務総長はこれを「**地球沸騰化**」の時代と表現した。

3 × **シベリア高気圧が強まると，日本では西高東低の冬型の気圧配置となる。**
線状降水帯とは，発達した雨雲（積乱雲）が列をなして組織化した積乱雲群によって，数時間にわたってほぼ同じ場所を通過または停滞することで作り出される線状に伸びる強い降水を伴う雨域である。2022年６月より，スーパーコンピュータ「富岳」を活用して線状降水帯による大雨の可能性を半日程度前から呼びかけられるようになった。

4 × **マグニチュード（M）は地震の規模，震度（10段階）は地震動の強さを表す。**
マグニチュードは１大きくなると地震のエネルギーは**32倍**，２大きくなると**1024倍**に増える。わが国では2024年に発生した**能登半島地震**を受け，地域差のある地震係数に基づいた耐震基準の見直しを検討することとなった。

5 × **溶岩流の跡地は土壌中に植物の種子などが残らず，遷移の進行は遅い。**
カモノハシとハリモグラはともにオーストラリアの固有種である。山火事の出火の原因は，老朽化した送電線が強風で倒壊し，周りの草木に接触したことによると考えられている。山火事の跡地は，土壌中に種子や根が残っているため，溶岩流の跡地などと比べて**遷移**が早く進行する。

正答 2

資源・エネルギーを巡る最近の動向

自然・人文・社会に関する時事

資源・エネルギーを巡る最近の動きなどに関する記述として最も妥当なのはどれか。
【国家専門職・令和６年度】

1　令和５（2023）年，中国は，**レアメタル**のうち，ガリウムとヨウ素の関連品目について輸出を許可制とする輸出規制を開始した。ガリウムとヨウ素はともに，絶対温度（K）でみると300K（27 ℃）程度の温度で超電導（超伝導）を示す物質で，超電導磁石を利用した磁気浮上式鉄道（超電導リニア）の運行には欠かせないレアメタルであり，わが国では輸入先の多角化を進めている。

2　リチウムイオン電池は，電気自動車のバッテリーなどに利用される蓄電池で，原材料のリチウムは，鉱石のボーキサイトから製造される。リチウムの製造過程で多量の黒鉛（グラファイト）の混合が必要なため，製造コストは，黒鉛の原材料の石炭価格と連動する形で，令和５（2023）年に高騰した。なお，リチウム元素は，価電子の数が１で一価の**陰イオン**になりやすいという特徴を持つ。

3　令和５（2023）年，わが国の金の小売価格は，１ｇ当たり１万円を超える金額を記録した。金のドル建て価格が高水準であるうえ，外国為替市場での円安・ドル高基調が国内の金価格を押し上げた。金は，**展性**が大きい金属で，極めて薄い**箔**を作ることが可能なため，金箔として装飾素材などに利用されてきた。たとえば，室町時代に足利義満が建立した金閣（鹿苑寺金閣）には金箔が貼られている。

4　令和５（2023）年，わが国のレギュラーガソリンの小売価格が，一時，全国平均で１Ｌ当たり200円を超えた。このため，政府は，同年10月に，ガソリン税の一部を軽減する「トリガー条項」を発動して，価格の引下げを図った。「**トリガー条項**」の発動は，2000年代のサブプライム・ローン問題の影響による小売価格の高騰時以来２度目となった。なお，ガソリンは原油を分留して製造され，その留出温度は約500℃で，灯油や軽油より高い。

5　わが国は，エネルギー基本計画で，令和12（2030）年には温室効果ガス排出量を平成25（2013）年比で16％削減することをめざし，その一環として**カーボンニュートラル**な燃料である**バイオエタノール**の利用を推進している。その原材料には，世界で最も生産量が多い穀物である小麦が使用され，わが国では，主にウクライナ産小麦を使用してきたが入手困難になり，令和５（2023）年はタイ産小麦の使用が最も多くなった。

解説

化学物質の基礎知識と世界情勢を関連づけて学習できるとよい。

1 × ヨウ素は非金属元素で日本は世界第２位の生産国である。
2023年に中国が輸出制限の対象としたのは，半導体の材料となるガリウムとゲルマニウムである。なお，現在東京・名古屋間で建設が進んでいるリニア中央新幹線は，車両に搭載された超電導磁石（ニオブ・チタン合金）を絶対温度４Ｋ（－269℃）まで冷やして車体を浮上させることで，時速500kmでの走行を可能としている。リニア中央新幹線が完成すると東京・名古屋間は約40分，東京・大阪間は約１時間で結ばれることになる。

2 × 原子番号３のリチウムは一価の陽イオンになりやすい特徴を持つ。
リチウムは火成岩の一種であるペグマタイトに含まれることが多く，塩湖などから採取されるかん水からもリチウムが抽出されている。日本はグラファイトの輸入量の９割を中国に頼っており，2023年に中国ではグラファイトの輸出制限が発動されたが，電気自動車用バッテリーの需要の鈍化と供給過剰により，リチウム価格は**暴落**した。

3 ◎ 金は展性が大きく，金箔などに加工しやすい。
正しい。わが国の金の小売り価格は2023年に１ｇあたり１万569円となり，過去最高値を更新した。

4 × ガソリンの分留温度は約35～180°で灯油や軽油より低い。
2023年，レギュラーガソリンの全国平均は１Ｌ当たり185.6円と過去最高値を更新したが，200円は超えていない。**トリガー条項**とは，ガソリンの小売価格が値上がりした際にガソリン税を引き下げ，ガソリンの小売価格を下げる制度だが，2010年の導入以降発動されないまま，2011年に起きた東日本大震災の復興財源を確保するために凍結され，現在もその状態が続いている。

5 × バイオエタノールはサトウキビやトウモロコシ，木材などを原材料とする。
日本は，2030年には温室効果ガスの排出量を2013年比で46％削減，2050年には温室効果ガスの排出量と吸収量が差し引き０になるカーボンニュートラルを目標としている。なお，日本の小麦はアメリカ，カナダ，オーストラリアの３国からの輸入がほとんどを占める。タイはコメの輸出国としては世界第３位だが，小麦の生産量は少ない。

正答 3

誤り検出

情報

次は，誤り検出に関する記述であるが，A，Bに当てはまるものの組合せとして最も妥当なのはどれか。 【国家一般職・令和６年度】

> ノイズ等のさまざまな要因によって，データを送受信する際にデータに誤りが生じることがある。このような誤りを検出する方法の一つとして，パリティチェックがある。パリティチェックは，一定長のビット列から成るデータに対し，１のビットの個数が偶数個か奇数個かを表すビット（パリティビット）を付加することで，データに誤りが生じているか否かを検出する方法である。ここでは，１の個数が偶数のときパリティビット「０」，１の個数が奇数のときパリティビット「１」を付加するとする。たとえば，“0000000”は１が０個（偶数個）であるから「０」を付加し，“0101010”は１が３個（奇数個）であるから「１」を付加する。受信者側では，データの１の個数が偶数か奇数かにより，データの通信時に誤りがあったかどうかを判定できる。

○送信者がデータ“1011111”を，上記と同じ条件でパリティビットを付加して送信する。このとき，付加すべきパリティビットは「 A 」である。

○受信者がデータ“1011110”と，上記と同じ条件でこれに付加されたパリティビット「１」を受信したとする。このとき，受信したデータとパリティビットに誤りがない，または，受信したデータとパリティビットのうち B ことがわかる。

	A	B
1	0	偶数個のビットに誤りが生じている
2	0	奇数個のビットに誤りが生じている
3	1	すべてのビットに誤りが生じている
4	1	偶数個のビットに誤りが生じている
5	1	奇数個のビットに誤りが生じている

解説

ビット列の中の１の個数が偶数なら「０」，奇数なら「１」を付加する問題であるが，Aに関してはすぐに正答を求められる。しかし，Bに関してはすぐに解法をひらめくことは難しく，具体的な場合分けを行うことで解くとよい。また，受信者はそもそもの受信データが誤っている可能性も考慮しなければならない。

情報の問題では，日常的に使用している表計算以外も頻出である。本問のようなデータ送信や，数列に対して値を付加する問題はしっかりと前提条件を読み込み，具体的な場合分けをすることが正答への近道となる。

STEP❶　Aに関して考える。

まず，Aに関して，送信者データ「1011111」の中の１の個数は６個であり，１は偶数個あるためパリティビット「０」を付加する。そのため，選択肢は**1**か**2**に絞られる。

STEP❷　Bに関して具体的に考える。

次に，Bに関して，受信者データ「1011110」の中の１の個数は５個であり，１は奇数個あるため送信者はパリティビット「１」を付加し，送信することになる。ここで，受信データに誤りがあったときのことを考える。

①受信データに奇数個の誤りがある場合

たとえば，本来1011100と送るものを1011110と送ってしまった場合，受信データの中に１つの誤りが生じており，パリティビットは本来「０」を付加しなければならないところ「１」と送っており，受信したデータとパリティビットのうちで合計２つの誤りが生じていることがわかる。

②受信データに偶数個の誤りがある場合

本来1000000と送るものを1011110と送ってしまった場合，受信データの中に４つの誤りが生じている。受信データに偶数個の誤りがある場合，いずれも１は奇数個になるので，パリティビット「１」に関して誤りは生じていない。そのため，受信データとパリティビットで合計４つの誤りが生じていることがわかる。

以上より，①のように受信データに奇数個の誤りがあった場合はパリティビットも誤りとなり合計偶数個の誤りが生じ，②のように受信データに偶数個の誤りがあった場合，パリティビットは問題なく付加されるため，合計偶数個の誤りが生じる。

よって正答は**1**である。

正答　1

表計算

情報

ある店は，新商品のアイスクリームを開発し，事前に販売数を予測したうえで，１～６月まで販売した。表計算ソフトウェアを使って表Ⅰのシートを作成し，セル範囲B2～G2に月ごとの実際の販売数を，セル範囲B3～G3に月ごとの予測販売数を入力した。

ここで，各月の実際の販売数と予測販売数の差を調べることとしたが，その差は正と負の両方の数字があることから，差の絶対値の最大値を求めるため，最大値を求める関数（MAX関数）と最小値を求める関数（MIN関数）を使うこととし，次の①，②，③の作業を行い，表ⅠのセルB6に差の絶対値の最大値を表示させた。このとき，セルB6に入力した計算式として最も妥当なのは，次のうちではどれか。

ただし，使用する表計算ソフトウェアの説明は表Ⅱのとおりである。

【国家専門職・令和６年度】

作業　①セルB４に計算式（B２-B３）を入力する。
　　　②セルB４をセル範囲C４～G４に複写する。
　　　③セルB６に計算式を入力する。

表Ⅰ

	A	B	C	D	E	F	G
1	月	1	2	3	4	5	6
2	実際の販売数	60	90	140	170	180	250
3	予測販売数	71	88	120	198	203	225
4	実際の販売数と予測販売数の差	−11	2	20	−28	−23	25
5							
6	差の絶対値の最大値						

セルB６

表Ⅱ

用語	説明
セル	表を作成するときの基本となるマス目。その中に値や計算式を入力する（計算式を入力する場合は，計算結果の値を表示する。）。シート内のセルの位置は，列名に行番号を付けたセル番地で表現される。たとえば，セルB5は列Bの5行目のセルをさす。
セル範囲	開始のセル番地～終了のセル番地という形で指定する。たとえば，セル範囲B2～G2は，2行目の列Bから列Gまでの範囲をさす。
複写	セルやセル範囲の参照を含む計算式を複写した場合，相対的な位置関係を保つように，参照する列，行が変更される。
MAX（セル範囲）	セル範囲に含まれる数値のうち，最大の数値を返す。
MAX（数値１，数値２）	数値1と数値2のうち，大きいほうの数値を返す。
MIN（セル範囲）	セル範囲に含まれる数値のうち，最小の数値を返す。
MIN（数値１，数値２）	数値1と数値2のうち，小さいほうの数値を返す。

1　－MAX（MAX（B４～G４），MIN（B４～G４））
2　MAX（MAX（B４～G４），－MIN（B４～G４））
3　MAX（MAX（B４～G４），MIN（B４～G４））
4　－MIN（MAX（B４～G４），－MIN（B４～G４））
5　MIN（MAX（B４～G４），MIN（B４～G４））

解説

差の絶対値（０からの距離）が重要なので，表1中のB４～G４までのセルの範囲に着目し考察する。その際に，表Ⅰには単純な差だけ記されており，プラスとマイナスが混在していることに注意し，それぞれ別々で考える。

表計算の問題は，関数が多く含まれるため一見難易度が高そうに見えるが，基本的にその関数がどのような計算をし，値を返すかの説明がされていることが多い。

STEP❶　最大値を求める。

MAX（セル範囲）について，MAX（B４～G４）であれば，その範囲内で数値として最大値である25（セルG４）が返される。

STEP❷　最小値を求める。

範囲内の最小値を返すMIN（B４～G４）を入力すると，－28（セルE４）が返される。ただ，本問は絶対値が重要であり，このままではMINで出力された数値がマイナスなので，－MIN（B４～G４）としなければならないことに注意する。

STEP❸　絶対値の大小について上記の２つを比べる。

表ⅡのMAX（数値１, 数値２）を用いて，MAX（MAX（B４～G４），－MIN（B４～G４））とすることで，差の絶対値の最大値を出力することができる。

よって正答は**2**である。

【別解】

このような問題は，まず表Ⅰから，差の絶対値の最大値はセルE４の28と確認した後に，選択肢のすべてを算出してみることも効果的である。

1×　カッコ内を計算すると－MAX（25，－28）となり，返される値は－25となり不適。
2◎　カッコ内を計算するとMAX（25，28）となり，返される値は28となり適している。
3×　カッコ内を計算するとMAX（25，－28）となり，返される値は25となり不適。
4×　カッコ内を計算すると－MIN（25，28）となり，返される値は－25となり不適。
5×　カッコ内を計算するとMIN（25，－28）となり，返される値は－28となり不適。

以上より，正答は**2**である。

正答　2

令和６年度　国家一般職（基礎能力試験）一般知識分野

No.	出題内容	選択肢	キーワード	自然科学	人文科学	社会科学
25	**気象や災害を巡る最近の動き**	1	気団・気圧，熱中症警戒アラート，クーリングシェルター	地学		
		2	国連「地球沸騰化の時代が来た」，水没国のおそれ	地学	地理	
		3	気団・気圧，線状降水帯と気象庁の対応	地学		法律
		4	震度とマグニチュード，2023年トルコ地震，耐震基準	地学		
		5	山火事の原因と被害	生物	地理	
26	労働を巡る動向	1	改正労働基準法			法律
		2	改正医療法		日本史	法律
		3	女性の就業率		日本史	社会
		4	改正障害者雇用促進法			法律
		5	児童労働の排除			社会
27	各種会議やイベント	1	広島サミット，厳島神社		日本史	
		2	クールジャパン，コミックマーケット，ジャパン・エキスポ		日本史	
		3	沖縄の歴史，復帰50周年記念式典		日本史	
		4	関東大震災100年		日本史，地理	
		5	大阪・関西万博		日本史	
28	原子力を巡る動き	1	中国の核融合実験	物理，化学		
		2	北朝鮮の原子力潜水艦進水式		世界史	社会
		3	チョルノービリ原子力発電所		世界史	社会
		4	広島・長崎原爆投下		日本史	
		5	福島原子力発電所の処理水海洋放出	化学		
29	わが国の社会情勢	1	マイナンバー制度			法律
		2	最低賃金と諸外国の賃金格差			経済
		3	飲食料品値上げ，バブル経済，ブレトン・ウッズ協定			経済
		4	将棋の藤井聡太氏に総理大臣顕彰，将棋から生まれた言葉		日本史	社会
		5	車椅子テニスの国枝慎吾氏に国民栄誉賞，障害者スポーツ			社会
30	**情報**	5	誤り検出	情報		

令和６年度　国家専門職（基礎能力試験）一般知識分野

No.	出題内容	選択肢	キーワード	自然科学	人文科学	社会科学
25	近年の宇宙開発	1	アメリカのアルテミス計画，わが国の参加，発射場の地誌		地理	
		2	中国の宇宙ステーション，ロケット発射場の地誌		地理	
		3	スペースデブリの除去状況，成層圏の気温	地学		
		4	わが国のH3ロケット，種子島の地誌		地理，日本史	
		5	ロシアのロケット，カザフスタンの地誌，シルクロード		地理	
26	わが国の経済や財政の最近の動向	1	2022年の名目GDP，世界順位，高度経済成長期			経済
		2	2022年経済安全保障推進法，特許権の存続期間			経済
		3	令和４年度一般会計予算			経済
		4	2023年７月分の全国消費者物価指数			経済
		5	ふるさと納税制度，地方税制改革			経済
27	宗教とそれを取り巻く最近の動き	1	仏教，チベットの分離独立運動		地理，世界史	政治
		2	キリスト教，ウクライナ侵攻への対応		地理，世界史	
		3	イスラム教，アフガニスタン紛争		地理，世界史	
		4	インドの宗教，モディ政権の対応		地理，世界史	政治
		5	わが国の宗教，アニミズム，文化庁移転		日本史	
28	**資源・エネルギーを巡る最近の動き**	1	中国のレアメタル輸出規制，ガリウム，ヨウ素の性質	化学		
		2	リチウムイオン電池の性質	化学		
		3	金の小売価格，外国為替市場への影響，金閣寺		日本史	経済
		4	2023年のガソリン価格，トリガー条項，留出温度	化学		経済
		5	エネルギー基本計画，温室効果ガスの削減，ウクライナ関連			経済，社会
29	最近の社会情勢	1	難民の地位に関する条約，ウクライナからの難民支援			政治
		2	2023年９月の訪日外国人客数，エコツーリズム			社会
		3	2023年９月のモロッコ大地震，同地誌		地理，世界史	社会
		4	2023年10月パレスチナ紛争，バルフォア宣言等		世界史	社会
		5	わが国の外国人技能実習生制度，東南アジアの地誌		地理，世界史	社会
30	**情報**	2	表計算	情報		

新スーパー過去問ゼミ7

刊行に当たって

公務員試験の過去問を使った定番問題集として，公務員受験生から圧倒的な信頼を寄せられている「スー過去」シリーズ。その「スー過去」が，令和３年度以降の問題を収録して最新の出題傾向に沿った内容に見直しを図るとともに，より効率よく学習を進められるよう細部までブラッシュアップして，このたび**「新スーパー過去問ゼミ７」**に生まれ変わりました。

本シリーズは，**大学卒業程度の公務員採用試験攻略にスポットを当てた過去問ベスト・セレクション**です。**「地方上級」「国家一般職［大卒］」**試験を中心に**「国家総合職」「国家専門職」「市役所上級」**試験などに幅広く対応できる内容になっています。

公務員試験は難関といわれていますが，良問の演習を繰り返すことで，合格への道筋はおのずと開けてくるはずです。本書を開いた今この瞬間から，目標突破へ向けての着実な準備を始めてください。

あなたがこれからの公務を担う一員となれるよう，私たちも応援し続けます。

資格試験研究会

●国家公務員試験の新試験制度への対応について

令和６年度（2024年度）の大卒程度試験から，出題数の削減などの制度変更がありました。基礎能力試験の知能分野においては大幅な変更はなく，知識分野においては「時事問題を中心とし，普段から社会情勢等に関心を持っていれば対応できるような内容」への変更と，「情報に関する問題の出題」が追加されています。

各科目の知識も正誤判断の重要な要素となりえますので，令和５年度（2023年度）以前の過去問演習でポイントを押さえておくことが必要だと考えています。

制度変更の詳細や試験内容等で新しいことが判明した場合には，実務教育出版のウェブサイト，実務教育出版第二編集部X（旧Twitter）等でお知らせしますので，随時ご確認ください。

本書の構成と過去問について

本書の構成

❶学習方法・問題リスト：巻頭には，本書を使った効率的な科目の攻略のしかたをアドバイスする「**自然科学の学習方法**」と，本書に収録した全過去問を一覧できる「**掲載問題リスト**」を掲載している。過去問を選別して自分なりの学習計画を練ったり，学習の進捗状況を確認する際などに活用してほしい。

❷試験別出題傾向と対策：各章冒頭にある出題箇所表では，平成21年度以降の国家総合職，国家一般職，国家専門職，地方上級（全国型・東京都・特別区），市役所（C日程）の出題状況が一目でわかるようになっている。具体的な出題傾向は，試験別に解説を付してある。　　※市役所C日程については令和5年度試験の情報は反映されていない。

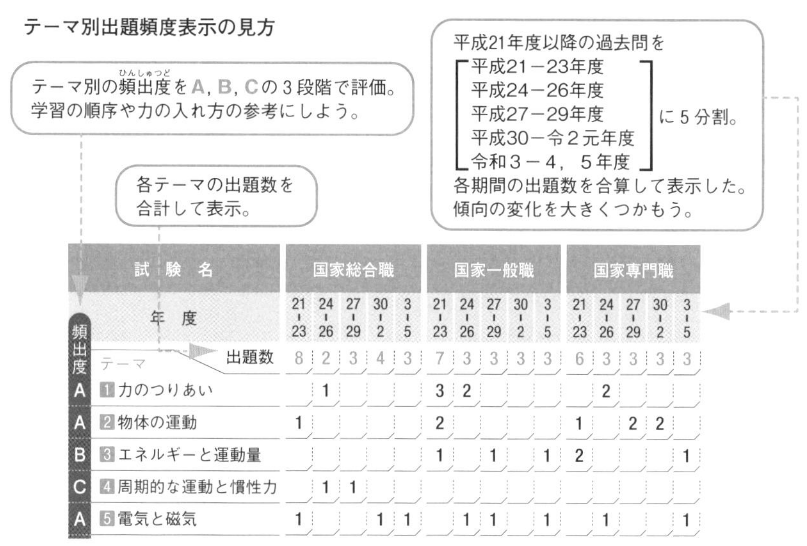
テーマ別出題頻度表示の見方
テーマ別の頻出度（ひんしゅつど）をA，B，Cの3段階で評価。
学習の順序や力の入れ方の参考にしよう。
各テーマの出題数を
合計して表示。
平成21年度以降の過去問を
平成21－23年度
平成24－26年度
平成27－29年度
平成30－令2元年度
令和3－4，5年度
に5分割。
各期間の出題数を合算して表示した。
傾向の変化を大きくつかもう。

頻出度	試験名	国家総合職					国家一般職					国家専門職				
	年度	21-23	24-26	27-29	30-2	3-5	21-23	24-26	27-29	30-2	3-5	21-23	24-26	27-29	30-2	3-5
	テーマ　出題数	8	2	3	4	3	7	3	3	3	3	6	3	3	3	3
A	1 力のつりあい		1				3	2					2			
A	2 物体の運動	1					2					1		2	2	
B	3 エネルギーと運動量						1		1		1	2				1
C	4 周期的な運動と慣性力		1	1												
A	5 電気と磁気	1			1	1		1	1		1		1			1

※令和2年度試験の情報については，新型コロナウイルス感染拡大により試験が延期された影響で，掲載できなかったところがある。

❸必修問題：各テーマのトップを飾るにふさわしい，合格のためには必ずマスターしたい良問をピックアップ。解説は，各選択肢の正誤ポイントをズバリと示す「**1行解説**」，解答のプロセスを示す「**STEP解説**」など，効率的に学習が進むように配慮した。また，正答を導くための指針となるよう，問題文中に以下のポイントを示している。

　　　　（アンダーライン部分）：正誤判断の決め手となる記述

　　　　（色が敷いてある部分）：覚えておきたいキーワード

「**FOCUS**」には，そのテーマで問われるポイントや注意点，補足説明などを掲載している。

必修問題のページ上部に掲載した「**頻出度**」は，各テーマをA，B，Cの3段階で評価し，さらに試験別の出題頻度を「★」の数で示している（★★★：最頻出，★★：頻出，★：過去15年間に出題実績あり，―：過去15年間に出題なし）。

❹POINT：これだけは覚えておきたい最重要知識を，図表などを駆使してコンパクトにまとめた。問題を解く前の知識整理に，試験直前の確認に活用してほしい。

❺実戦問題：各テーマの内容をスムーズに理解できるよう，バランスよく問題を選び，詳しく解説している。問題ナンバー上部の「＊」は，その問題の「**難易度**」を表しており（＊＊＊が最難），また，学習効果の高い重要な問題には♦マークを付している。

♦ ＊＊ No.2　必修問題と♦マークのついた問題を解いていけば，スピーディーに本書をひととおりこなせるようになっている。

なお，収録問題数が多いテーマについては，「**実戦問題❶**」「**実戦問題❷**」のように問題をレベル別またはジャンル別に分割し，解説を参照しやすくしている。

❻索引：巻末には，POINT等に掲載している重要語句を集めた用語索引がついている。用語の意味や定義の確認，理解度のチェックなどに使ってほしい。

本書で取り扱う試験の名称表記について

本書に掲載した問題の末尾には，試験名の略称および出題年度を記載している。

①**国家総合職**：国家公務員採用総合職試験，
国家公務員採用Ⅰ種試験（平成23年度まで）

②**国家一般職**：国家公務員採用一般職試験［大卒程度試験］，
国家公務員採用Ⅱ種試験（平成23年度まで）

③**国家専門職**：国家公務員採用専門職試験［大卒程度試験］，
国税専門官採用試験

④**地方上級**：地方公務員採用上級試験（都道府県・政令指定都市）

（全国型）：広く全国的に分布し，地方上級試験のベースとなっている出題型

（東京都）：東京都職員Ⅰ類B採用試験

（特別区）：特別区（東京23区）職員Ⅰ類採用試験

※地方上級試験については，実務教育出版が独自に分析し，「全国型」「関東型」「中部・北陸型」「法律・経済専門タイプ」「その他の出題タイプ」「独自の出題タイプ（東京都，特別区など）」の６つに大別している。

⑤**市役所**：市役所職員採用上級試験（政令指定都市以外の市役所）

※市役所上級試験については，試験日程によって「Ａ日程」「Ｂ日程」「Ｃ日程」の３つに大別している。また，「Standard」「Logical「Light」という出題タイプがあるが，本書では大卒程度の試験で最も標準的な「Standard-Ⅰ」を原則として使用している。

本書に収録されている「過去問」について

①平成９年度以降の国家公務員試験の問題は，人事院により公表された問題を掲載している。地方上級の一部（東京都，特別区）も自治体により公表された問題を掲載している。それ以外の問題は，受験生から得た情報をもとに実務教育出版が独自に編集し，復元したものである。

②問題の論点を保ちつつ問い方を変えた，年度の経過により変化した実状に適合させた，などの理由で，問題を一部改題している場合がある。また，人事院などにより公表された問題も，用字用語の統一を行っている。

CONTENTS

公務員試験　新スーパー過去問ゼミ７

自然科学

特　集　国家公務員試験の新出題（時事・情報）を徹底解説！

物　理

化　学

生 物

地 学

数 学

カバー・本文デザイン／小谷野まさを　書名ロゴ／早瀬芳文

自然科学の学習方法

●公務員試験における自然科学

❶出題の特徴

公務員試験の教養試験（基礎能力試験）における自然科学分野は，主に**物理**，**化学**，**生物**，**地学**，**数学の５つの科目**から構成されている。

それぞれの科目の出題数は，各試験とも**１～２題**であり，試験によっては出題されない科目もある。また，国家公務員試験においては，自然科学分野から３題の出題となっているので，年度によって出題されない科目がある。

❷出題の内容と傾向

どの科目も，中学校・高校の教科書のレベルの内容を問うような問題が中心となっている。以前は難解な問題や応用問題も見られたが，近年は**基本重視の傾向**が見られ，基礎的な知識や公式を覚えていれば解けてしまうような，**比較的易しい問題も増えている**。

また，ここ数年ニュース等でたびたび話題になっているような事柄を題材にした問題や，科目横断的な問題も散見される。

物理：計算や推論によって答えを求めて正答を見つけさせるものが多いが，記述内容の正誤を判定させる形式の出題も見られる。内容としては高校の物理が中心であるが，新技術の動向や時事的なトピックなどが取り上げられることも多い。

頻出分野としては力学が中心で，電磁気学がそれに次ぐが，近年は波動からの出題も増加している。

化学：一部のテーマで計算問題が出題されるものの，記述内容の正誤を判定させる形式が主である。高校で学習する内容が中心であるが，出題範囲がとても広く，学習すべき内容はかなり多い。

出題傾向についても見えづらく，試験によって出題されるテーマがかなり違う。詳しくは化学の試験別出題傾向と対策（→P.116）を参照のこと。

生物：記述内容の正誤を判定させる形式がほとんどである。出題の範囲は広く，高校のレベルを超えるような内容や，医療・保健・衛生などの分野からの最新の知見をもとにした出題も見られる。

出題傾向は，試験ごとに比較的はっきりしている。詳しくは生物の試験別出題傾向と対策（→P.220）を参照のこと。

地学：記述内容の正誤を判定させる形式が大半を占めるが，時折計算問題が出題されることもある。難問と呼べる問題は少なく，高校の「地学基礎」の教科書レベルの基本的な内容を問うものがほとんどである。多少物理や化学などの知識が必要とされるような複合的な出題も見られるものの，難易度は高くない。

頻出テーマは比較的はっきりしており，地球の運動と太陽系，地球の内部構造と地震，大気と海洋を軸にして周辺知識を問うような出題が多い。

数学：計算によって答えを出して正答を見つけさせる形式がほとんどであるが，なかには記述の内容の正誤を判定させたり，正しい図形やグラフを選ばせる形式もある。内容は，中学・高校で学ぶことにほぼ限られており，特に高校１年の学習内容が半数近くを占める。

「数的推理」との兼ね合いもあるので，数学として出題されるテーマは，数と式，関数とグラフが中心となっている。なお，平成24年度試験から，国家公務員試験においては数学の出題が見られなくなっているので注意が必要である。

●効果的な学習方法・対策

自然科学は，かなり広範囲の分野から出題されるので，すべてのテーマに向き合って取り組んでいては，いくら学習時間があっても追いつかない。出題数が少なく，場合によってはまったく出題されない可能性もあるので，**深追いは禁物**である。自分が受験する試験の出題傾向をチェックして，その**傾向に合わせて頻出テーマを中心に学習を進める**といった戦略が必要になるだろう。

物理，化学，数学については，理論的な理解度が問われるような問題や，とっつきづらい計算問題も少なくないため，この分野を苦手とする受験生が短期間で効果を上げるのは難しいかもしれない。しかしながら，前述したとおり，基礎的な知識があるだけで正答を導けるような問題も多いので，学習に取り組んでさえいれば，断片的な知識でも選択肢を絞れる可能性は高い。「計算が苦手」「高校で履修していない」などといった理由で**安易に捨て科目・捨てテーマを作らず，頻出テーマ以外のところも広く浅く押さえておきたい**。

それに対して，生物と地学はほぼ知識中心の暗記科目と考えてよいので，集中的な学習によって比較的短期間に効果を上げることは可能であろう。

また，近年の科学技術や医療・保健・衛生の動向，環境問題，自然災害などの話題に関する知識があれば解ける問題もあるので，**時事用語集やニュースなどをチェックしておくことは，自然科学対策としても重要である**。

物理：物理はいわゆる「捨て科目」にする人が多いが，公式を覚えていれば解けるような基礎レベルの出題も多いので，過去何度も出題されているような典型的な問題の解き方はぜひとも押さえておきたい。他の受験生に差をつけるチャンスと思って取り組んでほしい。

化学：広範囲から満遍なく出題されていて，なおかつ頻出テーマのみに絞って学習することが科目の特性上難しいので，対策は立てづらい。出題傾向を参考にしつつも，広く浅く網羅的な学習をしておく必要がある。

生物：覚えるべき絶対量が多いので，受験する試験の頻出テーマから学習を始め，そこから範囲を広げるような形で学習を進めるとよいだろう。

地学：頻出テーマを中心に知識を整理するようにしたい。1題のみの出題がほとんどなので，あまり深追いせず，広く浅く効率よく学習を進めていきたい。

数学：「一般知能（特に数的推理）」の学習の延長として取り組むとよいだろう。試験ごとに頻出テーマはかなり限定されているので，受験する試験に照準を合わせて対策を練りたい。

合格者に学ぶ「スー過去」活用術

公務員受験生の定番問題集となっている「スー過去」シリーズであるが，先輩たちは本シリーズをどのように使って，合格を勝ち得てきたのだろうか。弊社刊行の『公務員試験受験ジャーナル』に寄せられた「合格体験記」などから，傾向を探ってみた。

自分なりの「戦略」を持って学習に取り組もう！

テーマ1から順番に一つ一つじっくりと問題を解いて，わからないところを入念に調べ，納得してから次に進む……という一見まっとうな学習法は，すでに時代遅れになっている。

合格者は，初期段階でおおまかな学習計画を立てて，戦略を練っている。まずは各章冒頭にある「試験別出題傾向と対策」を見て，自分が受験する試験で各テーマがどの程度出題されているのかを把握し，「掲載問題リスト」を利用するなどして，**いつまでにどの程度まで学習を進めればよいか，学習全体の流れをイメージ**しておきたい。

完璧をめざさない！ザックリ進めながら復習を繰り返せ！

本番の試験では，6～7割の問題に正答できればボーダーラインを突破できる。裏を返せば**3～4割の問題は解けなくてもよい**わけで，完璧をめざす必要はまったくない。

受験生の間では，**「問題集を何周したか」**がしばしば話題に上る。問題集は，1回で理解しようとジックリ取り組むよりも，初めはザックリ理解できた程度で先に進んでいき，何回も繰り返し取り組むことで徐々に理解を深めていくやり方のほうが，学習効率は高いとされている。**合格者は「スー過去」を繰り返しやって，得点力を高めている。**

すぐに解説を読んでもOK！考え込むのは時間のムダ！

合格者の声を聞くと**「スー過去を参考書代わりに読み込んだ」**というものが多く見受けられる。科目の攻略スピードを上げようと思ったら「ウンウンと考え込む時間」は一番のムダだ。過去問演習は，解けた解けなかったと一喜一憂するのではなく，**問題文と解説を読みながら正誤のポイントとなる知識を把握して記憶することの繰り返し**なのである。

分量が多すぎる！という人は，自分なりに過去問をチョイス！

広い出題範囲の中から頻出のテーマ・過去問を選んで掲載している「スー過去」ではあるが，この分量をこなすのは無理だ！と敬遠している受験生もいる。しかし，**合格者もすべての問題に取り組んでいるわけではない。**必要な部分を自ら取捨選択することが，最短合格のカギといえる（次ページに問題の選択例を示したので参考にしてほしい）。

書き込んでバラして……「スー過去」を使い倒せ！

補足知識や注意点などは本書に直接書き込んでいこう。**書き込みを続けて情報を集約していくと本書が自分オリジナルの参考書になっていく**ので，インプットの効率が格段に上がる。それを繰り返し「何周も回して」いくうちに，反射的に解答できるようになるはずだ。

また，分厚い「スー過去」をカッターで切って，章ごとにバラして使っている合格者も多い。**自分が使いやすいようにカスタマイズ**して，「スー過去」をしゃぶり尽くそう！

学習する過去問の選び方

●具体的な「カスタマイズ」のやり方例

本書は全263問の過去問を収録している。分量が多すぎる！と思うかもしれないが，合格者の多くは，過去問を上手に取捨選択して，自分に合った分量と範囲を決めて学習を進めている。

以下，お勧めの例をご紹介しよう。

❶必修問題と💎のついた問題に優先的に取り組む！

当面取り組む過去問を，各テーマの「**必修問題**」と💎マークのついている「**実戦問題**」に絞ると，およそ全体の４割の分量となる。これにプラスして各テーマの「**POINT**」をチェックしていけば，この科目の典型問題と正誤判断の決め手となる知識の主だったところは押さえられる。

本試験まで時間がある人もそうでない人も，ここから取り組むのが定石である。まずはこれで１周（問題集をひととおり最後までやり切ること）してみてほしい。

❶を何周かしたら次のステップへ移ろう。

❷取り組む過去問の量を増やしていく

❶で基本は押さえられても，❶だけでは演習量が心もとないので，取り組む過去問の数を増やしていく必要がある。増やし方としてはいくつかあるが，このあたりが一般的であろう。

◎**基本レベルの過去問を追加**（難易度「＊」の問題を追加）
◎**受験する試験種の過去問を追加**
◎**頻出度Ａのテーマの過去問を追加**

これをひととおり終えたら，前回やったところを復習しつつ，まだ手をつけていない過去問をさらに追加していくことでレベルアップを図っていく。

もちろん，あまり手を広げずに，ある程度のところで折り合いをつけて，その分復習に時間を割く戦略もある。

●掲載問題リストを活用しよう！

「**掲載問題リスト**」では，本書に掲載された過去問を一覧表示している。

受験する試験や難易度・出題年度等を基準に，学習する過去問を選別する際の目安としたり，チェックボックスを使って学習の進捗状況を確認したりできるようになっている。

効率よくスピーディーに学習を進めるためにも，積極的に利用してほしい。

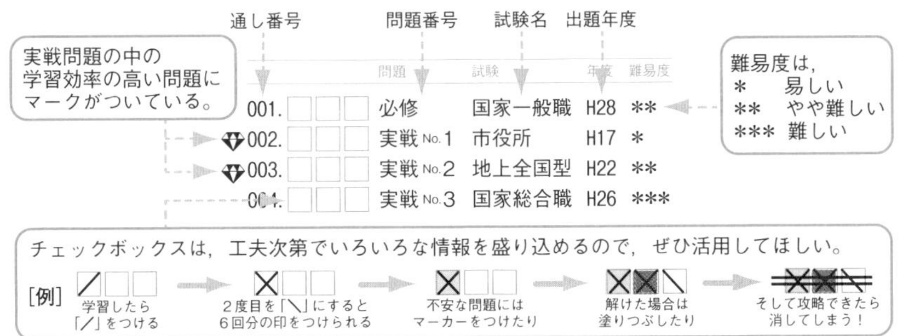

掲載問題リスト

本書に掲載した全262問を一覧表にした。□に正答できたかどうかをチェックするなどして，本書を上手に活用してほしい。

物理

第1章 物理

テーマ1 力のつりあい

			問題	試験	年度	難易度
	001.	□□□	必修	国家一般職	H24	**
◆	002.	□□□	実戦No.1	地上全国型	H26	*
◆	003.	□□□	実戦No.2	地上特別区	R元	*
◆	004.	□□□	実戦No.3	地上東京都	R2	*
	005.	□□□	実戦No.4	国家一般職	H26	**
	006.	□□□	実戦No.5	国家総合職	H16	*
◆	007.	□□□	実戦No.6	地上特別区	H16	**
	008.	□□□	実戦No.7	地上東京都	H17	***

テーマ2 物体の運動

			問題	試験	年度	難易度
	009.	□□□	必修	国家一般職	H17	*
◆	010.	□□□	実戦No.1	地方上級	H15	*
	011.	□□□	実戦No.2	地方上級	H14	**
◆	012.	□□□	実戦No.3	国家一般職	H23	*
◆	013.	□□□	実戦No.4	国家専門職	H29	*
	014.	□□□	実戦No.5	地上特別区	H27	**
◆	015.	□□□	実戦No.6	地上全国型	H19	**
	016.	□□□	実戦No.7	国家専門職	H21	**

テーマ3 エネルギーと運動量

			問題	試験	年度	難易度
	017.	□□□	必修	国家専門職	H23	**
◆	018.	□□□	実戦No.1	市役所	H17	*
◆	019.	□□□	実戦No.2	地上特別区	H17	**
	020.	□□□	実戦No.3	地上特別区	H15	*
◆	021.	□□□	実戦No.4	国家一般職	R3	*
	022.	□□□	実戦No.5	地上特別区	H18	**

テーマ4 周期的な運動と慣性力

			問題	試験	年度	難易度
	023.	□□□	必修	地上特別区	H25	**
◆	024.	□□□	実戦No.1	地上全国型	H25	**
◆	025.	□□□	実戦No.2	国家専門職	R元	**
	026.	□□□	実戦No.3	地上特別区	H14	*

テーマ5 電気と磁気

			問題	試験	年度	難易度
	027.	□□□	必修	地上全国型	R3	*
	028.	□□□	実戦No.1	市役所	H27	*
◆	029.	□□□	実戦No.2	地上特別区	H21	*
◆	030.	□□□	実戦No.3	地上特別区	H30	*
◆	031.	□□□	実戦No.4	地上特別区	H12	*
	032.	□□□	実戦No.5	国家一般職	H25	**
◆	033.	□□□	実戦No.6	地上東京都	H19	*
◆	034.	□□□	実戦No.7	地上東京都	H21	*
	035.	□□□	実戦No.8	地上特別区	R3	*
	036.	□□□	実戦No.9	地上全国型	H24	**

テーマ6 波動

			問題	試験	年度	難易度
	037.	□□□	必修	地上特別区	R4	*
◆	038.	□□□	実戦No.1	地上特別区	H19	*
◆	039.	□□□	実戦No.2	裁判所	R4	*
	040.	□□□	実戦No.3	地方上級	H17	*
◆	041.	□□□	実戦No.4	地上東京都	H15	**
◆	042.	□□□	実戦No.5	地上特別区	R2	*
	043.	□□□	実戦No.6	国家一般職	H16	**
◆	044.	□□□	実戦No.7	地上東京都	H20	**

テーマ7 熱と原子／その他

			問題	試験	年度	難易度
	045.	□□□	必修	地上東京都	R4	**
◆	046.	□□□	実戦No.1	地上東京都	H26	*
	047.	□□□	実戦No.2	国家総合職	H22	**
◆	048.	□□□	実戦No.3	地上特別区	H15	*
◆	049.	□□□	実戦No.4	市役所	H30	*
	050.	□□□	実戦No.5	国家専門職	H19	**

第2章 化 学

テーマ1 基礎理論

			問題	試験	年度	難易度
	051.	□□□	必修	地上特別区	H26	**
	052.	□□□	実戦No.1	地上特別区	H30	**
	053.	□□□	実戦No.2	国家専門職	H30	**
◆	054.	□□□	実戦No.3	国家総合職	H22	**
◆	055.	□□□	実戦No.4	地上全国型	H23	**
◆	056.	□□□	実戦No.5	国家専門職	H20	*
	057.	□□□	実戦No.6	地上特別区	H29	*
◆	058.	□□□	実戦No.7	国家専門職	H18	**
	059.	□□□	実戦No.8	国家総合職	R4	**
◆	060.	□□□	実戦No.9	地上東京都	H25	**
◆	061.	□□□	実戦No.10	地上東京都	R2	*
	062.	□□□	実戦No.11	地上特別区	R4	*

テーマ2 物質の変化Ⅰ（酸化・還元）

			問題	試験	年度	難易度
	063.	□□□	必修	国家一般職	H18	**
◆	064.	□□□	実戦No.1	地上東京都	R3	**
	065.	□□□	実戦No.2	地上特別区	H28	**
	066.	□□□	実戦No.3	国家専門職	H29	**
	067.	□□□	実戦No.4	地上特別区	H14	**
◆	068.	□□□	実戦No.5	国家総合職	H26	***

テーマ3 物質の変化Ⅱ（酸・塩基など）

			問題	試験	年度	難易度
	069.	□□□	必修	国家総合職	R2	***
	070.	□□□	実戦No.1	国家一般職	H13	*
	071.	□□□	実戦No.2	地上全国型	H21	**
	072.	□□□	実戦No.3	地上全国型	R3	*
◆	073.	□□□	実戦No.4	地上全国型	H19	***
◆	074.	□□□	実戦No.5	地上全国型	H30	**

テーマ4 物質の性質

			問題	試験	年度	難易度
	075.	□□□	必修	市役所	H26	*
◆	076.	□□□	実戦No.1	国家一般職	H21	*
◆	077.	□□□	実戦No.2	地上東京都	H18	*
◆	078.	□□□	実戦No.3	地上特別区	H29	*
◆	079.	□□□	実戦No.4	地上特別区	R5	**
◆	080.	□□□	実戦No.5	国家一般職	H23	**
	081.	□□□	実戦No.6	地上特別区	H19	**
	082.	□□□	実戦No.7	国家一般職	R元	**
◆	083.	□□□	実戦No.8	地上特別区	R元	*
	084.	□□□	実戦No.9	地上東京都	R4	*
◆	085.	□□□	実戦No.10	地方全国型	H29	*
	086.	□□□	実戦No.11	国家総合職	H19	**
	087.	□□□	実戦No.12	地上東京都	H14	**
◆	088.	□□□	実戦No.13	国家専門職	H17	***
	089.	□□□	実戦No.14	国家総合職	H21	***

テーマ5 有機化合物の構造と反応

			問題	試験	年度	難易度
	090.	□□□	必修	国家総合職	H20	**
	091.	□□□	実戦No.1	地上特別区	H20	*
◆	092.	□□□	実戦No.2	地上東京都	H17	**
◆	093.	□□□	実戦No.3	地上全国型	H27	**
	094.	□□□	実戦No.4	地上特別区	H23	**
◆	095.	□□□	実戦No.5	国家専門職	R4	**
	096.	□□□	実戦No.6	国家一般職	H18	**
	097.	□□□	実戦No.7	国家専門職	H19	**
◆	098.	□□□	実戦No.8	国家専門職	H17	**
◆	099.	□□□	実戦No.9	地上特別区	H14	**
	100.	□□□	実戦No.10	国家専門職	H20	**

テーマ6 時事・環境・化学全般

			問題	試験	年度	難易度
	101.	□□□	必修	国家専門職	H21	***
	102.	□□□	実戦No.1	国家総合職	H18	**
◆	103.	□□□	実戦No.2	国家専門職	H24	***
	104.	□□□	実戦No.3	地上東京都	R元	**
	105.	□□□	実戦No.4	国家総合職	H15	***
◆	106.	□□□	実戦No.5	地上全国型	H25	***
	107.	□□□	実戦No.6	地上全国型	H26	**
	108.	□□□	実戦No.7	地上全国型	H21	***
◆	109.	□□□	実戦No.8	国家総合職	H17	**
	110.	□□□	実戦No.9	国家総合職	H29	**

第3章 生 物

テーマ 1 細胞・組織

			問題	試験	年度	難易度
	111.	□□□	必修	国家専門職	H19	**
	112.	□□□	実戦No.1	地上特別区	H27	*
	113.	□□□	実戦No.2	国家専門職	H17	**
◆	114.	□□□	実戦No.3	地方上級	H20	*
	115.	□□□	実戦No.4	地上特別区	H20	*
◆	116.	□□□	実戦No.5	国家一般職	H13	*

テーマ 2 代謝

			問題	試験	年度	難易度
	117.	□□□	必修	市役所	H21	**
	118.	□□□	実戦No.1	地上東京都	H18	*
	119.	□□□	実戦No.2	地上全国型	H18	*
	120.	□□□	実戦No.3	地上特別区	H30	*
◆	121.	□□□	実戦No.4	国家専門職	H19	**
◆	122.	□□□	実戦No.5	国家総合職	H17	**
◆	123.	□□□	実戦No.6	地上全国型	R2	*
◆	124.	□□□	実戦No.7	国家専門職	H16	**
	125.	□□□	実戦No.8	国家総合職	H22	***
◆	126.	□□□	実戦No.9	国家専門職	H20	***

テーマ 3 動物の恒常性

			問題	試験	年度	難易度
	127.	□□□	必修	国家一般職	H21	**
◆	128.	□□□	実戦No.1	地上全国型	H23	*
	129.	□□□	実戦No.2	地上特別区	H29	*
◆	130.	□□□	実戦No.3	地上特別区	R5	*
◆	131.	□□□	実戦No.4	地上特別区	H26	*
◆	132.	□□□	実戦No.5	市役所	H21	*
◆	133.	□□□	実戦No.6	市役所	H28	*
	134.	□□□	実戦No.7	市役所	H28	**
	135.	□□□	実戦No.8	地上全国型	H27	*
◆	136.	□□□	実戦No.9	市役所	H25	**
	137.	□□□	実戦No.10	地上全国型	H30	*
	138.	□□□	実戦No.11	国家専門職	H18	**
	139.	□□□	実戦No.12	国家一般職	H24	**
◆	140.	□□□	実戦No.13	国家総合職	H13	***
	141.	□□□	実戦No.14	地上東京都	R4	*
◆	142.	□□□	実戦No.15	国家専門職	H28	**
	143.	□□□	実戦No.16	地上全国型	R2	***

テーマ 4 植物の恒常性

			問題	試験	年度	難易度
	144.	□□□	必修	国家総合職	H18	**
	145.	□□□	実戦No.1	市役所	H17	**
◆	146.	□□□	実戦No.2	国家専門職	H20	***
◆	147.	□□□	実戦No.3	地上特別区	H25	**
◆	148.	□□□	実戦No.4	地上東京都	H15	**
	149.	□□□	実戦No.5	国家総合職	H16	***

テーマ 5 生殖・発生

			問題	試験	年度	難易度
	150.	□□□	必修	地上特別区	H16	**
	151.	□□□	実戦No.1	地上全国型	R3	*
	152.	□□□	実戦No.2	国家一般職	H19	**
	153.	□□□	実戦No.3	地上特別区	H20	**
◆	154.	□□□	実戦No.4	国家一般職	H17	**

テーマ 6 遺伝

			問題	試験	年度	難易度
	155.	□□□	必修	国家一般職	H28	**
◆	156.	□□□	実戦No.1	地上東京都	H21	**
	157.	□□□	実戦No.2	地上東京都	H26	*
◆	158.	□□□	実戦No.3	地上全国型	H24	**
◆	159.	□□□	実戦No.4	市役所	H27	*
◆	160.	□□□	実戦No.5	国家一般職	R4	**
◆	161.	□□□	実戦No.6	国家総合職	R元	**
	162.	□□□	実戦No.7	国家一般職	H29	***
	163.	□□□	実戦No.8	国家一般職	H18	**
	164.	□□□	実戦No.9	地上特別区	H24	**
◆	165.	□□□	実戦No.10	地上東京都	H15	**

テーマ 7 生態系

			問題	試験	年度	難易度
	166.	□□□	必修	地上特別区	H28	**
	167.	□□□	実戦No.1	地上東京都	H22	*
◆	168.	□□□	実戦No.2	国家一般職	H19	***
◆	169.	□□□	実戦No.3	地上東京都	H16	**
	170.	□□□	実戦No.4	地上特別区	H16	**
	171.	□□□	実戦No.5	国家一般職	H20	**
	172.	□□□	実戦No.6	市役所	H29	**
◆	173.	□□□	実戦No.7	国家専門職	H24	***
	174.	□□□	実戦No.8	市役所	H26	***
	175.	□□□	実戦No.9	地上特別区	R2	*
	176.	□□□	実戦No.10	国家専門職	H12	***

テーマ 8 生物全般

			問題	試験	年度	難易度
	177.	□□□	必修	国家総合職	R3	**
	178.	□□□	実戦No.1	地上全国型	H21	**
	179.	□□□	実戦No.2	地上全国型	H25	**
◆	180.	□□□	実戦No.3	国家総合職	H24	**

地学

第4章 地 学

テーマ 1 地球の運動と太陽系

			問題	試験	年度	難易度
	181.	□□□	必修	国家総合職	H29	**
	182.	□□□	実戦No.1	地上全国型	R4	**
	183.	□□□	実戦No.2	市役所	R2	*
	184.	□□□	実戦No.3	地上特別区	R2	*
◆	185.	□□□	実戦No.4	地上特別区	R4	*
	186.	□□□	実戦No.5	市役所	H29	**
	187.	□□□	実戦No.6	地上特別区	H30	**
◆	188.	□□□	実戦No.7	地上特別区	R元	*
	189.	□□□	実戦No.8	国家一般職	H20	***
	190.	□□□	実戦No.9	地上全国型	H30	**
◆	191.	□□□	実戦No.10	国家総合職	R2	**
◆	192.	□□□	実戦No.11	国家総合職	H18	**
	193.	□□□	実戦No.12	国家総合職	R3	**

テーマ 2 恒星と宇宙

			問題	試験	年度	難易度
	194.	□□□	必修	国家総合職	H25	***
	195.	□□□	実戦No.1	国家専門職	H20	**
	196.	□□□	実戦No.2	地上東京都	H26	*
◆	197.	□□□	実戦No.3	国家総合職	H13	**
◆	198.	□□□	実戦No.4	地上特別区	H25	*
◆	199.	□□□	実戦No.5	警視庁	R3	*

テーマ 3 大気と海洋

			問題	試験	年度	難易度
	200.	□□□	必修	国家総合職	R4	***
◆	201.	□□□	実戦No.1	国家一般職	H20	**
◆	202.	□□□	実戦No.2	国家一般職	H19	*
	203.	□□□	実戦No.3	地上特別区	R3	*
	204.	□□□	実戦No.4	国家総合職	R元	***
	205.	□□□	実戦No.5	国家一般職	H21	**
◆	206.	□□□	実戦No.6	地上全国型	H24	**
◆	207.	□□□	実戦No.7	国家総合職	H20	**
	208.	□□□	実戦No.8	国家総合職	H29	**

テーマ 4 天気の変化

			問題	試験	年度	難易度
	209.	□□□	必修	市役所	H29	*
◆	210.	□□□	実戦No.1	国家総合職	H21	**
◆	211.	□□□	実戦No.2	市役所	H29	*
	212.	□□□	実戦No.3	地上特別区	R4	*
◆	213.	□□□	実戦No.4	国家一般職	H18	*
	214.	□□□	実戦No.5	国家専門職	R5	**
	215.	□□□	実戦No.6	地上特別区	R3	**

テーマ 5 地球の内部構造と地震

			問題	試験	年度	難易度
	216.	□□□	必修	国家総合職	H30	**
	217.	□□□	実戦No.1	国家一般職	H21	*
	218.	□□□	実戦No.2	地上全国型	R3	*
◆	219.	□□□	実戦No.3	地上特別区	H22	*
	220.	□□□	実戦No.4	地上特別区	H26	*
◆	221.	□□□	実戦No.5	国家専門職	H22	**
	222.	□□□	実戦No.6	地上特別区	R2	*
	223.	□□□	実戦No.7	地上全国型	H21	**
◆	224.	□□□	実戦No.8	国家専門職	H27	**

テーマ 6 地球の構成物質と火山

			問題	試験	年度	難易度
	225.	□□□	必修	国家専門職	H25	**
	226.	□□□	実戦No.1	地上東京都	R2	*
	227.	□□□	実戦No.2	地上東京都	R5	**
◆	228.	□□□	実戦No.3	地上東京都	R元	*
	229.	□□□	実戦No.4	国家専門職	H26	**

テーマ 7 地球の歴史

			問題	試験	年度	難易度
	230.	□□□	必修	国家専門職	H23	*
	231.	□□□	実戦No.1	地上東京都	H28	*
	232.	□□□	実戦No.2	地上特別区	H19	**
◆	233.	□□□	実戦No.3	地上全国型	H22	*
	234.	□□□	実戦No.4	裁判所	R3	**
	235.	□□□	実戦No.5	警視庁	R3	**
	236.	□□□	実戦No.6	地上全国型	H18	***
	237.	□□□	実戦No.7	国家総合職	H16	**

数 学

第5章 数 学

テーマ 1 数と式

		問題	試験	年度	難易度
238.	□□□	必修	地方上級	H17	*
239.	□□□	実戦No.1	市役所	H16	**
240.	□□□	実戦No.2	国家一般職	H17	**
241.	□□□	実戦No.3	地上全国型	H17	**
242.	□□□	実戦No.4	市役所	H24	**
243.	□□□	実戦No.5	市役所	H17	*

テーマ 2 方程式と不等式

		問題	試験	年度	難易度
244.	□□□	必修	市役所	H21	*
245.	□□□	実戦No.1	地上特別区	H22	*
246.	□□□	実戦No.2	国家一般職	H20	**
247.	□□□	実戦No.3	地上特別区	H23	**
248.	□□□	実戦No.4	市役所	H23	**
249.	□□□	実戦No.5	地上特別区	H24	**

テーマ 3 関数とグラフ

		問題	試験	年度	難易度
250.	□□□	必修	市役所	H18	**
251.	□□□	実戦No.1	市役所	H18	**
252.	□□□	実戦No.2	国家一般職	H21	*
253.	□□□	実戦No.3	国家専門職	H17	**
254.	□□□	実戦No.4	市役所	H23	**
255.	□□□	実戦No.5	地上全国型	R4	*
256.	□□□	実戦No.6	市役所	H20	**

テーマ 4 最大値と最小値

		問題	試験	年度	難易度
257.	□□□	必修	国家専門職	H11	*
258.	□□□	実戦No.1	地方上級	H25	*
259.	□□□	実戦No.2	市役所	H16	**
260.	□□□	実戦No.3	市役所	H24	**
261.	□□□	実戦No.4	国家専門職	H17	***
262.	□□□	実戦No.5	国家一般職	H15	***
263.	□□□	実戦No.6	市役所	H17	*

物　理

第1章

試験別出題傾向と対策

頻出度	試験名	国家総合職					国家一般職					国家専門職				
	年度	21-23	24-26	27-29	30-2	3-5	21-23	24-26	27-29	30-2	3-5	21-23	24-26	27-29	30-2	3-5
	テーマ　出題数	8	2	3	4	3	7	3	3	3	3	6	3	3	3	3
A	1 力のつりあい		1				3	2					2			
A	2 物体の運動	1					2					1		2	2	
B	3 エネルギーと運動量						1		1		1	2				1
C	4 周期的な運動と慣性力		1	1												
A	5 電気と磁気	1			1	1		1	1		1		1			1
B	6 波動			1						1	1	2		1	1	1
B	7 熱と原子／その他	6		1	3	2	1		1	2		1				

物理の出題形式は，計算や推論によって正答を見つけさせるものが中心であるが，記述内容の正誤を判定させる問題もよく見受けられる。内容は**高校レベルの物理がほとんど**である。全試験を通じて，**力学**（テーマ1～4）と**電磁気学**（テーマ5）が頻出で，**波動**（テーマ6）がこれに次ぎ，近年はテーマ7のうち熱に関する出題が増加傾向にある。力学では，力のつりあい，物体の運動，エネルギーと運動量など，また，電磁気学では，電気回路の出題が多い。

問題のタイプとしては，次の①～③のように，大きく3つに分類できる。

①基本的な法則や式を使って，主に**計算**によって答えを導く問題。

②基本的な知識が正確に備わっているかどうかを**判定**する問題。

③正確な知識はもとより，論理的な考察に基づいて**推論**する能力を試す問題。

このうち，力学や電磁気学は①のタイプが多く，その他の分野は②か③のタイプが多い。なお，本書では，最近の科学事情を扱った問題は，③のタイプに含めておいた。

● 国家総合職

問題のタイプとしては，以前はほとんどが③のタイプであったが，近年①，②のタイプも出題されている。③のタイプの出題内容は，最新の科学事情や応用技術に関するもの，科学史に関するものなど，バラエティに富む。かつてはパターン化されていないハイレベルな内容の問題が多かったが，最近では高校の教科書レベルのものも出題されるようになった。

	地方上級（全国型）					地方上級（東京都）					地方上級（特別区）					市役所（C日程）				
	21-23	24-26	27-29	30-2	3-5	21-23	24-26	27-29	30-2	3-5	21-23	24-26	27-29	30-2	3-5	21-23	24-26	27-29	30-2	3-4
	3	3	3	3	3	3	3	3	3	3	9	8	6	6	8	3	4	2	5	2
テーマ1	1	1		1	1		1		1		1			1		1	2		3	
テーマ2			1			1				1		1	2			1	1			1
テーマ3				1		1		1			1	1	1		1			1		
テーマ4		1									1	1			1					
テーマ5		1	1		1	1		1	1		3	2	3	3	3		1		1	
テーマ6	1		1	1	1			1			3	3		1	1	1		1		1
テーマ7	1						2		1	2				1	2				1	

● 国家一般職

力学と電磁気学の２分野が頻出である。力学では，ニュートンの運動の法則・力学的エネルギー保存の法則など，**重要な基本法則の理解度と応用力**を試すものが多く，電磁気学その他の分野もこれに準じる。問題のタイプとしては①と②が中心であるが，③も増加傾向にある。難易度は教科書の例題程度のレベルである。

● 国家専門職

出題内容はほぼ国家一般職と同じである。レベルもこれと同程度のものが多いが，なかにはやや手の込んだハイレベルなものも見られる。力学の分野が頻出ではあるが，ほかの分野も含めて，満遍なく学習しておく必要がある。

● 地方上級

どの型においても全般的に力学の問題が多いが，電磁気学や波動からも幅広く出題されている。問題のタイプとしては①と②がほとんどである。レベルはほぼ教科書の問いか例題程度で，なかにはごく基本的な用語や法則に関する知識を問うものもよく出題されている。

● 市役所

他の試験同様，力学（特にテーマ１，２）が多いが，近年は電磁気学や波動分野も出されるようになった。タイプ，レベルともに地方上級とほぼ同程度か，またはこれよりも基本を重視したものが出題されている。

力のつりあい

必修問題

図Ⅰのように，長さ30cmの軽い棒の両端P，Qに質量1.0kgのおもりを糸でつり下げ，棒の中心に軽いばねをつないだところ，ばねが自然長から10cm伸び，棒が水平を保ってつりあった。次に，図Ⅱのように，端Pにつり下げたおもりを質量の異なるものと交換し，ばねを端Pから10cmの位置につないでつり下げたとき，棒が水平を保ってつりあった。このときのばねの自然長からの伸びはおよそいくらか。

【国家一般職・平成24年度】

1 15cm
2 20cm
3 25cm
4 30cm
5 35cm

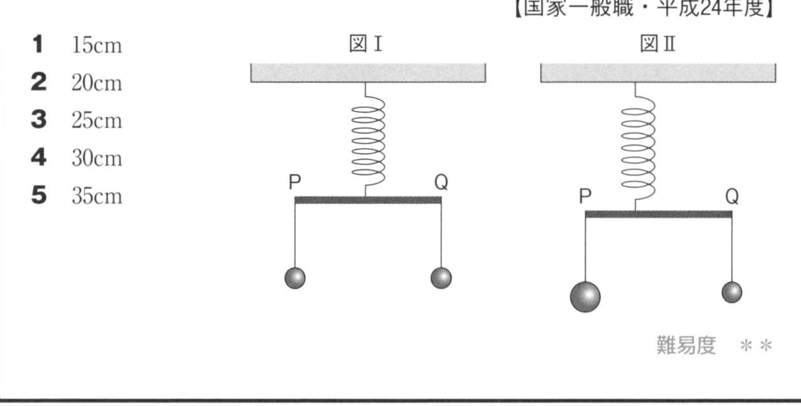

難易度 ＊＊

必修問題の解説

力のつりあいに関する基本的な問題である。１本のばねが２個のおもりを支えているから，棒PQと２個のおもりを合わせた全体を１個の物体とみなして，この物体に働く**重力**（すなわち２個のおもりに働く重力の和）と，ばねの**弾性力**とがつりあっていると考えることができる（重要ポイント２(1)）。また，おもりの重力はおもりの質量に比例する（重要ポイント１(2)）から，重力とつりあうばねの弾性力の大きさは，おもりの質量（本問の場合は２個のおもりの質量の和）に比例する。

一方，ばねの弾性力は，**フックの法則**に従って，ばねの伸びた長さ（または縮んだ長さ）に比例する（重要ポイント１(2)）。よって，ばねの伸びの長さは，おもりの質量に比例することになる。図Ⅰでは，おもりの質量の和はすぐに求められるが，図Ⅱでは棒PQのつりあいをもとに，Pにつるしたおもりの質量を求めておかなくてはならない。これには**力のモーメント**（重要ポイント３）を用いればよい。本問では棒を水平につるしているから，天秤のつりあいと同じように「**てこの原理**」が成り立ち，ばねをつるした点が，てこの支点に相当する。

以上より，本問を解くポイントは，フックの法則とてこの原理の２つである。

STEP❶　図Ⅰで，おもりの質量の和と，ばねの伸びの長さを確認する。

2個のおもりの質量はともに1.0kgであるから，合計で $1.0+1.0=2.0$〔kg〕

よって，「ばねは，2.0kgのおもりをつるすと10cm伸びる」…①

STEP❷　図Ⅱで，てこの原理を用い，Pにつるしたおもりの質量を求める。

Pにつるしたおもりの質量を m〔kg〕とすると，このおもりに働く重力（点Pで糸が棒を下向きに引く力に等しい）は，m〔kgw〕である。また，点Qで糸が棒を下向きに引く力は1.0〔kgw〕である。てこの原理により，**2つの力の大きさは支点からの距離に反比例する**から，

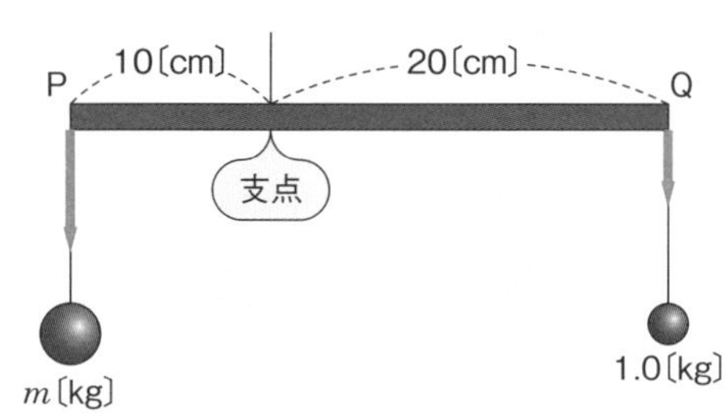

$m : 1.0 = 20 : 10$

ゆえに，$m = 1.0 \times \dfrac{20}{10} = 2.0$〔kg〕となる。

よって，「図Ⅱにおけるおもりの質量の和は，$2.0+1.0=3.0$〔kg〕である」…②

STEP❸　フックの法則を用いて，図Ⅱにおけるばねの伸びの長さを求める。

以上の事実①，②と，**つるしたおもりの質量とばねの伸びの長さが比例する**ことから，求めるばねの伸びを x〔cm〕とすると，次の比例式が得られる。

$x : 10 = 3.0 : 2.0$

ゆえに，

$$x = 10 \times \frac{3.0}{2.0} = 15〔cm〕$$

よって，**1**が正答である。

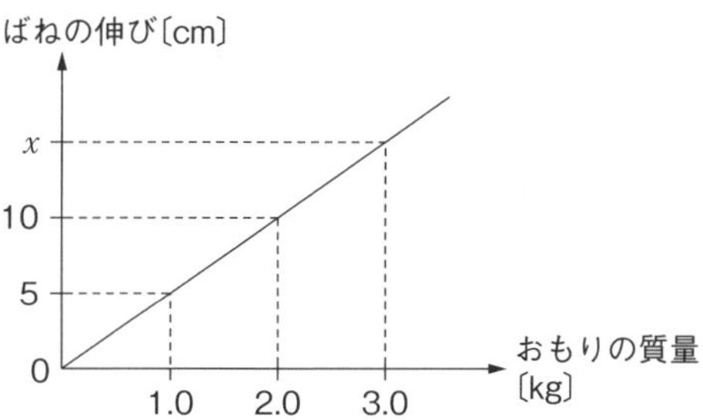

正答 1

FOCUS

力のつりあいは，物理の中で最も出題頻度の高いテーマである。かつては2力のつりあいや3力のつりあいが中心であったが，近年は，力のモーメントの出題も見られる。つりあいの問題を解くには，注目している物体が外部から受けている力をすべて図示することが出発点となる。また，力の大きさを求めるには，たとえば弾性力であればフックの法則，浮力であればアルキメデスの原理，などのように，具体的な力に関する基本法則を使いこなせるように練習しておくことが必要である。

POINT

重要ポイント 1　いろいろな力

(1) 力の種類　物体に働く力は，次の**2種類**に分類できる。

①**離れている物体どうしが及ぼし合う力**：重力，磁気力，電気力など。

②**接している物体どうしが及ぼし合う力**：張力，抗力，摩擦力，浮力など。

・物体に働く力を見つけるには，まず①を，次に②を，という順に調べるとよい。

(2) いろいろな力

①**重力**：地表面で，質量 m〔kg〕の物体に地球から働く重力の大きさ W〔N〕は，

$\boldsymbol{W = mg}$〔N〕（g は**重力加速度**，$g \fallingdotseq 9.8\,\mathrm{m/s^2}$　⇨テーマ２）

・力の重力単位を用いると，重力の大きさは m〔kgw〕である（$1\,\mathrm{kgw} \fallingdotseq 9.8\,\mathrm{N}$）。

・「**重さ**」とは**重力の大きさ**のこと。重力は，物体の重心に働くと考えてよい。

②**弾性力**：力を受けたばねのように，変形した物体が元の状態に戻ろうとして他の物体に及ぼす力。弾性力の大きさを F とすると，

$\boldsymbol{F = kx}$（**フックの法則**）

・弾性力は，ばねの伸びた長さ（または縮んだ長さ）x に比例する。

・比例定数 k を**ばね定数**（または**弾性定数**）といい，右図の直線の傾きに等しい（単位はN/m）。

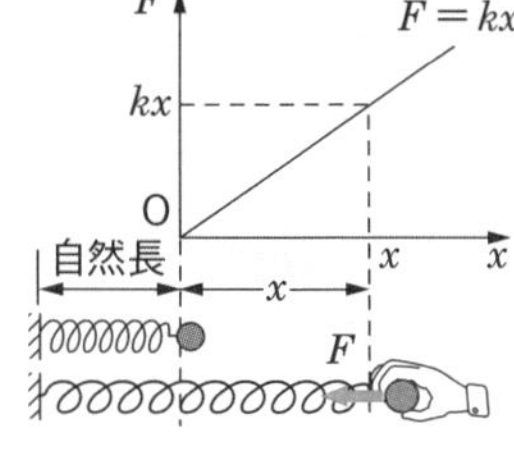

③**浮力**：液体や気体（まとめて**流体**と呼ぶ）の中の物体に働く**鉛直上向き**の力。流体中の物体の体積が V〔m^3〕，流体の密度が ρ_0〔kg/m^3〕のとき，浮力の大きさ f は，

$\boldsymbol{f = \rho_0 Vg}$〔N〕$= \boldsymbol{\rho_0 V}$〔kgw〕（**アルキメデスの原理**）

・浮力の大きさは，**流体中に存在する物体と同じ体積の流体に働く重力の大きさ**に等しい。

［注］**圧力**：単位面積当たりの面を垂直に押す力を**圧力**といい，単位には**パスカル**（記号 Pa，$1\,\mathrm{Pa} = 1\,\mathrm{N/m^2}$）が用いられる。流体中で物体が受ける浮力の大きさは，流体の圧力を物体の全表面にわたって合計したものである。

④**摩擦力**：物体と接触する面が，物体の運動を妨げようとして及ぼす力。

・**静止摩擦力**：静止している物体に働く。

$f \leqq f_{\mathrm{max}} = \mu N$（$\mu$：静止摩擦係数）

最大摩擦力 f_{max} は，垂直抗力 N に比例する。

・**動摩擦力**：運動している物体に働く。

$f' = \mu' N$（μ'：動摩擦係数）

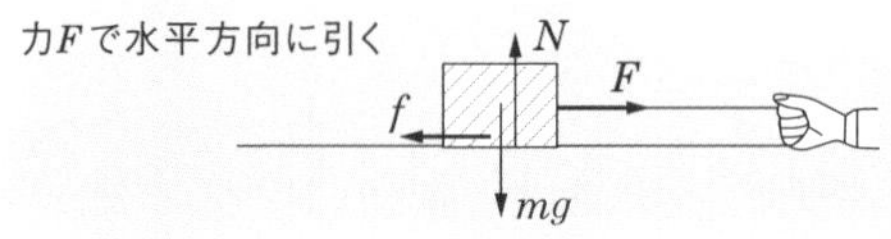

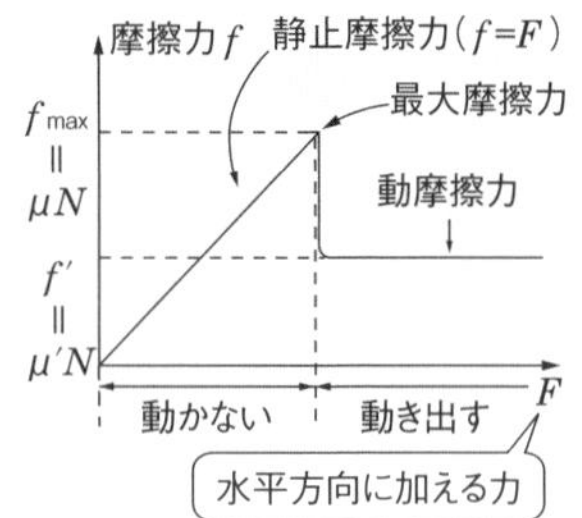

重要ポイント 2 質点に働く力のつりあい

物体の大きさを無視して，これを幾何学的な点とみなすとき，この物体を**質点**という。質点に働く力がつりあう条件は，それらの**合力が** $\vec{0}$ になることである。

質点に力 $\vec{F_1}$，$\vec{F_2}$，…，$\vec{F_n}$ が働いてつりあう $\Longleftrightarrow$ 合力 $\vec{F_1}+\vec{F_2}+\cdots+\vec{F_n}=\vec{0}$

(1) 2力のつりあい：質点に2力 $\vec{F_1}$，$\vec{F_2}$ が働いてつりあうとき，2力は**大きさが等しく，向きが反対で，同一直線上**にある。

ベクトルで表すと，$\vec{F_1}+\vec{F_2}=\vec{0}$

[2力のつりあいの例]

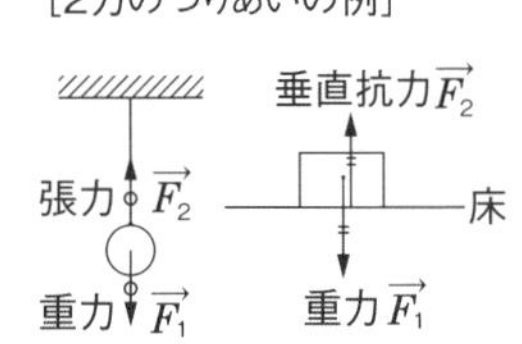

(2) 3力のつりあい：質点に3力 $\vec{F_1}$，$\vec{F_2}$，$\vec{F_3}$ が働いてつりあうとき，3力のうちの2力の合力と，残りの1つの力とが，2力のつりあいの関係にある。

ベクトルで表すと，

$\vec{F_1}+\vec{F_2}+\vec{F_3}=\vec{0}$

一般に3個以上の力が働くとき，力のベクトル和を順次求めていけば，最終的には2力のつりあいの問題に帰着できる。

[3力のつりあい]

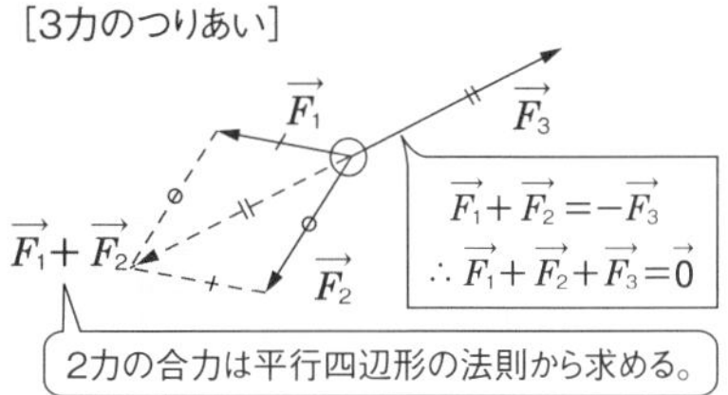

重要ポイント 3 剛体に働く力のつりあい

大きさのある物体が，力を受けても変形しないとみなせる場合に，この物体を**剛体**という。

剛体に働く力がつりあう条件は，**合力が** $\vec{0}$ であることのほかに，

力のモーメントの和＝0　：$M_1+M_2+\cdots+M_n=0$

が成り立つことが必要である。力のモーメント M_i（$i=1, 2, \cdots\cdots n$）の符号は，反時計回りを正の向き，時計回りを負の向きにとることが多い。

力のモーメントの求め方：左下図で，点Oの周りの力 F のモーメントの大きさ M は，次式で定義される。

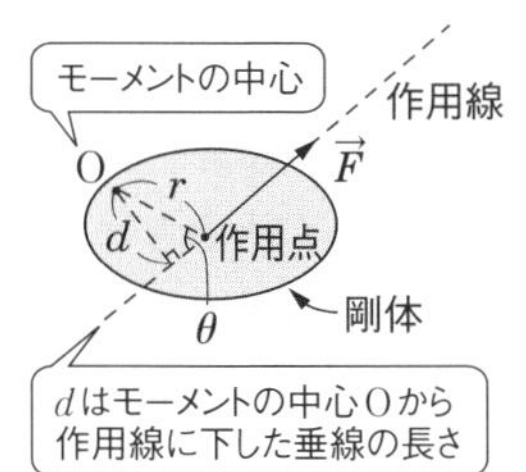

$$\boldsymbol{M=dF=rF\sin\theta}$$

［応用］**てこの原理**　支点の周りの力のモーメントのつりあいから，

$l_1W_1=l_2W_2$

$\boldsymbol{W_1 : W_2 = l_2 : l_1}$

重さは，支点からの距離に反比例する。

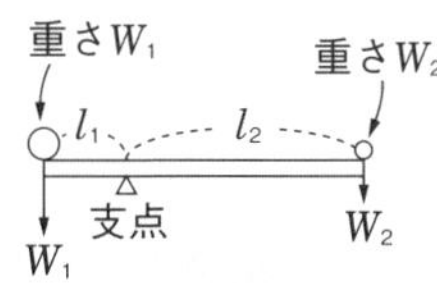

実戦問題❶　基本レベル

No.1＊ **質量1.6kgの巨大な風船がある。この中に密度1.0kg/m^{3}の気体Aを5.0m^{3}入れた。これに関する次の文中のア～オの｛　｝内から，正しいものを選んだ組合せはどれか。なお，風船の体積は気体Aの体積に等しいとみなせるものとし，風船の周りの空気の密度は1.2kg/m^3，重力加速度の大きさはg〔m/s^2〕とする。**

【地方上級（全国型）・平成26年度】

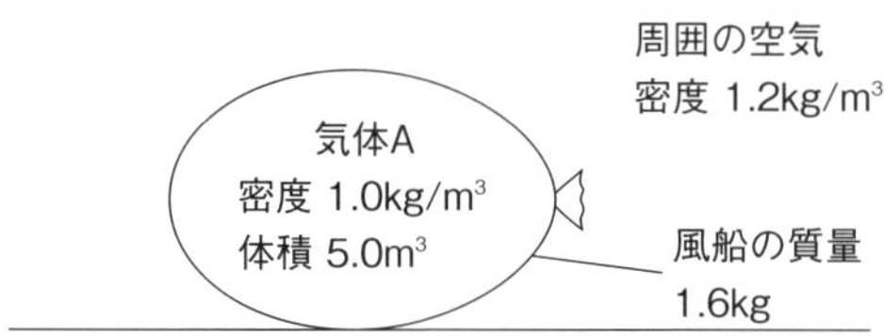

「図において，風船には重力と浮力が働いている。このとき，風船の質量と気体Aの質量の合計は（**ア**）｛6.6，7.6｝kgであり，これに重力加速度をかけた（**イ**）｛6.6g，7.6g｝Nが風船に働く重力の大きさである。一方，風船に働く浮力の大きさは，風船と同体積の空気に働く重力の大きさに等しいので，（**ウ**）｛5.0g，6.0g｝Nとなる。図の状態では，重力の大きさのほうが浮力の大きさよりも大きいため風船は宙に浮かない。しかし，気体Aの温度を上げると気体は膨張し，体積が大きくなって（**エ**）｛浮力は変わらず重力が小さく，重力は変わらず浮力が大きく｝なるため，やがて風船は宙に浮く。このとき，気体Aの体積が（**オ**）｛5.5，6.0｝m^{3}を超えた時点で風船は宙に浮く。」

	ア	イ	ウ	エ	オ
1	6.6	6.6g	5.0g	重力は変わらず浮力が大きく	6.0
2	6.6	6.6g	6.0g	重力は変わらず浮力が大きく	5.5
3	6.6	6.6g	6.0g	浮力は変わらず重力が小さく	6.0
4	7.6	7.6g	5.0g	浮力は変わらず重力が小さく	5.5
5	7.6	7.6g	6.0g	重力は変わらず浮力が大きく	6.0

No.2＊ **次の図にように，天井から２本の糸でつるされたおもりが静止している。おもりに働く重力の大きさが2Nであるとき，糸Aの張力T_Aの大きさはどれか。ただし，糸の重さは考えないものとする。**

【地方上級（特別区）・令和元年度】

1　1N　　**2**　$\frac{2}{\sqrt{3}}$N

3　$\sqrt{3}$N　　**4**　2N

5　4N

30°　30°
糸A　T_A　糸B

* No.3 下の図のように，物体に３本のひもをつなぎ，ばねはかりで水平面内の３方向に引き，静止させた。ひもＡ，Ｂ，Ｃから物体に働く力の大きさをそれぞれ F_A，F_B，F_C とするとき，これらの比として，正しいのはどれか。

【地方上級（東京都）・令和２年度】

	F_A : F_B : F_C
1	$1 : 1 : 1$
2	$1 : \sqrt{2} : 1$
3	$1 : \sqrt{2} : 2$
4	$1 : 2 : 1$
5	$\sqrt{2} : 1 : \sqrt{2}$

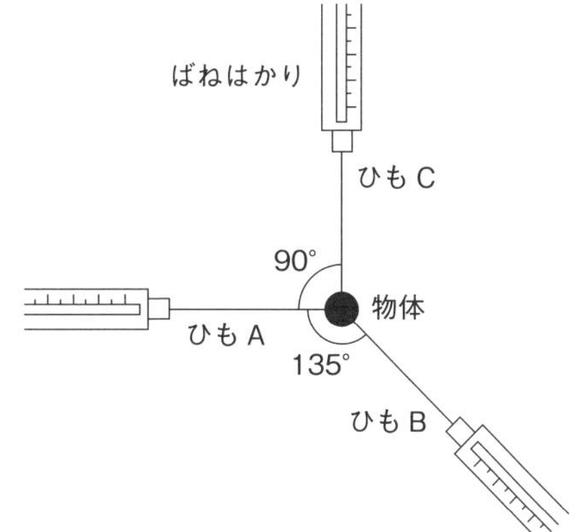

** No.4 図のように，密度 ρ〔kg/m^3〕，底面積 S〔m^2〕，高さ h〔m〕の円柱が取り付けられた同じ軽いばねが２つ天井に取り付けられている。一方を液体に $\frac{3}{4}h$〔m〕だけ浸したところ，どちらのばねも静止し，液体に浸したほうのばねの伸びは，もう一方のばねの伸びの $\frac{1}{2}$ 倍であった。このとき，この液体の密度として最も妥当なのはどれか。ただし，重力加速度の大きさは一定である。

【国家一般職・平成26年度】

1 $\frac{3}{8}\rho$〔kg/m^3〕

2 $\frac{2}{3}\rho$〔kg/m^3〕

3 $\frac{3}{4}\rho$〔kg/m^3〕

4 $\frac{4}{3}\rho$〔kg/m^3〕

5 $\frac{3}{2}\rho$〔kg/m^3〕

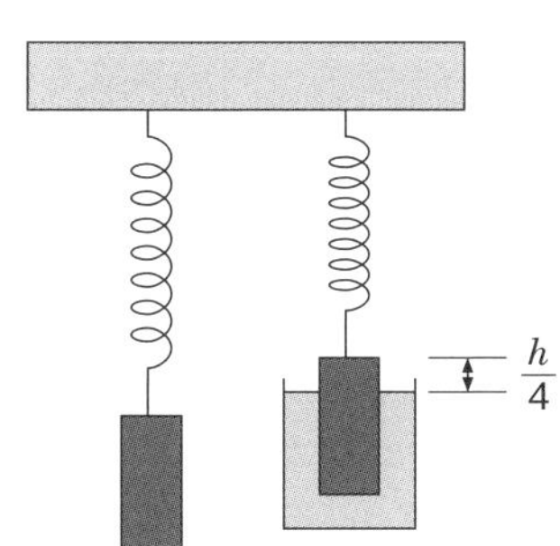

実戦問題1の解説

No.1 の解説　浮力と重力のつりあい

→ 問題はP.22　正答2

2力のつりあいに関する基本的な問題である。重力と浮力は，鉛直方向に働く力の代表例である。風船が浮き上がるかどうかは，この2力のどちらが大きいかにかかっており，風船が宙に浮く瞬間には2力がつりあっている。

STEP❶　質量の合計 m と重力の大きさ mg を求める。

一般に，密度が ρ〔kg/m^3〕で，体積が V〔m^3〕の物体の質量は ρV〔kg〕である。気体Aは，$\rho = 1.0$〔kg/m^3〕，$V = 5.0$〔m^3〕であるから，質量は，

$\rho V = 1.0 \times 5.0 = 5.0$〔kg〕

これに風船本体の質量1.6〔kg〕を加えればよいから，質量の合計 m〔kg〕は，

$m = 5.0 + 1.6 = 6.6$〔kg〕…**(ア)**

質量 m〔kg〕の物体に地球が及ぼす重力 W〔N〕は，重力加速度を g〔m/s^2〕として，$W = mg$〔N〕で与えられる（**重要ポイント1**(2)）から，

$W = mg = 6.6g$〔N〕…**(イ)**

STEP❷　体積が $V = 5.0$〔m^3〕の場合に，浮力の大きさ f を求める。

アルキメデスの原理より，物体の周囲にある流体（本問では空気）の密度を ρ_0〔kg/m^3〕，流体中に存在する物体の体積を V〔m^3〕とすると，浮力の大きさ f〔N〕は，体積 V〔m^3〕の流体に働く重力の大きさに等しい（**重要ポイント1**(2)）。よって，$f = \rho_0 Vg = 1.2 \times 5.0g = 6.0g$〔N〕…**(ウ)**

STEP❸　浮力が重力とつりあうようにするにはどうすればよいか，を考える。

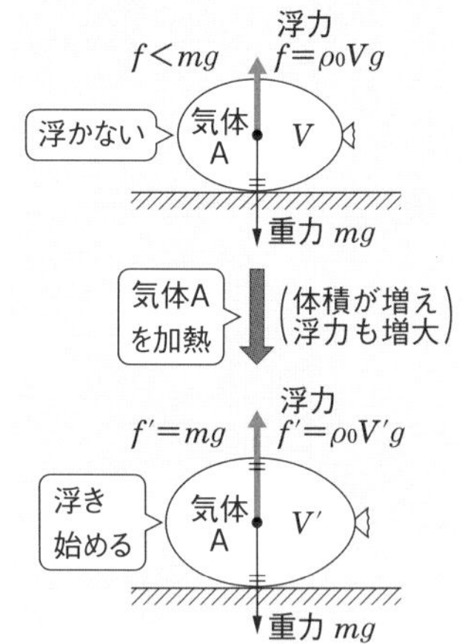

イと**ウ**の結果から，重力のほうが浮力よりも大きいことがわかる。このままでは，風船は宙に浮かない。ところが，気体Aは風船の中に密閉されており，質量の合計 m は変わらないから，重力 mg も変わらない。したがって，重力を小さくしてつりあわせることはできない。

では，**浮力を大きくするにはどうすればよいか**というと，周囲の空気の密度 ρ_0 は一定であるが，浮力が風船の体積に比例するから，気体を温めて膨張させ，体積を増やせばよい。すなわち，加熱すると，**重力は変わらず浮力が大きく**なる。　…**(エ)**

体積が増加して，やがて V'〔m^3〕になったときに浮力が重力とつりあったとすると，$\rho_0 V'g = mg$

したがって，$\rho_0 = 1.2$〔kg/m^3〕と，**ア**の $m = 6.6$〔kg〕を用いて，

$$V' = \frac{m}{\rho_0} = \frac{6.6}{1.2} = \frac{66}{12} = \frac{11}{2} = 5.5〔\mathrm{m}^3〕\quad \cdots \textbf{(オ)}$$

以上より，正答は**2**である。

No.2 の解説　2本の糸で吊るされたおもりのつりあい

→ 問題はP.22　正答4

3力のつりあいをテーマとする基本的な問題である（重要ポイント2(2)）。特に断り書きはないが，おもりは質点とみなし，その大きさは無視してよい。一般に，1個の質点に3力が働いてつりあっているとき，3力のうちの2力の合力と，残りの1つの力とが，2力のつりあいの条件を満たしている。ゆえに，2本の糸に働く**張力の合力**が，おもりの重力の大きさ2Nとつりあっている。糸は2本とも水平方向と30°の角をなしているから，糸Aの張力と糸Bの張力の大きさは等しいはずである。この点に注意して，2つの張力の合力を作図によって求め，この合力と重力とのつりあいの条件を利用すればよい。

あるいは，糸の張力を水平方向と鉛直方向の成分に分解し，鉛直方向の成分のつりあいを用いる方法も考えられる。

STEP❶　おもりに働く3つの力を矢印で記入する（図1）。

2本の糸に働く張力の大きさは等しいから，これを T〔N〕と置く。さらに，**平行四辺形の法則**を用いて2つの張力の合力を作図すると，図1に示すように，2つの張力の合力は鉛直上向きとなり，これが鉛直下向きに働く重力とつりあっている。

STEP❷　図1を用いて，合力の大きさ F を求める。

図1より，2つの張力の矢印を隣り合う2辺とする平行四辺形は，ひし形となる。また，2つの張力の矢印は120°の角をなすことから，このひし形は2つの正三角形に分割できる。よって，$F=T$　…①

図1

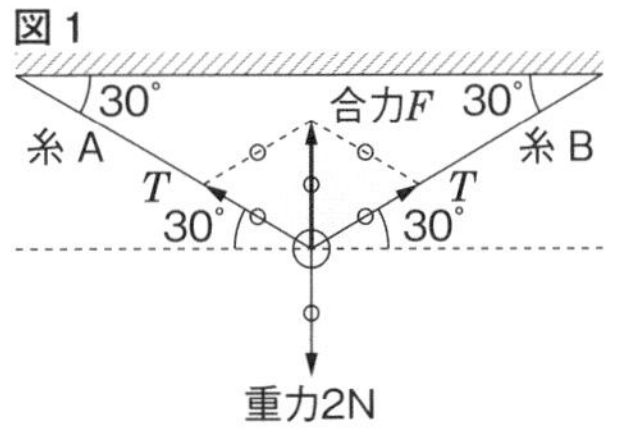

STEP❸　鉛直方向のつりあいから，残力の大きさ T を求める。

張力の合力は2Nの重力とつりあうから，$F=2$〔N〕…②

ゆえに，②式をSTEP❷の考察で導いた①式に代入して，$T=2$〔N〕

よって，**4**が正答である。

［別解］作図によって合力の大きさを求める代わりに，2つの張力を**成分に分解**し，鉛直方向成分の和を求める方法もある。図2より，水平方向成分は互いに逆向きで大きさが等しいので打ち消し合う。また，1つの張力 T の鉛直方向成分は上向きで大きさ $T\sin 30°$ であるから，2つの張力の鉛直方向成分の和は，$T\sin 30° + T\sin 30° = 2T\sin 30° = T$

これがおもりの重力2Nとつりあうから，$T=2$〔N〕

図2

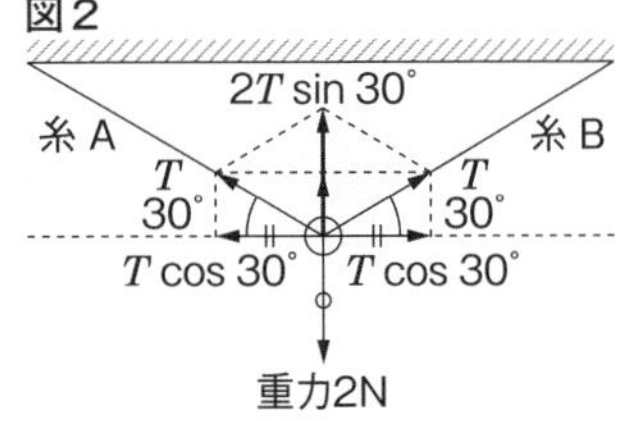

No.3 の解説　水平面内における力のつり合い　→問題はP.23　正答2

前問**No.2**と同様に，**3力のつり合い**に関する典型的な問題である。特に断り書きはないが，物体は質点とみなし，その大きさは無視してよい。また，水平面内におけるつりあいを考えているから，重力の影響は考えなくてよい。本問においても，1個の質点に3力が働いてつり合っている場合には，3力のうちの2力の合力と，残りの1つの力とが，2力のつり合いの条件を満たしている，と考えて解決できる。以下，ひもA，B，Cから物体に働く力（すなわち張力）をそれぞれ，大きさだけでなく向きも合わせたベクトル量であることを強調して，$\vec{F_A}$，$\vec{F_B}$，$\vec{F_C}$ と書くことにする。これら3力のうち，互いに90°をなしている $\vec{F_A}$ と $\vec{F_C}$ の合力と，残りの $\vec{F_B}$ とのつりあいを考えると，見通しがよさそうである（図1）。

図1

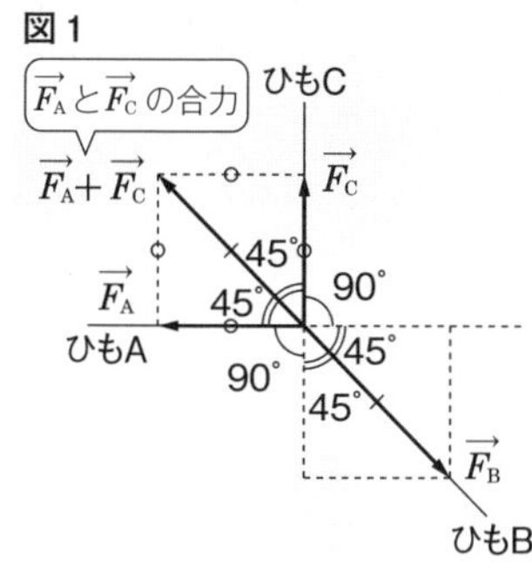

STEP❶　物体に働く3力を矢印で記入する。

平行四辺形の法則より，$\vec{F_A}$ と $\vec{F_C}$ の合力 $\vec{F_A}+\vec{F_C}$ は，$\vec{F_A}$ と $\vec{F_C}$ を隣り合う2辺とする平行四辺形の対角線で表され，かつ $\vec{F_B}$ と大きさが等しく，同一直線上にあり，互いに逆向きである。よって，ひもBを延長した直線に対して，ひもAとひもCはいずれも45°の角をなす。このように，対角線が隣り合う2辺といずれも45°の角をなすような平行四辺形は，正方形しかありえない。

STEP❷　図1を用いて，$\vec{F_A}$ の大きさ F_A と $\vec{F_C}$ の大きさ F_C の関係を求める。

図1より，$\vec{F_A}$ と $\vec{F_C}$ は正方形の隣り合う2辺をなすから，これらの大きさは相等しい。ゆえに，$F_C = F_A$　…①

STEP❸　図1を用いて，$\vec{F_A}$ の大きさ F_A と $\vec{F_B}$ の大きさ F_B の関係を求める。

図1より，$\vec{F_A}+\vec{F_C}$ の大きさは正方形の対角線の長さに等しく，これは $\vec{F_B}$ の大きさは F_B に等しい。正方形の対角線の長さは1辺の長さの $\sqrt{2}$ 倍である。ゆえに，$F_B = \sqrt{2}\,F_A$　…②

STEP❹　STEP❷，❸の考察をもとに，$F_A : F_B : F_C$ を求める。

①，②式より，

$$F_A : F_B : F_C = F_A : \sqrt{2}\,F_A : F_A = 1 : \sqrt{2} : 1$$

よって，正答は**2**である。

［注］No.2の［別解］と同様に，ひもBに働く張力 $\vec{F_B}$ を互いに直角な方向の成分に分解する方法もある。それぞれの方向のつり合いを表す式は，

$$F_A = F_B\cos 45^\circ = \frac{1}{\sqrt{2}}F_B,\quad F_C = F_B\sin 45^\circ = \frac{1}{\sqrt{2}}F_B$$

No.4 の解説　浮力と弾性力の合力と，重力とのつりあい　→問題はP.23　正答2

鉛直方向の力のつりあいに関する標準的かつ典型的な問題である。ばねの弾性力に関しては**フックの法則**，浮力に関しては**アルキメデスの原理**を用いて，それぞれの円柱について力のつりあいの式を立てる。

STEP❶　液体に浸していないほうの円柱について，つりあいの式を立てる。

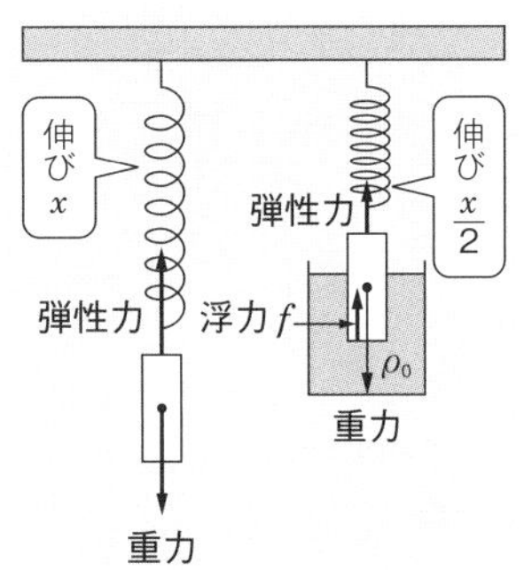

まず，図の左側の円柱については，ばねの弾性力が円柱を支えているから，円柱に働く重力と弾性力がつりあっている。円柱の質量を M，重力加速度を g〔m/s^2〕とすると，重力の大きさは Mg となる。円柱の密度は ρ，体積は Sh であり，$M=\rho Sh$〔kg〕となるから，**重力は $Mg=\rho Shg$〔N〕**と表される。一方，ばねの伸びを x〔m〕，ばね定数を k〔N/m〕とすると，フックの法則より，**弾性力は kx〔N〕**となる。よって，液体に浸していない円柱に働く力のつりあいを表す式は，$kx=Mg$ より，

$kx=\rho Shg$　…①

STEP❷　液体に浸したほうの円柱について，つりあいの式を立てる。

液体に浸したとき，ばねの伸びは $\frac{x}{2}$ となるから，このときの弾性力は上向きに $k\cdot\frac{x}{2}=\frac{1}{2}kx$ となる。弾性力が半分になったから，不足している半分を浮力が支えているわけである。一方，液体が円柱に及ぼす浮力の大きさを f とすると，アルキメデスの原理より，f は**液体中に浸されている円柱の部分と同じ体積の液体**に働く重力の大きさに等しい。そこで，液体の密度を ρ_0〔kg/m^3〕と置く。液体中の体積を V とすると，$V=S\cdot\frac{3}{4}h=\frac{3}{4}Sh$ であるから，浮力の大きさは，$f=\rho_0Vg=\frac{3}{4}\rho_0Shg$〔N〕となる。よって，つりあいを表す式は，$\frac{1}{2}kx+f=Mg$ より，$\frac{1}{2}kx+\frac{3}{4}\rho_0Shg=\rho Shg$　…②

STEP❸　式①，②から x を消去して，ρ_0 を ρ で表す。

②式の左辺の kx に，①式の右辺を代入して，

$\frac{1}{2}\rho Shg+\frac{3}{4}\rho_0Shg=\rho Shg$

ゆえに，$\frac{3}{4}\rho_0Shg=\frac{1}{2}\rho Shg$ より，$\frac{3}{4}\rho_0=\frac{1}{2}\rho$　よって，$\rho_0=\frac{2}{3}\rho$

以上より，正答は**2**である。

自然科学　第1章　物理

実戦問題❷　応用レベル

*
No.5 図のように，硬くて薄くて軽い板状の物体を，点Oを通り板に垂直な軸の回りに回転できるようにする。今，点Pに板と平行で大きさの等しい力 F_A，F_B，F_C，F_D をそれぞれ加えるとき，それぞれの力に対する点Oの周りの力のモーメントの大きさ M_A，M_B，M_C，M_D の大小関係として最も妥当なのはどれか。

【国家総合職・平成16年度】

1 $M_A < M_B < M_C < M_D$
2 $M_B < M_A = M_D < M_C$
3 $M_C < M_A = M_D < M_B$
4 $M_C < M_A < M_D < M_B$
5 $M_D < M_C < M_B < M_A$

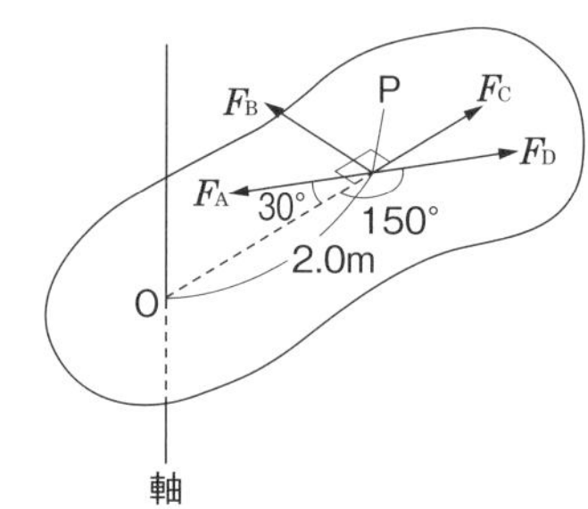

**
No.6 次の図のように，棒のＡ端をちょうつがいで鉛直な壁に取り付け，Ｂ端に20Nの鉛直下方の力を加えた。今，棒の中点Ｃを糸で水平に引き，棒と壁の角度が30°で静止するようにしたとき，糸を引く力の大きさとして正しいのはどれか。ただし，棒および糸の重さは無視する。

【地方上級（特別区）・平成16年度】

1 10N　　**2** $5\sqrt{3}$N
3 $10\sqrt{3}$N　　**4** $\frac{20}{\sqrt{3}}$N
5 $\frac{40}{\sqrt{3}}$N

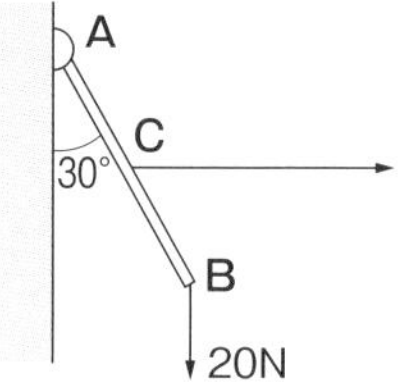

***
No.7 下図のように，均質で太さが一様でない長さ2.1mの棒を，Ｂ端を地面に付けたままＡ端に鉛直上向きの力を加えて少し持ち上げるのに28Nの力を必要とし，また，Ａ端を地面に付けたままB端に鉛直上向きの力を加えて少し持ち上げるのに21Nの力を必要とするとき，この棒の質量 M とＡ端から重心Ｇまでの長さ x の組合せとして，正しいのはどれか。ただし，重力加速度は9.8m/s²とする。

【地方上級（東京都）・平成17年度】

	M	x
1	4.9kg	0.7m
2	4.9kg	0.8m
3	5.0kg	0.8m
4	5.0kg	0.9m
5	5.1kg	0.9m

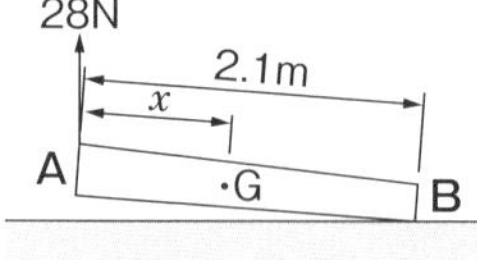

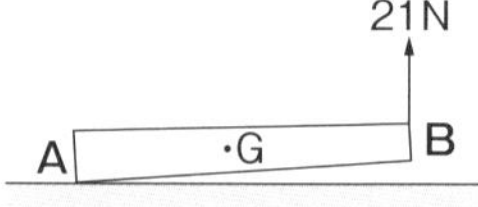

実戦問題2の解説

No.5の解説　力のモーメントの大きさ　→問題はP.28　正答3

力のモーメントの定義そのものを問う基本的な問題である。点Pに大きさFの力が作用したとき，この力の点Oの周りの力のモーメントの大きさMは，

$M = lF$　…①

と定義される。ただし，lは，点Oから力の**作用線に下した垂線の長さ**である。また，右図で，OP$= r$とし，OPに対して力Fの向きがθの角をなすとき，

$l = r\sin\theta$　…②

であるから，①，②式より，Mは次のように表すこともできる。

$\boldsymbol{M = rF\sin\theta}$　…③

本問では，③式を用いると，容易に解決できる。

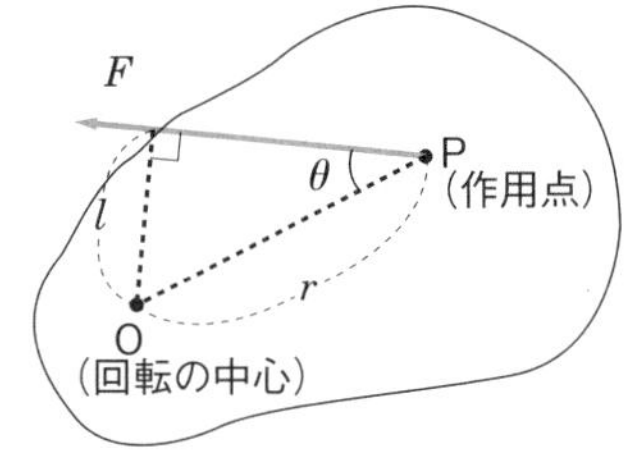

$l = r\sin\theta$より，
$M = lF = rF\sin\theta$

［注］$\sin(180° - \theta) = \sin\theta$が成り立つから，上図の$180° - \theta$のほうを$\theta$と置いてもよい。重要ポイント3の図はそのように描かれている。

STEP❶　OP$= r$と置いて，③式からM_A～M_Dを求める。

今，OP$= 2.0$〔m〕であるが，式を簡単にするために文字を使って，OP$= r$と置くと見通しがよくなる。また，力F_A，F_B，F_C，F_Dはどれも同じ大きさであるから，この大きさをFと置く。③式より，M_A～M_Dはそれぞれ，

$M_A = rF\sin 30° = \frac{1}{2}rF$

$M_B = rF\sin 90° = rF$

$M_C = rF\sin 0° = 0$

$M_D = rF\sin 150° = rF\sin 30° = \frac{1}{2}rF$

STEP❷　M_A～M_Dの大小を比較する。

以上より，M_Cが最小で，$M_A = M_D = \frac{1}{2}M_B$となるから，

$M_C < M_A = M_D < M_B$

よって，正答は**3**である。

No.6 の解説　剛体棒に働く力のつりあい

→問題はP.28　**正答5**

剛体に働く力のつりあいに関する基本的な問題である（重要ポイント3）。力のモーメントを求めるためには，**モーメントの中心から力の作用線に下した垂線の長さ**が必要であり，これを**作図によってコツコツ求める**ところが解法のポイントである。

STEP❶　問題文に与えられていなくても，必要があれば文字で置いてみる。

力の作用線に下した垂線の長さを求めるには，棒の長さが必要であるが，問題文に与えられていないから，これを l と置いて式を立てる。また，「棒と糸の重さは無視する」ことから，棒に働く力は鉛直下向きの20Nの力と，水平右向きの糸の張力（糸を水平に引く力と同じ大きさ）だけである。

STEP❷　モーメントの中心を決めて，作用線に下した垂線の長さを求める。

ここで，糸を引く力を T〔N〕とし，モーメントの中心を点Aにとろう。点Aには，ちょうつがいからの抗力や摩擦力などが働いているが，点Aを中心にとることでこれらの力の作用線との距離が0になるから，未知の力のモーメントは0になり，つりあいの式を簡単にすることができる。下図において，AB$=l$ であり，AC$=\dfrac{l}{2}$ となるから，点Aから力 T の作用線に下した垂線の長さは $\dfrac{l}{2}\cos 30^\circ$ となる。また，B端に加わる点Aから20Nの力の作用線に引いた垂線の長さは $l\sin 30^\circ$ となる。

STEP❸　力のモーメントの向き（時計回りか反時計回りか）に注意して，つりあいの式を立てる。

点Aの周りに関してそれぞれ，力 T のモーメントは反時計回り，鉛直下向きに加えた20Nの力のモーメントは時計回りである。よって，力のモーメントのつりあいより，

$$\frac{l}{2}\cos 30^\circ \times T - l\sin 30^\circ \times 20 = 0$$

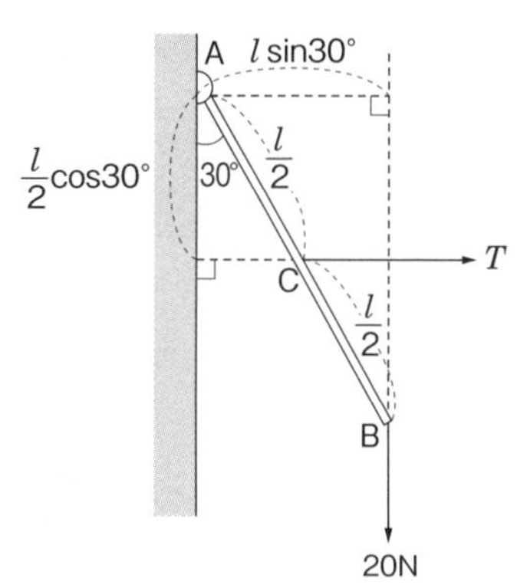

STEP❹　つりあいの式から張力 T を求める。

上式に，$\cos 30^\circ = \dfrac{\sqrt{3}}{2}$，$\sin 30^\circ = \dfrac{1}{2}$

を代入して，$\dfrac{\sqrt{3}}{4}lT - 10l = 0$

よって，$\dfrac{\sqrt{3}}{4}lT = 10l$ より，$\dfrac{\sqrt{3}}{4}T = 10$　ゆえに，$T = \dfrac{40}{\sqrt{3}}$〔N〕

以上より，正答は**5**である。

No.7 の解説　剛体のつりあいと重心の位置

→問題はP.28　正答4

前問No.6と同様に，力のモーメントのつりあいを用いる典型的な問題である。まず，問題文の意味をよく考えてから，力のモーメントのつりあいを式で表し，Mとxの連立方程式を導く。

STEP❶　「少し持ち上げる」とはどういう意味かを考える。

鉛直上向きの力を加えて持ち上げたとき，実際には棒は少し傾いているが，問題文に「少し持ち上げる」とあるので，この傾きは非常に小さいものと考えてよい。すなわち，少し持ち上がった状態で，**棒は水平であるとみなせる**。ゆえに，鉛直方向の力の作用線と棒のなす角度は90°であると考えてよい。また，式を簡単にするために，重力加速度9.8〔m/s^2〕をgと置くと，棒の重力はMg〔N〕と表される。

STEP❷　2つの場面で，それぞれ力のモーメントのつりあいを式で表す。

まず，A端に28Nの力を加えたとき（図1），**B端の周り**の力のモーメントを考えると，棒の重力Mgは**重心Gに集中しているとみなせる**から，B端から重力の作用線に下した垂線の長さは$2.1-x$〔m〕である。ゆえに，反時計回りを正として，力のモーメントのつりあいの式は，

$(2.1-x)\times Mg-2.1\times 28=0$ …①

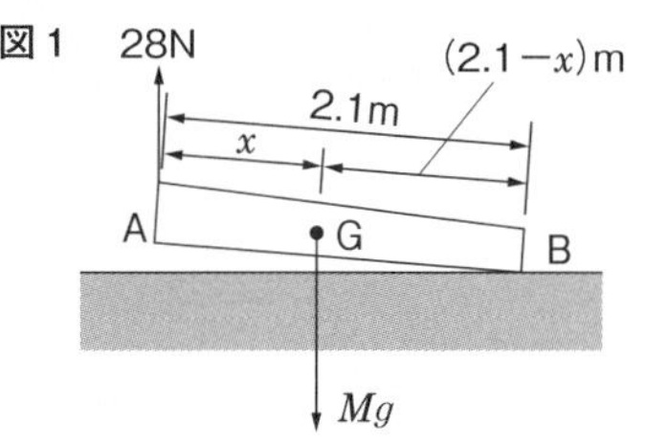

同様に，B端に21Nの力が加わっているとき（図2），**A端の周り**の力のモーメントのつりあいから，

$2.1\times 21-x\times Mg=0$ …②

STEP❸　①，②をM，xの連立方程式として解く。

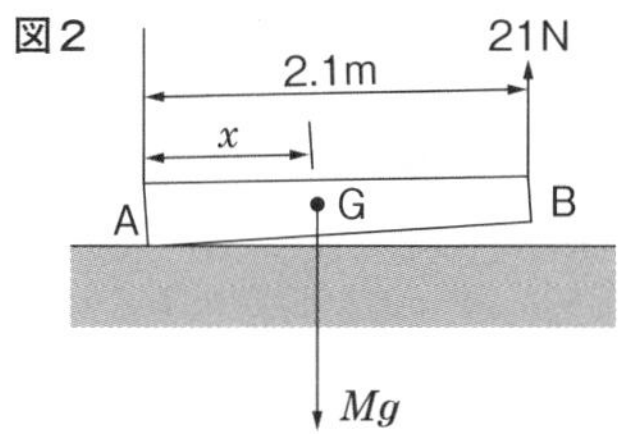

②式より，

$Mgx=2.1\times 21$ …③

また，①式より，

$2.1Mg-Mgx-2.1\times 28=0$

となるから，$2.1Mg=Mgx+2.1\times 28$

さらに③式より，Mgxを消去して，

$2.1Mg=2.1\times 21+2.1\times 28=2.1\times(21+28)=2.1\times 49$

ゆえに，$Mg=49$〔N〕　よって，$M=\dfrac{49}{g}=\dfrac{49}{9.8}=$**5.0**〔kg〕

また，③式より，$x=\dfrac{2.1\times 21}{Mg}=\dfrac{2.1\times 21}{49}=$**0.9**〔m〕

以上より，「5.0kg，0.9m」の組合せ，すなわち**4**が正答である。

物体の運動

必修問題

滑らかで水平な床の上に，図のように静止している質量5kgの物体を，10Nの力で右向きに水平に引き，同時に6Nの力で左向きに水平に引いたところ，物体は等加速度直線運動をした。動き出してから10秒間に物体が移動する距離はいくらか。

【国家一般職・平成17年度】

1 10m
2 20m
3 30m
4 40m
5 50m

6N　10N

難易度 ＊

必修問題の解説

運動方程式（重要ポイント3）と，**等加速度直線運動**（重要ポイント1）に関する基本的かつ典型的な問題である。物体が10秒間に移動した距離を求めたいのであるから，最終的には，

等加速度直線運動の位置 x を表す式　$x = v_0 t + \frac{1}{2}at^2$　…①

を用いればよい。ここで v_0 は初速度（時刻 $t = 0$ のときの速度）を表す。本問の場合は初めに静止していたから，$v_0 = 0$ である。また，$t = 10$ である。しかし，問題中に加速度 a が与えられていない。したがって，すぐに①式を使うわけにはいかない。そこで，物体に加えられた力が与えられているから，

運動方程式　$ma = F$　…②

を用いて，まず加速度 a を求めておくことが必要となる。②式において，m は物体の質量，F は物体に働く力の**合力**である。

以上より，本問を解く手順は，まず②式より a を求め，次に①式から移動距離 x を求める，とまとめられる。一般に，運動方程式②を解いて a を求めるには，物体に働く力をすべて探し出さなくてはならない。そこで，

最初に，物体に働く力をすべて図示する

ことが出発点となる。このような「力探し」を確実に実行するには，テーマ1の重要ポイント1(1)のように，**まず離れている物体が及ぼす力を探し，次に接している物体が及ぼす力を探す，**という順に調べるとよい。

STEP❶ 物体に働く力をすべて図示し，合力 F を求める。

本問では床上の物体に対し，離れている物体が及ぼす力は重力だけである。接している物体が及ぼす力は，面が加える垂直抗力と，水平方向右向きの10N，および左向きの 6 Nの力である。床は**滑らか**であり，**摩擦を無視**しているから，力は全部で 4 つとなる。このうち，鉛直方向の重力と垂直抗力は互いにつりあっているから，合力を求めると打ち消し合う。よって，水平方向の 2 つの力だけが加速度を生じさせる原因となる。その合力の大きさ F は，

$$F = 10 - 6 = 4〔\mathrm{N}〕$$

となる。また，合力の向きは右向きである。

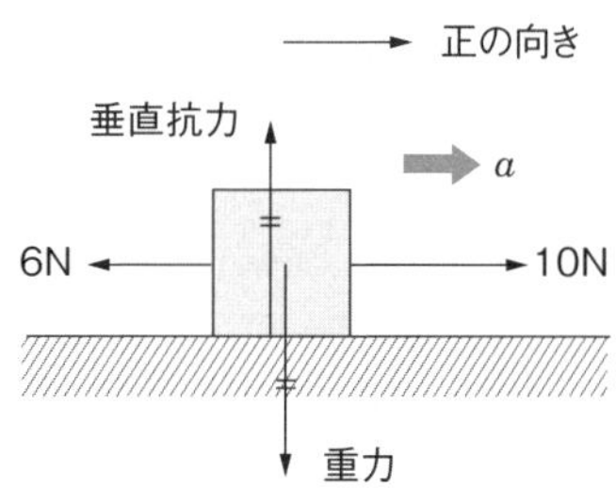

このとき，**あらかじめ正の向きを定めておく**と，符号のミスを防ぐことにつながる。上の図で，水平方向の合力の向き，すなわち右向きを正の向きにとり，加速度を a とする。物体の質量は $m = 5〔\mathrm{kg}〕$ であるから，運動方程式②に $m = 5$，$F = 4$ を代入して，

$$5a = 4 \qquad よって，a = 0.8〔\mathrm{m/s^2}〕$$

STEP❸ 等加速度直線運動の式を用いて，移動距離 x を求める。

最後に，冒頭に掲げた①式に数値を代入する。ここで，力を加える前に物体は静止していたから，$v_0 = 0〔\mathrm{m/s}〕$ である。さらに上で求めた $a = 0.8〔\mathrm{m/s^2}〕$ と，与えられた時間　$t = 10〔\mathrm{s}〕$ を代入して，

$$x = \frac{1}{2}at^2 = \frac{1}{2} \times 0.8 \times 10^2 = 0.4 \times 100 = 40〔\mathrm{m}〕$$

が得られる。

よって，**4**が正答である。

正答 4

FOCUS

物体の運動は，力学の最重要テーマである。なかでもニュートンの運動の法則は，物理学全体を通じてその土台となる基本法則であり，特に運動方程式を解いて加速度 a を求める問題は重要である。加速度 a が求められたとき，さらに速度 v，位置 x を求めるには，一般には積分法が用いられる。しかし，a が一定である場合，すなわち等加速度直線運動になる場合が最もよく出題されるから，積分に頼らずとも，高校の物理で学習する３つの式が使えれば十分である。なお，空気抵抗がないときの自由落下や鉛直投げ上げによる運動も，等加速度直線運動の実例としてよく出題されている。

POINT

重要ポイント 1 速度と加速度／等加速度直線運動

(1) 速度と加速度：単位時間当たりの位置の変化（すなわち，位置の時間変化率）を**速度**という。また，単位時間当たりの速度の変化（すなわち，速度の時間変化率）を**加速度**という。

(2) 等加速度直線運動：加速度 a が一定であるような直線運動を**等加速度直線運動**という。時刻 $t=0$ で $x=0$ とし，時刻 t での速度を v，位置を x とすると，

$$\boldsymbol{v=v_0+at}$$

$$\boldsymbol{x=v_0t+\frac{1}{2}at^2}$$

$$\boldsymbol{v^2-v_0{}^2=2ax}$$

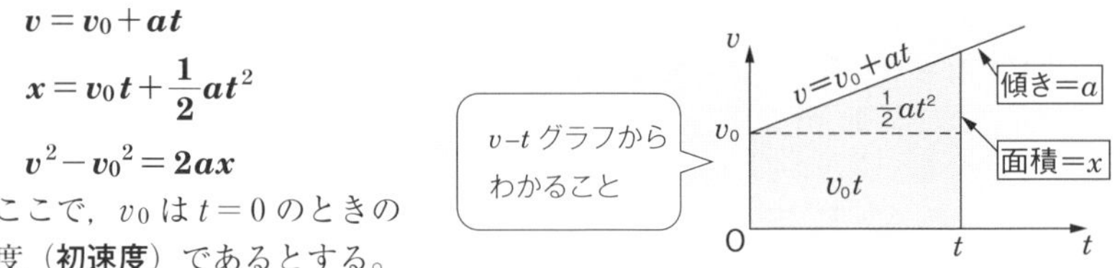

ここで，v_0 は $t=0$ のときの速度（**初速度**）であるとする。

［注］加速度 a が一定になるのは，運動方程式 $ma=F$（重要ポイント3）より，物体に**大きさと向きがともに一定である力**が働く場合に限られる。

重要ポイント 2 重力を受ける物体の運動（g は重力加速度の大きさ）

以下，空気抵抗および物体の大きさは無視できるものとする。

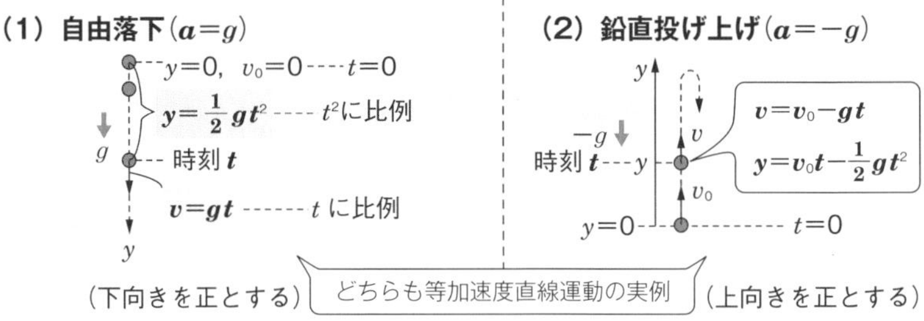

(3) 放物運動：$t=0$ で $x=0$，$y=0$ とし，初速度の大きさを v_0 とする。

①**水平投射**：水平方向の等速直線運動と，鉛直方向の自由落下に分解できる。

$$\begin{cases} v_x=v_0,\quad v_y=gt \\ x=v_0t,\quad y=\dfrac{1}{2}gt^2 \end{cases}$$

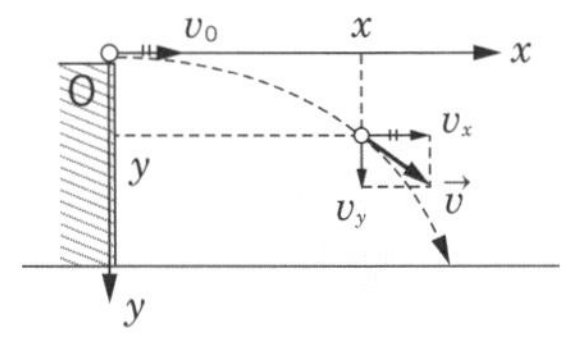

②**斜方投射**：水平方向の等速直線運動と，鉛直方向の投げ上げによる等加速度直線運動に分解できる。

$$\begin{cases} v_x=v_0\cos\theta,\quad v_y=v_0\sin\theta-gt \\ x=v_0\cos\theta\cdot t,\quad y=v_0\sin\theta\cdot t-\dfrac{1}{2}gt^2 \end{cases}$$

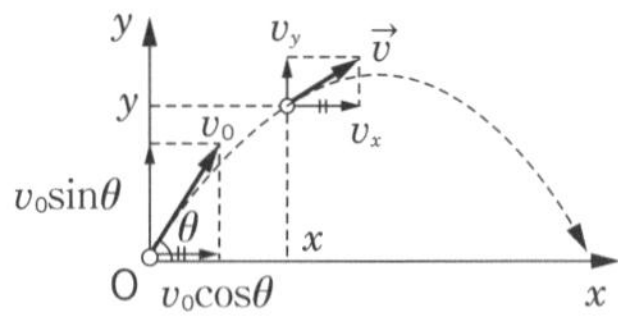

［注］一般に，平面上の曲線運動は，2方向の直線運動に分解することができる。

重要ポイント 3 ニュートンの運動の法則

物体に働く力と，物体の運動との関係について，次の**3つの法則**が成り立つ。

(1) 運動の第1法則（慣性の法則）：物体に力が働かないか，または働いていても合力が $\vec{0}$ のとき，物体は**静止**または**等速直線運動**を続ける。

・力が働かないとき，物体は静止または等速直線運動を続けようとする性質，すなわちその速度を保とうとする性質を持っていて，これを**慣性**という。

(2) 運動の第2法則：物体に力が働くとき，物体には力と同じ向きに**加速度**が生じる。加速度の大きさは力の大きさに比例し，物体の質量に反比例する。

・物体の質量を m〔kg〕，物体に働く力を $\vec{F}$〔N〕，加速度を $\vec{a}$〔m/s^2〕とすると，

$$m\vec{a} = \vec{F}$$ **（質量×加速度=力）**←この式を**運動方程式**という。

・質量 m は，慣性の大小を表している。m が大きい物体ほど加速されにくいから，慣性が大きい。

(3) 運動の第3法則（作用反作用の法則）：2つの物体 A，B が**互いに力を及ぼし合う**とき，A が B に及ぼす力 $\vec{F}_{AB}$ と，B が A に及ぼす力 $\vec{F}_{BA}$ とは，大きさが等しく，互いに逆向きで，同一直線上にある。

重要ポイント 4 運動方程式を用いる手順

［例1］**滑らかな斜面上の物体の運動**

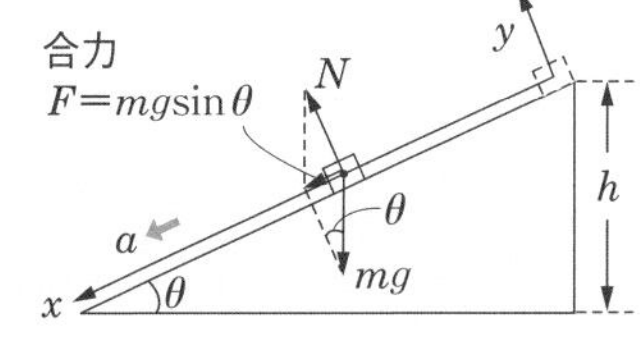

(1) 物体に働く**力をすべて図示**する。

⇨重力 mg と垂直抗力 N の2力（g は重力加速度の大きさ）。

(2) ⑴の力の合力を求める。

⇨向きは斜面に沿って下向きで，大きさは右図より，$mg\sin\theta$ となる。

(3) ⑵の合力を，運動方程式 $ma=F$ の右辺に代入し，a について解く。

⇨$ma=mg\sin\theta$ より，加速度は $a=g\sin\theta$ と求められる。

(4) 求められた加速度をもとに，速度と位置を求める。

⇨$a=g\sin\theta$ は一定であるから，**等加速度直線運動**の式が利用できる。

［例2］**連結された2物体の運動**

例1と同様に，各物体に働く力をすべて図示し，**各物体ごとに別々に**運動方程式を立てる。

A について：$m_1a=T$ …①

B について：$m_2a=m_2g-T$ …②

①，②を a と T の連立方程式として解くと，

$$a=\frac{m_2}{m_1+m_2}g,\quad T=\frac{m_1m_2}{m_1+m_2}g$$

滑らかで水平な台上の物体A（質量 m_1）と，物体B（質量 m_2）を滑車を介して糸で連結。

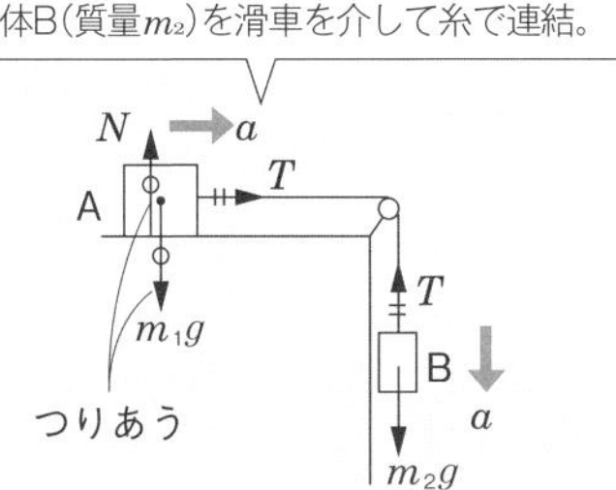

実戦問題❶　基本レベル

＊
No.1 直線状の道路上を，初め10m/sの速さで走っていた自動車がある。今，運転手がアクセルを踏んで，3m/s^2の加速度で加速したところ，自動車の速さは40m/sに達した。アクセルを踏んでから40m/sの速さになるまでに自動車が走った距離として正しいのは次のうちどれか。

【地方上級・平成15年度】

1　100m
2　150m
3　200m
4　250m
5　300m

＊＊
No.2 時速108kmで走っていた電車が，一定の加速度でブレーキをかけ，150m走って止まった。ブレーキをかけ始めてから停止するまでに何秒かかったか。

【地方上級・平成14年度】

1　6秒
2　8秒
3　10秒
4　12秒
5　15秒

＊
No.3 質量10kgの台車が滑らかな水平面上に静止している。この台車に，水平方向に20Nの力を4.0秒間加えたとき，速さはいくらになるか。
　ただし，空気抵抗は無視できるものとする。

【国家一般職・平成23年度】

1　0.12m/s
2　2.0m/s
3　4.0m/s
4　8.0m/s
5　16m/s

実戦問題1の解説

No.1 の解説　等加速度直線運動

→問題はP.36　正答4

自動車の加速度は $3\,\mathrm{m/s^2}$ という一定値であるから，その運動は**等加速度直線運動**である。そこで等加速度直線運動の式（**重要ポイント1**）を用いる。

STEP❶　まず初めに，使いそうな式を書き下してみる。

一般に，物体の加速度を a〔$\mathrm{m/s^2}$〕，初速度を v_0〔m/s〕，時刻 t〔s〕での速度と位置をそれぞれ v〔m/s〕，x〔m〕とすると，次の３式が成り立つ。

$$v = v_0 + at \quad \cdots ① \qquad x = v_0 t + \frac{1}{2}at^2 \quad \cdots ② \qquad v^2 - {v_0}^2 = 2ax \quad \cdots ③$$

STEP❷　式に使われている文字の中で，問題に数値で与えられているものと，そうでないものとを区別する。

本問では，初速度が $v_0 = 10$〔m/s〕で，加速度が $a = 3$〔$\mathrm{m/s^2}$〕と与えられているが，時刻 t が不明であるから，すぐに②式を使うわけにはいかない。そこでまず，速度 v が $v = 40$〔m/s〕となる時刻 t を求める必要がある。

STEP❸　①式と②式を使って，t と x を順に求める。

求める走行距離を x とする。①式を用いて時刻 t を求めると，

$$40 = 10 + 3t \quad より，3t = 30 \quad よって，t = \frac{30}{3} = 10〔s〕$$

②式に数値を代入して，$x = v_0 t + \frac{1}{2}at^2 = 10 \times 10 + \frac{1}{2} \times 3 \times 10^2$

$$= 100 + 150 = 250〔m〕$$

以上より，正答は**4**である。

［別解１］問題文中にはアクセルを踏んでいた時間が与えられていないが，**v，v_0，a の値が与えられていることに注目**して，③式を使えば，時間を求めなくても済む。すなわち，距離 x は次のように求められる。

$$v^2 - {v_0}^2 = 2ax \quad より，40^2 - 10^2 = 2 \times 3 \times x$$

ゆえに，$1500 = 6x$　よって，$x = \frac{1500}{6} = 250$〔m〕

［別解２］**v-t グラフと t 軸が囲む部分の面積が移動距離 x に等しい**ことを利用する。　$v = v_0 + at$　に　$v_0 = 10$，　$a = 3$ を代入すると，$v = 10 + 3t$ となるから，v-t グラフは右図のようになり，斜線部分の面積が x に等しい。これは上底が10，下底が40，高さが10の台形であるから，その面積を求めれば x が得られる。よって，

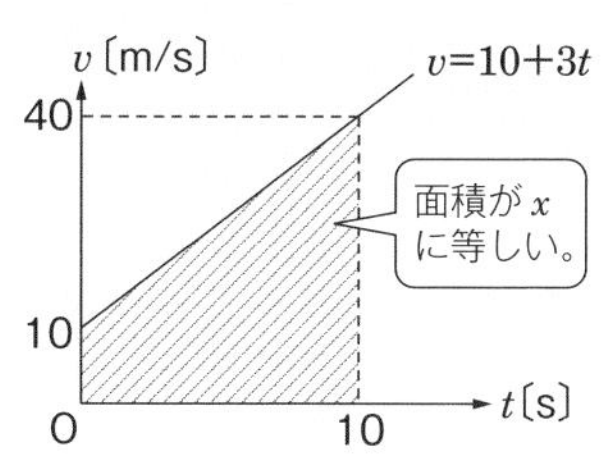

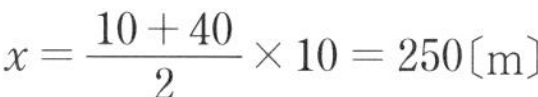

$$x = \frac{10 + 40}{2} \times 10 = 250〔m〕$$

この方法は，答えが正しいかどうかをチェックするのに利用できる。

No.2 の解説　等加速度直線運動（加速度が負の場合）　→問題はP.36　正答3

問題文に「一定の加速度でブレーキをかけ」とあるから，電車の運動は，前問No.1と同様に等加速度直線運動である。

STEP❶　等加速度直線運動の３つの式を書き並べてみる。

$$v=v_0+at \quad \cdots① \qquad x=v_0t+\frac{1}{2}at^2 \quad \cdots② \qquad v^2-v_0{}^2=2ax \quad \cdots③$$

STEP❷　初速度 v_0 を秒速に直す。

ここで，電車は次第に減速し，やがて $v=0$ となるから，**進行方向を正の向きにとる**と加速度はその逆向き，すなわち**負の向きとなることに注意**する。つまり，$\boldsymbol{a<0}$ となるはずである。また，初速度 v_0 が時速で与えられているから，まずこれを**秒速に直して**おこう。

時速108kmということは，１時間=60×60秒の間に，108×1000m 走ることに相当する。秒速は，物体が１秒間当たりに進む距離に等しいから，

$$v_0=\frac{108\times1000}{60\times60}=\frac{108000}{3600}=30〔\text{m/s}〕$$

STEP❸　３つの式のうち，使える式はどれかを考える。

また，止まるまでの走行距離は，$x=150$〔m〕と与えられている。ほかに，はっきりと数値が与えられてはいないが，「停止するまでに」とあることから，$v=0$ になるまでに150〔m〕走っていることがわかる。このように，**与えられた条件から必要な物理量を読み取る**ことが大切である。一方，未知の物理量は加速度 a と時間 t である。もし a がわかれば，①式に代入して t が求められる。②式では a と t の２つの未知数が入っているから，これを用いて a を求めるわけにはいかないが，③式を利用すれば a が求められる。

STEP❹　計算を実行する。

$v=0$，$v_0=30$，$x=150$ を代入して，

$$0^2-30^2=2\times a\times150 \quad より，300a=-900$$

よって，加速度 a は，$a=-3$〔m/s²〕　…④

①式より，再び $v=0$ となる t は，$v_0=30$ および④を用いて，

$$0=30-3t \quad ゆえに，t=\frac{30}{3}=10〔\text{s}〕$$

以上より，正答は**3**である。

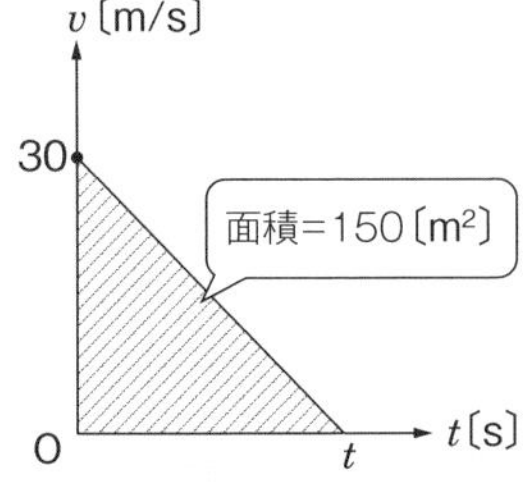

［注］②式で $x=150$，$v_0=30$，$a=-3$ と代入して t を求めることもできるが，t の２次方程式を解かなければならなくなり，計算が面倒になるから，得策ではない。

［別解］***v-t* グラフと *t* 軸の囲む部分の面積が移動距離に等しい**ことを用いる。

$v_0=30$〔m/s〕を求めるところまでは上の解説と同じである。$v=v_0+at$

の式において，$a<0$ であるから，グラフは傾きが負の直線となり，移動距離は図の斜線部分，すなわち直角三角形の面積に等しい。よって，求める時間を t とすると，

$$150=\frac{1}{2}\times t\times 30 \text{ より，} 15t=150 \quad \text{ゆえに，} t=10〔\mathrm{s}〕$$

No.3 の解説　運動方程式・等加速度直線運動　→ 問題はP.36　正答4

必修問題と同様に考えればよい。本問では力の大きさ F が与えられているから，初めに

運動方程式　$ma=F$

を用いて加速度 a を求め，次に等加速度直線運動の式を用いる，という手順で進めていく。

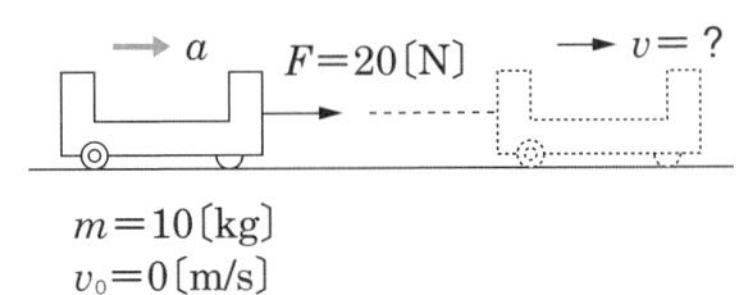

なお，式を立てる前に，問題に与えられた場面を図に描いてみると，考察を進めやすくなる。このように，**こまめに図を描くことを心がける**ことで，物理の問題を解くための実力とセンスが，確実に向上する。

STEP❶　運動方程式を解いて，加速度 a を求める。

$m=10$〔kg〕，$F=20$〔N〕と与えられているから，加速度を a〔$\mathrm{m/s^2}$〕とすると，**運動方程式 $ma=F$** より，$10a=20$

ゆえに，$a=2.0$〔$\mathrm{m/s^2}$〕

STEP❷　等加速度直線運動の３つの式の中から，必要な式を選ぶ。

No.1，No.2と同様に，等加速度直線運動の３つの式を書き並べてみると，

$$v=v_0+at \quad \cdots① \qquad x=v_0t+\frac{1}{2}at^2 \quad \cdots② \qquad v^2-v_0{}^2=2ax \quad \cdots③$$

ここで，台車は初めに静止していたから，初速度は $v_0=0$〔m/s〕である。

また，すでに，加速度 a が，$a=2.0$〔$\mathrm{m/s^2}$〕と求められていて，力を加えた時間が $t=4.0$〔s〕と与えられている。しかも，求めたいものが速さであるから，①式のみを用いればよい。

STEP❸　①式に数値を代入して答えを導く。

$v_0=0$，$a=2.0$，$t=4$ を代入して，

$$v=v_0+at=0+2.0\times 4=8.0〔\mathrm{m/s}〕$$

よって，正答は**4**である。

実戦問題❷　応用レベル

No.4 ＊ 図A～Dに示すように，質量m又は$2m$の小球を高さH又は$2H$の位置から初速0で自由落下させたとき，小球が床に到達したときのそれぞれの速さv_A～v_Dの大小関係を示したものとして最も妥当なのはどれか。

【国家専門職・平成29年度】

1 $v_A = v_B > v_C = v_D$
2 $v_A = v_C > v_B = v_D$
3 $v_A > v_B = v_C > v_D$
4 $v_A > v_B > v_C > v_D$
5 $v_A > v_C > v_B > v_D$

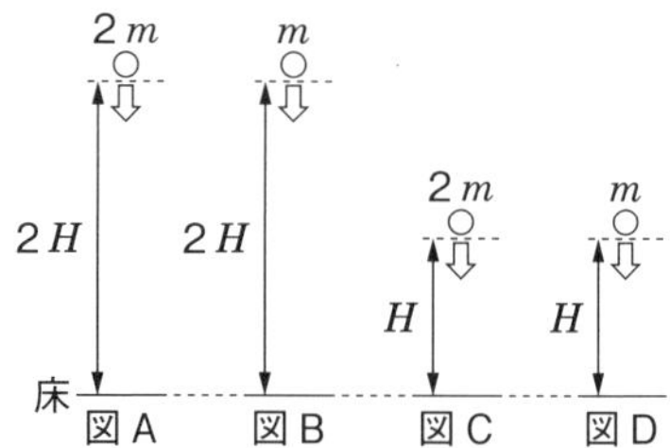

No.5 ＊＊ 次の図のように，地上から小球を，水平方向と角度θをなす向きに初速度v_0〔m/s〕で打ち上げたとき，小球の落下点までの水平到達距離l〔m〕はどれか。ただし，重力加速度の大きさをg〔m/s^2〕とし，空気の抵抗は考えないものとする。

【地方上級（特別区）・平成27年度】

1 $\dfrac{v_0^2 \sin\theta\cos\theta}{g}$〔m〕

2 $\dfrac{v_0^2 \sin 2\theta}{g}$〔m〕

3 $\dfrac{v_0^2 \sin^2\theta}{g}$〔m〕

4 $\dfrac{2v_0 \sin\theta\cos\theta}{g}$〔m〕

5 $\dfrac{2v_0 \sin 2\theta}{g}$〔m〕

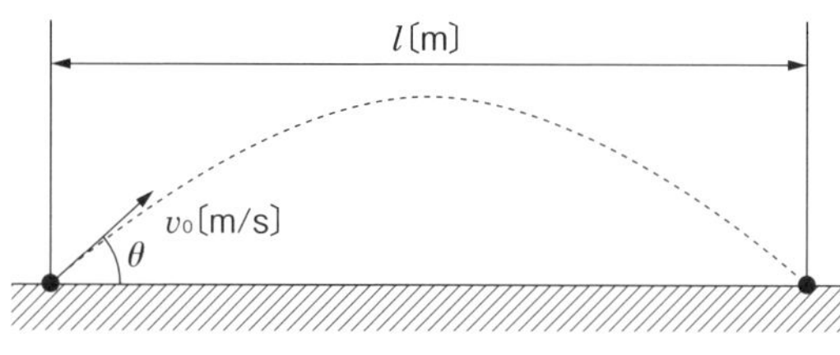

自然科学 第1章 物理

＊＊ No.6 同じ大きさと質量を持つ小球A，Bがある。今，これらの小球を初速度0m/sで同時に放し，Aは鉛直方向に自由落下させ，Bは水平面と30°をなす斜面に沿って下向きに転がす。このときの小球A，Bの運動について，ア～ウの記述の正誤の組合せとして正しいものはどれか。

ただし，摩擦や空気抵抗は無視し，重力加速度の大きさは$10m/s^2$とする。

【地方上級（全国型）・平成19年度】

ア：動き始めてから２秒後のBの速さは10m/sである。

イ：動き始めてから３秒後に，Aの速さとBの速さの差は20m/sとなっている。

ウ：動き始めてから４秒後までのAの移動距離とBの移動距離の差は50mである。

	ア	イ	ウ
1	正	正	誤
2	正	誤	正
3	正	誤	誤
4	誤	正	誤
5	誤	誤	正

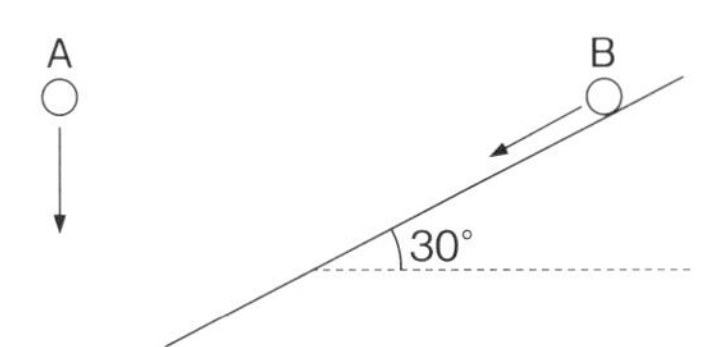

＊＊ No.7 図のように，水平な床面上に質量がそれぞれmとMの２つの物体を置き，これらを糸でつないで水平方向に引っ張ったところ，２つの物体はともに加速度aで動いた。このときの糸Xおよび糸Yの張力の組合せとして最も妥当なのはどれか。

ただし，糸の質量および２つの物体と床面との間に生じる摩擦力は無視できるものとする。

【国家専門職・平成21年度】

	糸Xの張力	糸Yの張力
1	ma	Ma
2	ma	$(M+m)a$
3	Ma	$(M+m)a$
4	$(M-m)a$	Ma
5	$(M-m)a$	$(M+m)a$

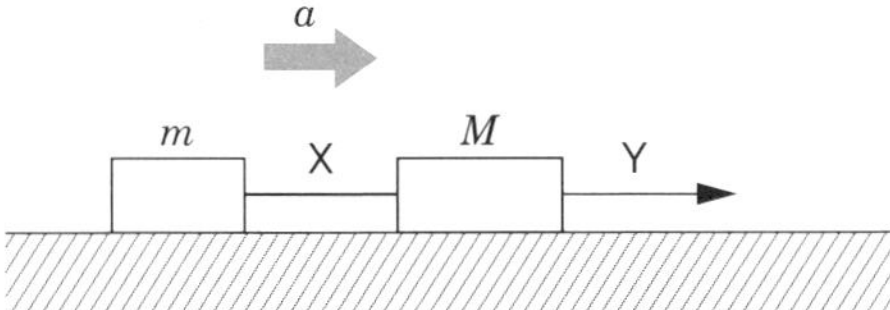

実戦問題2の解説

No.4 の解説　自由落下における物体の速さ　→問題はP.40　正答 1

自由落下に関するごく常識的な問題である。**空気抵抗が無視できる場合に，地上から同じ高さで自由落下させた物体はすべて，その質量に無関係に同時に地上に達する。**この事実から，自由落下の加速度は物体の質量には関係せずに，この運動を観測した地点では，すべての物体に共通の値になる。この加速度は重力によって生じることから，**重力加速度**と名付けられ，その大きさはgと表される（地球表面におけるgの値は，地球の自転による遠心力などの影響で場所によって若干の差異がある）。この事実を知っていれば，正答は直ちに**1**と求められるが，ここでは練習を兼ねて，自由落下が等加速度直線運動の実例であることに注目し，数式を用いて考察する。

STEP❶　自由落下を表す式を書き下してみる

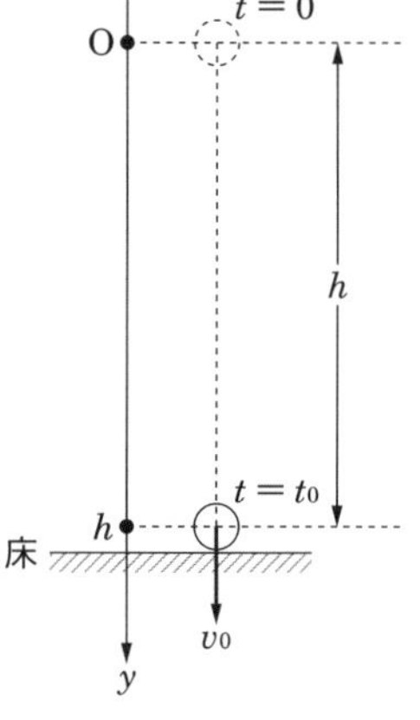

床を高さ0の基準にとり，高さhの点から小球を初速0で運動させた場合を考える。ただし，小球の大きさは無視する。小球が運動を始めた点を原点Oとし，鉛直下向きy軸をとると，運動を始めてから時間tだけ後の小球の速さvと落下距離yは，重力加速度の大きさをgとして，

$$v=gt \quad \cdots ① \qquad y=\frac{1}{2}gt^2 \quad \cdots ②$$

gは小球の質量には無関係な一定値である。

STEP❷　小球が床に到達する直前までの時間を求める。

小球は，床に到達するまでに距離hだけ移動しているから，この瞬間のyの値が$y=h$となる。ゆえに，求める時間をt_0とすると，②式で$y=h$，$t=t_0$と置いて，

$$\frac{1}{2}g{t_0}^2=h \qquad よって，t_0=\sqrt{\frac{2h}{g}} \quad \cdots ③$$

STEP❸　小球が床に到達する直前の速さを求める。

小球の落下時間t_0が求められたから，これを①式に代入すればよい。小球が床に到達する直前の速さをv_0とすると，③式で$t=t_0$として，

$$v_0=gt_0=g\sqrt{\frac{2h}{g}}=\sqrt{2gh} \quad \cdots ④$$

STEP❹　④式から，v_0の特徴を読み取り，図A～図Dを比較する。

④式より，小球が床に到達する直前の速さv_0は，高さhが大きいほど大きい。また，小球の質量には無関係である。よって，問題の図A～図Dにおいて，$v_A=v_B$かつ，$v_C=v_D$となる。また，落下し始めた高さが大きいほうが，高さ0での速さは大きくなるから，明らかに，v_A，v_Bの方がv_C，v_Dより大きい。以上より，$v_A=v_B>v_C=v_D$

よって，正答は**1**である。

No.5 の解説　斜方投射による放物運動の水平到達距離　→問題はP.40　正答2

本問では「空気の抵抗は考えない」としているから，打ち上げられた小球に働く力は鉛直下向きの重力だけである。重力だけを受ける物体の運動を大別すると，鉛直方向の**直線運動**か，鉛直面内の**放物運動**の２種類に分類できる。放物運動のような平面上の曲線運動を扱うには，**直交座標**を導入して，２方向の**直線運動に分解**することが基本である（重要ポイント2(3)）。

STEP❶　放物運動を，水平方向と鉛直方向に分解する。

まず，座標軸を導入する。放物運動は，１つの鉛直面内で起こるから，水平方向に x 軸，鉛直方向に y 軸をとり，正の向きをそれぞれ，水平右向きおよび鉛直上向きにとる。

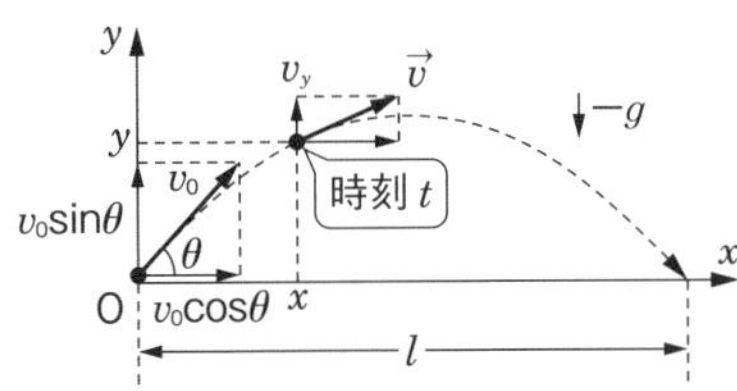

小球に働く力は鉛直下向きの重力だけであるから，ニュートンの**運動の第２法則**（重要ポイント３）より，**小球の加速度は鉛直下向き，すなわち負の向きで大きさは** g となる。よって，小球の運動を x 方向と y 方向に分解すると，次の１），２）となる。

１）x 方向……初速度 $v_0\cos\theta$ の**等速直線運動**

２）y 方向……初速度 $v_0\sin\theta$，加速度 $-g$ の**等加速度直線運動**

STEP❷　速度成分と座標 x，y を t の式で表す。

打ち上げた時刻を $t=0$〔s〕とし，時刻 t における小球の速度ベクトルを $\vec{v}=(v_x,\ v_y)$，位置座標を $(x,\ y)$ とすると，

１）より，x 方向について，$v_x=v_0\cos\theta$　…①，$x=v_0\cos\theta\cdot t$　…②

２）より，y 方向について，等加速度直線運動の式を用いると，

$$v_y=v_0\sin\theta-gt \quad \cdots③ \qquad y=v_0\sin\theta\cdot t-\frac{1}{2}gt^2 \quad \cdots④$$

STEP❸　落下する時刻 t_0 を求める。

「落下点に達する」という条件は，$y=0$ であるから，打ち上げてから落下点に達するまでの時間を t_0 とすると，④式より，

$$0=v_0\sin\theta\cdot t_0-\frac{1}{2}gt_0{}^2=t_0\left(v_0\sin\theta-\frac{1}{2}gt_0\right)$$

$t_0>0$ であるから，$v_0\sin\theta-\dfrac{1}{2}gt_0=0$　　よって，$t_0=\dfrac{2v_0\sin\theta}{g}$　…⑤

STEP❹　落下点の x 座標 l を求める。倍角の公式 $\sin2\theta=2\sin\theta\cos\theta$ も必要。

水平到達距離 l は，$t=t_0$ における x の値に等しいから，②，⑤式より，

$$l=v_0\cos\theta\cdot t_0=\frac{2v_0{}^2\sin\theta\cos\theta}{g}=\frac{v_0{}^2\sin2\theta}{g}$$

よって，正答は**2**である。

No.6 の解説　自由落下と斜面上の運動の比較

→問題はP.41 **正答3**

２つの等加速度直線運動を比較させる問題である。

STEP❶　速度 v と移動距離 x を，t の式で表す。

どちらの運動も**初速度 v_0 が0**であるから，動き始めてからの時間を t とすると，等加速度直線運動の式より，次の①，②式が成り立つ。すなわち，速度 v は t に比例し，移動距離 x は t^2 に比例する。このようにどちらの運動も同じ規則性に従うが，加速度 a の大きさが異なることによって，速度や位置の変化のしかたに違いが現れてくる。

$$v = at \quad \cdots ① \qquad x = \frac{1}{2}at^2 \quad \cdots ②$$

STEP❷　小球Ａの運動について v と x を求める。

自由落下の場合，a は重力加速度 g に等しい（自由落下の加速度 g を生じる原因が重力である。**重要ポイント２**および**テーマ１重要ポイント１**を参照)。本問では $g = 10$〔m/s²〕と近似しているから，自由落下する小球Ａについて，**イ**と**ウ**の記述にそって計算すると，

イ…①式より３秒後の速さは，$v = gt = 10 \times 3 = \underline{30}$〔m/s〕

ウ…②式より４秒後の移動距離は，$x = \frac{1}{2}gt^2 = \frac{1}{2} \times 10 \times 4^2 = \underline{80}$〔m〕

STEP❸　小球Ｂの運動について v と x を求める。

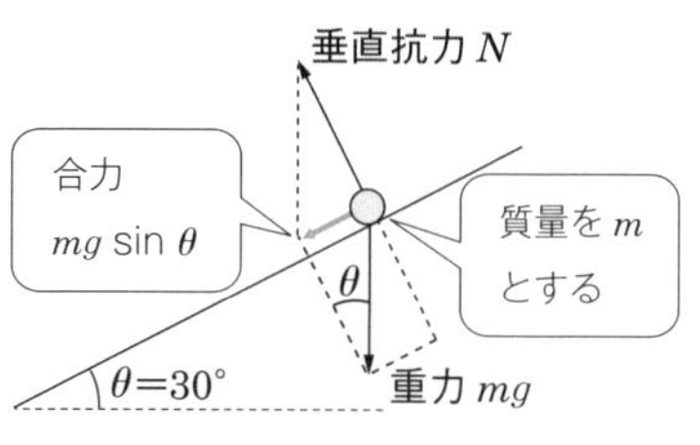

斜面上を運動する物体Ｂについては，加速度を a，斜面の傾きを θ とする。運動方程式 $ma = mg\sin\theta$ より，

$$a = g\sin\theta$$

が得られる（**重要ポイント４［例１］**）。本問では $\theta = 30°$ であるから，

$$a = g\sin 30° = \frac{1}{2}g$$

これに $g = 10$〔m/s²〕を代入して，$a = 5$〔m/s²〕

よって，①，②式を用いて**ア**～**ウ**の記述にそって計算すると，

ア…２秒後の速さは，$v = at = 5 \times 2 = \underline{10}$〔m/s〕

イ…３秒後の速さは，$v = at = 5 \times 3 = \underline{15}$〔m/s〕

ウ…４秒後の移動距離は，$x = \frac{1}{2}at^2 = \frac{1}{2} \times 5 \times 4^2 = \underline{40}$〔m〕

STEP❹　計算結果をもとに，ア～ウの正誤を判定する。

以上より，**ア**は正しい。**イ**では $30 - 15 = 15$〔m/s〕となるから，誤り。また，**ウ**では，$80 - 40 = 40$〔m〕となるから，誤り。

ゆえに，**ア**のみが正しい。

よって，正答は**3**である。

No.7 の解説 糸で連結された２物体の運動

→ 問題はP.41 正答２

運動方程式を用いる典型的な問題であり，類題が高校の教科書でも扱われている。重要ポイント４の［例２］と同様に，２つの物体ごとに**別々に運動方程式を立てる**。

STEP❶ まず，２つの物体のそれぞれに働く力をすべて図示する。

本問の場合は，鉛直方向の力については重力と垂直抗力が各物体ごとにつりあっているから，**水平方向の力**のみに注目すればよい。また摩擦力を無視しているから，水平方向に働く力は，２本の糸 X，Y に働く張力のみである。

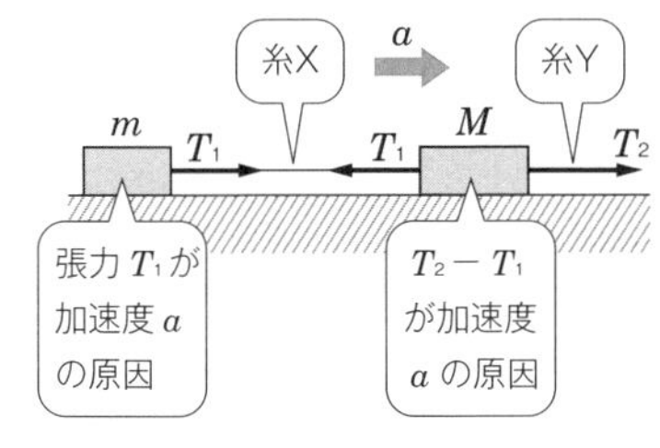

そこで，糸 X，Y に働く張力の大きさをそれぞれ T_1，T_2 とする。このように，式を立てるうえで必要な物理量が与えられていない場合には，これを，未知数で置くという心がけが大切である。２つの物体は糸 X を介して，互いに逆向きに等しい大きさの力を及ぼし合っている。この力の大きさが張力 T_1 であり，これら２力は**作用と反作用の関係**にある。

STEP❷ ２つの物体について，それぞれ運動方程式を立てる。

上図より，質量 m の物体は，糸 X の張力 T_1 だけを受けて右向きに加速されるから，この物体についての運動方程式は，$ma = T_1$ …①

また，質量 M の物体は，糸 Y が及ぼす右向きの張力 T_2 と，糸 X が左向きに及ぼす張力 T_1 が同時に働く結果として加速度 a が生じるから，これら２つの力の合力が加速度 a の原因である。ここで，互いに逆向きの T_1 と T_2 の合力は，右向きに $T_2 - T_1$ となる（このとき，物体は右向きに加速されているので，$T_1 < T_2$ が成り立たなくてはならない）。よって，質量 M の物体についての運動方程式は，$Ma = T_2 - T_1$ …②

STEP❸ ①，②式を，T_1，T_2 の連立方程式として解く。

T_1 はすでに①式で求められている。②式の T_1 に①の右辺を代入して，

$T_2 = Ma + T_1 = Ma + ma = (M + m)a$ …③

①，③式より，糸 X の張力は ma，糸 Y の張力は $(M + m)a$

よって，正答は**２**である。

エネルギーと運動量

必修問題

図のように，質量4.0kgの小球Ａが，滑らかな斜面を10.0mの高さから初速度０m/sで滑り降りて，高さ０mで静止している質量2.0kgの小球Ｂと衝突する。Ｂの衝突直後の速度はおよそいくらか。

ただし，重力加速度の大きさを9.8m/s^2，ＡとＢとの間の反発係数を0.20とする。　【国家専門職・平成23年度】

1　7.5m/s
2　8.4m/s
3　10m/s
4　11m/s
5　14m/s

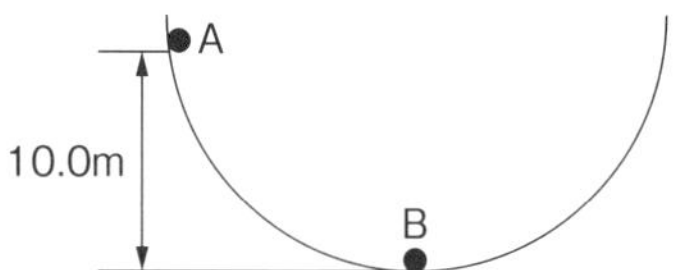

難易度　＊＊

必修問題の解説

２物体の衝突に関する典型的な問題である。小球Ａは滑らかな斜面（ここでは曲面）に沿って滑り降りて，斜面の最下点で小球Ｂと衝突するから，衝突直前の小球Ａの速度は，一瞬だけ水平方向になっていると考えてよい。したがって，本問は，静止しているＢに，Ａが水平方向から衝突するという設定の，**一直線上での衝突の問題**とみなすことができる。衝突の際には，小球Ａ，Ｂは互いに作用と反作用の関係にある力を瞬間的に及ぼし合うから，**運動量保存の法則**が成り立つ。すなわち，衝突の前後でＡとＢの運動量の和が一定に保たれるから，衝突前および衝突後のＡ，Ｂの速度をそれぞれ，v_A，v_B，およびv_A'，v_B'とし，Ａ，Ｂの質量をそれぞれm_A，m_Bとすると，

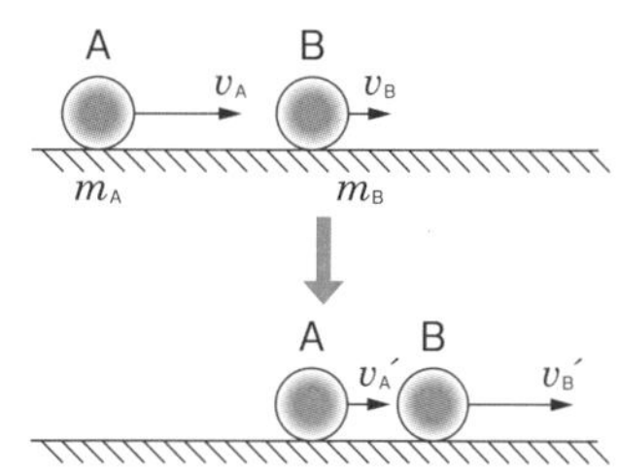

$$\underbrace{m_A v_A + m_B v_B}_{\text{衝突前}} = \underbrace{m_A v_A' + m_B v_B'}_{\text{衝突後}} \quad \cdots(1)$$

が成り立つ。しかし，未知数がv_A'，v_B'の２つであるから，(1)式１つだけでは方程式が１つ足りない。そこで，これを補うものとして，

はね返り係数（反発係数）の関係式　$e = -\dfrac{v_A' - v_B'}{v_A - v_B}$　…(2)

を併用して，v_A'，v_B'の連立方程式を導く。

本問では$v_B = 0$である。また，あらかじめv_Aを求めておかなくてはならない。

STEP❶ 衝突直前のAの速度 v_A を求める。

小球Aは，高さ $h = 10.0$〔m〕のところから初速度0で滑り始め，やがて最下点に達する。この間，滑らかな斜面に沿って運動しているから，摩擦力は働かない。ゆえに，**力学的エネルギー保存の法則**が成り立つ（問題文には特に書かれていないが，空気抵抗も無視してよい）。よって，$m_A = 4.0$〔kg〕と置くと，小球Aが初めに持っていた位置エネルギー $m_A gh$ が，最下点で運動エネルギーに変わるから，

$$\frac{1}{2}m_A v_A{}^2 = m_A gh \quad よって，\ v_A = \sqrt{2gh}$$

上式の右辺に与えられた数値を代入して，

$$v_A = \sqrt{2 \times 9.8 \times 10} = \sqrt{196} = \sqrt{14^2} = 14〔m/s〕$$

STEP❷ 運動量保存の法則とはね返り係数の式を立てる。

衝突直後のA，Bの速度を，水平方向右向きを正の向きとして，v_A'，v_B' とする。前ページの(1)式において，$m_A = 4.0$，$m_B = 2.0$，$v_A = 14$，$v_B = 0$ と置くと，

$$4.0 \times 14 = 4.0v_A' + 2.0v_B' \quad \cdots①$$

また，本問では衝突におけるはね返り係数（反発係数）が $e = 0.20$ と与えられているから，前ページの式(2)において，$v_A = 14$，$v_B = 0$，$e = 0.20$ と置くと，

$$0.20 = -\frac{v_A' - v_B'}{14 - 0} \quad \cdots②$$

マイナスの符号に注意！

STEP❸ STEP❷で導いた①，②式を，v_A'，v_B' の連立方程式として解く。

①式より，$4v_A' + 2v_B' = 56$　ゆえに，$2v_A' + v_B' = 28$　…③

②式より，$0.20 \times 14 = -(v_A' - v_B')$　ゆえに，$-v_A' + v_B' = 2.8$　…④

本問では v_B' だけを求めればよい。そこで，③，④式から v_A' を消去するために③＋④×2を作ると，

$$3v_B' = 33.6$$

よって，$v_B' = 11.2$〔m/s〕

③：　$2v_A' + v_B' = 28$
④×2：$-2v_A' + 2v_B' = 5.6$ (+
$3v_B' = 33.6$

が得られる。

選択肢に与えられた数値のうち，11.2m/sに最も近い数値を選べばよいから，

$$v_B' \fallingdotseq 11〔m/s〕$$

よって，**4**が正答である。

正答 4

FOCUS

重力や弾性力などの，位置エネルギーを定義できる力は一般に保存力と総称される力の例である。物体に対して保存力だけが仕事をするときは，力学的エネルギー保存の法則が成り立つ。この法則は，滑らかな斜面上の運動や，振り子の運動などの問題で絶大な威力を発揮する。一方，2つの物体の衝突の問題では，運動量保存の法則が重要な役割を果たす。この2つの保存の法則はいずれも頻繁に使われるので，繰り返し練習しておきたい。

POINT

重要ポイント 1　力学的エネルギー

物体に力を加えて移動させるとき，この力は物体に対して「**仕事をする**」という。**エネルギーとは，仕事をする能力**のことである。また，運動エネルギーと位置エネルギーの和を**力学的エネルギー**という。特に，物体に対して**保存力**だけが仕事をするとき，力学的エネルギーは保存される。

(1) 仕事と運動エネルギー

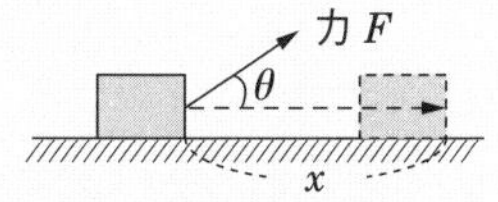

・**仕事の定義**：力 F を加え続けて x だけ動かすとき，
$\boldsymbol{W = Fx\cos\theta}$（$\theta$ は力と移動の向きがなす角）
（W の単位は，N·m = J（ジュール））

・**運動エネルギー**の大きさ：$\boldsymbol{K = \frac{1}{2}mv^2}$（$m$：物体の質量，$v$：物体の速さ）

・**エネルギー原理**：$\frac{1}{2}mv'^2 - \frac{1}{2}mv^2 = Fx$
（運動エネルギーの変化量＝外力がした仕事）

(2) 力学的エネルギー保存の法則：重力や弾性力などの，**位置エネルギー**を定義できる力を**保存力**という。物体に対して保存力だけが仕事をするとき，**運動エネルギー K と位置エネルギー U の和，すなわち力学的エネルギーは一定に保たれる**。

[例1] **落下運動**

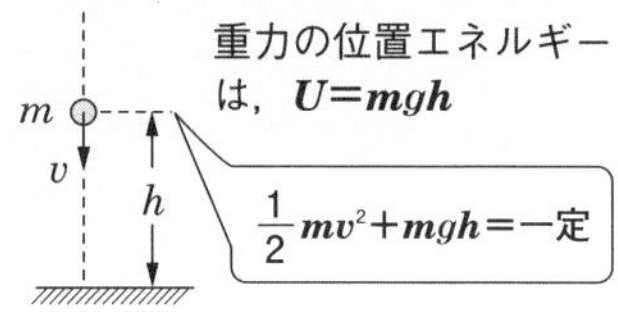

・自由落下や鉛直投げ上げだけでなく，放物運動でも成り立つ。

[例2] **ばね振り子**（k はばね定数）

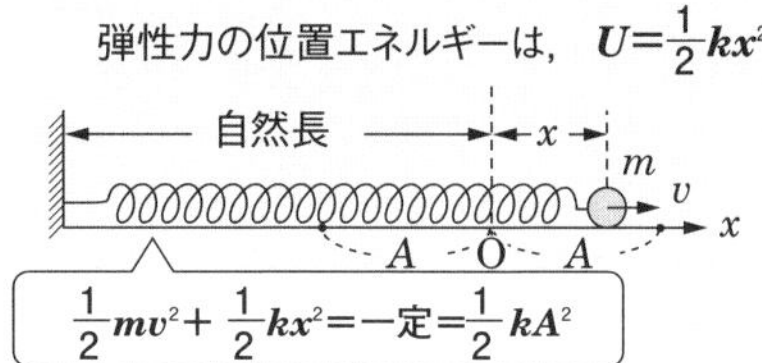

・物体は $x = \pm A$ の間を往復運動する。（テーマ4，重要ポイント1(2)の［例1］を参照）

(3) 力学的エネルギー保存の法則の応用：重力や弾性力のほかに力が働いている場合でも，それらの力が仕事をしなければ，力学的エネルギーは保存される。ただし，**摩擦力や空気抵抗が働く場合は，力学的エネルギーは減少**する。

[例1] **滑らかな斜面上の運動**

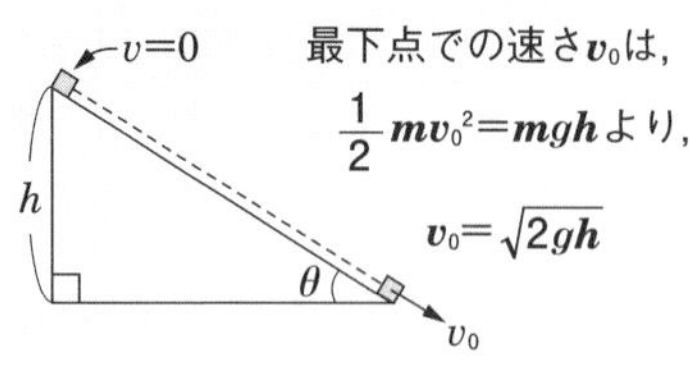

[例2] **振り子の運動**

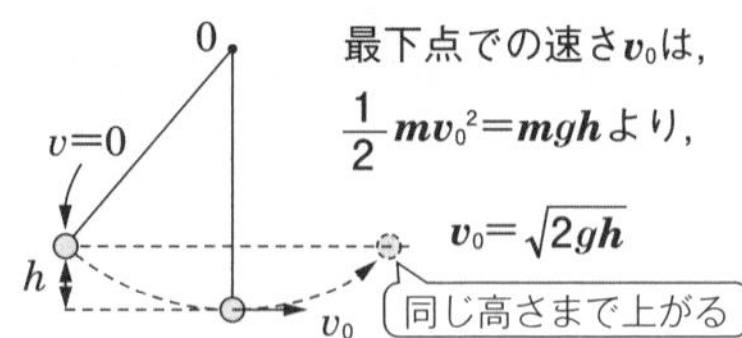

重要ポイント2 運動量保存の法則

質量 m の物体が速度 $\vec{v}$ で運動するとき，$m\vec{v}$（質量×速度）を**運動量**という。

(1) 運動量原理（運動量の変化と力積の関係）：質量 m の物体に，力 $\vec{F}$ が時間 Δt〔s〕の間だけ働いて，物体の速度が $\vec{v}$ から $\vec{v'}$ に変化したとすると，

$m\vec{v'} - m\vec{v} = \vec{F}\Delta t$（右辺の $\vec{F}\Delta t$ を力 $\vec{F}$ による**力積**という）

(2) 運動量保存の法則：質量がそれぞれ m_1，m_2 の2物体A，Bが，互いに作用と反作用の関係にある力の力積だけを及ぼし合うとき，2物体の**運動量の総和**は一定に保たれる。すなわち，$m_1\vec{v_1} + m_2\vec{v_2} =$ 一定　が成り立つ。

(3) 衝突とはね返り係数

衝突前　A v_1 B v_2 m_1 m_2　→正の向き　衝突後　A v_1' B v_2'

一直線上を速度 v_1，v_2 で運動していた2物体が衝突し，速度がそれぞれ v_1'，v_2' になったとすると，次の2つの関係式が成り立つ。

運動量保存の法則　$\boldsymbol{m_1 v_1 + m_2 v_2 = m_1 v_1' + m_2 v_2'}$　…①

はね返り係数の式　$\boldsymbol{e = -\dfrac{v_1' - v_2'}{v_1 - v_2}}$　…②（e の値は $0 \leqq e \leqq 1$ の範囲）

①，②式を連立方程式として解けば，衝突後の速度 v_1'，v_2' が求められる。

⇨必修問題，実戦問題No.4・No.5　［注］eを**反発係数**とも呼ぶ。

・$e = 1$ の衝突を**(完全)弾性衝突**といい，$0 \leqq e < 1$ の衝突を**非弾性衝突**という。$e = 0$ のとき，衝突後に2物体は一体となるから，①式だけで十分である。

・**力学的エネルギーが保存されるのは $e = 1$ の場合に限られる**。$0 \leqq e < 1$ の場合には，力学的エネルギーは，衝突によって必ず減少する。

・壁や床と**垂直に**衝突するときのはね返り係数は，

$$e = \frac{衝突直後の速さ}{衝突直前の速さ} = \frac{v'}{v} \quad (0 \leqq e \leqq 1)$$

v　v'　壁

［例］**同じ質量の2球の衝突**：質量がともに m の2球A，Bがあり，衝突前にAは v_1，Bは v_2 の速度で一直線上を運動して衝突した場合を考える。このとき，衝突後のAの速度を v_1'，Bの速度を v_2' とすると，**運動量保存の法則**より，

$mv_1' + mv_2' = mv_1 + mv_2$　よって，$v_1' + v_2' = v_1 + v_2$　…①

はね返り係数の式より，$e = -\dfrac{v_1' - v_2'}{v_1 - v_2}$　よって，$v_1' - v_2' = ev_2 - ev_1$　…②

が成り立つ。①，②式より，$v_1' = \dfrac{1-e}{2}v_1 + \dfrac{1+e}{2}v_2$，$v_2' = \dfrac{1+e}{2}v_1 + \dfrac{1-e}{2}v_2$

特に，$\boldsymbol{e = 1}$ **のとき**，$v_1' = v_2$，$v_2' = v_1$ となり，**質量が等しい2物体は，弾性衝突によって互いに速度を交換する**。

実戦問題

＊
No.1 次の図のように，物体が初速度ゼロで滑らかな斜面を滑り下るとき，斜面上を滑った距離に対する位置エネルギーと運動エネルギーの変化を表したグラフの組合せとして，妥当なものはどれか。ただし，斜面の最下端を位置エネルギーの基準にとるものとする。

【市役所・平成17年度】

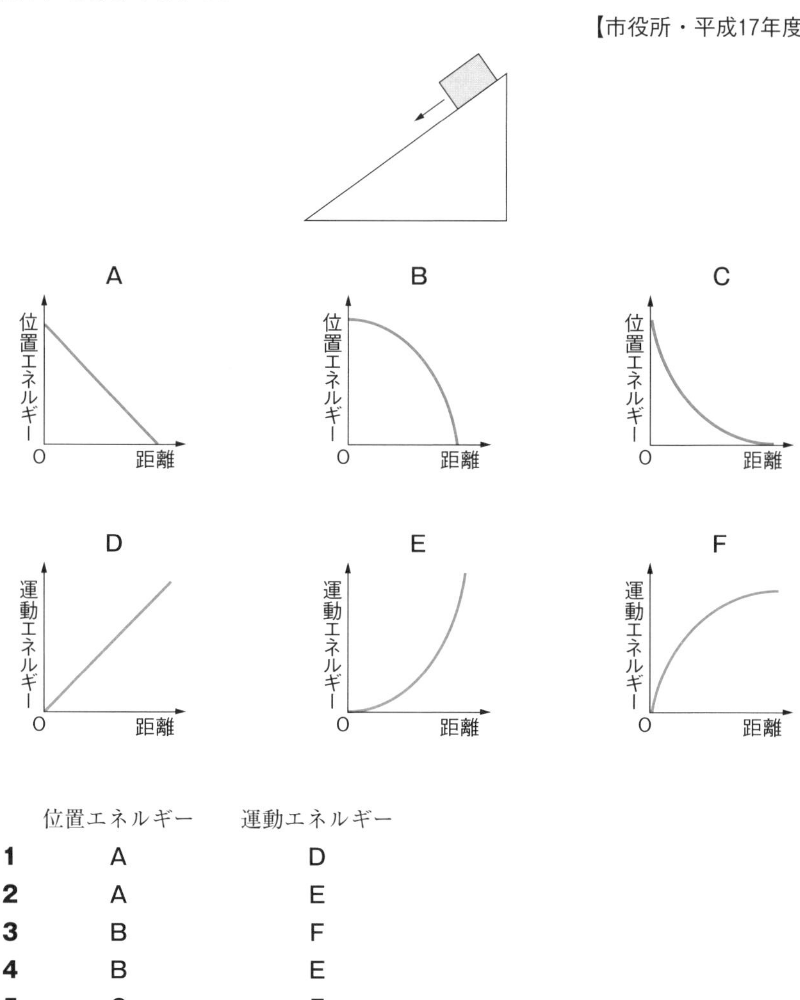

	位置エネルギー	運動エネルギー
1	A	D
2	A	E
3	B	F
4	B	E
5	C	F

No.2 ＊＊ 次の図のように，垂直な壁 A にばね定数 k〔N/m〕のつる巻ばねを固定し，このばねに質量 M〔kg〕の小球を押しつけて x〔m〕縮めてから静かに放したとき，小球の到達する最高点の高さはどれか。ただし，重力加速度の大きさを g〔m/s²〕とし，水平面ABおよび曲面BCと小球との摩擦は考えないものとする。

【地方上級（特別区）・平成17年度】

1 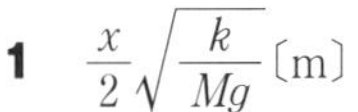 $\frac{x}{2}\sqrt{\frac{k}{Mg}}$〔m〕

2 $\frac{2}{x}\sqrt{\frac{Mg}{k}}$〔m〕

3 $x\sqrt{\frac{k}{2Mg}}$〔m〕

4 $\frac{kx^2}{2Mg}$〔m〕

5 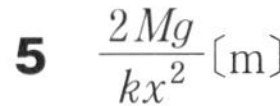 $\frac{2Mg}{kx^2}$〔m〕

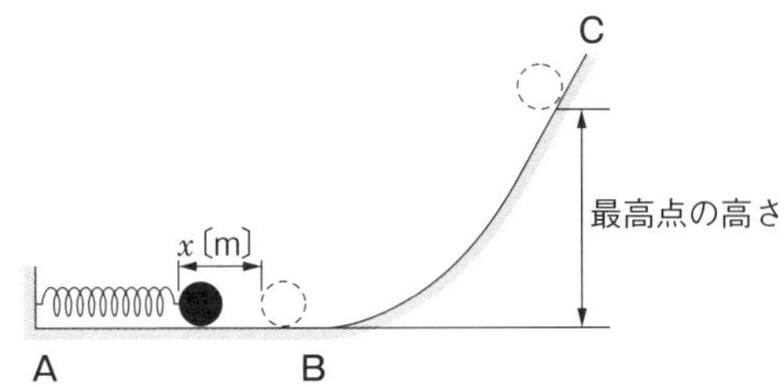

No.3 ＊ 次の文は，物体の衝突に関する記述であるが，文中の空所 A～C に該当する語句または数式の組合せとして，妥当なのはどれか。

【地方上級（特別区）・平成15年度】

同一直線上を運動する2つの小球 X，Y が衝突するとき，一方から見て他方が，衝突前に相対的に近づく速さと，衝突後に相対的に遠ざかる速さとの比の値が一定になる。この比の値 e を［ A ］という。$e=1$ の衝突では，衝突前の近づく速さと衝突後の遠ざかる速さとが等しくなり，この衝突を［ B ］という。

高さ h_0 から自由落下した小球が床に衝突し，h_1 まではね上がった場合，この小球と床との間の［ A ］は，［ C ］となる。

	A	B	C
1	はね返り係数	弾性衝突	$\sqrt{\frac{h_1}{h_0}}$
2	はね返り係数	非弾性衝突	$\sqrt{\frac{h_1}{h_0}}$
3	はね返り係数	弾性衝突	$\frac{h_1}{h_0}$
4	仕事率	非弾性衝突	$\frac{h_1}{h_0}$
5	仕事率	弾性衝突	$\frac{h_1}{h_0}$

*
No.4 滑らかで水平な直線上で，右向きに速さ5.0m/sで進む質量2.0kgの小球Aと，左向きに速さ3.0m/sで進む質量3.0kgの小球Bが正面衝突した。AとBの間の反発係数（はね返り係数）が0.50であるとき，衝突後のAの速度はおよそいくらか。

ただし，速度は右向きを正とする。

なお，AとBの間の反発係数 e は２つの物体の衝突前後の相対速度の比であり，A，Bの衝突前の速度をそれぞれ v_A，v_B，衝突後の速度をそれぞれ v_A'，v_B' とすると，次のように表される。

$$e = -\frac{v_A' - v_B'}{v_A - v_B}$$

【国家一般職・令和３年度】

1 －2.2m/s
2 －1.4m/s
3 －0.6m/s
4 ＋0.2m/s
5 ＋1.0m/s

**
No.5 次の図のように，水平面上を質量４kgの球Aが速さ６m/sで，質量２kgの球Bが速さ１m/sで同じ向きに進んで衝突した。球Aと球Bとのはね返り係数が0.8であるとき，衝突後の球Aと球Bの速度の組合せとして，妥当なのはどれか。ただし，球と水平面との間の摩擦は無視するものとする。

【地方上級（特別区）・平成18年度】

	A	B
1	1 m/s	5 m/s
2	2 m/s	6 m/s
3	3 m/s	7 m/s
4	4 m/s	8 m/s
5	5 m/s	9 m/s

球A
6 m/s
4 kg
球B
1 m/s
2 kg

実戦問題の解説

No.1 の解説　力学的エネルギー保存の法則（1）

→問題はP.50　**正答 1**

物体の高さが h であるとき，物体が持つ重力による**位置エネルギー** U は，高さ0の点を基準として，$\boldsymbol{U=mgh}$〔J〕と表される。高さ h の位置にある物体は，高さ0の位置に到達するまでに，他の物体に対して大きさ mgh の仕事をすることができる。したがって，位置エネルギー U は基準面からの**高さに比例**する。物体が斜面を下るにつれて高さは減少するから，次第に位置エネルギーも減少することがわかる。ここで，グラフの横軸が高さではなく，斜面を滑った距離になっているが，**滑った距離と落下した距離は比例する**から，**横軸は高さの減少量に比例**している。ゆえに，位置エネルギー U は，距離の減少とともに直線的に減少するから，求めるグラフはAである。

よって，この段階で正答は**1**か**2**に絞られる。

次に，運動エネルギー K の変化について考えると，本問の場合は斜面が滑らかであるから，**力学的エネルギー保存の法則**が成り立っている。すなわち，

$\boldsymbol{K+U=}$ **一定** ＝初めの位置エネルギー

という関係が常に満たされている。ゆえに，右の図1のグラフからもわかるとおり，U が直線的に減少するのに伴って，K は直線的に増加するはずである。よって，K の変化を表すグラフはDである。

図1

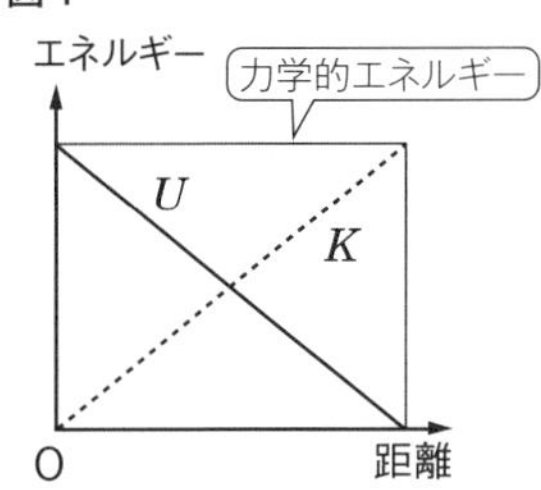

以上より，**1**が正答である。

［別解］U と K のグラフを，次のように数学的に求めることもできる。すなわち，斜面に沿って滑った距離を x，高さの減少量を y とすると，$x\sin\theta=y$ である（図2）。

図2

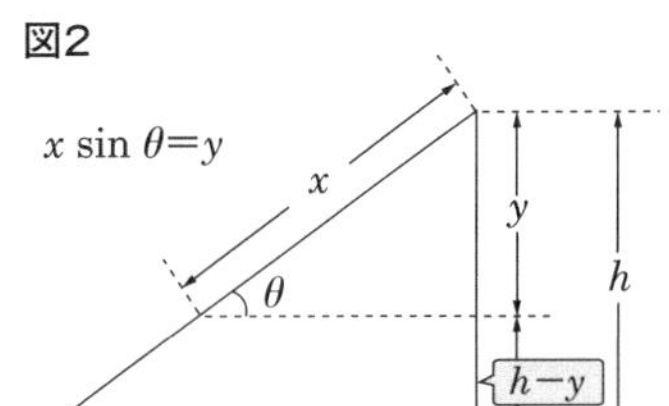

また，初めの物体の高さを h とすると，y だけ低い位置での高さは $h-y$ となるから，位置エネルギーは，

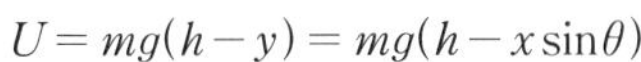

$$U=mg(h-y)=mg(h-x\sin\theta)$$

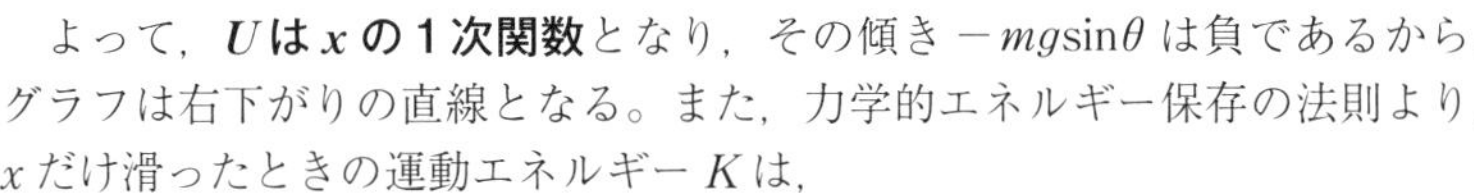

よって，**U は x の1次関数**となり，その傾き $-mg\sin\theta$ は負であるから，グラフは右下がりの直線となる。また，力学的エネルギー保存の法則より，x だけ滑ったときの運動エネルギー K は，

$$K+U=mgh$$

を満たす。ゆえに，$K=mgh-U=mgh-mg(h-x\sin\theta)=(mg\sin\theta)x$

よって，**K は x の1次関数**となり，その傾き $mg\sin\theta$ は正である。K と x は比例するので，グラフは原点を通る右上がりの直線となる。

No.2 の解説　力学的エネルギー保存の法則（2）　→問題はP.51　正答4

力学的エネルギー保存の法則を用いる基本的な問題である。小球がばねに押しつけられた状態から，水平面AB上と曲面BC上を運動して，最高点の高さに到達するまでの間は摩擦が働かないから，力学的エネルギーは最初から最後まで一定に保たれている。すなわち，**初めに持っていた弾性エネルギーが，最高点の高さですべて重力の位置エネルギーに変わる**から，求める高さをhとすると，

$$\frac{1}{2}kx^2 = Mgh \quad \cdots ①\qquad \text{よって，}\ h = \frac{kx^2}{2Mg}$$

ゆえに，正答は**4**である。

力学的エネルギーの取り扱いに十分に慣れていれば，このようにいきなり①式を導いてもかまわない。しかし不慣れな人は，①式を導く過程を，次のSTEP❶～❸のように**3段階に分けて**慎重に考えるとよいだろう。

STEP❶　ばねを離れてから点Bまでの運動を考察する。

ばねが自然長に戻ったときに，小球はばねから離れる。このときの速さをvとすると，水平面ABは滑らかであるから，小球は水平面上で等速直線運動をする。ゆえに，点Bに到達した瞬間の速さもvである。よって，**力学的エネルギー保存の法則**より，

$$\frac{1}{2}kx^2 = \frac{1}{2}Mv^2 \quad \cdots ②$$

STEP❷　曲面BCを上昇し，最高点の高さに到達するまでの運動を考察する。

小球は滑らかな曲面上を運動するから，小球に仕事をする力は重力だけである。ゆえに，求める高さをhとすると，最高点の高さにおける小球の速さは0であるから，**力学的エネルギー保存の法則**より，

$$\frac{1}{2}Mv^2 = Mgh \quad \cdots ③$$

STEP❸　②，③式よりvを消去する。

②，③式より，$\frac{1}{2}kx^2 = \frac{1}{2}Mv^2 = Mgh$となる。よって，確かに①式が成り立っている。

No.3 の解説　自由落下と床との衝突　→問題はP.51　正答1

衝突とはね返り係数に関する基本的な問題である（**重要ポイント2(3)**）。

2物体が直線上を運動して衝突する場合には，$e = \dfrac{\text{遠ざかり合う速さ}}{\text{近づき合う速さ}}$によって定義される$e$が**はね返り係数**（または反発係数）である。$e = 1$のときの衝突を**（完全）弾性衝突**と呼び，$0 \leqq e < 1$の場合を**非弾性衝突**という。

小球が床や壁と衝突する場合には，はね返り係数eの値は，小球が**はね返る直前の速さと，はね返った直後の速さの比**で表される。

STEP❶ 衝突前後の速さを文字で置いて，eの定義式を書いてみる。

高さh_0から自由落下してきた小球が床に達する直前の速さをv_0とし，床からはね返った直後の速さをv_1とすると，はね返りの係数eは次式のように表される。

$$e=\frac{v_1}{v_0}\quad\cdots①$$

STEP❷ 衝突前後の速さv_0，v_1を，それぞれh_0，h_1で表す。

次に，「高さh_0から自由落下した」という条件からv_0を求め，「h_1まではね上がった」という条件からv_1を求めて，これらの結果を①式に代入すればよい。衝突後の小球は速度v_1で鉛直上向きに運動しているから，**衝突後の運動は鉛直投げ上げ運動**である。ここで，**テーマ2**で学んだ運動の式を用いることもできるが，今の場合は与えられた高さをもとに速さv_0を求めればよいから，**力学的エネルギー保存の法則**を用いるのが得策である。運動エネルギーや位置エネルギーを式で表すには質量が必要になるから，小球の質量をmと置く。このように，問題文に与えられていなくても，式を立てるうえで必要な物理量は，積極的に文字で置いてみる心がけが大切である。

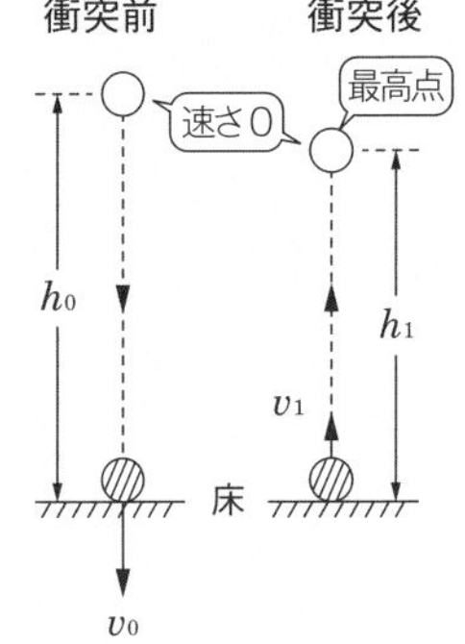

まず，衝突前に持っていた位置エネルギーが，床に着く直前に運動エネルギーに変化するから，

$$\frac{1}{2}m{v_0}^2=mgh_0\ \text{より，}\ v_0=\sqrt{2gh_0}\quad\cdots②$$

また，衝突直後の運動エネルギーが，最高点ですべて位置エネルギーに変化するから，

$$\frac{1}{2}m{v_1}^2=mgh_1\ \text{より，}\ v_1=\sqrt{2gh_1}\quad\cdots③$$

STEP❸ eをh_0，h_1で表す。

②，③式を①式の右辺に代入して，$e=\dfrac{v_1}{v_0}=\dfrac{\sqrt{2gh_1}}{\sqrt{2gh_0}}=\sqrt{\dfrac{h_1}{h_0}}$

以上より，正答は**1**である。

No.4 の解説 衝突とはね返り係数（1）

→ 問題はP.52 **正答 1**

必修問題と同様に，直線上の２物体の衝突に関する基本的な問題である。一般に，**運動量**とは，**物体の質量と速度の積**で表される**ベクトル量**であり，物体の運動の勢いを表す物理量である。２つの物体が衝突すると，個々の物体の運動量はそれぞれ変化するが，物体どうしが互いに作用と反作用の関係にある力による力積だけを及ぼし合う場合には，運動量の総和は変わらない。これが**運動量保存の法則**である。本問のように直線上での2物体が衝突する場面を扱った問題では，**必修問題**の解説の式(1)，(2)のように，運動量保存の法則の式とはね返り係数の関係式を連立方程式として扱えばよい。

STEP❶　運動量保存の法則の式を立てる。

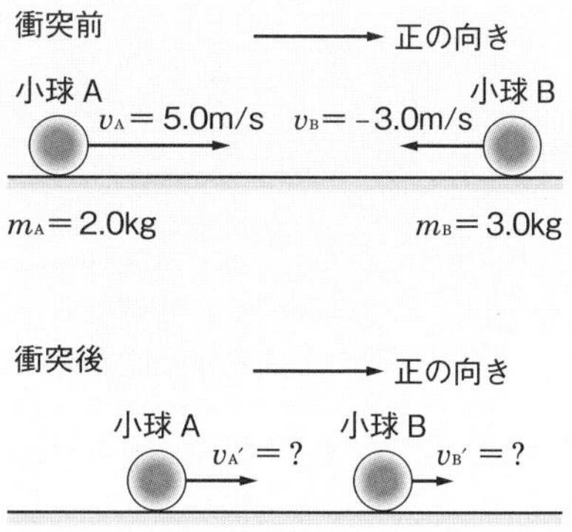

運動量および速度はいずれもベクトル量であるから，向きを区別するためにあらかじめ正の向きを定めておいて，正・負の符号をつけて区別する。このとき，符号のミスを防ぐためにも，図を描いて考える習慣を身につけておきたい。本問の場合，速度の右向きを正としているから，衝突前の小球A，Bの速度をそれぞれ，v_A，v_B と置くと，$v_A = 5.0$〔m/s〕

$v_B = -3.0$〔m/s〕

であり，質量をそれぞれ m_A，m_B と置くと，$m_A = 2.0$〔kg〕，$m_B = 3.0$〔kg〕である。ここで，衝突後の小球A，Bの速度をそれぞれ v_A'，v_B' とする。v_A' と v_B' の向きはまだこの段階では不明であるが，とりあえず正の向きであると仮定して式を立て，計算の結果が正になれば正の向き，負になれば負の向きである，という具合に，答えを出してから判定すればよい。以上より，運動量保存の法則を表す式は，**必修問題**の解説の式(1)で，$m_A = 2.0$，$m_B = 3.0$，$v_A = 5.0$，$v_B = -3.0$ と置いて，

$$2.0 \times 5.0 + 3.0 \times (-3.0) = 2.0v_A' + 3.0v_B' \quad \cdots①$$

STEP❷　はね返り係数の式を立てる。

本問の場合，**必修問題**の解説の式(2)と同一の式が立てられているから，これをそのまま用いればよい。与えられた式で，$v_A = 5.0$，$v_B = -3.0$ および $e = 0.50$ と導いて，

$$0.50 = -\frac{v_A' - v_B'}{5.0 - (-3.0)} \quad \cdots②$$（マイナスの符号に注意！）

STEP❸　運動量保存の法則の式とはね返り係数の式を連立方程式として解く。

以上の考察から得られた①，②式を，v_A' と v_B' についての連立方程式として解く。まず①式より，$2.0v_A' + 3.0v_B' = 10.0 - 9.0 = 1.0 \quad \cdots③$

また，②式より，$v_A' - v_B' = -0.50 \times 8.0 = -4.0$

ゆえに $v_B' = v_A' + 4.0 \quad \cdots④$

④式を③式に代入して，$2.0v_A + 3.0(v_A' + 4.0) = 1.0$

ゆえに，$5.0v_A' = -11.0 \quad \therefore v_A' = -\dfrac{11.0}{5.0} = -2.2$〔m/s〕

よって正答は**1**である。

［注］ $v_A' < 0$ であるから，衝突後に小球Aは左向きに運動していたことがわかる。また，v_B' を求めると，④に $v_A' = -2.2$ を代入して，$v_B' = 1.8$〔m/s〕ゆえに，$v_B' > 0$ となり，小球Bは右向きに運動していたことがわかる。

No.5 の解説　衝突とはね返り係数（2）

→ 問題はP.52　正答3

必修問題や前回No.4と同様に，**直線上の2物体の衝突**に関する典型的な問題である。式を立てやすくするために，**図を描きながら**考えよう。

STEP❶　運動量保存の法則の式を立てる。

運動量は，（質量）×（速度）で定義される**ベクトル量**であるから，あらかじめ正の向きを定め，**符号も含めて速度を表す**ことができるように準備しておく。本問では，衝突前のA，Bの速度の向き，すなわち図の右向きを正の向きとするのがよい。仮に，速度を求めた結果，負になるようなことがあれば，この速度が負の向き（図の左向き）であることを示している。

→ 正の向き

球A　球B

v_A'　v_B'

$m_A = 4$kg　$m_B = 2$kg

衝突直後のA，Bの速度を $\boldsymbol{v_A'}$，$\boldsymbol{v_B'}$ とすると，**必修問題**の解説の式(1)で，$m_A = 4$，$m_B = 2$，$v_A = 6$，$v_B = 1$ と置いて，

$4 \times 6 + 2 \times 1 = 4v_A' + 2v_B'$　…①

STEP❷　はね返り係数の式を立てる。

本問では，衝突におけるはね返りの係数が $e = 0.8$ と与えられているから，**必修問題**の解説の式(2)で，$v_A = 6$，$v_B = 1$，$e = 0.8$　と置いて，

$0.8 = -\dfrac{v_A' - v_B'}{6 - 1}$（マイナスの符号に注意！）…②

STEP❸　運動量保存の法則の式とはね返り係数の式を連立方程式として解く。

以上の考察によって得られた①，②式を，v_A'，v_B' についての連立方程式として解けばよい。

①式より，$4v_A' + 2v_B' = 26$　よって，$2v_A' + v_B' = 13$　…③

②式より，$-(v_A' - v_B') = 0.8 \times 5$　よって，$v_A' - v_B' = -4$　…④

③＋④より，v_B' を消去すると，$3v_A' = 13 + (-4) = 9$

ゆえに，$v_A' = \underline{3}$〔m/s〕と求められる。これを③式に代入して，

$v_B' = 13 - 2v_A' = 13 - 2 \times 3 = \underline{7}$〔m/s〕

以上より，「**A**が3 m/s，**B**が7 m/s」が正しい。

よって，**3**が正答である。

周期的な運動と慣性力

必修問題

次の図のように，天井からつるした長さ $2l$〔m〕の糸の端に，質量 $2m$〔kg〕のおもりをつけた円錐振り子が，水平面内で等速円運動をしているとき，おもりの円運動の周期として，妥当なのはどれか。ただし，糸と鉛直線のなす角を θ〔rad〕，重力加速度の大きさを g〔m/s^2〕とし，糸の質量および空気の抵抗は考えないものとする。

【地方上級（特別区）・平成25年度】

1 $2\pi\sqrt{\dfrac{l\cos\theta}{g}}$〔s〕

2 $2\pi\sqrt{\dfrac{2l\tan\theta}{g}}$〔s〕

3 $2\pi\sqrt{\dfrac{l\sin\theta}{g}}$〔s〕

4 $2\pi\sqrt{\dfrac{2l\cos\theta}{g}}$〔s〕

5 $2\pi\sqrt{\dfrac{2l\sin\theta}{g}}$〔s〕

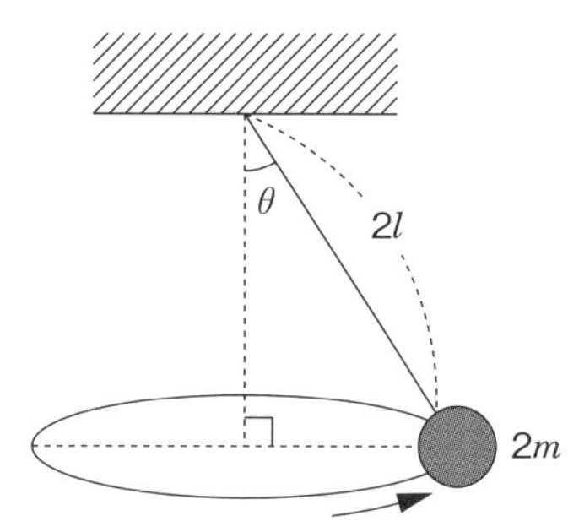

難易度 ＊＊

必修問題の解説

等速円運動の典型的な問題である。振り子のおもりが水平面内で円運動をすると，振り子の糸が円錐面を描くことから，この振り子の運動は「円錐振り子」と呼ばれ，高校の物理の教科書では必ず例題として取り上げられている。

一般に，円運動をする物体には，常に円の中心を向く力が働く。この力を**向心力**という。どのような力が向心力になるかは，問題ごとに判断しなくてはならない。本問では，おもりに働く力をすべて図示し，作図によって合力を求めることができる。こうして向心力 F が求められれば，次に等速円運動の運動方程式を用いる。すなわち，おもりの質量を m として，

$$m\frac{v^2}{r}=F \quad \cdots(1)$$

または

$$mr\omega^2=F \quad \cdots(1)'$$

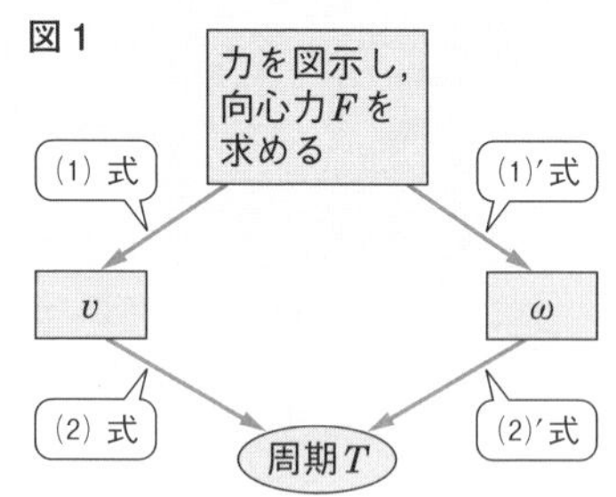

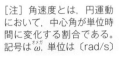

が成り立つ（重要ポイント1(1)）。(1)または(1)′から，速度 v または角速度 ω が求められる。さらに，周期 T は次のいずれかの式を用いて導かれる。

$$T=\frac{2\pi r}{v} \quad \cdots(2) \qquad \text{または} \qquad T=\frac{2\pi}{\omega} \quad \cdots(2)'$$

［注］角速度とは，円運動において，中心角が単位時間に変化する割合である。記号は ω（オメガ），単位は〔rad/s〕

こうして運動方程式から出発して，周期 T が求められる（図1参照）。

なお，本問では，糸の長さが $2l$，おもりの質量が $2m$ のように，係数2が付いているが，なるべく式をコンパクトにまとめるために，置き換えて見かけを簡単にする。そこで，次のように M と L を定めておく。

$$M=2m,\quad L=2l$$

すると，円軌道の半径 r は，図2より，

$$r=L\sin\theta \quad (=2l\sin\theta) \quad \cdots①$$

また，糸の張力は，テーマ1～3では T で表してきたが，周期を表す T と混同しやすいので，このテーマでは S を用いる。

図2

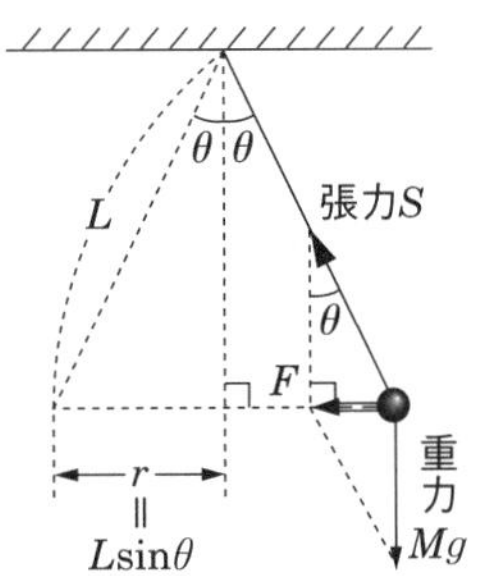

STEP❶ おもりに働く力をすべて図示し，向心力 F を求める。

おもりの運動を水平方向から見ると，図2のようになる。向心力は常に円の中心を向いているから，この場合の向心力は水平な面上にある。しかし，実際におもりに働く力は，重力 Mg と糸の張力 S の2力であり，どちらも水平方向を向いてはいない。したがって，これらの2力の**合力が向心力**となり，水平面上にあると考えられる。そこで，張力 S を水平方向と鉛直方向に分解すると，鉛直方向成分 $S\cos\theta$ は重力 Mg とつりあって打ち消し合うから，S と Mg の合力は張力 S の水平成分 $S\sin\theta$ となる（図3）。

図3

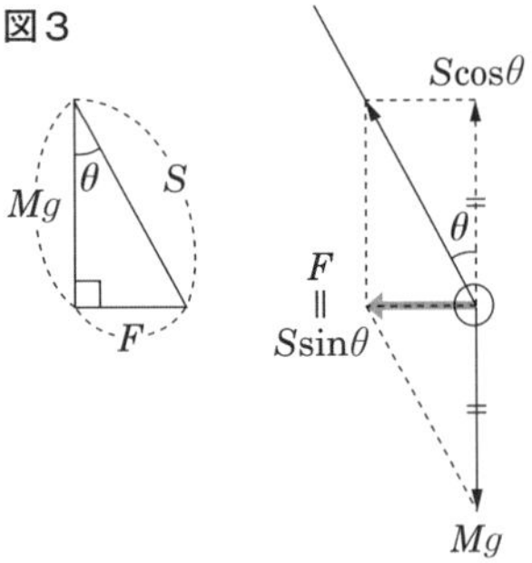

以上より，水平方向について，向心力の大きさを F とすると，

$$F=S\sin\theta \quad \cdots②$$

また，鉛直方向成分のつりあいより，

$$Mg=S\cos\theta \quad \cdots③$$

ここで，②÷③を作り，S を消去すると，

$$\frac{F}{Mg}=\frac{\sin\theta}{\cos\theta} \quad \text{よって，} \quad F=Mg\frac{\sin\theta}{\cos\theta} \quad (=Mg\tan\theta) \quad \cdots④$$

STEP❷ 運動方程式(1)または(1)′に F を代入し，v または ω を求める。

ここで**運動方程式**を用いる。ここまでの手順はテーマ2重要ポイント4と同じであるが，等速円運動の場合に加速度 a は，$a=\dfrac{v^2}{r}$ または $a=r\omega^2$ で与えられるから，(1)または(1)′の形で使うことになる。ここでは，(1)式を用いてみよう。

(1)式の m を M で置き換え，右辺の F に④式を代入して，

$$M\frac{v^2}{r}=Mg\frac{\sin\theta}{\cos\theta}\quad \text{ゆえに，}\ v=\sqrt{\frac{gr\sin\theta}{\cos\theta}}\quad \cdots⑤$$

STEP❸　周期 T の式(2)または(2)′を用いて，T を求める。

$T=\dfrac{2\pi r}{v}$ の右辺に⑤式を代入して，$T=2\pi r\cdot\sqrt{\dfrac{\cos\theta}{gr\sin\theta}}=2\pi\sqrt{\dfrac{r\cos\theta}{g\sin\theta}}$

ここで，①式を用いて，r の代わりに糸の長さ L を用いて T を表すと，

$$T=2\pi\sqrt{\frac{r\cos\theta}{g\sin\theta}}=2\pi\sqrt{\frac{L\sin\theta\cos\theta}{g\sin\theta}}=2\pi\sqrt{\frac{L\cos\theta}{g}}\quad\cdots⑥$$

⑥式の L を問題で与えられた l に戻して，$T=2\pi\sqrt{\dfrac{2l\cos\theta}{g}}$

よって，正答は**4**である。

正答 4

［別解］運動方程式(1)′を用いて，まず角速度 ω を求めてみる。　STEP❷に対応

$$Mr\omega^2=Mg\frac{\sin\theta}{\cos\theta}$$

ここで，①式より，r は $\sin\theta$ を含むから，この段階で r よりも L を用いるほうが，式が簡単になる。上式に①式を代入して，

$$M(L\sin\theta)\omega^2=Mg\frac{\sin\theta}{\cos\theta}\quad \text{ゆえに，}\ \omega^2=\frac{g}{L\cos\theta}\ \text{より，}\ \omega=\sqrt{\frac{g}{L\cos\theta}}$$

これを(2)′式に代入して，T を求めると，　STEP❸に対応

$$T=\frac{2\pi}{\omega}=2\pi\sqrt{\frac{L\cos\theta}{g}}$$

最後に L を $2l$ に置き換えて，正答**4**が得られる。

［注］上に示した解答では，地上に静止している観測者から見ている場合を前提とし，実際に働いている力だけを使って運動方程式を導く方法を用いた。これに対し，おもりとともに円運動している観測者から見ると，見かけの力として遠心力（慣性力の一種。重要ポイント2(2)参照）が働くように見えるから，遠心力と向心力とのつりあいが成り立つと考えて，(1)または(1)′式を導く方法もある。

FOCUS

円運動や振り子などの周期的な運動は，慣性力とともに，高校では選択の物理で扱われる内容である。物理の中でもいくぶんレベルの高いテーマであり，それほど出題頻度が高いというわけではないが，国家公務員や地方上級ではしばしば出題されている。また，力学的エネルギー保存の法則と結びつけた出題も見られる。一見難しそうに見えるが，パターンは決まっているから，コツをつかみさえすれば，むしろ確実な得点源になるテーマである。

POINT

重要ポイント 1 周期的な運動――円運動と単振動

(1) 等速円運動：一定の速さで円周上を動く物体の運動を**等速円運動**という。円周上を1回転する時間 T〔s〕を等速円運動の**周期**という。

$$T=\frac{2\pi r}{v}\quad\left(\begin{array}{l}r：半径\\ v：速さ\end{array}\right)$$

［注］周期 T は，角速度 ω を用いて $T=\frac{2\pi}{\omega}$ と表すこともできる。

・等速円運動では，速さ v は一定であるが，向きが変化する。ゆえに加速度の大きさ a は0にはならず，

$$a=\frac{v^2}{r}=r\omega^2$$

ω は角速度。p.59［注］参照。

となる。また，**加速度は常に中心を向くことから，向心加速度と呼ばれる**（図1）。

図1 等速円運動の運動方程式

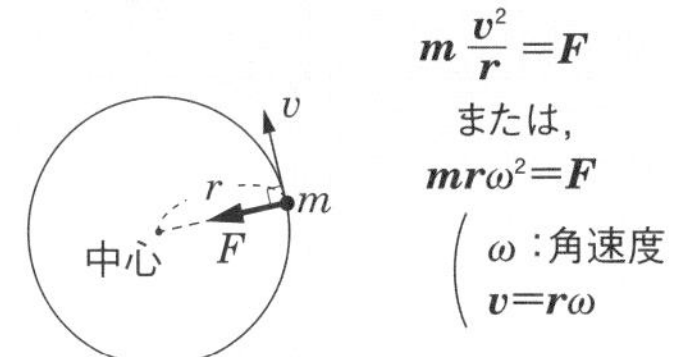

$m\frac{v^2}{r}=F$
または，
$mr\omega^2=F$
$\left(\begin{array}{l}\omega：角速度\\ v=r\omega\end{array}\right)$

向心力Fは常に円の中心を向く。

・運動の第2法則（テーマ2）より，加速度の原因となる力（**向心力**）も常に中心を向く。

［発展］**鉛直面内の円運動**

・長さ l の糸の先端に質量 m のおもりをつけ，鉛直面内で不等速な円運動をさせる。この問題は，運動方程式

$$m\frac{v^2}{l}=S-mg\cos\theta\ （Sは張力）$$

と，力学的エネルギー保存の法則

$$\frac{1}{2}mv^2+mgh=\frac{1}{2}mv_0{}^2$$

を連立させて解くことができる。

図2 鉛直面内の円運動

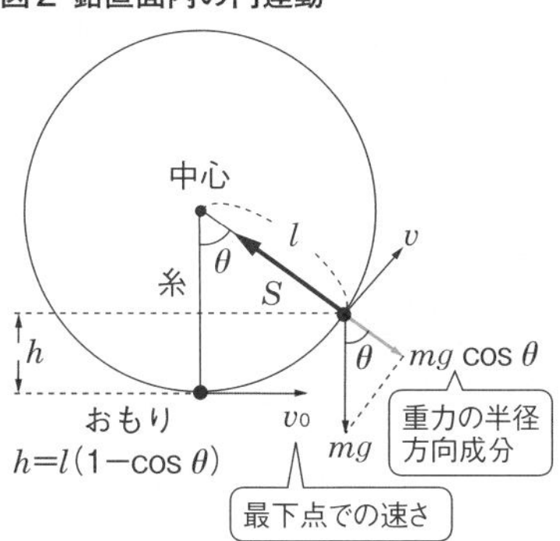

(2) 単振動：等速円運動の正射影として定義される直線上の往復運動を**単振動**という。

［例1］**ばね振り子**：滑らかな水平面上で，ばねを自然長から A だけ伸ばして手を放すと，おもりは振幅 A の単振動をする。

周期　$T=2\pi\sqrt{\frac{m}{k}}\quad\left(\begin{array}{l}m：おもりの質量\\ k：ばね定数\end{array}\right)$

図3 ばね振り子

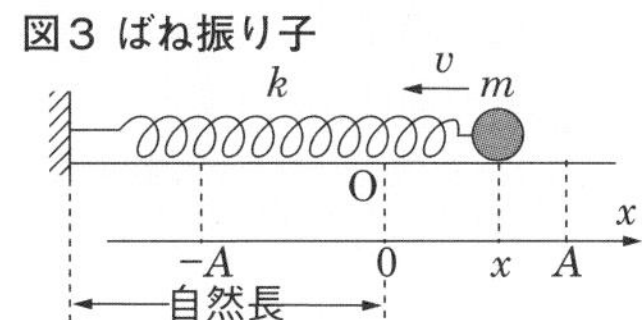

［例2］**単振り子**：糸におもりをつけ，鉛直面内で振らせたもの。振幅がごく小さい場合には近似的に単振動とみなせる。周期はおもりの質量や振幅に無関係である（この性質を**振り子の等時性**という）。

周期　$T=2\pi\sqrt{\frac{l}{g}}\quad\left(\begin{array}{l}l：糸の長さ\\ g：重力加速度の大きさ\end{array}\right)$ ⇨実戦問題No.2

重要ポイント 2 慣性力

(1) 慣性力：加速度運動をしている観測者が感じる仮想的な**見かけの力**。

・慣性力は，**観測者の加速度 $\vec{a}$ とは逆向き**に働くように見える。その大きさは，加速度 $\vec{a}$ の大きさを a とすると，ma（m は物体の質量）である。

・加速度運動している観測者の立場では，運動の法則を用いるとき，実在の力のほかに慣性力も含めて式を立てなくてはならない。

［例１］**加速度運動している電車の中で** ⇨実戦問題No.3

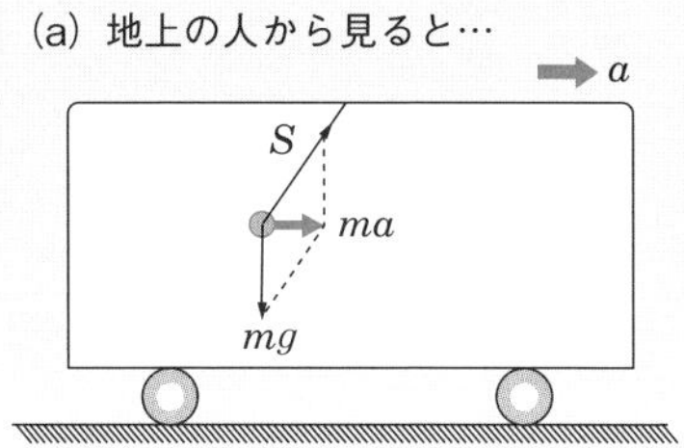

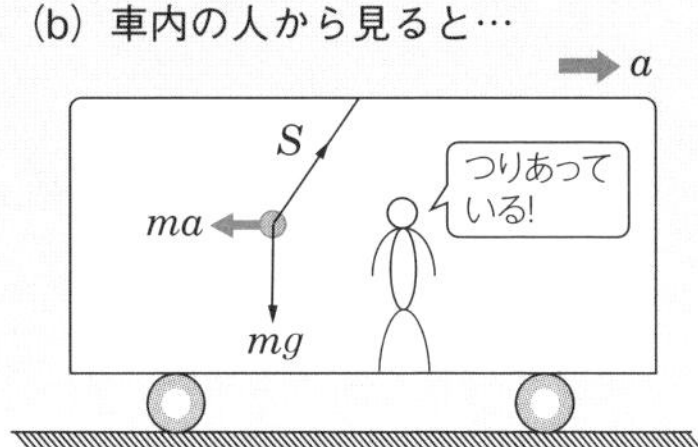

(a) 地上の人から見ると，おもりに働く重力mgと張力Sの合力が，列車と同じ加速度aを生じさせている。

(b) 車内の人から見ると，実際に働く重力と張力のほかに，慣性力が働いて，合計で３つの力がつりあうように見える。

［例２］**加速度運動しているエレベーターの中で**

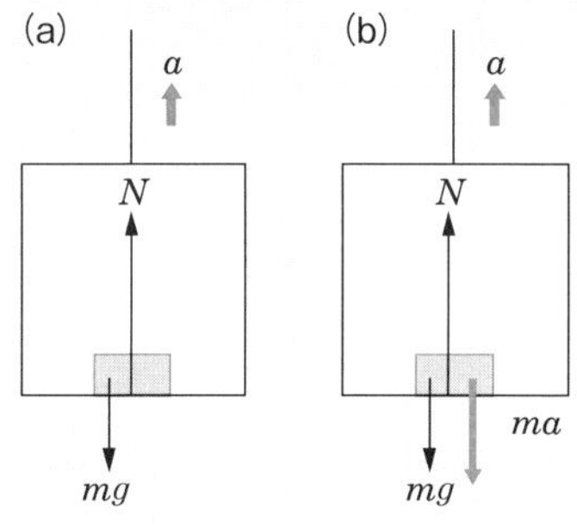

(a) 地上の人から見ると，エレベーターの床に置かれた物体には垂直抗力Nと重力mgが働き，その合力（大きさ$N-mg$）が加速度aを生じさせている。

(b) エレベーター内の人から見ると，実際に働く重力と垂直抗力のほかに，加速度と逆向きの慣性力が働いて，合計で３つの力がつりあうように見える。

(2) 遠心力：**慣性力の一種**で，円運動している観測者が感じる**見かけの力**。

・円運動の加速度は中心向きであるから，この場合の慣性力，すなわち**遠心力は，物体を中心から遠ざける向きに働いているように見える**。

・円運動している物体とともに運動する観測者から見ると，物体に働く向心力と遠心力とがつりあっているように見える。

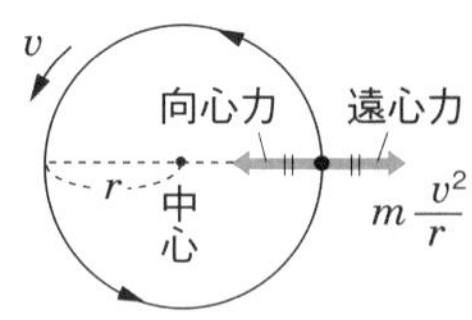

実戦問題

＊＊
No.1 長さ l の糸の先に質量 m のおもりをつけ，糸が鉛直線に対して常に60°の角度をなすように，おもりを水平面内で等速円運動をさせる。このとき，おもりの速さとして妥当なのは次のうちどれか。ただし，重力加速度の大きさを g とする。

【地方上級（全国型）・平成25年度】

1 $\sqrt{\dfrac{gl}{2}}$

2 $\sqrt{gl}$

3 $\sqrt{\dfrac{3gl}{2}}$

4 $\sqrt{2gl}$

5 $\sqrt{\dfrac{5gl}{2}}$

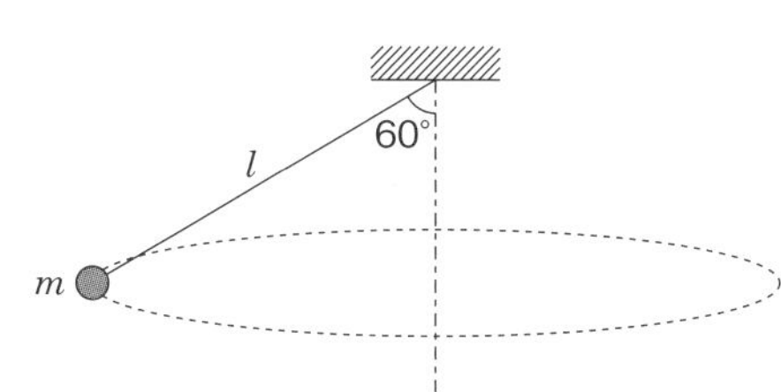

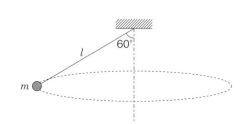

＊＊
No.2 図のように，質量 m または $2m$ の小球を長さ l または $2l$ の軽いひもでつるした単振り子 A～E がある。単振り子 A，B，C を地球上で，D，E を月面で鉛直面内で微小振動させるとき，それぞれの振動の周期 T_A～T_E の大小関係として最も妥当なのはどれか。

ただし，空気抵抗は考えないものとし，また，月面での重力加速度の大きさは地球上の $\dfrac{1}{6}$ とする。

【国家専門職・令和元年度】

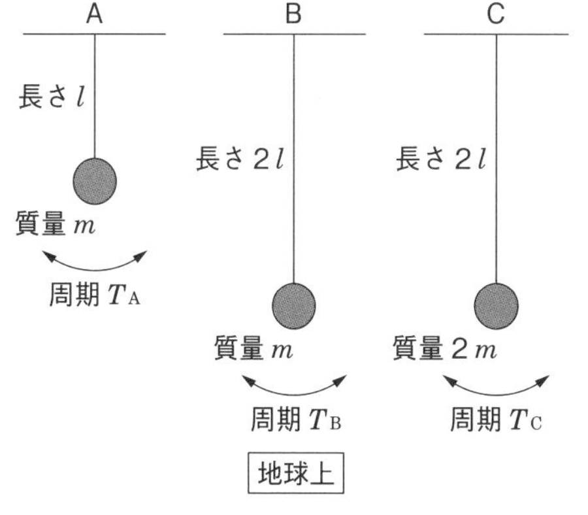

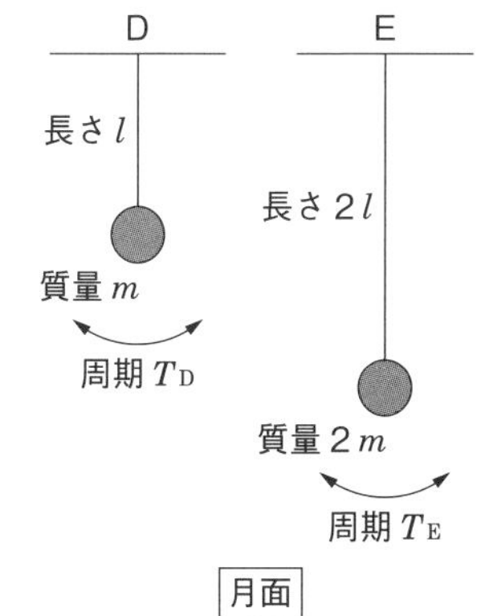

1 $T_A < T_B < T_C < T_D < T_E$

2 $T_A < T_B = T_C < T_D < T_E$

3 $T_A = T_D < T_B = T_C = T_E$

4 $T_E < T_D < T_B = T_C < T_A$

5 $T_E < T_D < T_C < T_B < T_A$

＊
No.3 次の図のように，矢印の方向に等加速度運動をしている電車の天井から糸でつるした質量 M〔kg〕のおもりが，後方に θ〔rad〕傾いた状態でつりあっているとき，糸の張力の大きさとして妥当なのはどれか。ただし，重力加速度の大きさを g〔m/s²〕とする。

【地方上級（特別区）・平成14年度】

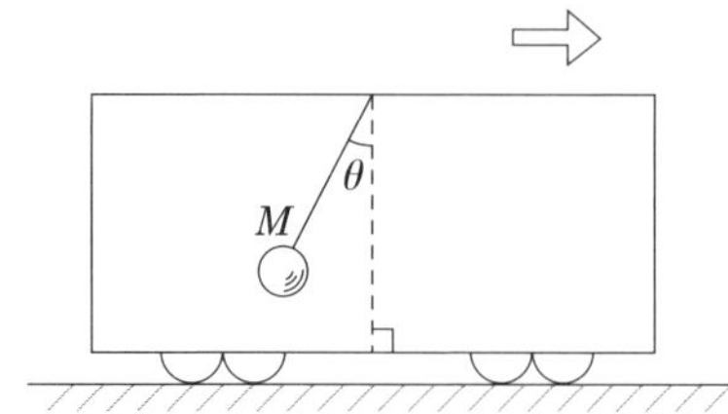

1 Mg〔N〕

2 $Mg\sin\theta$〔N〕

3 $\dfrac{Mg}{\sin\theta}$〔N〕

4 $Mg\cos\theta$〔N〕

5 $\dfrac{Mg}{\cos\theta}$〔N〕

実戦問題の解説

No.1 の解説 円錐振り子

→問題はP.63 正答3

必修問題の復習である。

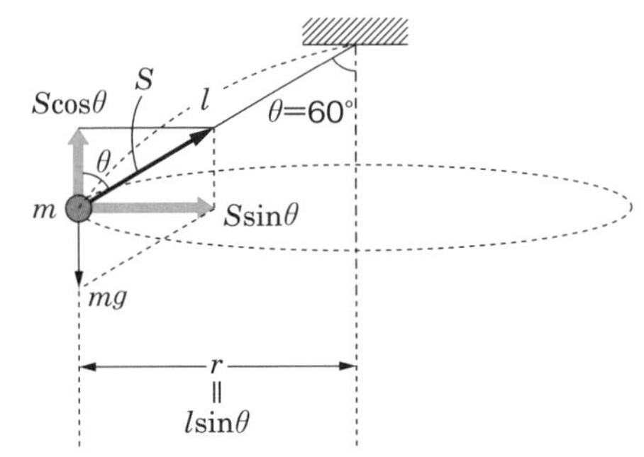

運動方程式 $m\dfrac{v^2}{r}=F$ を用いて v を求めればよいが，円錐の半頂角60°をひとまず文字で置くと式が処理しやすくなる。なぜならば，

$$\cos 60^\circ=\frac{1}{2}$$

$$\sin 60^\circ=\frac{\sqrt{3}}{2}$$

という数値をいきなり用いると，途中でミスをする確率が高くなるからである。このように，なるべく文字式で計算を進めておいて，最後に数値を代入するほうが，誤りを防ぐことにつながる場合が多い。

STEP❶ おもりに働くすべての力を作図し，向心力 F を求める。

必修問題と同様に，**向心力** F はおもりに働く重力 mg と，糸の張力 S の合力である。張力 S を水平成分と鉛直成分に分解すると，向心力は張力の水平成分 $S\sin\theta$ と一致する。

水平方向… $F=S\sin\theta$
鉛直方向… $mg=S\cos\theta$
辺々比をとって，$\dfrac{F}{mg}=\dfrac{\sin\theta}{\cos\theta}=\tan\theta$

よって，向心力は，$F=mg\tan\theta$ …①

あるいは，S を分解する代わりに，F が S と mg の合力であることに注目し，右図の直角三角形を用いると，$\tan\theta=\dfrac{F}{mg}$ より，①式を得る。

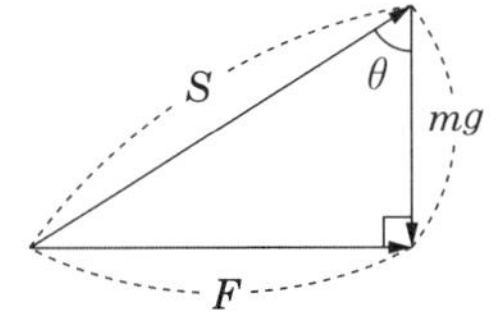

STEP❷ 運動方程式 $m\dfrac{v^2}{r}=F$ を v について解く。

運動方程式に①式を代入し，v を θ で表す。

ここで，v は求めたいおもりの速さ，r は円軌道の半径であり，

$r=l\sin\theta$ …②

と表される。運動方程式の右辺 F に①式を代入して，

$$m\frac{v^2}{r}=mg\tan\theta \quad これより，\ v^2=gr\tan\theta$$

右辺の r に②式を代入して，$v=\sqrt{gl\sin\theta\tan\theta}$ …③

STEP❸ $\theta=60^\circ$ を代入して，v を求める。

ここで③式に，$\sin 60^\circ=\dfrac{\sqrt{3}}{2}$，$\tan 60^\circ=\dfrac{\sin 60^\circ}{\cos 60^\circ}=\sqrt{3}$ を代入して，

$$v=\sqrt{gl\cdot\frac{\sqrt{3}}{2}\cdot\sqrt{3}}=\sqrt{\frac{3gl}{2}}$$

よって，正答は**3**である。

［注］運動方程式を，角速度 ω を用いて $mr\omega^2 = F$ で表し，先に ω を求めてから，$v = r\omega$ を用いて v を求める方法もある。

No.2 の解説　単振り子の周期

→ 問題はP.63　**正答2**

単振り子の周期を比較させる基本的な問題である（**重要ポイント1**(2)の［例2］）。単振り子のおもり（本問では小球）をつりあいの位置を中心として微小な振幅で振らせた場合には，おもりの往復運動は近似的に単振動とみなしてよい。すなわち，おもりはつりあいの位置を中心とする水平な直線上にある，と考えてよい。このように，**微小振幅**という条件があれば，**単振り子の周期 T はおもりの質量や振幅の大きさには無関係**である。**振り子の等時性**と呼ばれるこの事実を知っていれば，本問において，小球の質量の違いはまったく無関係であり，考察の対象から外してよいことがわかる。しかし本問では，さらに一歩踏み込んで，地球上で振らせた場合と月面で振らせた場合の比較も行わせている。そこで，単振り子の周期 T を表す式

$$T = 2\pi\sqrt{\frac{l}{g}} \quad \cdots①$$

を用いて，$T_A \sim T_E$ の大きさを比べてみる。①式において，l は糸の長さ，g は単振り子を振らせている地点における重力加速度の大きさである。本問では，単振り子Aの糸の長さが l であるから，地球上での重力加速度の大きさを g とすると，①式がそのまま使える。その他の $T_B \sim T_E$ については，T_A の何倍になるか，を導いて，倍率を比べる。また，月面での重力加速度の大きさを g' とすると，題意より $g' = \frac{1}{6}g$ である。

STEP❶　①式を用いて，まず $T_A \sim T_C$ を式で表してみる。

g は地球上での重力加速度を表すとして，$T_A = 2\pi\sqrt{\frac{l}{g}} \quad \cdots①'$

①式で，l を $2l$ で置き換えて，$T_B = T_C = 2\pi\sqrt{\frac{2l}{g}} \quad \cdots②$

②式の右辺は，$\sqrt{2} \times 2\pi\sqrt{\frac{l}{g}}$ と変形できるから，①′式と見比べて，

$$T_B = T_C = \sqrt{2}\,T_A$$

STEP❷　①式の g を $g' = \frac{1}{6}g$ で置き換えて，T_D と T_E を求める。

月面での重力加速度 g' を用いて，$T_D = 2\pi\sqrt{\frac{l}{g'}} = 2\pi\sqrt{\frac{6l}{g}} \quad \cdots③$

さらに l を $2l$ で置き換えて，$T_E = 2\pi\sqrt{\frac{2l}{g'}} = 2\pi\sqrt{\frac{12l}{g}} \quad \cdots④$

③式の右辺は $\sqrt{6} \times 2\pi\sqrt{\frac{l}{g}}$，④式の右辺は $\sqrt{12} \times 2\pi\sqrt{\frac{l}{g}}$ と変形できる

から，①式と見比べて，$T_D = \sqrt{6}\,T_A$，$T_E = \sqrt{12}\,T_A$

STEP❸ T_A ～ T_E の大きさを比較する。

$$T_A < \sqrt{2}\,T_A < \sqrt{6}\,T_A < \sqrt{12}\,T_A$$

であることに注意すると，$T_A < T_B = T_C < T_D < T_E$

よって，正答は**2**である。

No.3 の解説 慣性力

→ 問題はP.64 **正答5**

電車の加速度の大きさを a とすると，おもりは電車に対して相対的に静止している（これが「傾いた状態でつりあっている」ということの意味である）から，地面に静止している人から見ると，おもりも加速度 a で運動している。このことに注目して，地上の観測者に対する運動方程式を立てて解くこともできるが，ここでは車内にいて**電車とともに運動している観測者**の立場から，**慣性力**を用いて考える。

STEP❶ おもりに働いている実在の力をすべて図示する。

おもりに働いている**実在の力**は，重力 Mg と糸の張力 S の2力だけである。しかし，この2力だけでは，車内にいる観測者から見て，おもりがつりあっているという事実が説明できない。

STEP❷ さらに慣性力を図示する。

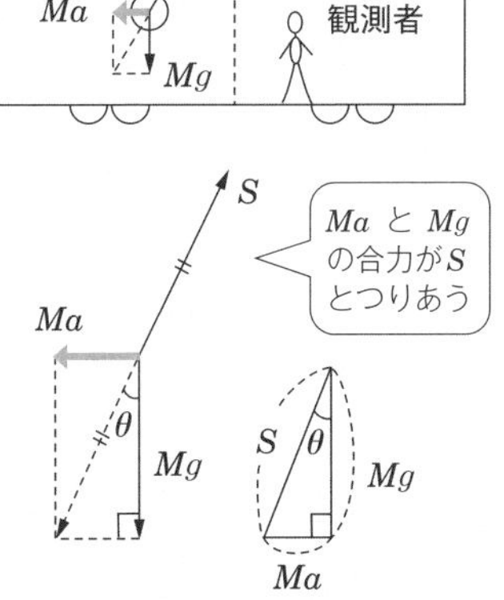

加速度 a で電車とともに運動している観測者には，**見かけの力としての慣性力が加速度とは逆向きに働いていて**，これと実在する2力（重力と張力）の3力がつりあっているように見える（**重要ポイント2(1)**）。**慣性力の大きさは Ma** である。

STEP❸ 3力のつりあいから，図を用いて張力 S を導き出す。

以上の考察から，つりあいの関係にある3力の矢印は，上図のように，3辺が Mg，Ma，S の直角三角形を描く。よって，三角比の定義より，

$$\cos\theta = \frac{Mg}{S} \quad \text{ゆえに，} S = \frac{Mg}{\cos\theta}$$

あるいは，張力 S を水平方向と鉛直方向の成分に分解し，鉛直方向の力のつりあいから，$Mg = S\cos\theta$　よって，$S = \dfrac{Mg}{\cos\theta}$ と求めてもよい。

以上より，正答は**5**である。

電気と磁気

必修問題

電流と磁界に関する次の文章中の空欄ア，イ，ウ，エに当てはまる語句の組合せとして妥当なものはどれか。

【地方上級（全国型）・令和３年度】

図Ⅰのように直線上の導線PQと正方形のコイルABCDを同じ平面上に置いて，導線とコイルに電流を図Ⅰの向きに流すと，右ねじの法則によってコイルの位置では紙面の表から裏に向かう磁界が発生する。このとき，コイルを流れる電流には図Ⅱに示すフレミングの左手の法則に従う向きに磁界から力が働くので，ABの部分が受ける力 F_1 は［ア］向き，CDの部分が受ける力 F_2 は［イ］向きとなる。電流からの距離を考えると，F_1 と F_2 では［ウ］のほうが大きいので，コイルは磁界から［エ］向きに力を受ける。

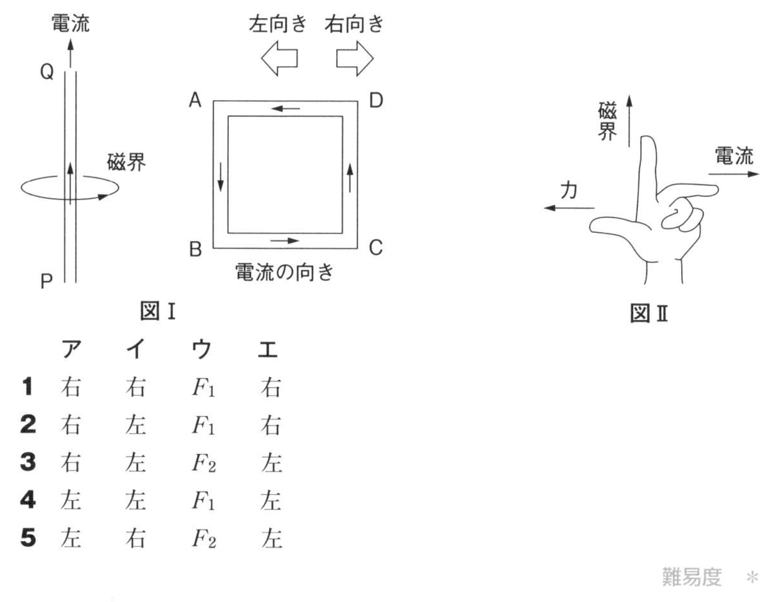

図Ⅰ　　図Ⅱ

	ア	イ	ウ	エ
1	右	右	F_1	右
2	右	左	F_1	右
3	右	左	F_2	左
4	左	左	F_1	左
5	左	右	F_2	左

難易度 ＊

必修問題の解説

磁気力が及ぶ空間を磁場または磁界という。電流には，磁場を作る作用がある（重要ポイント3）。また，磁場の中を流れる電流は，磁場から力を受ける（重要ポイント4）。いずれも中学校で学習する物理現象であり，高校の「物理基礎」でも

定性的に扱われている。

解答に必要な知識はすべて問題文中に与えられているが，重要ポイントを参照しながら以下のように考察を進めていこう。

ア：電流が磁場から受ける力の向きは，電流と磁場の両方に対し垂直である。問題文に与えられているように，導線PQの電流が作る磁場は，コイルABCDの位置で紙面の表から裏に向かう。これは，**磁力線上の各点における接線の向きが，その点での磁場の向きに一致する**ことから導かれる。ここでABの部分に対して，電流と磁場の向きをそれぞれ左手の中指と人さし指に対応させれば，親指の向きが右向きとなり，力 F_1 は右向きである。

イ：磁場の向きが一定の場合，電流の向きを逆向きにすると，力の向きも逆になる。**ア**と比べて，CDの部分を流れる電流がABの部分とは逆になることに注意して，同様に「左手の法則」をあてはめる。親指の向きが左向きになることから，力 F_2 は左向きである。

ウ：電流が磁場から受ける力の大きさは，磁場が強いほど大きい。導線PQの電流が作る磁場は，PQに近いほど強く，遠ざかるほど弱くなる。コイルの2辺ABとCDの位置関係からPQにより近いABの位置のほうが，CDの位置よりも磁場が強い。よって，F_1 のほうが F_2 よりも大きい。

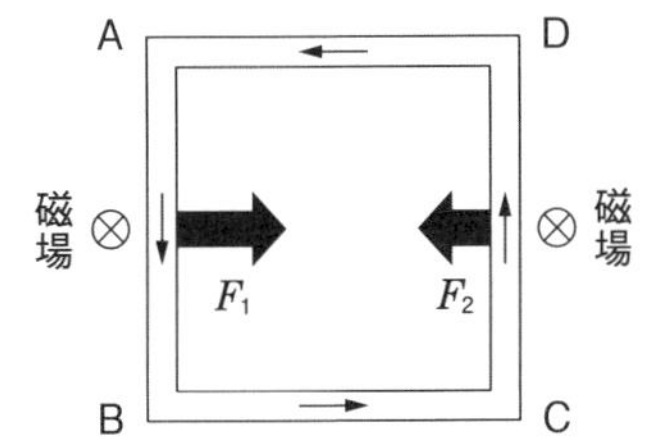

[参考] BCの部分とDAの部分が受ける力は，大きさが等しく逆向きであるから，この2力の合力は0である。

[注] 図中の⊗は，磁場の向きが紙面の表から裏に向かう向きであることを示す。逆に紙面の裏から表に向かう場合は，記号⊙を用いる。

エ：ア～ウの結果をもとに，力 F_1 と力 F_2 の矢印を記入し，合力の向きを求める。**ウ**より，$F_1 > F_2$ であるから，合力の大きさは $F_1 - F_2$ となる。**ア**，**イ**よりそれぞれ F_1 は右向き，F_2 は左向きであるから，コイルが磁場から受ける力は全体として右向きである。

よって，正答は**2**である。

正答 2

FOCUS

電気と磁気の出題内容は，電気回路，特に直流回路の問題が多いが，身の回りの電気器具や，交流回路に関する出題も，正誤問題として出されることがある。また，磁気を扱った問題も増加傾向にあるが，ほとんど中学校レベルの内容である。対策としては，高校で必修化された「物理基礎」の内容を中心に，基本事項をしっかりと理解しておくことが望まれる。

POINT

重要ポイント 1 電流・電圧と電気抵抗

(1) オームの法則：抵抗 R にかかる電圧 V と，抵抗を流れる電流 I は**比例**する。

$$V = RI$$

・単位はそれぞれ，
V：ボルト〔V〕
I：アンペア〔A〕
R：オーム〔Ω〕
［注］電圧の大きさを E で表すこともある。

(電池の内部抵抗は無視している。)

・抵抗 R は**電流の流れにくさ**を表す。また，抵抗の両端に加わる電圧 RI〔V〕を，抵抗による**電圧降下**という。

(2) 抵抗の性質：導線の抵抗 R は，導線の**長さ l に比例**し，**断面積 S に反比例**する。式で表すと，

$$R = \rho\frac{l}{S}$$

比例定数 ρ（ロー）を抵抗率という。
(抵抗率の単位は Ω・m)

・一般に，導体の場合には，温度が上昇すると抵抗率 ρ は大きくなる。

(3) 抵抗の接続と合成抵抗

①直列接続

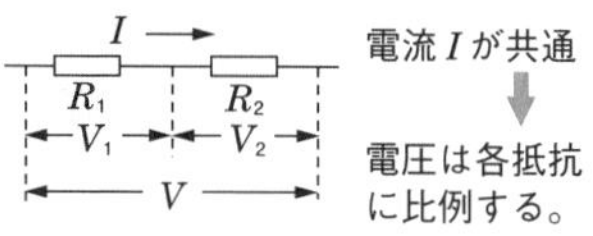

$V_1 : V_2 = R_1 : R_2$
全電圧　$V = V_1 + V_2$
合成抵抗を R とすると，
$$R = R_1 + R_2$$

②並列接続

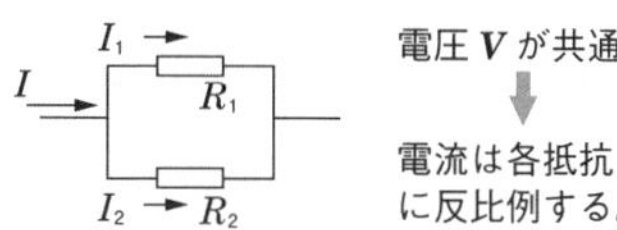

$I_1 : I_2 = R_2 : R_1$
全電流　$I = I_1 + I_2$
合成抵抗を R とすると，
$$\frac{1}{R} = \frac{1}{R_1} + \frac{1}{R_2}$$

重要ポイント 2 消費電力と電流による発熱（ジュール熱）

(1) 消費電力：単位時間に消費されるエネルギーの量。単位は W（ワット）=J/sを用いる。消費電力 P〔W〕は，電圧 V〔V〕と電流 I〔A〕の積として定義される。

$P = VI$ ── $V = RI$ を代入 → $P = I^2R$ → I が共通ならば(直列接続の場合)，P は R に比例する。

$P = VI$ ── $I = \frac{V}{R}$ を代入 → $P = \frac{V^2}{R}$ → V が共通ならば(並列接続の場合)，P は R に反比例する。

(2) ジュールの法則：抵抗によって発生する熱を**ジュール熱**という。ジュール熱の量を Q〔J〕とすると，Q は消費電力 P〔W〕と通電時間 t〔s〕の積に等しい。

$$Q = Pt = VIt$$

重要ポイント 3 電流の磁気作用

磁気力を及ぼす性質を持つ空間を**磁場**または**磁界**という。空間内のある点における**磁場の向き**は，この点に置いた**磁針のN極がさす向き**である（磁場はベクトルの一種であることに注意）。また，磁場のようすを視覚的に表現するために，**磁力線**を用いる。磁力線上の各点における接線は，その点における磁場の方向と一致する。

(1) 磁石による磁場：磁気力を及ぼす作用は**磁極**に集中している。

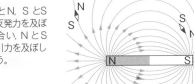

- 北をさす→N極
- 南をさす→S極

NとN，SとSは反発力を及ぼし合い，NとSは引力を及ぼし合う。

・磁針のN極がさす向きを磁場の向きと定義する。

この向きを連ねてできるのが磁力線。

N S N S N S

・**磁力線の向き**：**N極から出てS極に**向かう。
・**磁場の強さ**：磁力線の密度が大きいほど，磁場は強い。

［参考］磁場と同様に，電気力を及ぼす性質を持つ空間を**電場**または**電界**という。電場の向きは，正電荷に働く力の向きと定義する。

(2) 電流が作る磁場：磁場の向きは，**右ねじの法則**から求められる。

①**直線電流による磁場**：電流を取り巻くような形で，**同心円状の磁場**が生じる。

右ねじの進む向きに電流の向きを合わせると，右ねじの回る向きが磁場の向きである（右ねじの法則）。

電流の向き　磁場の向き　ねじの進む向き　ねじを回す向き

・この**磁場の強さ**は，**電流の大きさに比例**し，**電流からの距離に反比例**する。

②**ソレノイドコイルによる磁場**：コイル内の磁場の向きは，**右手**の４本の指を電流が巻く向きに合わせて握るとき，親指のさし示す向きと一致する。

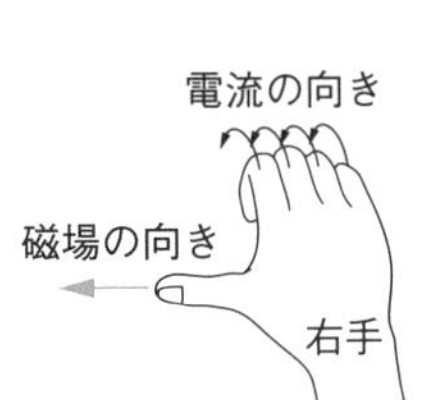

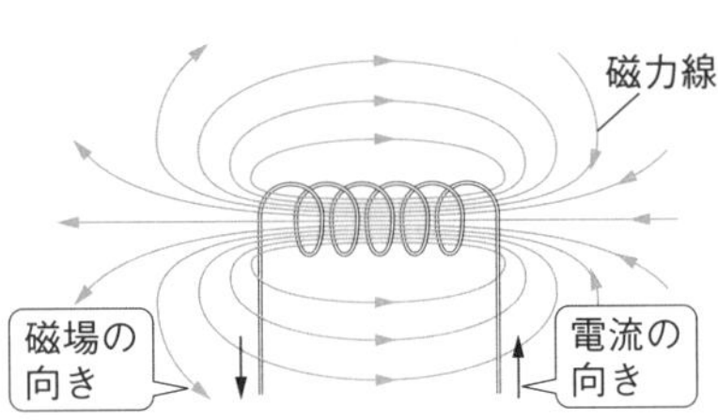

・コイルの外側にできる磁場による磁力線の分布は，棒磁石の周りにできる磁場の分布と似ている。
・コイルの内部にできる磁場の強さは，１m当たりの巻き数と，電流の大きさに比例する。

重要ポイント 4 電流が磁場から受ける力

磁場の中を流れる電流は，磁場から力を受ける。⇨**電動機**（モーター）に応用。

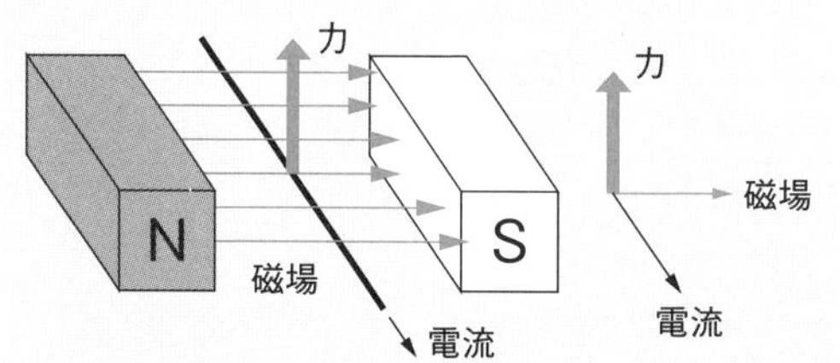

・力の向きは，電流と磁場の両方に垂直で，**フレミングの左手の法則**を使うと容易に求められる
・力の大きさは，磁場の強さと電流の大きさの両方に比例する。

力
磁場
電流

［注］磁場の向きと電流の向きのうち，一方だけを逆にすると，力の向きも逆になる。

［参考］大学レベルの物理では，電流が磁場から流れる力を「アンペールの力」と呼ぶこともある。ちなみにフレミングの左手の法則は，アンペールによる研究から60年程後に，力の向きを求める簡便な方法として提案された。

重要ポイント 5 電磁誘導

コイルを貫く磁力線の数が変化すると，コイルに電流が流れる。このように，磁場の変動が原因となり，電流を流そうとする働き，すなわち起電力が生じる現象を**電磁誘導**という。このとき流れる電流を**誘導電流**，誘導電流を流そうとして発生する電圧を**誘導起電力**という。⇨**発電機**（ジェネレーター）に応用。

・**電磁誘導の法則**：ニュートンの運動の法則に匹敵する重要な物理法則であり，次の①，②の２つの法則から構成される。

①**レンツの法則**：誘導電流は，コイルを貫く磁力線の本数の**変化を妨げる向き**に流れる。

②**ファラデーの法則**：誘導起電力の大きさは，コイルを貫く磁力線の本数の時間変化率に比例し，かつコイルの巻き数に比例する。

・誘導電流の向きを求めるには？

［例］**コイルに磁石のＮ極を近づけるとき**

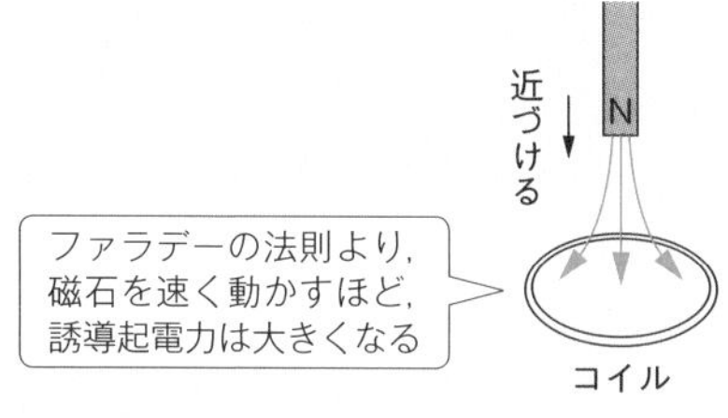

レンツの法則より，下向きの磁力線が増えるのを打ち消そうとするから，誘導電流による磁場の向きは上向きとなる。あとは**右ねじの法則**を用いて誘導電流の向きを求めればよい。

誘導電流による磁場
誘導電流の向き

［注］磁石のN極を遠ざけるときと，S極を近づけるときは，誘導電流の向きが右上の図とは逆になる。しかし，磁石のS極を遠ざけるときは，図と同じ向きに誘導電流が流れる。
⇨実戦問題No.7

重要ポイント6 交流の性質

(1) 直流と交流

・**直流（DC）**：電圧と電流の向きが一定である。［例］電池から得られる電気。

・**交流（AC）**：電圧と電流の向きが周期的に変化している。［例］家庭のコンセントから得られる電気。

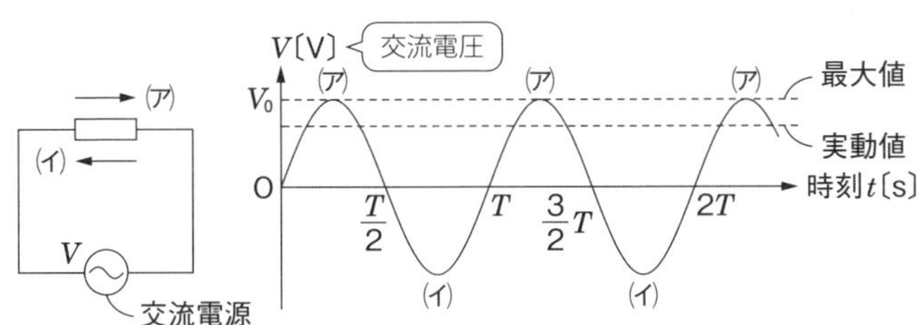

(2) 交流の周期と周波数：上図のグラフの（ア）から（ア），または（イ）から（イ）までのように，交流電圧がある状態から，次に同じ状態になるまでの時間を**周期**といい，1秒間あたりに繰り返される回数を**周波数**という。周期の単位はs（秒），周波数の単位はHz（ヘルツ）を用いる。周期をT〔s〕，周波数をf〔Hz〕とすると，

$$f=\frac{1}{T} \quad \text{または} \quad T=\frac{1}{f}$$

fとTは互いに逆数の関係にある。
単位どうしの関係は，1Hz＝1/s

(3) 交流の実効値：交流電圧や交流電流の値は，時刻とともに変化するから，これらの大きさを表すために，電力を計算した際にこれが直流の場合と同等の効果を持つような値が用いられる。この値を交流電圧や交流電流の**実効値**という。

・交流電圧と交流電流の最大値をそれぞれV_0，I_0，実効値をV_e，I_eとすると，

$$V_e=\frac{V_0}{\sqrt{2}},\ I_e=\frac{I_0}{\sqrt{2}}$$

家庭用の電圧・電流は，すべてこの実効値で表す。
└ V_e＝100V（最大値は約141V）

・交流電源に抵抗R〔Ω〕をつないだとき，**平均の消費電力**をP〔W〕とすると，

$$P=V_eI_e$$

直流の場合と同じ式でよい。

(4) 変圧器（トランス）：電磁誘導を利用して交流の電圧を変える装置。鉄しんに巻き数がN_1の一次コイル，N_2の二次コイル（$N_1 \fallingdotseq N_2$）が巻き付けられ，一次コイル側の電圧を変えて二次側で取り出す。一次側と二次側の電圧と電流（いずれも実効値）をV_1，V_2，I_1，I_2とすると，

$$V_1:V_2=N_1:N_2$$

さらに，電力の損失がない理想的な変圧器では，$V_1I_1=V_2I_2$も成り立つ。

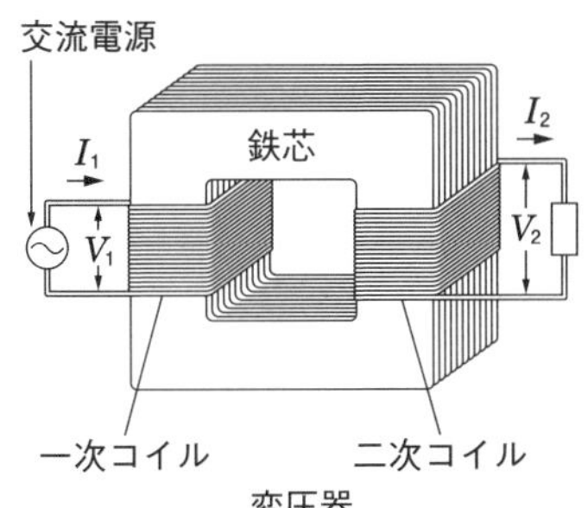

変圧器

実戦問題❶　基本レベル

＊
No.1 電気回路に関する次の文中の①，②に入る語句の組合せとして，妥当なものはどれか。
【市役所・平成27年度】

図Ⅰのように，抵抗 R_1，R_2，電圧を変えられる直流電源 E からなる回路がある。一般に，抵抗 R，電圧 V，電流 I の間には，①$\left\{\begin{array}{l}\text{ア}：I = RV \\ \text{イ}：I = \dfrac{V}{R}\end{array}\right\}$の関係があり，$E$ の電圧を変化させたときに，抵抗 R_1，R_2 に流れる電流を測定したところ，図Ⅱのようになった。E に流れる電流を1.00Aに調整したときに，E の電圧は②$\left\{\begin{array}{l}\text{ア}：0.625\,\text{V} \\ \text{イ}：1.60\,\text{V} \\ \text{ウ}：10.0\,\text{V}\end{array}\right\}$となっている。

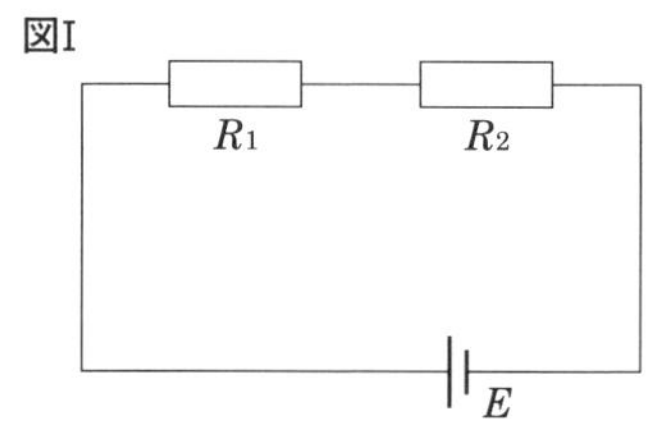

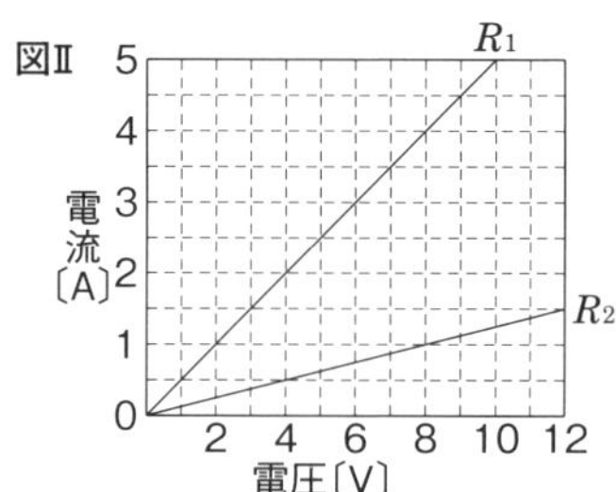

	①	②
1	ア	ア
2	ア	イ
3	イ	ア
4	イ	イ
5	イ	ウ

＊
No.2 次の図のような直流回路において，抵抗 R_1 に流れる電流の大きさと向きの組合せとして，妥当なのはどれか。ただし，$R_1 = 40\Omega$，$R_2 = 60\Omega$，$R_3 = 10\Omega$，$R_4 = 6\Omega$，$E = 100\text{V}$とする。

【地方上級（特別区）・平成21年度】

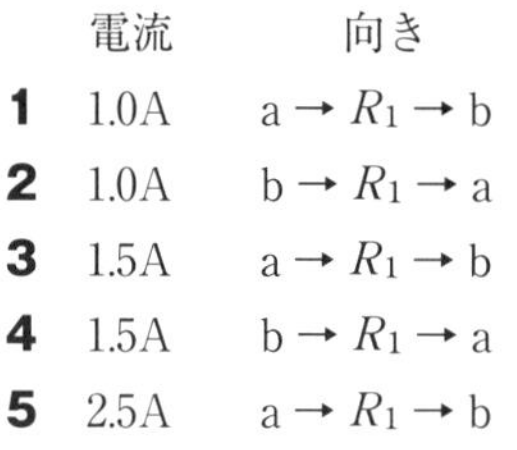

	電流	向き
1	1.0A	a → R_1 → b
2	1.0A	b → R_1 → a
3	1.5A	a → R_1 → b
4	1.5A	b → R_1 → a
5	2.5A	a → R_1 → b

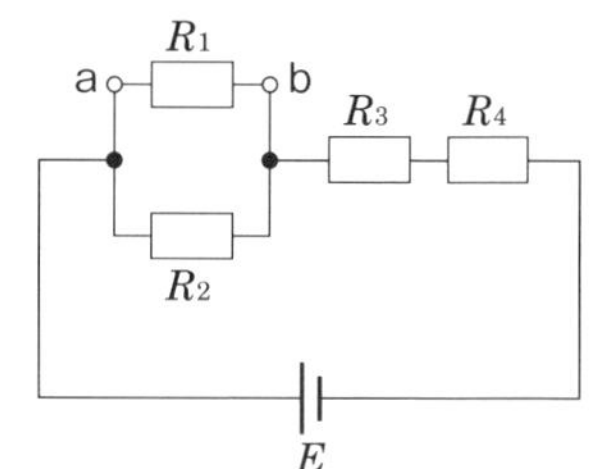

* **No.3** **次の図のような直流回路がある。今，20Ωの抵抗を流れる電流が2Aのとき，AB間の電圧はどれか。** 【地方上級（特別区）・平成30年度】

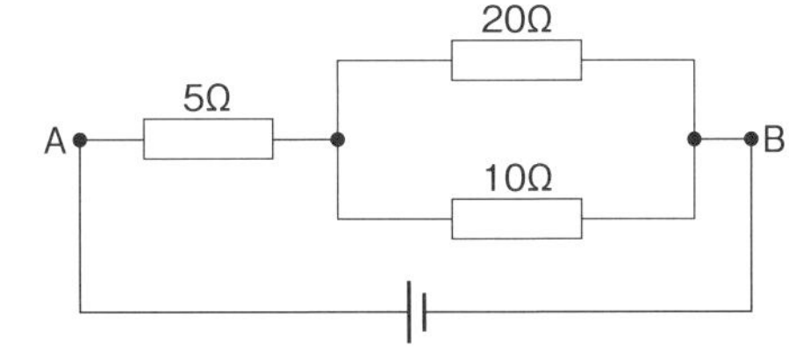

1 50V
2 60V
3 70V
4 80V
5 90V

* **No.4** **次の図のような回路において，消費電力の合計として妥当なのはどれか。** 【地方上級（特別区）・平成12年度】

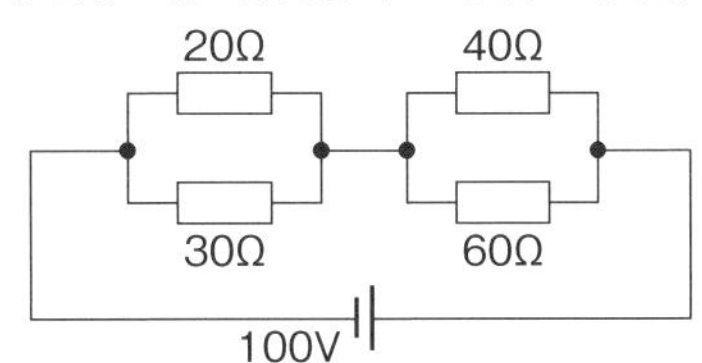

1 120W
2 180W
3 280W
4 360W
5 520W

** **No.5** **次の文は電池と抵抗から構成される回路に関する記述であるが，A，B，Cに当てはまるものの組合せとして最も妥当なのはどれか。ただし，電池の内部抵抗は無視できるものとする。** 【国家一般職・平成25年度】

3.0Ωと6.0Ωの抵抗を並列に接続し，その両端を起電力が12.0Vの電池につないだ。このとき電池から流れる電流は，［　A　］である。よって，この回路の合成抵抗は［　B　］である。

次に，3.0Ωと6.0Ωの抵抗を並列に接続したものを2つ作り，これを直列に接続し，その両端を起電力が12.0Vの電池につないだときに，すべての抵抗によって消費される電力の和は，3.0Ωと6.0Ωの抵抗を並列に接続したものが1つのときの［　C　］倍である。

	A	B	C
1	3.0A	2.0Ω	0.25
2	3.0A	4.5Ω	0.50
3	6.0A	2.0Ω	0.25
4	6.0A	2.0Ω	0.50
5	6.0A	4.5Ω	0.25

実戦問題1の解説

No.1 の解説　オームの法則・抵抗の直列接続　→問題はP.74　正答5

直流回路に関する基本的な問題（中学校２年レベル）である。前半の設問①はオームの法則の内容そのものである。また，後半の設問②は，抵抗 R_1, R_2 の値を求めなくても，図Ⅱのグラフを利用すれば解決できる。

STEP❶　抵抗は電流の流れにくさを表す。

設問①で**ア**と**イ**のどちらも「**電流は電圧に比例する**」こと，すなわち**オームの法則**の内容を表してはいるが，電気抵抗は電流の流れにくさを表すから，**I は R に反比例**し，$I=\dfrac{V}{R}$ と表される。よって，図Ⅱのように縦軸に I，横軸に V をとって描いたグラフは直線となり，その傾きは $\dfrac{1}{R}$ である。

STEP❷　電流は共通！　直列接続では「全電圧＝電圧の和」を用いて E を求める。

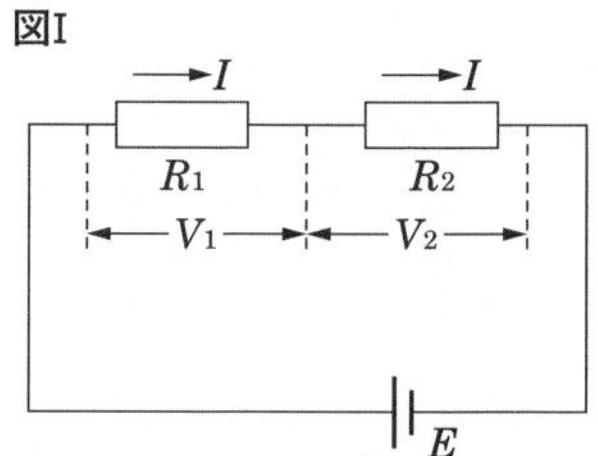

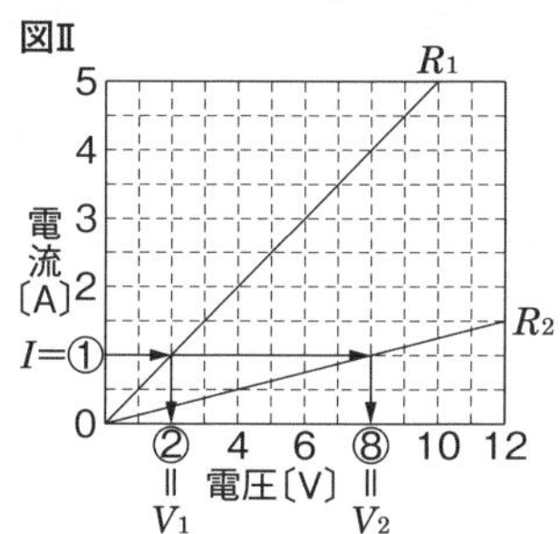

電池 E の電圧，すなわち回路の全電圧を E〔V〕，抵抗 R_1, R_2 のそれぞれに加わる電圧を V_1〔V〕, V_2〔V〕とすると，**直列接続において，回路の全電圧は，それぞれの抵抗に加わる電圧の和に等しい**から，

$$E=V_1+V_2$$

が成り立つ。また，E に流れる電流を I とすると，**ひとつながりの回路ではどの部分にも等しい大きさの電流が流れている**から，R_1 と R_2 にも電流 I が流れている。すなわち，電流の大きさ

$$I=1.00〔\mathrm{A}〕$$

は，R_1 と R_2 に共通である。したがって，図Ⅱのグラフで縦軸の目盛りが1.00〔A〕になるときの横軸の目盛りを読めばよいから，V_1 と V_2 の値はそれぞれ，

$$V_1=2.00〔\mathrm{V}〕,\ V_2=8.00〔\mathrm{V}〕$$

と求められる。よって，電池の電圧は，$E=2.00+8.00=10.0$〔V〕

以上より，①**イ**　②**ウ**　となるから，正答は**5**である。

［注］抵抗 R_1, R_2 の抵抗値を図Ⅱのグラフから求めると，それぞれ，

$$R_1=\frac{V_1}{I}=\frac{2.00}{1.00}=2.00〔\Omega〕,\quad R_2=\frac{V_2}{I}=\frac{8.00}{1.00}=8.00〔\Omega〕$$

よって，合成抵抗を R〔Ω〕とすると，$R=R_1+R_2=2.00+8.00=10.0$〔Ω〕となるから，回路全体に対してオームの法則を用いて，

$$E=RI=10.0\times1.00=10.0〔\mathrm{V}〕$$

と求めることもできるが，本問の場合，この方法ではやや回り道になる。

No.2 の解説　抵抗の接続・電流と電圧（1）　→問題はP.74　正答3

No.1と同様に，直流回路に関する基本的な問題である。いくつかの解法が考えられるが，まずは**回路全体を流れる電流**（抵抗 R_3 と R_4 を流れる電流）I を求めることが出発点である。この I を手がかりにして，R_1 に加わる電圧を求め，さらに**オームの法則**から R_1 を流れる電流も求められる。

そこで，抵抗 R_1，R_2 を流れる電流をそれぞれ I_1，I_2 としよう。回路の問題を解決するには，面倒でも**回路図を自分で描いて**，解いていく過程で**わかったことを図に書き込みながら**考える癖をつけることが大切である。

STEP❶　まず，電流の向きを正しく選び，選択肢を絞る。

電流は，**電池の正極から出て負極に入る向き**に流れると約束されている。したがって，本問の回路では右回り（時計回り）に流れることになり，R_1 を流れる電流は **a → R_1 → b の向き**に流れる。この段階で，正答は**1**，**3**，**5**のどれかに絞られる。ここで，R_1，R_2 を流れる電流を I_1，I_2 とすると，各抵抗を流れる電流は右図のようになる。

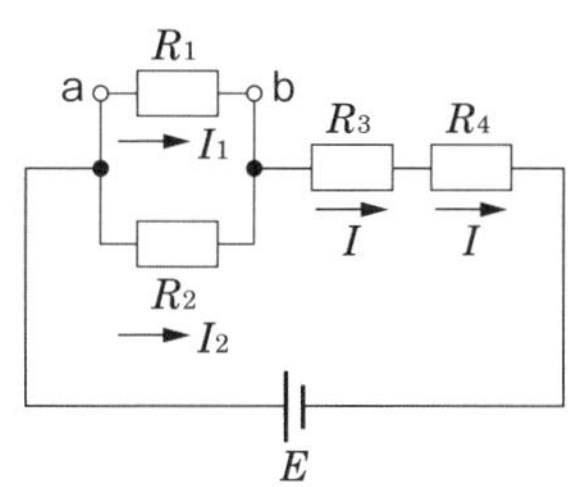

STEP❷　回路全体の合成抵抗を求める。

電流 I は電源 E を流れる電流に等しいから，これを求めるには回路全体の**合成抵抗**を求めておく必要がある。この回路は，R_1 と R_2 の並列部分に，R_3 と R_4 が直列に接続された形をしているから，まず R_1 と R_2 の並列部分の合成抵抗を R' として，これを求めておく。**並列接続の合成抵抗**は，

$$\frac{1}{R'}=\frac{1}{R_1}+\frac{1}{R_2}\quad より，\quad \frac{1}{R'}=\frac{1}{40}+\frac{1}{60}=\frac{3+2}{120}=\frac{5}{120}=\frac{1}{24}$$

ゆえに，$R'=24$〔Ω〕と求められる。回路全体の合成抵抗を R とすると，R'，R_3，R_4 の3つの抵抗が直列に接続されているから，

$$R=R'+R_3+R_4=24+10+6=40〔\Omega〕$$

STEP❸　回路の全電流 I を求める。

よって，**オームの法則**より，$E=RI$ が成り立つから，全電流 I は

$$I=\frac{E}{R}=\frac{100}{40}=2.5〔A〕$$

STEP❹　R_1 に加わる電圧を求め，I_1 を計算する。

$I=2.5$〔A〕を用いて，R_3 と R_4 に加わる電圧の合計は，

$$(R_3+R_4)I=(10+6)\times 2.5=40〔V〕$$

となる。**並列接続では電圧が共通**であるから，R_1 と R_2 に加わる電圧はどちらも，$V=100-40=60$〔V〕と求められる。

ゆえに，R_1 を流れる電流 I_1 は，再び**オームの法則** $V=R_1I_1$ より，

$$I_1 = \frac{V}{R_1} = \frac{60}{40} = 1.5〔\mathrm{A}〕$$

以上より，「1.5A，a → R_1 → b の向き」となるから，**3**が正答である。

［別解］STEP❹は，次のように考えてもよい。抵抗の**並列接続では，電圧が共通**であるから，**各抵抗を流れる電流は抵抗に反比例**する。すなわち，R_1 と R_2 の並列部分について，オームの法則より，$R_1I_1 = R_2I_2$ が成り立つから，

$$\frac{I_1}{I_2} = \frac{R_2}{R_1} \qquad \text{ゆえに，} I_1 : I_2 = R_2 : R_1$$

STEP❸で，全電流は　$I = I_1 + I_2 = 2.5〔\mathrm{A}〕$　と求められたから，これを $R_2 : R_1 = 60 : 40 = 3 : 2$　の比に分配すればよい。よって，

$$I_1 = \frac{R_2}{R_1 + R_2} I = \frac{3}{3+2} \times 2.5 = \frac{3}{5} \times 2.5 = 1.5〔\mathrm{A}〕$$

No.3 の解説　抵抗の接続・電流と電圧（2）　→ 問題はP.75　正答３

直流回路に関する基本的な問題である。本問で問われている「AB間の電圧」は，回路全体に加わる電圧のことであり，電池の電圧に等しい。問題に与えられているのは「20Ωの抵抗を流れる電流が2A」という条件のみであるから，これを手がかりにしてオームの法則を繰り返し用いる。そこで，求めたい「AB間の電圧」をV〔V〕とし，５Ωの抵抗に加わる電圧を V_1〔V〕と置く。また，20Ωの抵抗と10Ωの抵抗は並列に接続されているから，等しい電圧が加わっており，これを V_2〔V〕と置く。回路全体は，５Ωの抵抗に，20Ωと10Ωの抵抗を並列に接続した部分とが直列につながれた形をしているから，回路全体の電圧は各部分の電圧の和となる。すなわち，

$$V = V_1 + V_2 \quad \cdots ①$$

また，20Ωの抵抗を流れる電流を I_1〔A〕（$I_1 = 2$〔A〕），10Ωの抵抗を流れる電流を I_2〔A〕とすると，５Ωの抵抗を流れる電流，すなわち回路全体を流れる電流を I〔A〕として，次の関係式が成り立つ，

$$I = I_1 + I_2 \quad \cdots ②$$

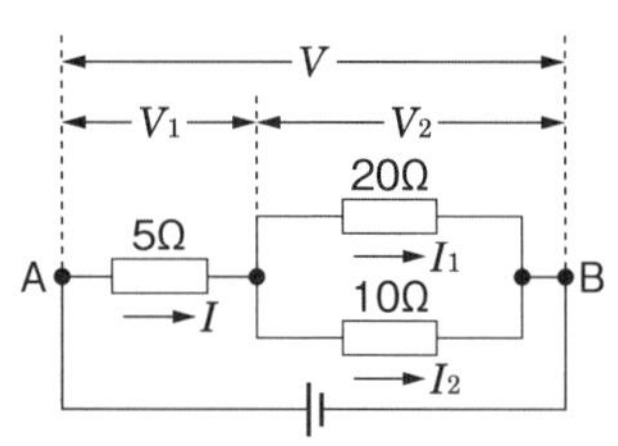

STEP❶　オームの法則を用いて V_2 を求める。

$I_1 = 2$〔A〕であるから，20Ωの抵抗に加わる電圧は，$V_2 = 20 \times 2 = 40$［V］

STEP❷　オームの法則を用いて I_2 を求める。

10Ωの抵抗に加わる電圧は $V_2 = 40$［V］

であるから，$I_2 = \dfrac{40}{10} = 4$〔A〕

STEP❸　②式を用いて I を求める。

$I_1 = 2$〔A〕，$I_2 = 4$〔A〕であるから，５Ωの抵抗を流れる電流 I は，

$$I = 2 + 4 = 6〔\mathrm{A}〕$$

STEP❹ オームに法則を用いて V_1 を求める。

STEP❸の結果を用いて，$V_1 = 5 \times I = 5 \times 6 = 30$〔V〕

STEP❺ ①式を用いて V を求める。

STEP❶で求めた V_2 とSTEP❹で求めた V_1 の値を用いて，

$V = 30 + 40 = 70$〔V〕

よって，正答は**3**である。

［注］抵抗の並列接続において，各抵抗に加わる電圧は共通であるから，各抵抗を流れる電流は抵抗の値に反比例する（**重要ポイント1**(3)）。この事実に注目すると，STEP❶とSTEP❷は，次のようにまとめられる（V_2 は不要）。

$I_1 : I_2 = 10 : 20$

よって，$I_2 = \dfrac{20}{10} \times I_1 = \dfrac{20}{10} \times 2 = 4$〔A〕

No.4 の解説　合成抵抗と消費電力

→ 問題はP.75 **正答3**

消費電力 P は，V を電圧，I を電流として，

$\boldsymbol{P = VI}$ …①

を用いて求められる（**重要ポイント2**）。

本問では，回路全体の消費電力を求めればよいから，それぞれの抵抗について①式から電力を求めて合計する，などという面倒なことをする必要はない。**回路の全電圧 V と全電流 I を求め，①式にそのまま代入**すれば直ちに解決する。本問の解法のポイントは，**合成抵抗**を求めることにある。

STEP❶ 回路の全抵抗 R を求める。

そこで，4つの抵抗をひとまとめにして，その合成抵抗を R〔Ω〕とすると，オームの法則より $I = \dfrac{V}{R}$ となり，これによって全電流 I が求められるから，まずは合成抵抗を求めることを考えよう。

20Ωと30Ωの並列接続部分の抵抗を R_1〔Ω〕とすると，

$\dfrac{1}{R_1} = \dfrac{1}{20} + \dfrac{1}{30} = \dfrac{3+2}{60} = \dfrac{1}{12}$ より，

$R_1 = 12$〔Ω〕

40Ωと60Ωの並列接続部分の抵抗を R_2〔Ω〕とすると，

$\dfrac{1}{R_2} = \dfrac{1}{40} + \dfrac{1}{60} = \dfrac{3+2}{120} = \dfrac{1}{24}$ より，

$R_2 = 24$〔Ω〕

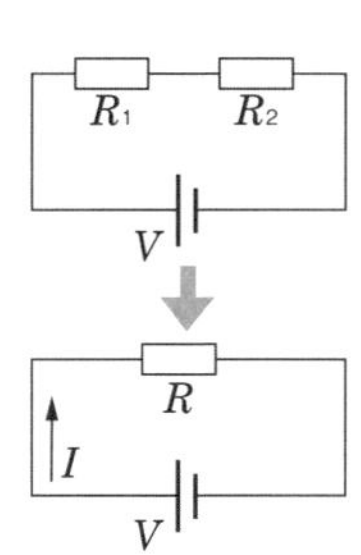

問題の回路は，R_1 と R_2 を直列に接続した回路と同等であるから，**回路全体の合成抵抗**は，

$R = R_1 + R_2 = 12 + 24 = 36$〔Ω〕

STEP❷ 回路を流れる全電流 I を求める。

回路全体の電流は，オームの法則より，$I=\dfrac{V}{R}=\dfrac{100}{36}$〔A〕

STEP❸ 消費電力 P を計算する。

ゆえに①式より，$P=VI=100\times\dfrac{100}{36}=\dfrac{10000}{36}=277.7\cdots\fallingdotseq 280$〔W〕

以上より，正答は**3**である。

［別解］STEP❷とSTEP❸は，次のようにまとめてもよい。

$I=\dfrac{V}{R}$ を①式に代入して，$P=\dfrac{V^2}{R}$ …②

②式に数値を代入して，$P=\dfrac{100^2}{36}\fallingdotseq 280$〔W〕

No.5 の解説 抵抗の並列接続・消費電力

→ 問題はP.75 **正答4**

直流回路に関する標準的な問題（高校入試のレベル）である。AとBは，**抵抗の並列接続における電圧と電流の関係に注意**しながらオームの法則を併用すれば解決する。後半のCでは，電力の定義を用いて２つの回路の電力を比べる。題意を図に描きながら考えよう。

STEP❶ 並列接続では電圧が共通！
並列回路の性質を用いて全電流を求める。

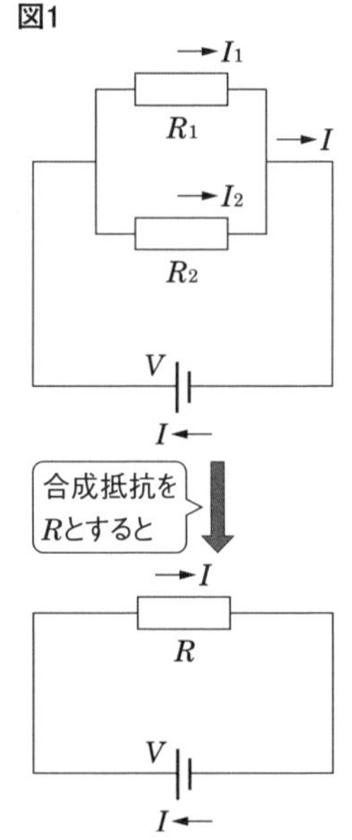

２つの抵抗の値を，$R_1=3.0$〔Ω〕，$R_2=6.0$〔Ω〕とし，電池の電圧を $V=12.0$〔V〕と置く。このように，文字式を利用すると，計算の見通しがよくなり，誤りを防ぐことにもつながる。また，電池を流れる電流，すなわち回路の全電流を I〔A〕とし，抵抗 R_1，R_2 のそれぞれを流れる電流を I_1〔A〕，I_2〔A〕と置く。**並列接続では，各抵抗に加わる電圧は共通**であり，どちらの抵抗にも V〔V〕が加わっている（図１）。よって，それぞれの抵抗ごとに**オームの法則**を用いると，$V=R_1I_1$，および $V=R_2I_2$ より，

$$I_1=\frac{V}{R_1}=\frac{12.0}{3.0}=4.0\text{〔A〕}$$

$$I_2=\frac{V}{R_2}=\frac{12.0}{6.0}=2.0\text{〔A〕}$$

また，回路を流れる**全電流 I は，各抵抗を流れる電流の和に等しい**から，

$$I=I_1+I_2=4.0+2.0=6.0\text{〔A〕}$$

STEP❷　合成抵抗を R〔Ω〕とし，回路全体にオームの法則を用いて R を求める。

回路全体の電圧 V，電流 I，合成抵抗 R に対して，オームの法則 $V = RI$ が成り立つから，STEP❶の結果を用いて，

$$R = \frac{V}{I} = \frac{12.0}{6.0} = 2.0〔\Omega〕$$

STEP❸　図１の回路と図２の回路における電流の違いに注意し，電力を比べる。

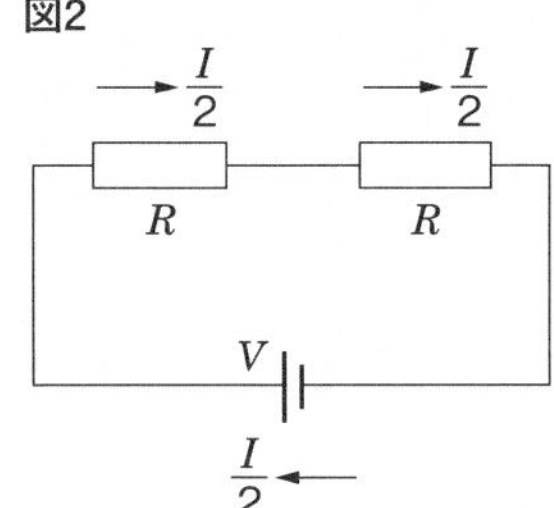

問題文にあるように，２つの抵抗 R_1 と R_2 を並列に接続したもの２つを直列に接続することは，抵抗値 R（R_1 と R_2 の合成抵抗）の抵抗２つを直列に接続することと同等である（図２）。よって，回路全体の合成抵抗は，$R + R = 2R$ となり，電圧 V は図１と変わらないから，電流はオームの法則より，

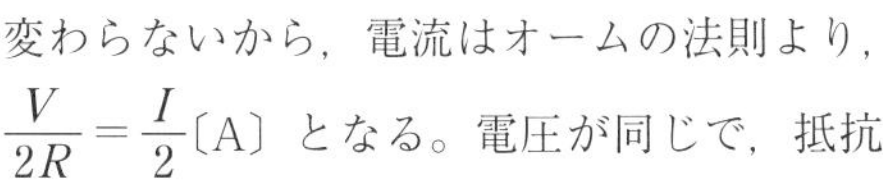

$\frac{V}{2R} = \frac{I}{2}$〔A〕となる。電圧が同じで，抵抗が２倍になったから，電流は半分になったわけである。ここで，図１，図２の場合の消費電力の和をそれぞれ P_1，P_2 とすると，

$$P_1 = VI,\ P_2 = V \cdot \frac{I}{2} = \frac{1}{2}P_1 \qquad \text{よって，} \frac{P_2}{P_1} = \frac{1}{2} = 0.50〔倍〕$$

以上より，**A** が6.0A，**B** が2.0Ω，**C** が0.50となるから，正答は**4**である。

［注］STEP❶とSTEP❷は，順序を入れ替えてもよい。すなわち，抵抗の並列接続の合成抵抗を求め，次に回路の全電流を求める，という具合に，**B** を先に答え，その結果を用いて **A** を答えてもよい。

$$\frac{1}{R} = \frac{1}{R_1} + \frac{1}{R_2} = \frac{1}{3} + \frac{1}{6} = \frac{3}{6} = \frac{1}{2} \qquad \text{よって，} R = 2.0〔\Omega〕 \to \mathbf{B}$$

回路全体にオームの法則を適用して，$I = \frac{V}{R} = \frac{12.0}{2.0} = 6.0〔A〕 \to$ **A**

また，STEP❸は，数値計算で P_1 と P_2 をそれぞれ求め，値を比較してもよいが，この方法では遠回りになるうえにミスをしやすいから注意が必要である。実際に計算を実行すると，

$$P_1 = VI = 12.0 \times 6.0 = 72〔W〕$$

$$P_2 = 12.0 \times \frac{12.0}{2.0 + 2.0} = 36〔W〕$$

よって，$\frac{P_1}{P_2} = \frac{36}{72} = 0.50$〔倍〕

実戦問題❷　応用レベル

No.6* **磁場に関する記述として，妥当なのはどれか。**

【地方上級（東京都）・平成19年度】

1　磁石にはＮ極とＳ極とがあり，Ｎ極とＮ極との間またはＳ極とＳ極との間には，磁場が生じないが，Ｎ極とＳ極との間には，磁場が生じる。

2　磁力線は，向きを持ち，磁場の向きを表しており，磁石の周りの磁力線は，Ｓ極から出てＮ極に入る。

3　磁力線の密度が疎なところは，磁力線の密度が密なところに比べて，磁場の強さが強い。

4　直線電流の周りに生じる磁場の強さは，電流が大きいほど弱く，直線電流から離れるほど強い。

5　直線電流の周りに生じる磁場の向きは，右ねじを直線電流の向きに進むように回すとき，右ねじを回す向きと同じである。

No.7* **下図のア，イ，ウのように，棒磁石をコイルに対して点線の位置まで移動させるとき，コイルに流れる電流の向きの組合せとして，妥当なのはどれか。ただし，棒磁石のＮはＮ極を，ＳはＳ極を表し，ａおよびｂの矢印は流れる電流の向きを示す。**

【地方上級（東京都）・平成21年度】

	ア	イ	ウ
1	a	a	b
2	a	b	a
3	a	b	b
4	b	a	a
5	b	a	b

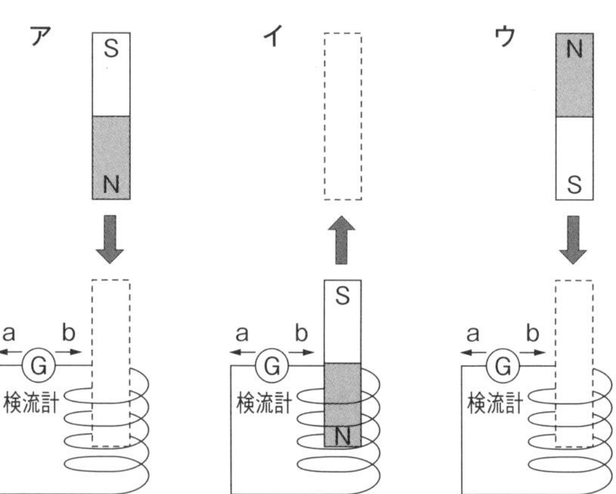

＊
No.8 **一次コイルと二次コイルの巻数がそれぞれ600回と150回の，電力の損失がない理想的な変圧器がある。一次コイルの電圧が200V，電流が0.10Aであるとき，二次コイルに生じる電圧 V_2〔V〕と流れる電流 I_2〔A〕の組合せとして，妥当なのはどれか。**

【地方上級（特別区）・令和３年度】

	V_2	I_2
1	50V	0.025A
2	50V	0.40A
3	450V	0.40A
4	800V	0.025A
5	800V	0.40A

＊＊
No.9 **電気回路に関する次の文中の空欄ア～オに入る語句の組合せとして，正しいものはどれか。**

【地方上級（全国型）・平成24年度】

図のような電気回路において，電源の電圧を V，抵抗を R，電流を I とすると，オームの法則により，抵抗における電圧降下は［ア］であるから，電球に加わる電圧は［イ］となる。ここで，電力＝電圧×電流であるから，電球部分における電力は［ウ］となる。したがって，電源から供給される電力が一定である場合には，電球部分における電力を上げるには，V を［エ］して，I を［オ］すればよい。

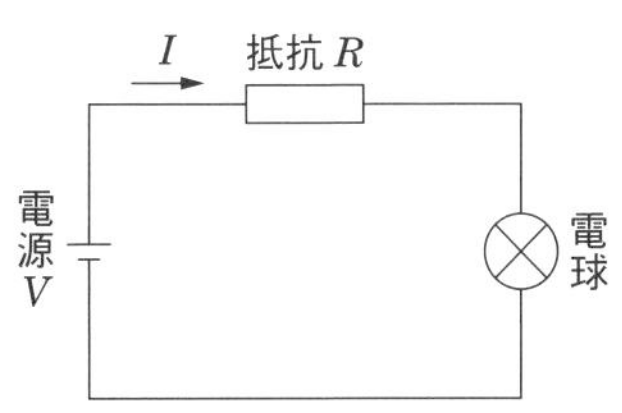

	ア	イ	ウ	エ	オ
1	RI	$V-RI$	$VI-RI^2$	大きく	小さく
2	RI	$V-RI$	$VI-RI^2$	小さく	大きく
3	$-RI$	$V+RI$	$VI+RI^2$	大きく	小さく
4	$-RI$	$V+RI$	$VI+RI^2$	小さく	大きく
5	$-RI$	$V-RI$	$VI-RI^2$	小さく	大きく

実戦問題❷の解説

No.6 の解説　磁場と磁力線　→問題はP.82　正答5

磁場に関する基本的な問題であり，中学校レベルの内容である。**重要ポイント3**を念頭に置いて，選択肢を1つずつ検討しよう。

1 ×　磁場は磁極どうしの間に生じる。
磁場とは，磁気力を及ぼす性質を持つ空間のことである。N極どうし，S極どうしはそれぞれ互いに反発することから，このような誤解が生まれるのかもしれない。磁場は磁極に近い所ほど強く，遠ざかるほど弱くなるが，どのような磁極の間でも磁場は生じている。よって，誤り。

2 ×　磁力線の向きはN→S
磁石による磁力線は，磁石のN極から出てS極に入る。したがって，記述前半は正しいが，記述後半の磁極の記号が逆になっているから，誤り。

3 ×　磁力線が密なほど，磁場は強い。
磁場の強さをビジュアルに把握できるように，磁力線の密度は，磁場が強いほど密になるように描く。ゆえに，記述全体が逆になっているから，誤り。

4 ×　電流が大きいほど，電流に近いほど，磁場は強い。
直線電流が作る磁場の強さは，電流の大きさに比例し，電流からの距離に反比例する。したがってこの記述は，「電流が大きいほど強く，直線電流から離れるほど弱い」と直さなくてはならない。よって，誤り。

5 ◎　電流が作る磁場は，右ねじが決め手！
正しい。直線電流が作る磁場は，電流に垂直な断面内で同心円状に生じる。このとき，電流の向きに右ねじが進む向きを合わせると，右ねじの回る向きが磁場の向きである。

［参考］テーマ5の電気と磁気を研究する物理学の分野は電磁気学と呼ばれ，力学（テーマ1～テーマ4）と並び，物理学の根幹となる重要な学問体系である。この電磁気学の出発点となったのが，電流が作る磁場に関する「右ねじの法則」と，電流が磁場から受ける力という2つの現象であり，フランスのアンペールが解明した（1822年）。後にドイツのオームは，電流が磁場から受ける力を利用して電流計と電圧計を自作し，オームの法則（**重要ポイント1⑴**）を得た（1827年）。電流の単位アンペアはアンペール（Ampere）を英語ふうに発音したものである。その後イギリスのファラデーによって，電磁誘導が発見された。

No.7 の解説　電磁誘導（レンツの法則）　→問題はP.82　正答3

コイルの近くで磁石を運動させると，**コイルを貫く磁力線の本数**が変化することによって**電磁誘導**が起こり，**誘導電流**が流れる。この誘導電流の向きを求めるときに用いられる法則が**レンツの法則**である。一般に，磁場が変化すると，この**変化を妨げる（打ち消す）向き**に誘導電流が生じる。これをもう少し詳しく見ると，次のようになる。

周囲の磁場（ここでは磁石の磁場）が増えるときは，この増えた分を打ち消そうとして，周囲の磁場と反対向きの磁場を作るような誘導電流が流れる。また，逆に，周囲の磁場が減るときには，この減った分を補おうとするかのように，周囲の磁場と同じ向きの磁場を作るような誘導電流が流れる。

以上を念頭に置いて，誘導電流の向きを求めてみよう。

誘導電流の向きを求める手順

1）レンツの法則を用いて，誘導電流が作る磁場の向きを求める。

2）右ねじの法則を用いて，1）の磁場を作るような電流の向きを求める。

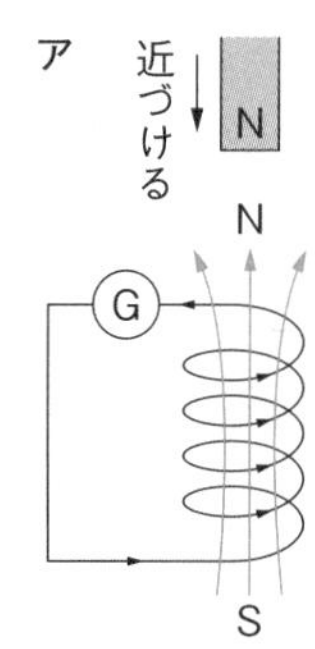

ア：N 極を下向きにしてコイルに近づけると，コイル内では下向きの磁場が増える。これを打ち消そうとして，上向きの磁場を作るような誘導電流が流れる。コイルの電流が作る磁場は，**右ねじの法則**（**重要ポイント1**(2)）を満たすから，逆にこれを用いてコイルの誘導電流の向きを求めると，右図のようになる。あるいは，レンツの法則より，変化を妨げようとして，磁石の N 極が近づくと，これに反発して遠ざけようとするかのように，コイルの上側が N 極となるような電磁石ができる，と考えてもよい。よって，電流は a の向きに流れる。

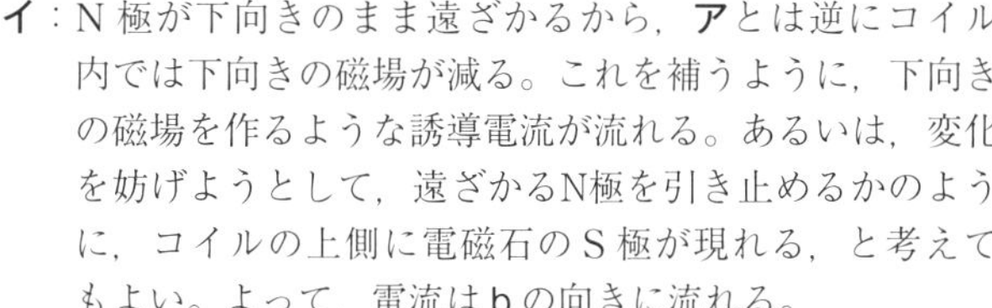

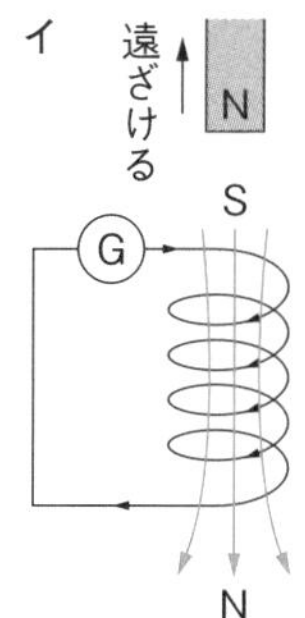

イ：N 極が下向きのまま遠ざかるから，**ア**とは逆にコイル内では下向きの磁場が減る。これを補うように，下向きの磁場を作るような誘導電流が流れる。あるいは，変化を妨げようとして，遠ざかるN極を引き止めるかのように，コイルの上側に電磁石の S 極が現れる，と考えてもよい。よって，電流は b の向きに流れる。

ウ：S 極を近づけると，上向きの磁場が増えるから，これを打ち消そうとして，下向きの磁場を作るような誘導電流が流れる。よって**イ**と同様に，電流は b の向きに流れる。

以上より，正答は**3**である。

No.8 の解説　変圧器による電圧・電流の変換

→ 問題はP.83　**正答2**

変圧器の原理に関する基本的な問題であり，高校の「物理基礎」の教科書で扱われている例題レベルの内容である。**重要ポイント6**(4)にあるように，変圧器は電磁誘導を利用して，一次コイル側の電圧と電流を変化させ，二次コイル側で取り出す装置である。一次コイル側に交流を流すと，その電流が作る磁場が鉄しん内部を貫く。交流は周期的に向きを変えるから，これが作る磁場も周期的に向きを変えながら二次コイルを貫くことになる。ここで電磁誘導によって二次コイル側にも周期的に向きを変える誘導起電力と誘導電流が生じ，これを二次側の電圧，電流として取り出す仕組みである。このような電圧や電流の変換が可能である理由は，一次コイル側の電流が直流ではなく交流であることによる。なお，本問に与えられた電圧と電流の値は，すべて交流の実効値である。

STEP❶ 電圧と巻き数の関係を表す式を書き下してみる。

一次コイルと二次コイルの**電圧の実効値の比は，巻き数の比に等しい**。

ゆえに，巻き数をそれぞれ N_1，N_2 とすると（**重要ポイント6**(4)参照），

$$V_1 : V_2 = N_1 : N_2 \quad \text{よって，} \frac{V_1}{V_2} = \frac{N_1}{N_2} \quad \cdots①$$

STEP❷ アを解答する。

①式を V_2 について解いた形にしてから，以下の数値を代入すればよい。

$V_1 = 200〔\mathrm{V}〕$，$N_1 = 600$，$N_2 = 150$

①式より，$V_2 = \frac{N_2}{N_1} V_1 = \frac{150}{600} \times 200 = 50〔\mathrm{V}〕$

この段階で正答は**1**か**2**に絞られる。

STEP❸ 「電力の損失がない」という条件を式で表してみる。

交流の電圧と電流の値として実効値 V_e，I_e を用いれば直流の場合と同じように，平均の消費電力 P は，$P = V_e I_e$ と表される（**重要ポイント6**(3)）。一次コイル側と二次コイル側の消費電力が等しくなることから，

$$V_1 I_1 = V_2 I_2 \quad \text{よって，} \frac{I_2}{I_1} = \frac{V_1}{V_2} \quad \cdots②$$

STEP❹ イを解答する。

②式の右辺に①式を代入して，電流と巻き数の関係を求め，これを I_2 について解いた形にしてから，以下の数値を代入すればよい。

$I_1 = 0.10〔\mathrm{A}〕$，$N_1 = 600$，$N_2 = 150$

①，②式より，$I_2 = I_1 \cdot \frac{V_1}{V_2} = I_1 \cdot \frac{N_1}{N_2} = 0.10 \times \frac{600}{150} = 0.40〔\mathrm{A}〕$

以上より，正答は**2**である。

No.9 の解説　電球を含む回路と消費電力

→ 問題はP.83　**正答 1**

一見単純な直列回路に見えるが，**ウ〜オ**は消費電力の関係を導かせ，その結果からわかることを導き出させるというなかなか手の込んだ問題である。抵抗と電球に加わる電圧をそれぞれ V_1，V_2 とすると，直列回路であるから，

$V = V_1 + V_2 \quad \cdots①$

が成り立つ。

また，与えられた回路図は右図のように書き直すことができる。

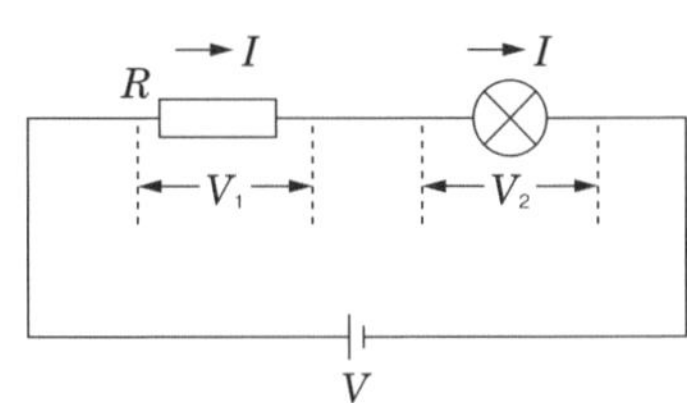

STEP❶ オームの法則から V_1 を求め，①式から V_2 を導く。

ア：V_1 は抵抗による**電圧降下**に等しい。

よって，オームの法則より，

$V_1 = \boldsymbol{RI}$ …②

この段階で，選択肢は**1**か**2**に絞られる。

イ：①，②式より，電球に加わる電圧は，$V_2 = V - V_1 = \boldsymbol{V - RI}$ …③

STEP❷ 電力の式 $P = VI$ を利用し，電球部分の電力を求める。

ウ：直列接続であるから，電流 I は抵抗と電球に共通である。よって，電球部分の電力を P_2 とすると，$P_2 = V_2 I$ となる。この式の右辺に③式を代入して，

$P_2 = (V - RI)I = \boldsymbol{VI - RI^2}$ …④

STEP❸ 「電源の供給電力 VI が一定」という条件を④式に適用してみる。

電源の電力は VI であるから，これを P（一定値）と置くと，④式は，

$P_2 = P - RI^2$ …⑤

と変形することができる。⑤式の右辺を見ると，P，R は定数であるから，P_2 は電流 I の関数である。I と V とは，$P = VI$ の関係にあるから，P_2 は電源の電圧 V の関数でもある。

エ：I を消去して，P_2 を V だけで表すには，$I = \dfrac{P}{V}$ を⑤式の右辺に代入して，

$$P_2 = P - \frac{RP^2}{V^2}$$

よって，V が大きくなると $\dfrac{RP^2}{V^2}$ は小さくなり，P_2 は大きくなる。ゆえに，V を**大きく**すればよい。この段階で正答は**1**と決まるが，念のために**オ**も考察しておこう。

オ：これは⑤式から直ちに判定できる。I が大きくなれば P_2 は小さくなるから，逆に P_2 を大きくするには I を**小さく**すればよい（**オ**を先に考察すれば，**エ**に関する考察は不要となる）。

以上より，正答は**1**である。

［参考］電球は，一般にオームの法則に従わず，電圧を大きくすると抵抗も大きくなる，という性質がある。これは，電圧の増加に伴って電流も増加し，ジュール熱がさらに発生して温度が上昇することが原因である。したがって，電球の電流と電圧の関係を表すグラフは，右図のような曲線（電球の**特性曲線**という）となる。しかし，電圧が小さい場合は，原点Oの近くにおけるグラフはほぼ直線とみなせるから，近似的にオームの法則が成り立つと考えてよい。

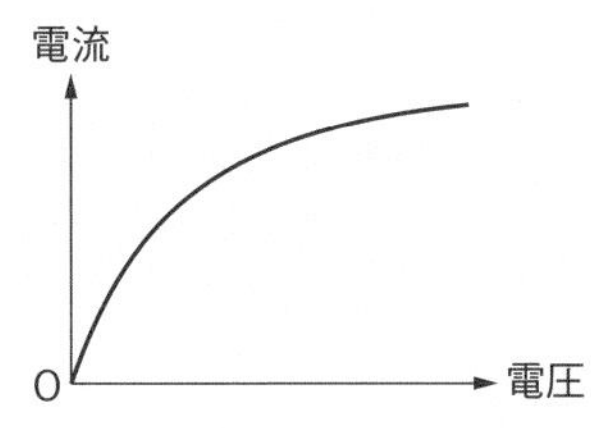

電球に限らず，導体の抵抗も，電圧が大きくなるとオームの法則から外れてくる。この効果は，抵抗率（**重要ポイント1(2)**）が温度の上昇に伴って増加する現象として現れる。

波 動

必修問題

媒質Ⅰから媒質Ⅱへ平面波が伝わっていき，媒質Ⅰと媒質Ⅱの境界面で波が屈折している。媒質Ⅰに対する媒質Ⅱの屈折率は1.4であり，媒質Ⅰにおける波の速さは28m/s，振動数は4.0Hzであるとき，媒質Ⅱにおける波の速さV〔m/s〕と波長λ〔m〕の組合せとして，妥当なのはどれか。

【地方上級（特別区）・令和４年度】

	V	λ
1	20m/s	5.0m
2	20m/s	7.0m
3	20m/s	9.8m
4	39m/s	5.0m
5	39m/s	9.8m

難易度 ＊

必修問題の解説

一様な媒質中を進む波は，その進む向きを変えることなく直進する。しかし，性質が異なる媒質との境界面に入射すると進む向きを変え，一部は反射され，一部は屈折して進む。このとき，入射波と反射波および，屈折波の進行方向に関して成り立つのが２つの法則，すなわち反射の法則と屈折の法則である（下図）。

一般に，境界面に立てた法線（境界面に対して垂直な直線）に対し，入射波，反射波および屈折波の進む向きがなす角をそれぞれ，入射角，反射角および屈折角という。これらの波の進む向きを表す直線はすべて同一平面内にあり，入射角をi，反射角をj，屈折角をrとすると，次の２つの法則が成り立つ。

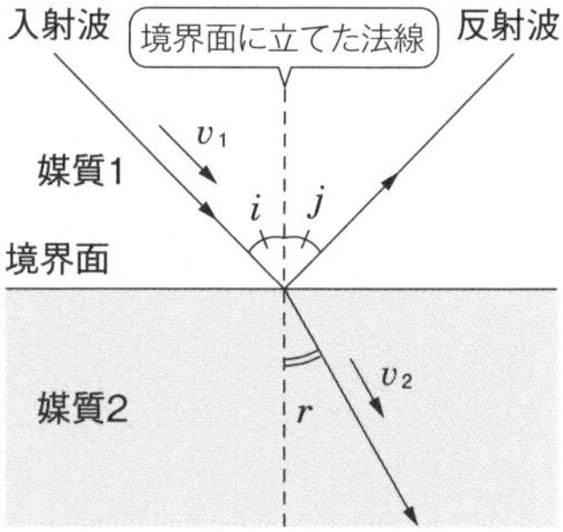

反射の法則：$i = j$

屈折の法則：$\dfrac{\sin i}{\sin r}=$ 一定値

屈折の法則を表す式の右辺にある「一定値」というのは，入射角iを$0 < i \leqq 90°$の範囲で変化させたとき，これに応じて屈折角rも変化するが，これらの正弦（sin）の値の比は常に一定であることを示している。この「一定値」を，媒質１に対する媒質２の相対屈折率（本問では単に「屈折率」とある）といい，n_{12}と表す。

すなわち，屈折の法則を改めて式で表すと，$\dfrac{\sin i}{\sin r} = n_{12}$ …①

ここで，波が媒質1と媒質2のそれぞれの中で直進するときの速さを v_1，v_2 と置くと，①式の n_{12} は，速さの比に等しいことが知られている。この事実は，オランダのホイヘンスによって証明された（1678年）。

$$n_{12}=\frac{v_1}{v_2} \quad \cdots ②$$

また，一般に波が進む速さを v，振動数を f，波長を λ とすると，

波の基本式　$v=f\lambda$　…③

が成り立つ（重要ポイント1(2)），波の反射と屈折において，媒質が1秒当たりに振動する回数，すなわち振動数 f は変化しない。ゆえに前ページの図において，媒質1と媒質2のそれぞれにおける波長を λ_1，λ_2 とすると，振動数 f は共通であるから，③式より，$v_1=f\lambda_1$，$v_2=f\lambda_2$ が成り立つ。これらを②式に代入して，

$$n_{12}=\frac{\lambda_1}{\lambda_2} \quad \cdots ④$$

と，波長の比によって n_{12} を表すこともできる。

本問では，$n_{12}=1.4$，$v_1=28$m/s，$f=4.0$Hzと与えられているから，媒質Ⅱにおける波の速さは②式から，波長は③，④式から，それぞれ求められる。

STEP❶　②式の n_{12} と v_1 に数値を代入し，v_2 を V と置き換えて V を求める。

$1.4=\frac{28}{V}$ より　$V=\frac{28}{1.4}=$ 20〔m/s〕

この数値で，正答は**1**，**2**，**3**のいずれかに絞られる。

STEP❷　③式を用いて，媒質1での波長 λ_1 を求める。

③式において，v を v_1，λ を λ_1 とし，数値を代入して λ_1 を求めると，$v_1=f\lambda_1$ より，$\lambda_1=\frac{v_1}{f}=\frac{28}{4.0}=7.0$〔m〕

STEP❸　④式の n_{12} と λ_1 に数値を代入し，λ_2 を λ と置き換えて λ を求める。

④式より，$n_{12}=\frac{\lambda_1}{\lambda}$　よって，$\lambda=\frac{\lambda_1}{n_{12}}=\frac{7.0}{1.4}=$ 5.0〔m〕

よって，正答は**1**である。

正答 1

FOCUS

波動の分野は，おおむね高校の物理レベルの内容が出題される。しかし，計算式を使わせるものは，屈折の法則やドップラー効果などの問題に見られる程度であり，それほど多くはない。全般的に，基本的な用語の知識を試すものや，現象の意味について記述の正誤を問うものが中心である。音や光を中心に，教科書などを利用しながら，波動現象全般について基礎知識をしっかりと整理しておこう。

POINT

重要ポイント 1　波動の一般的性質

ある点で生じた振動が，次々と隣り合う部分に伝わる現象を，**波**または**波動**という。最初に振動が生じた点を**波源**といい，波を伝える物質を**媒質**という。波動は波の形（**波形**）が移動する現象であり，**媒質そのものが移動するわけではない。**

(1) 周期的な波：媒質各点が単振動（テーマ4，重要ポイント1(2)参照）をしているような波を**正弦波**という。

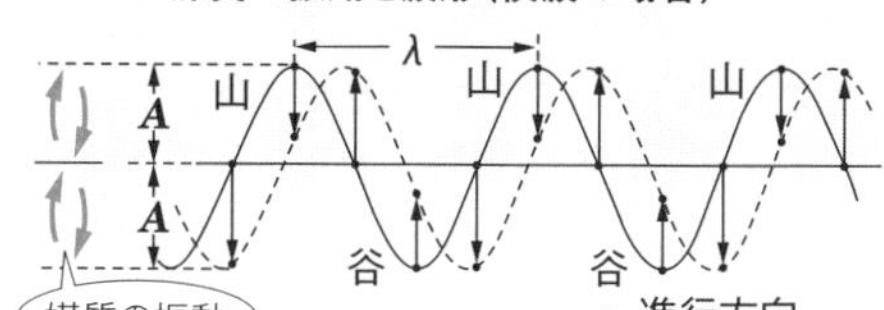

・媒質の変位の最大値（右図で山の高さまたは谷の深さ）Aを波の**振幅**といい，隣り合う山と山（または谷と谷）の距離 λ（ラムダ）を**波長**という。

・媒質各点の1秒当たりの振動回数を**振動数**（または**周波数**）といい，fで表す。媒質各点の1回の振動時間を**周期**といい，Tで表す。

$$f=\frac{1}{T}$$

fとTとは互いに逆数

［注］fの単位はHz(**ヘルツ**)，Tの単位はs(秒）が用いられる。

(2) 波の速さ v を求める式：$v=f\lambda=\dfrac{\lambda}{T}$ ← **波の基本式**といい，あらゆる種類の波で成り立つ。波動で最も重要な式。

(3) 媒質の振動方向と波の種類

- **横波**：媒質の振動方向が波の進行方向に**垂直**な波。弦を伝わる波など。
- **縦波**：媒質の振動方向が波の進行方向に**平行**な波。音波など。

［注］右上図の波形は，横波を描いたものである。

(4) 波の重ね合わせの原理：2つの波の変位 y_1 と y_2 がある点で重なるとき，この点での波の変位 y は，それぞれの波の変位を合成したものに等しい。

$$y=y_1+y_2$$

(5) 波に特有の現象：以下の現象は，音・光など，あらゆる種類の波で起こる。

・**反射**：異なる媒質の境界面で，波がはね返される現象。
　→一般の波でも次ページの「光の**反射の法則**」と同じ法則が成り立つ。

・**屈折**：異なる媒質の境界面に入射した波の進路が曲げられる現象。
　→一般の波でも次ページの「光の**屈折の法則**」と同じ法則が成り立つ。

・**回折**：波が障害物の背後に回り込む現象。波長が長いほど著しい。

・**干渉**：2つの波が重なり合い，互いに強め合ったり弱め合ったりする現象。

・**定常波**：波長・振幅・速さの等しい2つの進行波が，互いに逆向きに進んで重なり合う場合に生じる波であり，どちらの向きにも進行しない。まったく振動しない点（**節**）と，最も大きく振動する点（**腹**）が交互に並ぶ。

・**ドップラー効果**：波源と観測者が相対的に運動することによって，波の振動数（または波長）が，波源のものとは異なる値として観測される現象。

重要ポイント2 光の性質

真空中の光速度は，およそ $c=3\times10^8$〔m/s〕　波長や振動数に無関係

・光は電磁波の一種。一様な媒質中を**直進**する。

(1) 光の反射と屈折

・光の**反射の法則**：**入射角 i = 反射角 j**

・光の**屈折の法則**：$\dfrac{\sin i}{\sin r}=n_{12}=\dfrac{v_1}{v_2}=\dfrac{\lambda_1}{\lambda_2}$

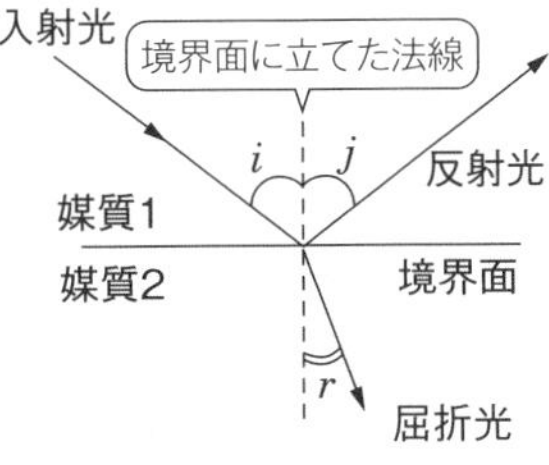

ただし，屈折角をrとし，媒質1，2での光の速さを v_1，v_2，波長をλ_1，λ_2 とする。n_{12} を媒質1に対する媒質2の**相対屈折率**という。特に，媒質1が真空のときの相対屈折率を，**絶対屈折率**（または単に**屈折率**）という。

$$c'=\frac{c}{n},\ \lambda'=\frac{\lambda}{n}$$

c，λ：真空中の光速および波長
c'，λ'：絶対屈折率 n の媒質中の光速および波長

・振動数fは，屈折によって変化しない（光だけでなく一般の波でも同様）。

(2) 光に顕著な現象：重要ポイント1(5)のほかに，以下のような現象が見られる。

・**分散**：プリズムを通った光がスペクトルに分かれる現象。光の波長が短いほど屈折率が大きい。青色光は赤色光より波長が短いから，曲がり方が大きい。

・**散乱**：空気中の微粒子などにより，光が四方に散らばる現象。

・**偏光**：偏光板を通った光の振動面が，特定の方向に偏る現象。　光が横波である証拠！

(3) レンズの公式　$\dfrac{1}{a}+\dfrac{1}{b}=\dfrac{1}{f}$　（a：レンズと物体との距離，b：レンズと像との距離，f：レンズの**焦点距離**）

（**実像**の場合は $b>0$，**虚像**の場合は $b<0$　凸レンズでは $f>0$，凹レンズでは $f<0$）　像の**倍率**　$m=\left|\dfrac{b}{a}\right|$

重要ポイント3 音の性質

音は**縦波**の一種で，固体・液体・気体中を伝わるが，**真空中は伝わらない**。

(1) 音の速さ：空気中を伝わる音の速さは，空気の**温度が高いほど大きい**。

[参考] 気温 t〔℃〕での音速 V〔m/s〕は，$V=331.5+0.6t$

(2) 音の高さ：振動数が大きいほど音は高く聞こえる。人の可聴領域（約20～20000Hz）よりも高い振動数の音を超音波という。

S $\to v_s$　O $\to v_o$
音源　観測者

(3) 音のドップラー効果：一直線上を音源S，観測者Oが，それぞれ速度 v_s，v_o で運動しているとする。空気中の音速を Vとし，音源Sから出ている音波の振動数を f_0 とすると，観測者Oが聞く音波の振動数fは，$f=\dfrac{V-v_o}{V-v_s}f_0$

ただし，v_s，v_o の符号は，**SからOに向かう向きを正，OからSに向かう向きを負**とする。

・SとOが相対的に近づき合うときは $f>f_0$，遠ざかり合うときは $f<f_0$ となる。

重要ポイント 4 電磁波

電場と磁場の変動は，波として空間内を伝わる性質がある。このような波を**電磁波**という。

(1) 電磁波の発生：送信アンテナに，振動する電流を生じさせると，その周りに振動する電場と磁場ができる。磁場の変動は電場の変動をもたらし，電場の変動はさらに磁場の変動を引き起こす。このように，電場と磁場が波となって伝わる（下の［注］参照）。

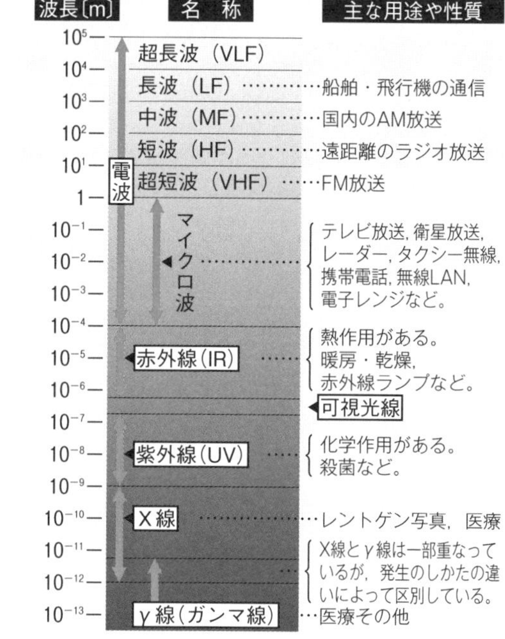

(2) 電磁波の伝わり方：電磁波は真空中でも伝わる。真空中を伝わる速さは，波長や振動数によらず，真空中の光速度 c に等しい。

$c = 2.99792458 \times 10^8 \mathrm{m/s}$

（およそ，$3 \times 10^8 \mathrm{m/s}$）

(3) 電磁波の種類：波長によって分類されている（右の表を参照）。可視光線の波長領域は，多少の個人差はあるが，およそ $3.8 \times 10^{-7} \sim 7.7 \times 10^{-7} \mathrm{m}$ で，波長の長いほうから順に，赤・橙・黄・緑・青・藍・紫の色の帯に分かれる。この色の帯を**スペクトル**という。

［注］電磁波は，電場と磁場が交互に変動を誘起し合いながら，空間中を伝わる。このとき，電場が振動する面と，磁場が振動する面は互いに直交している（右図）。この事実は，イギリスのマクスウェルによって理論的に予測されていた（1864年）。その後ドイツのヘルツによって実験によって証明された（1888年）。後にヘルツの業績にちなんで，周波数（振動数）の単位として**ヘルツ**（記号 Hz）が用いられることになった。

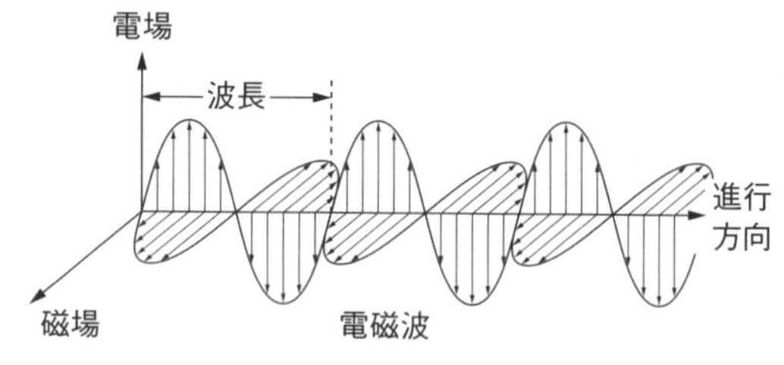

実戦問題

No.1 ＊ **次の文は，波に関する記述であるが，文中の空所A～Cに該当する語の組合せとして，妥当なのはどれか。**

【地方上級（特別区）・平成19年度】

つるまきばねを滑らかな水平面上に置き，ばねの一端を長さの方向に振動させると，次々と隣の部分にその振動が伝わり波が生まれる。このような，波を伝える物質を波の［A］といい，［A］の振動方向と波の進行方向が一致している波を［B］という。これに対して，［A］の振動方向と波の進行方向が互いに垂直である波を［C］という。

	A	B	C
1	媒質	縦波	横波
2	媒質	横波	縦波
3	媒質	パルス波	連続波
4	波源	横波	縦波
5	波源	パルス波	連続波

No.2 ＊ **音に関する次のA～Eの記述のうち，妥当なもののみをすべて挙げているものはどれか。**

【裁判所・令和４年度】

A：音波は，媒質の疎密が連なって進行する縦波である。
B：空気中を伝わる音速は温度には関係なく，振動数および波長に比例する。
C：音速は液体中より固体中が大きく，空気中より真空中が大きい。
D：音の高さの違いは音波の振動数の違いで，高い音ほど振動数が大きい。
E：振動数が可聴音よりも小さく，人の耳に聞こえない音を超音波という。

1　A，C
2　A，D
3　B，E
4　B，D
5　C，E

No.3 * 図のように，光が空気からガラスに矢印の向きに入射して屈折するとき，空気に対するガラスの屈折率として正しいものはどれか。ただし，入射角を60°，屈折角を30°とする。

【地方上級・平成17年度】

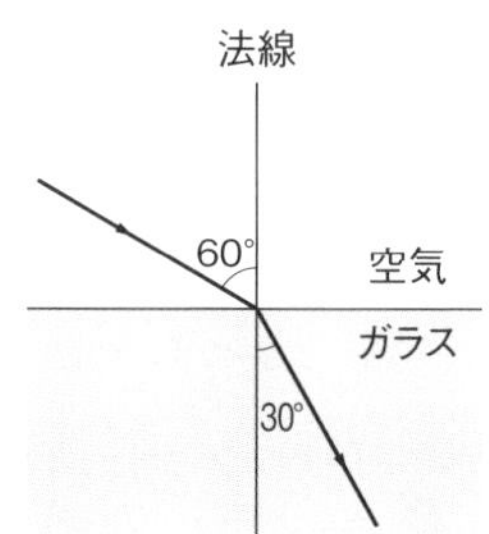

1 $\frac{1}{2}$　**2** $\frac{1}{\sqrt{3}}$　**3** $\sqrt{3}$

4 $\frac{3}{2}$　**5** 2

No.4 ** 光の性質に関する記述として，妥当なのはどれか。

【地方上級（東京都）・平成15年度】

1 光の色は波長によって決まり，太陽光はいろいろな波長の光を含むが，電球の白色光は単色光であり１つの波長しか持たない。

2 光の散乱は，光が大気中の分子やちりなどの粒子により進路を曲げられる現象であり，太陽光が昼間に比べて大気中を長く通過する夕方になると，赤い光は青い光に比べて散乱されにくいため，夕焼けは赤く見える。

3 光の速さは，真空中と空気中とでほぼ等しいが，光が空気中からガラスに入ると，波長の長い光ほど，速さは遅くなり屈折率が大きくなる。

4 光の分散は，薄い膜の表面での反射光と裏面での反射光とが重なり合うことにより，ある特定の波長の反射光だけが強め合って特定の色として見える現象であり，シャボン玉の表面や雨上がりの虹に見られる。

5 光は，進行方向と垂直に振動する横波であるが，偏光板を通過すると縦波となり，進行方向と振動方向が同一となるため，偏光板のサングラスを用いると水面やガラス板からの反射光を遮ることができる。

No.5 * 直線軌道を走る電車が，振動数864Hzの警笛を鳴らしながら，20m/sの速さで観測者に近づいてくる。観測者が静止しているとき，観測される音の振動数はどれか。ただし，音速を340m/sとする。

【地方上級（特別区）・令和２年度】

1 768Hz

2 816Hz

3 890Hz

4 918Hz

5 972Hz

＊＊
No.6 **振動数 f_0 の音源が，移動する観測者の後方から観測者より速い一定の速度で同一方向へ進み，観測者に追いついた瞬間から速度を落として，ある一定時間観測者と同一速度で併走した。その後，音源は再び速度を上げ，一定の速い速度で観測者から遠ざかっていった。**

後方から接近する音源，併走している音源，遠ざかっていく音源の三者について，観測者に聞こえる音の振動数をそれぞれ f_1，f_2，f_3 とすると，これらおよび f_0 との大小関係を表したものとして最も妥当なのはどれか。

ただし，観測者の速度は一定であったものとする。

【国家一般職・平成16年度】

1 $f_0 < f_1 < f_2 < f_3$
2 $f_1 < f_0 = f_2 < f_3$
3 $f_1 < f_3 < f_0 = f_2$
4 $f_3 < f_1 < f_0 = f_2$
5 $f_3 < f_0 = f_2 < f_1$

＊＊
No.7 **電磁波に関する記述として，妥当なのはどれか。**

【地方上級（東京都）・平成20年度】

1 電磁波は，波長または周波数によって分類されており，衛星放送に利用される電磁波には，マイクロ波がある。
2 真空中における電磁波の速さは，周波数によって異なり，周波数が高いほど速い。
3 可視光線の波長は，中波の波長や短波の波長よりも長く，X線の波長よりも短い。
4 紫外線は，熱線とも呼ばれ，物質を加熱する作用があり，熱線医療に利用されている。
5 赤外線は，ガンマ線と比べて物質を透過しやすく，材料検査や結晶構造解析に利用されている。

実戦問題の解説

No.1 の解説 波の種類

→ 問題はP.93 **正答 1**

波動に関する基礎知識を問う基本的な問題である。

A：一般に，波が伝わるためには，これを伝える物質が必要である。この物質は，波を伝える仲立ち，すなわち媒体の役目をすることから，**媒質**と呼ばれている。**4**と**5**にある波源とは，波が発生した場所のことである。

B：波が伝わっていくとき，媒質の各点は，つりあいの位置（波が来ないときの位置）を中心に振動する。この媒質の振動方向が，波の進行方向と一致している波を**縦波**（または**疎密波**）といい，音波や，地震波のP波がこれに該当する。

C：媒質の振動方向が，波の進行方向に垂直である波を**横波**といい，弦を伝わる波や，地震波のS波がこれに該当する。

なお，**3**と**5**に出てくるパルス波とは，たとえば山が1個しかない単発的な波のように，連続していない波のことである。連続波とは，たとえば正弦波（**重要ポイント1(1)**）のように，周期的な変位の繰り返しが連続的に続く波のことである。

以上より，正答は**1**である。

[注] 波が発生するためには，媒質に変位が生じた場合に，これをもとに戻そうとする性質（すなわち**弾性**）が必要であり，これにともなって**復元力**が働く結果，次々と隣り合う媒質へ波が伝わっていく。縦波が発生するのは，たとえば空気中の音波のように，媒質を押したり引いたりする結果として，媒質の体積が増えたり減ったりするのを元の状態に戻そうとする性質（**体積弾性**）が原因である。このように，体積の変化を元の状態に戻そうとする性質は，固体，液体，気体のどの状態にもあるから，**縦波はどの状態の物質中でも伝わる**。これに対し横波は，媒質にずれ（またはねじれ）が生じたときに復元力が働くときだけ伝わるから，このような**ずれ弾性**のない液体や気体の中を伝わることができない。よって，**横波は固体中しか伝わらない**。

No.2 の解説 音の性質

→ 問題はP.93 **正答 2**

音に関する基礎知識を問う基本的な問題であり，一般常識と呼べる内容である。音は波の具体的な実例として，応用面でも重要である。重要ポイントに載せられなかった事例も含めて，本問を通じて確認してほしい。

A○ 音波は，縦波（疎密波）の実例である。

正しい。たとえば空気中を伝わる音波は，音源の振動によって媒質各部が圧縮されたり膨張したりするような振動を繰り返し，これが疎密となって媒質中を伝わっていく。液体中，および固体中を伝わる音波も同様である。

B× 空気中を伝わる音の速さは，空気の温度が高いほど大きい。

空気中での音速は温度に依存する（**重要ポイント3(1)**）から，記述の前半が誤り。また，波の基本式（**重要ポイント1(2)**）$v = f\lambda$ より，音速 v は振動数 f と波長 λ の両方に比例するから，記述の後半は正しい。

C × **音波は，真空中を伝わらない。**
媒質を形成する微粒子（原子，分子，イオンなど）が密になるほど音速は大きくなるから，記述の前半は正しい。しかし，音波だけでなく，一般に波は媒質が存在しなければ伝わらない。ただし，光を含む電磁波は例外であり，真空中でも伝わる。

D ○ **音は，振動数が大きいほど高く聞こえる。**
正しい。振動数が小さい音ほど低く聞こえ，振動数が大きい音ほど高く聞こえる。

［参考］振動数が２倍になると，音程は１オクターブだけ高く聞こえる。なお，音の高さ・大きさ・音色の３つを合わせて，**音の３要素**という。

E × **超音波とは，可聴領域よりも大きい振動数の音波である。**
多少の個人差はあるが，人が聞くことのできる音（**可聴音**）の振動数の範囲（**可聴領域**）はおよそ20～20000Hzである。この範囲の上限を超えるような，**可聴音より高い音が超音波**である。

［参考］振動数が可聴領域の下限よりも小さく，可聴音より低い音は超低周波音と呼ばれ，航空機や列車など人工物が移動する場合のほか，火山噴火や地震などの自然現象に伴って発生することもある。

以上より，妥当な記述は**A**と**D**である。よって正答は**2**である。

No.3 の解説　光の屈折

→ 問題はP.94 **正答3**

光の屈折の法則（重要ポイント2(1)）を，そのまま用いればよい。

STEP❶ まず，光の屈折の法則の式を書いてみる

一般に，入射角を i，屈折角を r とすると，$\dfrac{\sin i}{\sin r} = n_{12}$ …①

である。ここに n_{12} は，入射光側の媒質に対する屈折光側の媒質の（相対）屈折率であり，本問では「空気に対するガラスの屈折率」がこれに当たる。

STEP❷ 入射角と屈折角を代入し，三角比の値に注意して計算する

①式に $i = 60°$，$r = 30°$ を代入し，さらに，$\sin 60° = \dfrac{\sqrt{3}}{2}$，$\sin 30° = \dfrac{1}{2}$ を用いて，

$$n_{12} = \frac{\sin 60°}{\sin 30°} = \frac{\sqrt{3}}{2} \div \frac{1}{2} = \frac{\sqrt{3}}{2} \times 2 = \sqrt{3}$$

よって，**3**が正答である。

［注］図のように，入射角 i が屈折角 r より大きい場合には，①式より $n_{12} > 1$ となるから，選択肢の**1**と**2**は直ちに誤りとわかる。

No.4 の解説　光の性質

→ 問題はP.94　正答2

光の性質は，光通信などの技術や，最新の科学事情との結びつきが強い。また身近な現象としてもよく取り上げられるから，今後も出題が予想されるテーマである。

1 ×　単色光は，決まった色を持つ。

「光の色は…含むが」までは正しいが，後半は誤り。電球の光も太陽光と同じようにいろいろな波長の光を含んでいる。このようにいろいろな波長の光を含む光を**白色光**と呼ぶ。これに対し，単一の波長で，決まった色の光を**単色光**という。白色光とは，いろいろな単色光が重なりあった結果，色合いを感じさせない光である。

2 ◎　波長が長いと散乱されにくい。

正しい。大気中の空気の分子やちりなどが，光の散乱を起こす原因となる。一般に，**波長が短いほうが散乱されやすい**から，青い光のほうが赤い光よりも散乱されやすい。その結果，昼間は青い光が四方八方に散らされることになり，空は青く見える。これに対して，夕方になると太陽が傾いて光が空気中を通過する距離が長くなり，光が通過する間に散乱された青い光が引き算され，赤い光の割合が大きくなるから，夕焼けは赤く見える。

3 ×　波長が短いほうが，ガラス中での曲がり方が大きい。

実際には，光の速さは空気中のほうが真空中よりわずかに小さくはなるが，その違いは非常に小さいから，ほぼ等しいと考えてよい（空気の絶対屈折率はほとんど1に近い）。よって，前半の記述は正しいと考えてよいが，ガラスに入射すると光の**分散**が起こる。これは，光の波長によって屈折率が異なることが原因で起こる現象であり，**波長が長い光ほど屈折率は小さい**ことが知られている。一般に，ある媒質の絶対屈折率を n とし，真空中での光の速さを c とすると，この媒質中での光の速さ c' は，$c'=\dfrac{c}{n}$ と表される（**重要ポイント2(1)**）から，屈折率 n が小さいほど c' は大きくなる。ゆえに，波長の長い光のほうが，ガラス中の光の速さは大きくなる。

4 ×　分散は，波長の違いによって屈折率が異なる現象。

前半は光の分散ではなく，**薄膜による光の干渉**について述べたものである。さらに，シャボン玉の虹の色は，前半で述べられているような，光の干渉によって生じる。一方，雨上がりの虹は，空気中の水滴がプリズムの役割をして，水滴に入射して**屈折**した光を**分散**させることにより起こる現象であり，シャボン玉の虹色とは原因が異なる。

5 ×　横波と縦波は，まったく別の波！　入れ替わることはない。

光は横波であり，偏光板を通った後も横波であるから，決して縦波に変わってしまうようなことはない。**偏光**という現象は，振動面が特定の方向に限られることであり，偏光板には特定の振動面を持つ光だけを通す性質がある。

一方，水面やガラス面での反射光は，特定の振動面を持つ偏光した光を多く含むから，偏光板のサングラスによってこの反射光を通さないようにすることができるのであって，決して「進行方向と振動方向が同一となる」（これは縦波の性質）からではない。

No.5 の解説 音のドップラー効果（1）

→ 問題はP.94 正答4

音のドップラー効果が起こる原因は，次の２つである：

(1) 音源Ｓが運動することにより，観測者Ｏに届く音の波長が変化する。

(2) 観測者Ｏが運動することにより，音の相対的な速さが変化する。

この一方，または両方が起こる結果，観測者に届く音の振動数が，音源が発するものとは異なることになり，音の高さが変化して聞こえる。(1)であれ，(2)であれ，重要なことは，ＳとＯとが**互いに相対的に運動している場合に起こる**，という事実である。一方から他方を見たとき，相手が近づいたり遠ざかったりするように見えること，これがドップラー効果が起こる根本的な原因である。ゆえにＳとＯが運動するときのそれぞれの速度が，振動数の変化に関係してくることになる。

本問では，問題文に特に断り書きはないが，電車と観測者はほぼ一直線に並んでいるとみなしてよい。したがって，**重要ポイント３(3)**のドップラー効果の式をそのまま用いてよい。

STEP❶ ドップラー効果の式を書き下す。

音速をV，音源Ｓおよび観測者Ｏの速度をそれぞれv_S，v_Oとし，音源が発している音の振動数をf_O，観測者が聞く音の振動数をfとすると，

$$f = \frac{V - v_O}{V - v_S} f_O \quad \cdots ①$$

ただし，v_O，v_Sの符号は，ＳからＯに向かう向き（S → O）を正にとる。

STEP❷ ①式に，本問で与えられた数値を代入し，fを求める。

$f_O = 864$〔Hz〕，$v_S = 20$〔m/s〕，$v_O =$〔m/s〕，$V = 340$〔m/s〕

であるから，求める振動数は，

$$f = \frac{340 - 0}{340 - 20} \times 864 = \frac{340}{320} \times 864 = \frac{17}{16} \times 864 = 918 \text{〔Hz〕}$$

よって，正答は**4**である。

［注］静止している観測者に対して，音源としての電車が近づいてくるのであるから，$f > f_O$でなくてはならない。よって，選択肢**1**と**2**は直ちに誤りとわかる。

No.6 の解説　音のドップラー効果（2）

→ 問題はP.95 正答5

No.5と同様に，重要ポイント3(3)のドップラー効果の式を用いる。すなわち，観測者Oに届く音の振動数をf，空気中の音速をVとして，

$$f=\frac{V-v_O}{V-v_S}f_0 \quad \begin{pmatrix} v_O：観測者Oの速度 \\ v_S：音源Sの速度 \end{pmatrix} \quad \cdots(1)$$

v_Oとv_Sの符号に注意！

STEP❶　f_1とf_0を比較する。

上記の(1)式で，fをf_1で置き換えると，

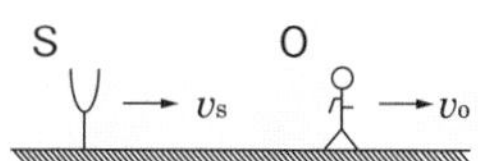

$$f_1=\frac{V-v_O}{V-v_S}f_0$$

となる。題意より，音源と観測者は同じ向きに動いている。**v_Oとv_Sの符号は，SからOに向かう向きを正にとる**から，v_Oとv_Sは同じ符号であり，$v_O>0$，$v_S>0$となる。ここで，後方から音源Sが観測者Oに接近するのであるから，Sの速さはOの速さより大きく，$v_S>v_O$でなくてはならない。ゆえに，$V-v_S<V-v_O$が成り立つから，

$$\frac{V-v_O}{V-v_S}>1 \quad よって，f_1>f_0 \quad \cdots①$$

STEP❷　f_2とf_0を比較する。

(1)式より，この場合も$f_2=\dfrac{V-v_O}{V-v_S}f_0$と表される。互いに併走しているから，$v_S=v_O$である。すなわち，$V-v_O=V-v_S$　となるから，

$$\frac{V-v_O}{V-v_S}=1 \quad よって，f_2=f_0 \quad \cdots②$$

STEP❸　f_3とf_0を比較する。

(1)式より，$f_3=\dfrac{V-v_O}{V-v_S}f_0$と表される。

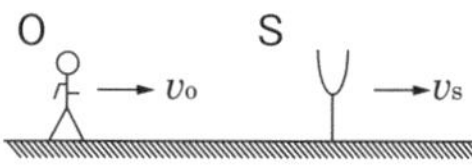

ここでは音源Sが観測者Oから遠ざかっていく。ゆえに，**v_Oとv_Sの符号は，SからOに向かう向きが正である**から，$v_O<0$，$v_S<0$となる。しかも，$|v_S|>|v_O|$であるから，速さを比べると，

$$-v_S>-v_O \quad したがって，V-v_S>V-v_O \quad が成り立つから，$$

$$\frac{V-v_O}{V-v_S}<1 \quad よって，f_3<f_0 \quad \cdots③$$

①，②，③式より，$f_3<f_0=f_2<f_1$　が得られる。

よって，正答は**5**である。

［注］互いに**近づくときは高い音に**聞こえるから，$f_1>f_0$
互いに**離れるときは低い音に**聞こえるから，$f_3<f_0$
併走しているときは相対的に静止しているから，$f_2=f_0$
と考えれば，直ちに解答できるが，ここでは，(1)式を練習することを目的に，上述のような解法を呈示した。

No.7 の解説 電磁波の性質と種類

→ 問題はP.95 正答 1

電磁波に関する基礎知識の有無を問う問題である。電磁波は，知識さえあれば確実な得点源となる。日常生活でも話題にのぼることが多く，最新の科学技術との結びつきの強いテーマでもあるから，常識問題として取り組んでおきたい。

1 ◎ **マイクロ波は，日常生活に欠かせない電磁波である。**

正しい。**重要ポイント4**の表は波長領域によって分類してあるが，周波数（振動数）で分類しても同じことである。なお，**真空中を伝わる電磁波**の場合，真空中の光速度を c，波長を λ，周波数を f とすると，$c=f\lambda$（**重要ポイント1(2)**参照）の関係がある。**c はすべての電磁波に共通する速度**であるから，波長 λ と周波数 f は反比例する。電磁波の中で，赤外線よりも波長が長いものはまとめて「電波」と呼ばれており，マイクロ波もその一部であり，衛星放送のほかに，携帯電話にも利用されている。

2 × **電磁波は光の速さで伝わる。**

電磁波が真空中を伝わるとき，その波長や周波数とは無関係に，真空中の光速度 c（およそ 3×10^{8} m/s）で伝わる。この速さは電磁波の種類には無関係である。よって，誤り。

3 × **波長の長さは，電波＞赤外線＞可視光線＞紫外線＞X 線＞γ 線。**

可視光線の波長は，多少の個人差はあるが，およそ 3.8×10^{-7}～7.7×10^{-7} mの範囲内である。これに対し中波と短波の波長は，大よそ10m以上である。また，X 線は 10^{-9}mよりも短い。よって，記述内容が逆であるから，誤り。

4 × **赤外線は熱作用，紫外線は化学作用。**

この記述は，紫外線ではなく，赤外線を説明したものである。紫外線は「化学線」と呼ばれることもあり，日焼けの原因となるような化学変化（メラニン色素の生成）を起こしたり，殺菌作用がある。よって，誤り。

5 × **波長が短いほど，透過力が強い。**

この文には二重の間違いがある。まず，赤外線と比べると，ガンマ線（γ 線，**重要ポイント4の表**を参照）は透過力がはるかに強い。放射性核種から発せられる γ 線は，人体を容易に貫くが，赤外線はほとんど表面で止まってしまう。一般に，電磁波の透過力は，波長が短いほど強いことが知られている。また，後半の記述はX 線に関するものである。X 線と γ 線との境界は（およびX 線と紫外線との境界も），あまりはっきりとはしておらず，一部が重なっている（重なっている部分は，発生原因の違いによって呼び分けている）。しかし，ごく大ざっぱにみて，X 線より γ 線のほうが波長は短いと考えてよいから，透過力は γ 線のほうがX 線より強いということができる（γ 線については，**テーマ7，重要ポイント2(2)**を参照）。

熱と原子／その他

必修問題

6℃の液体A，28℃の液体B，46℃の液体Cの比熱の異なる3つの液体から2つを選んで混ぜ合わせてしばらくすると，混ぜ合わせた液体の温度が次のように変化した。

ア　同じ質量の液体Aと液体Bとを混ぜ合わせると，液体の温度が16℃となった。

イ　同じ質量の液体Bと液体Cとを混ぜ合わせると，液体の温度が36℃となった。

以上から，同じ質量の液体Aと液体Cとを混ぜ合わせてしばらくした後の液体の温度として，正しいのはどれか。ただし，液体の混ぜ合わせによる状態変化又は化学変化はなく，混ぜ合わせる2つの液体以外に熱は移動しないものとする。

【地方上級（東京都）・令和4年度】

1　16℃　　**2**　18℃　　**3**　20℃
4　22℃　　**5**　24℃

難易度　＊＊

必修問題の解説

熱量の保存（重要テーマ1(1)）に関する基本的かつ典型的な問題であり，高校の必修科目である「物理基礎」に属する内容である。熱に関する物理現象を伴う物理学の分野は「熱力学」と呼ばれ，公務員試験におけるその出題範囲はほぼ「物理基礎」の内容に限られている。熱量の保存の問題で重要なキーワードとなるのが，問題文1行目にある「比熱」である。まず，この用語の定義を確認しておこう。

比熱とは，単位質量の物質の温度を1〔K〕上昇させるのに必要な熱量と定義する。
└─1〔g〕を用いる場合の比熱の単位はJ/(g･K)

比熱を表す記号としては小文字の c を用いることが多い。ある物質について，その「比熱が c〔J/(g･K)〕である」ということは，次のような意味である。

1）加熱によって1〔g〕当たり温度が1〔K〕上昇する間に，熱を c〔J〕吸収する。
2）冷却によって1〔g〕当たり温度が1〔K〕下降する間に，熱を c〔J〕放出する。

したがって，比熱が c〔J/(g･K)〕の物質でできた物体の質量が m〔g〕のとき，この物体の温度が1〔K〕上昇または下降するときに，吸収または放出される熱量は mc〔J/K〕となるから，温度の変化の大きさが ΔT〔K〕のとき，この物体が吸収または放出する熱量の大きさを Q〔J〕とすると，

$$Q = mc\Delta T \quad \cdots(1)$$

が成り立つ。

また，本問では「混ぜ合わせてしばらくすると」とあるように，十分な時間が経過していることが示されている。したがって，問題文中のア，イのいずれの操作においても，混ぜ合わせた２種類の液体は熱平衡（重要ポイント１(1)）に達している。さらに「状態変化または化学変化はなく，混ぜ合わせる２つの液体以外は熱は移動しない」と言う仮定から，熱量保存の法則より，次の関係式が成り立つ。

高温の物体が放出した熱量＝低温の物体が吸収した熱量　…(2)

STEP❶　液体A，B，Cの比熱と質量を文字で表し，ア・イを表す式を書く。

液体A，B，Cの比熱をそれぞれ，対応する小文字a，b，cで表すことにする。

また，「同じ質量」とあるから，各液体の質量をm〔g〕と置く。

ア…液体Bが放出した熱量は，$mb(28-16)$〔J〕← (1)式で$\Delta T=28-16$〔K〕

液体Aが吸収した熱量は，$ma(16-6)$〔J〕← (1)式で$\Delta T=16-6$〔K〕

ゆえに(2)式より，$mb\times 12=mc\times 10$　よって，$6b=5a$　…①

イ…液体Cが放出した熱量は，$mc(46-36)$〔J〕← (1)式で，$\Delta T=46-36$〔K〕

液体Bが吸収した熱量は，$mb(36-28)$〔J〕← (1)式で，$\Delta T=36-28$〔K〕

ゆえに(2)式より，$mc\times 10=mb\times 8$　よって$5c=4b$　…②

STEP❷　液体Aと液体Cが熱平衡に達したときの温度をt〔℃〕とし，(2)式を表す。

STEP❶の①，②式と同様に，

液体Cが放出した熱量は，$mc(46-t)$〔J〕← (1)式で$\Delta T=46-t$〔K〕

液体Aが吸収した熱量は，$ma(t-6)$〔J〕← (1)式で$\Delta T=t-6$〔K〕

ゆえに，(2)式より，$mc(46-t)=ma(t-6)$

よって，$c(46-t)=a(t-6)$　…③

STEP❸　STEP①の①・②式を用いてcをaで表し，③式からtを求める。

①式より，$b=\frac{5}{6}a$　ゆえに②式より，$c=\frac{4}{5}b=\frac{4}{5}\times\frac{5}{6}a=\frac{2}{3}a$

これを③式に代入して，$\frac{2}{3}a(46-t)=a(t-6)$

ゆえに，$2(46-t)=3(t-6)$　これをtについて整理して，$5t=110$

よって，$t=\frac{110}{5}=22$〔℃〕となるから，正答は**4**である。

正答 4

FOCUS

このテーマでは，比較的出題数が少ない熱の分野と原子の分野に加え，これまでのテーマに収まり切らないものを「その他」としてまとめた。熱現象を理解するには，原子や分子の熱運動という概念が役に立つから，高校の教科書を使って熱と原子の両分野をまとめて学習すると効率がよい。「その他」の内容は，物理全般にわたる総合的な問題から，科学史や最新の科学技術に至るまで広範囲にわたり，国家公務員試験でしばしば出題されている。

POINT

重要ポイント 1 熱と温度

物体の温度を上げたり下げたりする原因となるエネルギーを**熱**という。

(1) 熱量の保存：高温の物体と低温の物体を接触させると，**熱は高温の物体から低温の物体へ移動**し，やがて**熱平衡**（どちらも同じ温度になって変化が見られなくなった状態）に達する。この過程で，熱の移動がこの2物体の間だけで行われた場合には，次の**熱量保存の法則**が成り立つ。

高温の物体が放出した熱量＝低温の物体が吸収した熱量

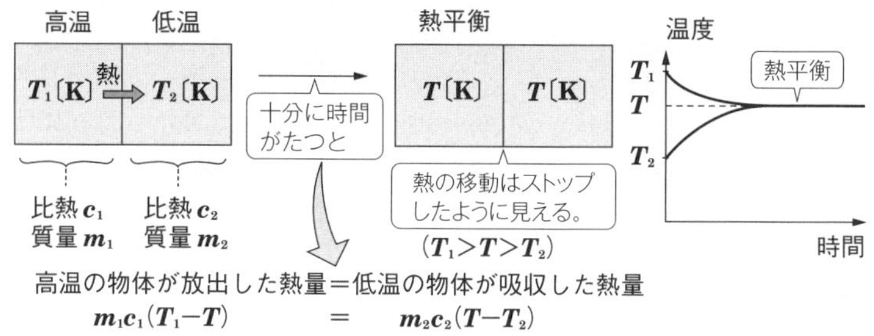

・**熱量の単位**：**ジュール**〔J〕。まれに，**カロリー**〔cal〕を用いることもある。

［注］1 calは，水1 gの温度を1℃上昇させるのに必要な熱量（1cal ≒ 4.2J)。

・**温度の単位**：セルシウス温度〔℃〕，**絶対温度**〔K〕　　−273℃を0〔K〕とする

［注］t〔℃〕を絶対温度 T〔K〕に換算するには，$\boldsymbol{T=273+t}$ を用いる。

・**比熱**：物質1 gの温度を1〔K〕上昇させるのに必要な熱量。単位はJ/(g・K)。

［注］比熱が c の物質 m〔g〕の温度が $\varDelta T$〔K〕変化するとき，出入りする熱量 Q〔J〕は，$\boldsymbol{Q=mc\varDelta T}$ で与えられる。mc は質量 m〔g〕の物体の温度を1 K上昇させるのに必要な熱量であり，これをこの物体の**熱容量**という。

(2) 熱力学の基本法則

①**熱力学第1法則**：ある物体系に，外部から熱量 Q〔J〕と仕事 W〔J〕とが加えられたとき，物体系の**内部エネルギー** U〔J〕の変化量 $\varDelta U$〔J〕は，

$$\varDelta U=Q+W$$

と表すことができる。

この法則は，力学現象と熱現象が同時に起こる場合に，**エネルギー保存の法則**が成り立つことを示している。

［注］内部エネルギー U は，その物体系の絶対温度 T に比例する。

②**熱力学第2法則**：物体系に外部から仕事を加えない限り，熱現象は**不可逆過程**であり，この法則を表す次の2つの表現は互いに同値である。

・外部に何らの影響も残さずに，熱をすべて仕事に変えることはできない（**トムソンの原理**）。

・外部に何らの変化も残さずに，熱を低温の物体から高温の物体に移すことはできない（**クラウジウスの原理**）。

重要ポイント2 原子と原子核／放射線

(1) 原子と原子核

①**原子の構造**：3種類の粒子で構成されている。

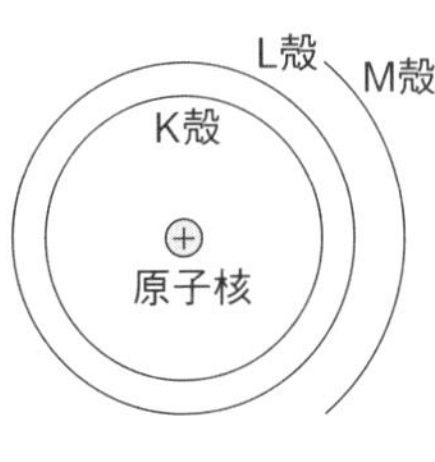

原子
- 原子核
  - **陽　子**：$+e$の電荷を持つ。
  - **中性子**：電荷を持たない。
- **電　子**：$-e$の電荷を持つ。

・陽子の質量は，電子の質量のおよそ1840倍程度。中性子の質量は陽子の質量よりわずかに大きいが，両者の質量はほぼ等しいと考えてよい。

・電気量eを**電気素量**という。$e \fallingdotseq 1.602 \times 10^{-19}$〔C〕

・電子は，原子核の周りの**電子殻**と呼ばれる層にあり，原子核の周りを回っている。電子殻は内側から順に，K殻，L殻，M殻，…と名づけられ，内側からn番目の電子殻は，$2n^2$個までの電子を収容することができる。

②**原子核の構成**：陽子と中性子が，**核力**によって互いに強く結合している。

・陽子の数＝**原子番号**＝Z

・**質量数**＝陽子の数＋中性子の数＝A

$$A = Z + N \quad (N\text{：中性子の数})$$

原子核と元素記号 ●陽子 ○中性子

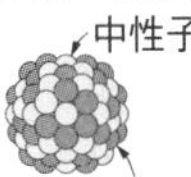

・陽子の数（すなわち原子番号）が等しく，かつ中性子の数が異なる原子核を持つ原子を，互いに**同位体**（アイソトープ）であるという。

［注］同位体は核外の電子配置が同じであるから，化学的性質も同じである。

［同位体の例］

	$^{12}_{6}$C	$^{13}_{6}$C	$^{14}_{6}$C
Z	6	6	6
N	6	7	8

(2) 放射線の種類とその性質

種類	本　体	電離作用	透過力
α線	高速の$^{4}_{2}$He原子核	強	弱
β線	高速の電子	中	中
γ線	波長が非常に短い電磁波	弱	強

①**放射性原子核の崩壊**

α**崩壊**：$^{4}_{2}$Heを1個放出。

$A \to A-4$，$Z \to Z-2$

β**崩壊**：電子を1個放出。

$A \to A$（不変），$Z \to Z+1$（中性子1個が陽子に転換する）

γ**崩壊**：γ線を放出しても，AとZは変わらない。

②**原子核の崩壊と半減期**：放射性原子核の数は**半減期**T（原子核の種類によって決まっている）ごとに半分になる。時刻0およびtでの原子核の数をそれぞれN_0，Nとすると，Nは次のようにtの**指数関数**で表される。

$$N = N_0\left(\frac{1}{2}\right)^{\frac{t}{T}}$$

電場中を通る放射線

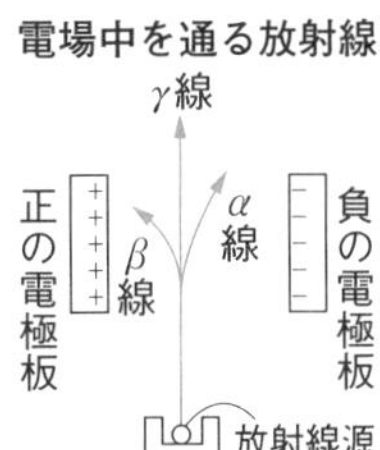

重要ポイント 3 その他，物理全般に関する注意と対策

物理の出題では，異なる分野の現象を比べさせたり，科学史のテーマが扱われるなど，幅広い内容を盛り込んだ**総合的**な問題，もしくは**一般教養**を問う問題もときどき見られる。このような問題に対しては，はっきりとした対策があるわけではないが，日頃からの心がけとして役に立ちそうなことをいくつか挙げておこう。

(1) 基本法則全般に関する問題：1つの問題の中に，複数のテーマにまたがる内容の法則や基本事項が含まれるもの。以前は国家総合職にしばしば見られた。日頃から，要点整理ノートを作るなどの対策をして備えておきたい。

(2) 物理定数や単位に関する問題：現在の物理学ではMKSA単位系を基礎にしたSI（国際単位系）を用いている。単位名には人名の付くものが多く，物理の基礎を整理するのに役立つとともに，科学史を学ぶことにも通じるから，ひととおり目を通しておくとよい。⇨実戦問題No.5

(3) 科学史に関する問題：出題頻度は高くないが，有名な物理学者，たとえばニュートン，ガリレイ，ファラデー，アインシュタインなどについて，その業績を年表（高校の教科書に付録としてついている）などを利用してまとめておくとよい。また，日本の物理学者（湯川秀樹，朝永振一郎，小柴昌俊など）もチェックしておきたい。

［注］物理学の歴史上，**大きな変革期が2度**あった。一つはガリレイ以降，ニュートンによって**古典力学**の基礎が築かれる時期で，それ以前のアリストテレス流の自然哲学と比較させる出題が過去に見られた。もう一つは19世紀後半から20世紀前半にかけて**相対論**と**量子論**を軸とする**現代物理学**が誕生する時期で，アインシュタインなど，この時期の主要な人物についてもチェックしておきたい。

(4) 最新の話題に関する問題：これも出題頻度は高くないが，国家専門職や国家総合職でときどき出題されることがある。素粒子，放射能，光通信など，時事的な話題も多い。日頃から新聞や科学雑誌などにも目を通し，テレビのニュースにも注目するようにしておきたい。

［参考］ これも出題頻度は低いが，国家公務員試験では，原子核の反応（**核反応**）についても出題されたことがある。代表的な**核反応の例を2つ**紹介しておこう。

①**核分裂**：質量数の大きな原子核が，中性子などを吸収して，より軽い原子核に分裂する反応。

［例］ ${}^{235}_{92}\mathrm{U} + {}^{1}_{0}\mathrm{n} \rightarrow {}^{141}_{56}\mathrm{Ba} + {}^{92}_{36}\mathrm{Kr} + 3{}^{1}_{0}\mathrm{n}$

・いわゆる原子炉（正しくは核反応炉）は，核分裂の際に**連鎖反応**を起こさせる装置である。［注］${}^{1}_{0}\mathrm{n}$ は中性子を表す。

②**核融合**：質量数の小さな原子核が結合して，より重い原子核が作られる反応。

［例］ ${}^{2}_{1}\mathrm{H} + {}^{3}_{1}\mathrm{H} \rightarrow {}^{4}_{2}\mathrm{He} + {}^{1}_{0}\mathrm{n}$

・太陽の中心部では，${}^{1}_{1}\mathrm{H}$ 4個が ${}^{4}_{2}\mathrm{He}$ に変化するような核融合が起こっていると考えられている。

［付表］主な物理量とその単位　　※基本単位はSI（国際単位系）に基づく。

	物理量	単位記号	単位の名称	単位間の関係
基本単位	長さ	m	メートル	$1cm=10^{-2}m$
	質量	kg	キログラム	$1g=10^{-3}kg$
	時間	s	秒	1min＝60s，1h＝60min
	温度	K	ケルビン	1K＝1℃（目盛りはセ氏と同じ）
	電流	A	アンペア	1A＝1C/s
	物質量	mol	モル	
	光度	cd	カンデラ	
組立単位	角度	rad	ラジアン	$180^{\circ}=\pi rad$
	面積	m^2	平方メートル	$1m^2=10^4cm^2$
	体積	m^3	立方メートル	$1m^3=10^6cm^3$
	密度	kg/m^3	キログラム毎立方メートル	$1kg/m^3=10^{-3}g/cm^3$
	速度，速さ	m/s	メートル毎秒	1m/s＝3.6km/h
	加速度	m/s^2	メートル毎秒毎秒	$1m/s^2=10^2cm/s^2$
	力	N	ニュートン	$1N=1kg\cdot m/s^2$
	圧力	Pa	パスカル	$1Pa=1N/m^2$ $1atm\fallingdotseq 1.013\times 10^5Pa$
	仕事，エネルギー	J	ジュール	1J＝1N・m
	運動量	kg・m/s	キログラムメートル毎秒	1kg・m/s＝1N・s
	力積	N・s	ニュートン秒	
	仕事率，電力	W	ワット	1W＝1J/s
	熱量，電力量	J	ジュール	1cal≒4.2J
	熱容量	J/K	ジュール毎ケルビン	
	比熱	J/(g・K)	ジュール毎グラム毎ケルビン	
	電気量	C	クーロン	1C＝1A・s
	電圧，起電力	V	ボルト	1V＝1J/C
	電気抵抗	Ω	オーム	1Ω＝1V/A
	電場（電界）	V/m	ボルト毎メートル	1V/m＝1N/C
	電気容量	F	ファラド	1F＝1C/V
	振動数（周波数）	Hz	ヘルツ	1Hz＝1/s
	磁束密度	T	テスラ	$1T=1Wb/m^2=1N/(A\cdot m)$

実戦問題

No.1 ＊ **熱容量が84J/Kのティーカップに水100gが入っており，水とティーカップの温度は両方とも10℃となっている。このティーカップへ温度が60℃の水80gを加えて熱平衡の状態になったときの水とティーカップの温度として，正しいのはどれか。ただし，水の比熱は4.2J/(g・K)とし，ティーカップと水の間以外の熱の出入りはないものとする。**

【地方上級（東京都）・平成26年度】

1 28℃
2 30℃
3 32℃
4 34℃
5 36℃

No.2 ＊＊ **図は，ある純物質の固体1molに大気圧の下で毎分一定の熱量を加えたときの加熱時間と純物質の温度の関係を示したものである。**

これに関する次の記述A，B，Cのうち，妥当なもののみをすべて挙げているのはどれか。

【国家総合職・平成22年度】

A：加熱時間が8分のとき，この純物質は沸騰していた。
B：この純物質の液体の比熱は，固体の比熱よりも大きい。
C：大気圧が大きくなると，図中の太線部分㋐はT_0よりも低くなる。

1 A，B
2 A，B，C
3 A，C
4 B
5 C

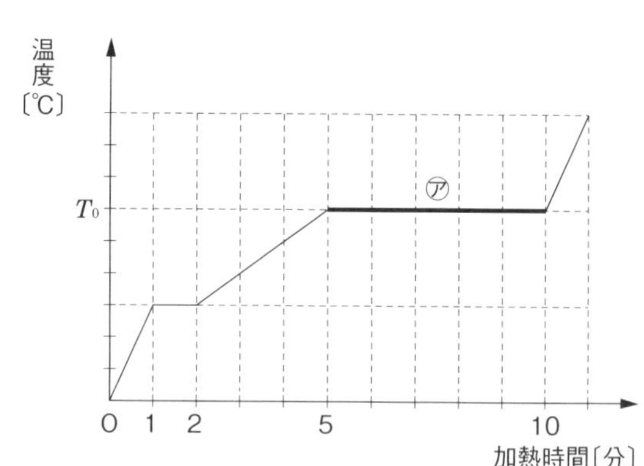

＊
No.3 原子に関する記述として，妥当なのはどれか。

【地方上級（特別区）・平成15年度】

1 原子核では，陽子と中性子が電気力によって強く結びついている。
2 原子に含まれる中性子の数を原子番号という。
3 α 線は高速の電子であり，β 線はヘリウムの原子核である。
4 核子は，陽子と電子から構成されている。
5 原子の質量数は，陽子の数と中性子の数との和である。

＊
No.4 炭素原子の放射性同位体 $^{14}_{6}C$ について，空欄ア～ウに該当する数値を選べ。

【市役所・平成30年度】

炭素原子の放射性同位体 $^{14}_{6}C$ の原子核を構成する陽子は［ア］個，中性子は［イ］個である。$^{14}_{6}C$ の半減期は5370年であるから，遺跡などで発掘された木材に残存する $^{14}_{6}C$ の $^{12}_{6}C$ に対する割合を調べれば，その遺跡の年代を推定できる。ある木材に残存する $^{14}_{6}C$ の $^{12}_{6}C$ に対する割合が生きている木の4分の1だったとき，その木は［ウ］年前に伐採されたと推定できる。

	ア	イ	ウ
1	6	8	5370×2
2	6	8	5370×4
3	7	7	5370×4
4	8	6	5370×2
5	8	6	5370×4

＊＊
No.5 体積やエネルギーなどのすべての物理量は，長さ，時間，質量など基本単位の組合せにより表すことができる。国際単位系（SI）では，基本単位として，時間〔s〕，長さ〔m〕，質量〔kg〕，電流〔A〕，温度〔K〕，物質量〔mol〕，光度〔cd〕の7つが用いられる。物理量を基本単位を使って表したものとして妥当なのはどれか。

【国家専門職・平成19年度】

1 運動量は，〔$kg \cdot m^2/s^2$〕で表される。
2 圧力は，〔$kg/(s^2 \cdot m)$〕で表される。
3 力は，〔$kg \cdot m^2/s$〕で表される。
4 仕事は，〔$kg \cdot m \cdot s^2$〕で表される。
5 仕事率は，〔$kg \cdot m/s$〕で表される。

実戦問題の解説

No.1 の解説　熱量保存の法則　→問題はP.108　正答2

必修問題と同様に，**熱平衡**および**熱量の保存**に関する基本的かつ重要な問題である（**重要ポイント1**(1)）。一般に，温度が異なる２つの物体を接触させたり，混合させたりすると，高温の物体から低温の物体に向かって熱が移動し，やがて両者は熱平衡に達して，一定の温度を保つようになる。本問では，問題文にあるように，ティーカップと水の間以外の熱の出入りはないという仮定から，**熱量保存の法則**が成り立つ。すなわち，熱平衡に達するまでの間に，高温の物体は熱を放出して温度が下降し，低温の物体は熱を吸収して温度が上昇するという過程で，**高温の物体が放出した熱は，すべてそのまま低温の物体に吸収される**。

STEP❶　まず，未知数を決める。

熱平衡に達した状態で，水（100g＋80g）とティーカップの温度は一定であるから，これをt〔℃〕と置く。ただしtの範囲は，$10 < t < 60$である。

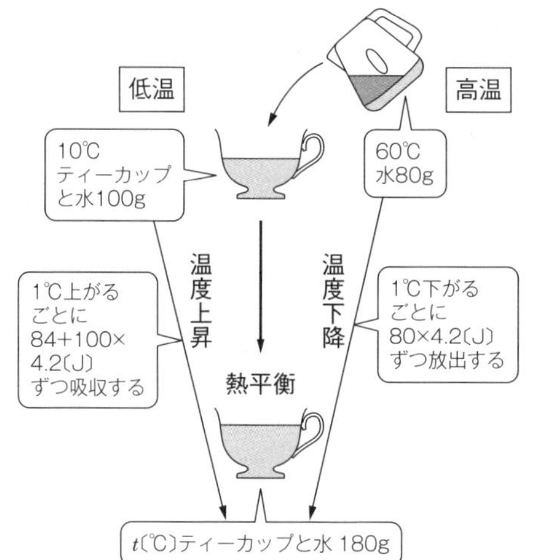

STEP❷　熱容量と比熱の意味をよく考えながら，移動した熱量をtで表す。

・ティーカップの熱容量が84J/Kであるから，1℃上昇するごとに，84Jの熱を吸収する。

・比熱4.2J/(g・K）の水が100gであるから，1℃上昇するごとに，100×4.2〔J〕の熱を吸収する。

したがって，10℃のティーカップと水100gが，t〔℃〕になるまでに吸収する熱量をQ_1とすると，

$$Q_1 = (84 + 100 \times 4.2) \times (t - 10) \quad \cdots①$$

・比熱4.2J/(g・K）の水が80gであるから，1℃下降するごとに，80×4.2〔J〕の熱を放出する。

したがって，60℃の水80gが，t〔℃〕となるまでに放出する熱量をQ_2とすると，

$$Q_2 = 80 \times 4.2 \times (60 - t) \quad \cdots②$$

STEP❸　熱量保存の法則に基づいてtが満たす方程式を導き，tを求める。

熱量保存の法則より，低温（10℃）のティーカップおよび水100gが吸収した熱量Q_1と，高温（60℃）の水80gが放出した熱量Q_2は等しい。すな

わち，$Q_1 = Q_2$ となる。これに①，②式を代入して，

$$(84 + 100 \times 4.2) \times (t - 10) = 80 \times 4.2 \times (60 - t) \quad \cdots ③$$

あとは③式を t について解く。このとき，**なるべく係数を簡単にしておく**と見通しがよい。特に，$84 = 20 \times 4.2$ に注意すると，左右両辺には共通因数4.2があることがわかる。よって，③式の左辺 $= (20 \times 4.2 + 100 \times 4.2) \times (t - 10)$

$$= (20 + 100) \times 4.2 \times (t - 10)$$

$$= 120 \times 4.2 \times (t - 10)$$

と変形できるから，③式は，$120 \times 4.2 \times (t - 10) = 80 \times 4.2 \times (60 - t)$ となる。両辺を40と4.2で割ると，$3(t - 10) = 2(60 - t)$

これと t について整理して，$5t = 150$　ゆえに，$t = \frac{150}{5} = 30$〔℃〕

よって，**2**が正答である。

No.2 の解説　物質の状態変化と比熱

→ 問題はP.108　**正答 1**

物質の熱的な性質に関する基本的かつ常識的な問題である。問題文の冒頭に「ある純物質の固体 1 mol」とあるが，特に「1 mol」という数値に注意する必要はないから，単に「一定量の物質」という程度の意味に理解しておけばよい。与えられたグラフの特徴と，用語の意味に注意しながら，A，B，Cの記述の正誤を順に判定していこう。

A○　T_0 が何を表すかを考える。

正しい。固体の純物質を加熱していくと，物質の質量とは無関係な一定の温度で**融解**が始まる。この温度が**融点**であり，物質が完全に融解して液体に変わるまで温度は融点に保たれる。物質がすべて液体に状態変化すると，温度は一定の割合で上昇を続け，やがてある一定の温度に達すると，液体の内部から気化が起こる。この現象が**沸騰**であり，このときの温度が**沸点**である。融点と沸点は，いずれもこの**純物質に固有な物理量**である。本問では加熱８分後におけるこの純物質の温度は沸点に等しいから，沸騰が起こっている最中である。

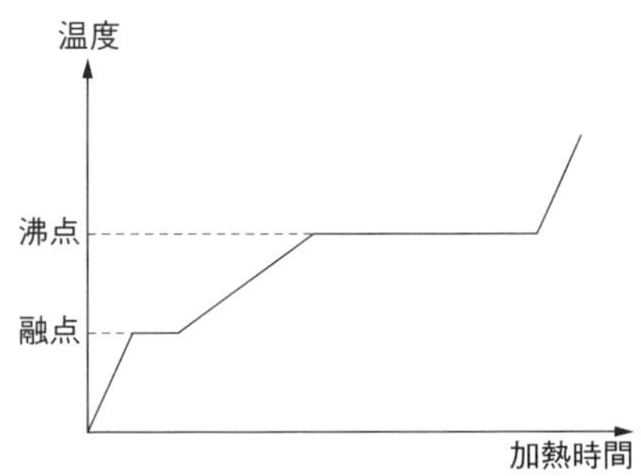

一定の割合の熱量を加えるとき，横軸の加熱時間は，加熱開始からそれまでに加えられた**熱量に比例**する。

B○　比熱が大きいほど，温度が変わりにくい。

正しい。**比熱**とは，ある物質１gの温度を１K上昇させるのに必要な熱量のことであり，これも**純物質に固有の物理量**である。比熱の大きい物質は，温

度を上昇させるためにより大きい熱量を必要とするが，比熱の小さい物質はより小さい熱量で済む。したがって，**比熱の大きい物質は温まりにくく，比熱の小さい物質は温まりやすい**。本問の場合，一定の割合の熱量で加熱しているのであるから，比熱が大きいほど加熱時間に対する温度上昇の割合，すなわち**グラフの傾き**は小さくなるはずである。問題に与えられた図を見ると，融点以下の固体の場合のほうが傾きが大きく，液体になってからのほうが傾きが小さい。よって，液体の比熱のほうが固体の比熱よりも大きいことを，グラフから読み取ることができる。

C × **大気圧が大きいほど沸騰しにくくなる。**
物質の**沸点は，大気圧が大きくなると高くなる**（逆に融点は低くなる）。これは空気の高い圧力が障害となり，気化した物質の分子が飛び出しにくくなるからである。逆に大気圧が下がると沸点は低くなる。よって，誤り。

以上より，**1** が正答である。

No.3 の解説　原子と原子核

→ 問題はP.109　**正答5**

原子に関する記述の正誤を判定させる基本的な問題である。**重要ポイント２**の基本事項を思い出しながら，選択肢を１つずつ検討していこう。

1 × **核子は核力で結びつく。**
原子核を構成する陽子と中性子を結びつけている力は**核力**であり，電気力ではない。陽子は＋の電気を持つが，**中性子は電気を持たない**から，そもそも陽子と中性子の間に電気力が働くことはありえない。よって，誤り。

2 × **原子番号＝陽子の数。**
原子番号はもともと，軽い順に元素を並べて番号を付けたものであった。1930年代になると，原子核が陽子と中性子からできていることが確認され，原子核を構成する**陽子の数が原子番号に等しい**ことが明らかとなった。したがって，「中性子の数」という部分が誤り。

3 × **α 粒子はヘリウム原子核，β 粒子は電子。**
α 線と β 線の記述が逆になっている。α 線は ${}^{4}_{2}\mathrm{He}$ の流れ，β 線は高速の電子の流れである（**重要ポイント２**(2)）。よって，誤り。

4 × **原子核は陽子と中性子でできている。**
核子とは原子核を構成する粒子のことであり，**陽子と中性子**の総称である。よって，「電子」という部分が誤り。

5 ◎ **質量数＝核子の数。**
正しい。原子核に含まれる陽子の数，すなわち原子番号を Z とし，中性子の数を N とすると，**質量数 A** は，$\boldsymbol{A=Z+N}$ と定義される。なお，原子の質量の大部分は原子核に集中していて，しかも陽子１個の質量と中性子１個の質量は非常に近い（実際には中性子のほうがわずかに大きい）。したがって質量数 A の値，すなわち核子の個数は，**原子の質量の目安**となる。

No.4 の解説　炭素原子の放射性同位体と放射性崩壊の半減期　→ 問題はP.109　正答1

原子核の構成と，**放射性原子核の崩壊**に関する基本的な問題である（重要ポイント2）。一般に，放射性同位体の原子核は，α 線，β 線などの放射線を放出しながら自然崩壊を起こし，ほかの種類の原子核に変換される。

STEP❶　$^{14}_{6}C$ の陽子数と中性子数を求め，アとイを解答する。

$^{14}_{6}C$ は，質量数 A が $A=14$，原子番号 Z が $Z=6$ であることを示している。Z は陽子の数，A は陽子の数と中性子の数 N との和であるから，

陽子は6個，中性子は，$N=A-Z=14-6=8$ より，8個

と求められる。この段階で，正答は**1**か**2**に絞られる。

STEP❷　原子核の個数を時間 t の関数として表す。⇨重要ポイント2⑵②

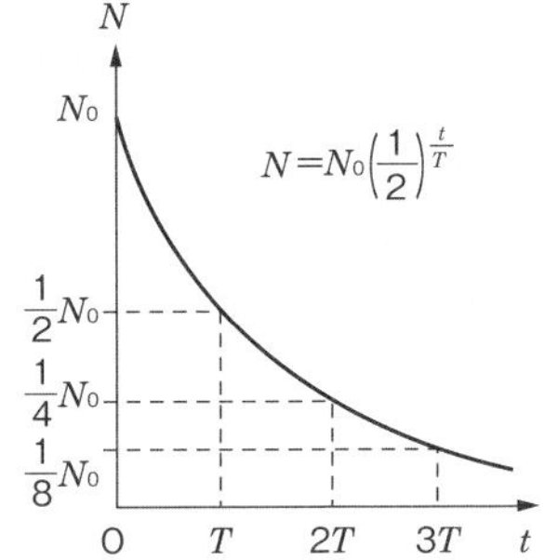

初めに N_0 個あった放射性原子核は，半減期 T が経過するごとに半分ずつとなり，時間 t だけ経過したときに残っている原子核の数 N は，次式で表される。

$$N=N_0\left(\frac{1}{2}\right)^{\frac{t}{T}} \quad \cdots①$$

STEP❸　N と N_0 の比から，t を求める。

$$\frac{N}{N_0}=\frac{1}{4}=\left(\frac{1}{2}\right)^2 \quad \cdots②$$

であるから，①，②式より $\dfrac{t}{T}=2$

ゆえに，$t=2T=5370\times2$ となり，**ウ**の答えが求められる。

以上より，正答は**1**である。

No.5 の解説　力学で用いる物理量の組立単位　→ 問題はP.109　正答2

物理量とその単位に関する基本問題である。本問では，力学で用いられる物理量に限定されているが，電磁気学の単位もしばしば出題されている。

物理量の単位には，たとえば長さを例にとってみても，m のほかに km や cm があり，慣用的に用いられているフィートやマイルなども含めると，さまざまなものがある。しかし物理学では，慣用的な単位を必要に応じて使うこともあるが，原則として，**国際単位系**（SI）に基づいて整理・統合された単位系が用いられる（重要ポイント3⑵，および［付表］参照）。

国際単位系では，問題文にも述べられているように，7つの単位を**基本単位**とし，ほかの物理量は，すべてこれらをもとにした**組立単位**として表すことができる。さらに，組立単位が基本単位を用いてどのように表されるのかは，それぞれの**物理量の定義**や，**基本的な関係式**をもとに定められている。

たとえば，加速度 a（テーマ２参照）は，単位時間当たりの速度の変化である，と定義されているから，Δt〔s〕間に速度が Δv〔m/s〕だけ変化したとすると，$a=\dfrac{\Delta v}{\Delta t}$ と表される。右辺の式は，（速度の変化）÷（時間）を意味している。よって，加速度の単位も，（速度の単位）÷（時間の単位）となる。ここで，m/s のような単位も，$\dfrac{\mathrm{m}}{\mathrm{s}}$ のように表せば，普通の文字式の計算と同じように取り扱うことができる。加速度の単位は $\dfrac{\mathrm{m}}{\mathrm{s}}\div\mathrm{s}=\dfrac{\mathrm{m}}{\mathrm{s}^2}$ となるが，これを〔$\mathrm{m/s^2}$〕と表すわけである。このことを踏まえて，**それぞれの物理量の定義に基いて**，選択肢を１つずつチェックしていこう。

1 × 運動量は，（質量）×（速度） すなわち $m\vec{v}$ と定義されるから，その単位は，$\mathrm{kg}\cdot\dfrac{\mathrm{m}}{\mathrm{s}}$ すなわち，〔kg・m/s〕となる。よって，誤り（テーマ３参照）。

2 ◎ 正しい。圧力は，「単位面積当たりの面を垂直に押す力」として定義されるから，面積 S〔$\mathrm{m^2}$〕の面を F〔N〕の力で垂直に押すとき，面に働く圧力 p は，$p=\dfrac{F}{S}$ と表される。ここで，力の単位 N（**ニュートン**）は，運動方程式 $F=ma$（質量×加速度）より，$\mathrm{kg}\times\dfrac{\mathrm{m}}{\mathrm{s}^2}$ すなわち，$\mathrm{kg\cdot m/s^2}$ と表されるから，圧力 p の単位は，$\dfrac{\text{力の単位}}{\text{面積の単位}}=\dfrac{\mathrm{kg\cdot m}}{\mathrm{s}^2}\div\mathrm{m}^2=\dfrac{\mathrm{kg\cdot m}}{\mathrm{s}^2}\cdot\dfrac{1}{\mathrm{m}^2}=\dfrac{\mathrm{kg}}{\mathrm{s^2\cdot m}}$
すなわち，〔$\mathrm{kg/(s^2\cdot m)}$〕と表される。これは，圧力の単位 Pa（**パスカル**）を，基本単位を用いて表したものである（テーマ１参照）。

3 × **2**の説明にもあるように，力の単位は〔$\mathrm{kg\cdot m/s^2}$〕である。よって，誤り。
［注］$1\,\mathrm{kg/m\cdot s^2}=\mathrm{N}$，$1\,\mathrm{Pa}=1\,\mathrm{N/m^2}$である。（テーマ１，テーマ２参照）

4 × 仕事 W は，加えた力の移動方向成分の大きさ F に，物体を移動させた距離 x をかけて，$W=Fx$ と定義されるから，仕事の単位も，力の単位と距離の単位の積になる。力の単位 N は，$\mathrm{kg\cdot m/s^2}$と同じ（**2**の説明参照）であるから，仕事の単位は，

$$\mathrm{N\cdot m}=\frac{\mathrm{kg\cdot m}}{\mathrm{s}^2}\cdot\mathrm{m}=\frac{\mathrm{kg\cdot m^2}}{\mathrm{s}^2}\qquad \text{すなわち，〔}\mathrm{kg\cdot m^2/s^2}\text{〕となる。}$$

よって，誤り（テーマ３参照）。なお，N・mは J（**ジュール**）と記される。

5 × 仕事率は，単位時間にすることのできる仕事量であるから，仕事の量をかかった時間で割れば求められる。よって，仕事率の単位も，仕事の単位を時間の単位で割れば得られるから，$\dfrac{\mathrm{J}}{\mathrm{s}}=\dfrac{\mathrm{kg\cdot m^2}}{\mathrm{s}^2}\cdot\dfrac{1}{\mathrm{s}}=\dfrac{\mathrm{kg\cdot m^2}}{\mathrm{s}^3}$（**4**の説明参照）すなわち，〔$\mathrm{kg\cdot m^2/s^3}$〕となる。よって，誤り。

第２章

テーマ❶　基礎理論
テーマ❷　物質の変化Ⅰ（酸化・還元）
テーマ❸　物質の変化Ⅱ（酸・塩基など）
テーマ❹　物質の性質
テーマ❺　有機化合物の構造と反応
テーマ❻　時事・環境・化学全般

試験別出題傾向と対策

頻出度	試験名	国家総合職					国家一般職					国家専門職				
	年度	21-23	24-26	27-29	30-2	3-5	21-23	24-26	27-29	30-2	3-5	21-23	24-26	27-29	30-2	3-5
	テーマ ＼ 出題数	5	3	2	2	3	6	3	2	2	3	3	2	3	3	3
A	1 基礎理論	2	1			1	3		1		2		1		3	
C	2 物質の変化Ⅰ(酸化・還元)		1			1								1		1
B	3 物質の変化Ⅱ(酸・塩基など)	2			1			1	1		1	1	1			
A	4 物質の性質	1	1		1		3	1		1				1		1
B	5 有機化合物の構造と反応			1		1		1		1				1		1
C	6 時事・環境・化学全般			1								2				

化学分野は，自然科学のうちでも最も傾向分析が難しい。その原因は，こと化学分野に関してだけは試験種によって出題傾向が大きく異なり，共通の傾向が存在しないためであり，これは，ある分野のある事項を暗記しさえすればたいがいの試験種に対応できる，などという甘い考えは通用しないことを意味する。

なお，化学の学習に際しては，周期表（特に第1周期～第3周期）を事前に丸暗記し，またある程度の化学物質の化学式（分子式など）は，出てくるたびに丸暗記していくことが大前提で，これらなしで化学を修得することはできないことを，最初にお断りしておく。

●国家総合職

基礎理論の出題が比較的少ない。むしろ無機化合物・有機化合物などの性質を問うたり，時事系（最近話題になった物質や身近な物質など）について問うことが多い。ただ今後は，基礎理論の出題も徐々に増えていくことが予想される。複数のテーマにまたがった問題は，数年に一度ぐらいのペースでの出題が続いている。

●国家一般職

理論系の出題があまり多くないが，無機化合物と絡めた出題などが見られることがある。計算問題はほとんど出題されていない。無機化合物と有機化合物では無機化合物の出題が多いが，ここ数年は拮抗している。時事系の問題は，近年余り出題されなくなった。逆に，複数のテーマにまたがるような出題が見られるようになってきた。

●国家専門職

過去には時事系の出題が比較的多かったが，試験制度変更後は基礎理論の出題

地方上級（全国型）					地方上級（東京都）					地方上級（特別区）					市役所（C日程）					
21-23	24-26	27-29	30-2	3-5	21-23	24-26	27-29	30-2	3-5	21-23	24-26	27-29	30-2	3-5	21-23	24-26	27-29	30-2	3-4	
6	6	5	5	4	2	3	2	3	3	9	8	6	6	6	3	4	2	4	2	
2	1	2		2		2		3		4	4	1	3	2	1	1	1	1		テーマ1
			1		1				1	2		1			1		1			テーマ2
1	1	1	2	1		1				1						1		1		テーマ3
2	3	1	2		1		1		1		3	2	3	3	1	1		2	2	テーマ4
		1					1			2	1	2		1		1				テーマ5
1	1			1					1											テーマ6

が増加し，逆に無機化合物，有機化合物の出題はともに減少している。基礎理論では，元素の性質をストレートに問うなど，基本的知識の有無を見ようとしているかのような出題が散見される。時事系の問題はほとんど見られなくなった。

●地方上級

全国型は，基礎理論，酸と塩基，物質の性質の分野に出題が集中している。逆に酸化還元や有機化合物の出題はここしばらくほとんど見られない。計算問題の出題もここ数年は非常に少ない。時事系や化学全般にまたがる内容の出題は，まれにしか見られないのであまり気にせず，出題の多い分野を集中して学習するのが良いと思われる。

東京都は，基礎理論が多めとはいえ，出題分野は比較的分散している。特にここ数年では基礎理論全般を扱う問題や，化学者とその業績に関する問題など，総合職を意識したような形式の出題も少数ながら見られる。酸化還元や有機化合物はここ数年まったく出題されていないが，過去には出題例があるので油断は禁物である。浅くても良いので，広範囲の学習が必要になるだろう。

特別区は，ここ数年は基礎理論１問＋物質の性質か有機１問のパターンが続いている。基礎理論は周期表や基本的な法則等が出題され，物質の性質か有機もそれほどマイナーな物質は出題されないので，教科書レベルの基本をしっかりおさえていれば対処できるだろう。

●市役所

ほぼすべてが，基礎理論や無機化合物に関する出題である（ごくまれに，有機化合物に関する出題も見られる）。時事系の出題はまったく見られない。年１問の出題ながら，計算問題の出題も２～３年に１度あり，無視できないほどに多い。暗記よりも，理論系に特化した対策が必要になるだろう。

基礎理論

必修問題

化学結合に関する記述として，妥当なのはどれか。

【地方上級（特別区）・平成26年度】

1 電気陰性度の大きい原子が隣接分子の水素原子と引き合うような，水素原子を仲立ちとした分子間の結合を**水素結合**という。

2 2個の原子の間で，それぞれの原子が価電子を出して引き合うような，互いの静電気的な力（クーロン力）による結合を**共有結合**という。

3 陽イオンと陰イオンとの間に働く力をファンデルワールス力といい，この力による結合を**イオン結合**という。

4 金属の原子が集合した金属の単体において，隣り合う2個の原子の間で共有される価電子による結合を**金属結合**という。

5 電荷の片寄りがある極性分子の分子間に働く，無極性分子より強い静電気的な引力による結合を**配位結合**という。

難易度 ＊＊

必修問題の解説

本問のような物質の結合および結晶に関する出題は，化学では比較的多く要注意であるが，化学初学者にとってはなかなか勉強しづらい分野である。まずは原子の構造，電子配置から出発して，きちんとした知識を頭に入れる必要があるだろう。そのうえで各化学結合の特徴がはじめて理解できるのである。

1 ◎ 水素結合は，極性分子どうしの結合。
水素Hは，電気陰性度が非金属元素のうちでは最小で，逆にフッ素F，酸素O，窒素Nは，電気陰性度が最大である。電気陰性度は，共有電子対を引きつける力と考えてよいので，**HとF，HとO，HとNの結合では，共有電子対が水素と反対側へ大きく片寄る**（極性を持つ）。このような分子を**極性分子**といい，ある極性分子のマイナスに偏った（共有電子対を，より引きつけている）部分と，他の分子のプラスに偏った部分が電気的に引き合って，分子と分子が引き合う力が生じる。このような結合を水素結合という。

2 × 共有結合は，電子対を共有することによる結合。
共有結合は，出し合った電子を共有し合う結合であって，クーロン力による結合ではない。このとき，共有される電子2個の組を，**共有電子対**という。

3 × イオン結合は，クーロン力による結合。
「陽イオンと陰イオンの間に働く力」は，ファンデルワールス力ではなく，**クーロン力**である。それ以外の部分は，正しい。

4 × 金属結合は，自由電子による結合。
金属結合においては，**集合した多数の金属原子に，多数の電子が共有されている**のが特徴で，2個の原子の間だけで共有されるのではない。このような電子を，**自由電子**といい，金属の特徴である電気伝導性，熱伝導性，展延性，金属光沢は，この自由電子による性質であると考えられている。

5 × 配位結合は，共有電子対を共有し合っているように見えるだけの結合。
本肢は配位結合ではなく，水素結合に関する記述である（極性に関しては，肢**1**の解説を参照すること）。配位結合とは，通常なら結合に関与する2個の原子が出し合うはずの**共有電子対の両方を，一方の原子または分子が提供**し，共有結合しているかのように見える結合である。

正答 1

FOCUS

基礎理論全体としての出題は非常に多い。ただし，このうちどの分野の出題が多いのかは試験種によって大きく異なるので，傾向をしっかりつかむことが重要である。

POINT

重要ポイント1 化学結合と結晶

(1) 化学結合の種類

①**イオン結合**：陽イオンと陰イオンの間で働く**静電気力**（**クーロン力**）による結合。陽性元素と陰性元素の原子間で行われる。

②**共有結合**：２個の原子間で価電子の対（**共有電子対**）を作り，それを共有して作る結合。分子を作る結合。

③**配位結合**：非共有電子対を持つ分子や陰イオンが，その非共有電子対を陽イオンと共有してできる結合。

④**金属結合**：**自由電子**による原子（金属の陽イオン）間の結合。

⑤**分子間力**：分子間に働く弱い力。分子量が大きいほど強い。

⑥**水素結合**：電気陰性度の差が大きい原子（HとF，HとN，HとO）が結合した分子内で電気的な偏り（極性）が生じ，そのプラスとマイナスが引き合うことによって生じる分子間の弱い結合。

結合力の強さ　共有結合＞イオン結合＞金属結合≫水素結合＞分子間力

(2) 結晶の種類と特徴

結晶の種類	イオン結晶	分子結晶	共有結合の結晶	金属の結晶
結合の種類	イオン結合	分子間力	共有結合	金属結合
構成粒子	陽・陰のイオン	分　子	原　子	陽イオンと電子
融点・沸点	高　い	低　い	極めて高い	高　い
硬さ	硬くてもろい	軟らかい	極めて硬い	展性延性に富む
電気伝導性	な　し	な　し	な　し	あ　り
主な特徴	水に溶ける 水溶液や融解物は電導性あり	昇華しやすい	水に溶けにくい	熱や電気の伝導性が大きい
[例]	塩化ナトリウム， 水酸化カリウム	ヨウ素， ドライアイス	ダイヤモンド， 二酸化ケイ素	鉄，銅， アルミニウム

重要ポイント2 溶液の性質

(1) 沸点上昇と凝固点降下

①**沸点上昇**　：溶液の蒸気圧が低下するため，溶液の沸点が上昇する現象。

②**凝固点降下**：溶液の凝固点が純溶媒の凝固点より低くなる現象。

※沸点上昇度，凝固点降下度は，溶質の種類に関係なく，**溶質粒子の質量モル濃度〔mol/kg〕に比例する**。

※電解質溶液の場合は，**電離したイオンの物質量も考える**。

③**蒸気圧降下**：不揮発性物質を溶かした溶液の蒸気圧は，溶質の種類に関係なく，溶質の物質量に比例して，純溶媒の蒸気圧より低くなる（**ラウールの法則**）。

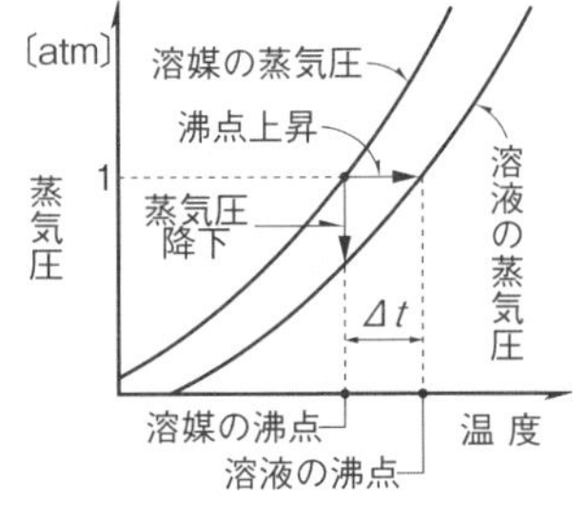

(2) 浸透圧

溶液と溶媒が，**半透膜**を隔てて接しているとき，溶媒が半透膜を通って溶液側に拡散する現象を，浸透といい，そのときの溶媒の圧力を，浸透圧という。**溶液の浸透圧は，溶質粒子のモル濃度と絶対温度に比例する**（**ファントホッフの法則**）。

※**半透膜**：溶媒粒子は通すが，比較的大きな溶質粒子は通さない膜。

重要ポイント 3 コロイド

(1) コロイド粒子：直径が10^{-7}～10^{-5}cm（1～10^2nm）の粒子。素材によらない。

①**分子コロイド**：デンプンやタンパク質など，分子1個からなるコロイド

②**会合コロイド**：セッケンのように，多数の粒子が集合してできたコロイド

③**分散コロイド**：金属などの微粒子が，散らばったもの

(2) コロイド：物質（分散媒）中に，コロイド粒子（分散質）が分散している状態。

［例］煙（空気中に固体），霧（空気中に液体），色ガラス（固体中に固体）

①**ゾル**：分散媒に流動性があるコロイド。［例］牛乳

②**ゲル**：寒天やゼリーのような流動性のない，半固体状のコロイド。
ゲルを乾燥させたものは，多孔質で表面積が大きいため，気体，色素やにおいの粒子をよく吸着する。［例］シリカゲル，活性炭

(3) コロイドの性質

①**チンダル現象**：コロイド粒子が光を散乱させ，光の道筋が見える現象。

②**ブラウン運動**：熱運動する分散媒粒子による，コロイド粒子の不規則運動。

③**電気泳動**：帯電したコロイド粒子の溶液に，直流電圧をかけると，反対符号の電極のほうへコロイド粒子が移動する現象。

④**透析**：イオンや分子の不純物を含むコロイド溶液を，半透膜を用いて，流水中で精製する方法。

⑤**凝析**：硫黄や粘土のコロイド粒子が，**少量の電解質を加えると沈殿**する現象。凝析を起こすコロイドを**疎水コロイド**という。

⑥**塩析**：セッケンなどのコロイド粒子が，**少量の電解質を加えても沈殿しないのに多量に加えると沈殿**する現象。塩析を起こすコロイドを**親水コロイド**という。

⑦**保護コロイド**：疎水コロイドを沈殿しにくくするため加える親水コロイドのこと。［例］墨汁中のニカワ，インク中のアラビアゴム

実戦問題❶ 基本レベル

No.1 ＊＊ **原子の構造に関する記述として，妥当なのはどれか。**

【地方上級（特別区）・平成30年度】

1 陽子１個の質量と電子１個の質量はほぼ等しく，中性子１個の質量は陽子，電子に比べて極めて小さいため，原子の質量は，原子核の質量にほぼ等しい。

2 電子は原子核に近いほどより強く原子核に引きつけられ，内側のK殻から順に電子が収容されることを周期律という。

3 原子中の電子は，原子核の周囲に電子殻と呼ばれるいくつかの層に分かれて存在し，内側からn番目の電子殻に収容できる電子の最大数は$2n^2$個である。

4 ドルトンは，最外殻電子のうち，原子がイオンになったり，互いに結びつくときに重要な役割を果たす価電子を提唱した。

5 ボーアは，原子はそれ以上分割できない究極の粒子と考えたが，その後，原子はさらに小さな粒子からできていることがわかった。

No.2 ＊＊ **次のア～エの物質量〔mol〕の大小関係を示したものとして最も妥当なのはどれか。ただし，原子量はH=1.0，C=12.0，O=16.0とし，アボガドロ定数は6.02×10^{23}/molとする。**

【国家専門職・平成30年度】

ア：3.01×10^{24}個の水素分子

イ：標準状態（0℃，1.013×10^5Pa）で44.8Lの酸素分子

ウ：27.0gの水分子

エ：2.0molのアセチレン（C_2H_2）を完全燃焼させたときに生成する二酸化炭素分子

1 ア＞イ＞エ＞ウ

2 ア＞エ＞イ＞ウ

3 イ＞エ＞ウ＞ア

4 エ＞イ＞ウ＞ア

5 エ＞ウ＞ア＞イ

No.3 物質の結合や結晶に関する記述として最も妥当なのはどれか。

【国家総合職・平成22年度】

1 イオン結合は，陽イオンと陰イオンが電気的な力で結びついた結合であり，原子が，最外殻に電子を取り込むことにより陽イオンになり，また，最外殻の電子を失うことにより陰イオンになる。イオン結合の結晶は，一般に硬くて延性と展性があり，融点が低い。

2 共有結合は，原子どうしがそれぞれ不対電子を出し合い，この不対電子が両原子に共有されてできる結合である。一対の共有電子対を１本の線で表したものを価標といい，各原子の結合状態を図式的に表したものを構造式という。水素と結びつく価標の数により，水素（H_2）は単結合，水（H_2O）は二重結合，アンモニア（NH_3）は三重結合となる。

3 水素結合は，水素原子を仲立ちにして分子間に生じる結合である。水（H_2O）では，隣り合う分子のOとHとの間に引力が働く。一般に極性のない物質については分子量が大きいほど融点・沸点が高くなる傾向があるが，水は分子どうしが互いに引き合うため，酸素，窒素等の無極性分子と比較すると，分子量は小さいにもかかわらず，高い融点・沸点を示す。

4 金属は金属元素の原子が多数結合してできている。金属結晶中では，金属原子の価電子は，特定の原子に固定されず，自由に動き回っている。金属結合は，強固であるがもろく，外部から力が加わったとき容易に切れる。これは金属結晶中の粒子の位置がずれると，電子が自由に動けなくなるからである。

5 分子結晶は，原子が規則正しく配列して構成された結合で，分子式で表される。炭素の同素体であるダイヤモンドと黒鉛の結晶構造をみると，ダイヤモンドは炭素原子１個が他の３個と結合した平面網目状構造，黒鉛は炭素原子１個が他の４個と正四面体状に結合した立体構造となっている。

No.4 ＊＊ **水素H_2と窒素N_2が同体積ずつあり，それらをどちらかが完全になくなるまで反応させたところ，アンモニアNH_3が6L生成された。このとき，余った気体とその体積の組合せとして正しいのは，次のうちどれか。ただし，気体の体積は同温・同圧下で計量するものとする。**

【地方上級（全国型）・平成23年度】

	気体	体積
1	窒素	2L
2	窒素	4L
3	窒素	6L
4	水素	2L
5	水素	4L

No.5 ＊ **イオンに関する記述として最も妥当なものはどれか。**

【国家専門職・平成20年度】

1 ナトリウム原子(Na)から価電子1個が放出されると，1価の陽イオンであるナトリウムイオンになる。ナトリウムのイオン化エネルギーは，フッ素のイオン化エネルギーよりも大きく，マグネシウムのイオン化エネルギーよりも小さい。

2 塩素原子(Cl)は，電子1個を受け取って，1価の陰イオンである塩化物イオンになる。この塩化物イオンは，1価の陽イオンであるアンモニウムイオンと反応して，塩化アンモニウムになる。

3 カルシウム原子(Ca)から価電子2個が放出されると，2価の陽イオンであるカルシウムイオンになる。カルシウムは金属の中で最もイオン化傾向が小さく，常温の水と反応しないが，高温水蒸気と反応し水素と酸化カルシウムを発生する。

4 酸素原子(O)から価電子2個が放出されると，2価の陽イオンである酸化物イオンになる。酸素は，銅と反応する際に，電子を与えて酸化物イオンとなり，銅を還元する還元剤として働く。

5 アルミニウム原子(Al)は，電子3個を受け取って，3価の陰イオンであるアルミニウムイオンになる。このアルミニウムイオンを含む水溶液に水酸化ナトリウムを加えると，両性水酸化物であるミョウバンの白色結晶が生成される。

実戦問題1の解説

No.1 の解説　原子の構造

→問題はP.122　正答3

1 × 陽子と中性子の質量は，ほぼ等しい。
核子（原子核を構成する粒子）には，**陽子**と**中性子**がある。陽子と中性子の質量はほぼ等しく，原子核の周りを回る**電子**の質量は陽子や中性子の1840分の1しかない。よって**原子の質量は，ほぼ原子核の質量**であるといえる。本肢は，中性子と電子が逆である。

2 × 元素の性質は，似たものが周期的に表れる。
周期律とは，元素を原子番号順に並べたときに，似た性質の元素が周期的に現れる性質をさす。

3 ◎ 内側からn番目の電子殻には$2n^2$個の電子が存在できる。
電子殻は，原子核をタマネギの皮のように層状に覆っており，内側からK殻，L殻，M殻，…と名前が付いている。それぞれの電子殻に存在できる電子の個数には制限があり，**原子核に近い側からn番目の電子殻には$2n^2$個の電子**が存在できる。たとえば，L殻（$n=2$）のときは$2\times2^2=8$個である。

4 × 電子は，トムソンによって1897年に発見された。
価電子の概念を提唱した人物が誰なのかはよくわからないが，少なくともドルトンでないことは確かである。ドルトンは18世紀後半～19世紀前半の人物であり，J. J.トムソンが電子を発見したのは19世紀末のことである。

5 × 近代原子論はドルトンによって唱えられた。
本肢は，**ドルトン**に関する記述である。ここで言う「さらに小さな粒子」が，原子核を構成する陽子，中性子と，その周りを回る電子をさしていると考えられる。
ニールス・ボーアはデンマークの物理学者で，それまでの原子モデル（原子の構造を示したもの）の矛盾を解消した新たな原子モデル（所謂「ボーアの原子模型」）を提唱し，量子力学の基礎を築いた人物である。

No.2 の解説　モルの計算

→問題はP.122　正答2

おのおのの単位をモルに換算するには，それぞれについて以下の操作が必要である。

① $x\text{〔個〕}=\dfrac{x}{6.02\times10^{23}\text{個}}\text{〔mol〕}$

② $y\text{〔L〕}=\dfrac{y}{\text{（1 molの体積）〔L〕}}\text{〔mol〕}$（気温や気圧によって変動する）

③ $z\text{〔g〕}=\dfrac{z}{\text{（分子量や原子量）〔g〕}}\text{〔mol〕}$

（原子や分子の種類によって変動する）

原子や分子やイオンが6.02×10^{23}個集まった状態を，1 molという。

ア：3.01×10²⁴個の水素分子は5.0mol。

①を使って，以下のように求められる。

$$M_{ア}=\frac{30.1\times10^{23}}{6.02\times10^{23}}=\frac{30.1}{6.02}=5.0\,\mathrm{mol}$$

イ：標準状態で44.8Lの酸素分子は2.0mol。

0℃，1 atmにおいては，1 molの気体の体積は22.4 Lであるから②より，

$$M_{イ}=\frac{44.8\,\mathrm{L}}{22.4\,\mathrm{L}}=2.0\,\mathrm{mol}$$

である。

ウ：27.0gの水分子は1.5mol。

分子量は，その分子を構成する原子の原子量を合計することで求められる。水H_2O分子の分子量mは，

m＝(水素Hの原子量)×2＋(酸素Oの原子量)×1＝1.0×2＋16.0×1

＝18.0

である。分子量18.0の分子が27.0 gあるのだから，③を使うと物質量$M_{ウ}$は

$$M_{ウ}=\frac{27.0}{18.0}=1.5\mathrm{mol}$$

であることがわかる。

エ：2.0molのアセチレンを完全燃焼させたときに生成する二酸化炭素分子は4.0mol。

アセチレンC_2H_2を完全燃焼させたときの化学反応式は

$2C_2H_2+5O_2\rightarrow4CO_2+2H_2O$

である。それぞれの係数を比較すると，アセチレンC_2H_2が2，二酸化炭素CO_2が4であるから，アセチレンC_2H_2 2.0molにつき，二酸化炭素CO_2が4.0mol生ずることがわかる。

以上より，**ア～エ**のモル数の大小は**ア＞エ＞イ＞ウ**である。正しいのは肢**2**。

No.3 の解説　物質の結合

→問題はP.123　**正答3**

1 ×　イオン結晶は硬くてもろく，融点沸点は高い。

イオン結合は，陽イオンと陰イオンが**静電気力（クーロン力）**で結びついた結合である。原子が最外殻の電子（**価電子**）を失うことにより陽イオンに，電子を取り込むことにより陰イオンになる。イオン結晶は，イオン結合が強いため，**融点・沸点はかなり高い**。また，**硬く**展性・延性はなく，**もろい**。

2 ×　共有結合は非金属元素どうしの結合である。

共有結合は，原子が互いに不対電子を出し合い，できた電子対（**共有電子対**）を共有する形で結びつく結合である。単結合や二重結合，三重結合とは，**原子間が何本の価標で結びついているかを示している**。共有結合は**最も強い結合**で，共有結合の結晶は**非常に硬く，融点・沸点も高い**ものが多い。

3 ◎ 水素結合は分子どうしが引き合う結合である。

正しい。一般に分子が**分子間力（ファンデルワールス力）**によって結びついた結晶を分子結晶という。F，O，Nなどの**電気陰性度**の大きい原子の水素化合物の分子結晶では，水素H原子と他の原子の間に電荷の偏り（**極性**）があるため，H原子を仲立ちとした分子間の結合が生じる。これを**水素結合**という。**水素結合は分子間力よりも強い**結合で，酸素や窒素などの無極性分子からできている物質に比べて，融点・沸点が高い。

4 × 金属結晶は自由電子を持ち，軟らかく熱や電気をよく通す。

金属の原子は，イオン化エネルギーが小さく，価電子は原子から離れやすい。金属の原子が集まると，それぞれの原子の最外殻が互いに重なり合ってつながり，価電子はこの重なり合った電子殻を伝わって，自由に移動できるようになる（**自由電子**）。このような結合を**金属結合**という。金属結晶は，**金属光沢**があり，**熱・電気の伝導性が大きい**。また，柔軟性に富み**展性・延性に富む**ので，もろくはない。

5 × 分子間力は弱いので分子結晶は軟らかく融点沸点が低い。

分子結晶は，規則正しく配列した分子が，分子間力によって結びついた結晶である。分子間力は弱い引力のため，一般に，分子結晶は**軟らかく，昇華しやすい**ものが多い。また，**融点・沸点も低い**。炭素の同素体であるダイヤモンドと黒鉛は，どちらも共有結合結晶である。ダイヤモンドは，炭素原子が正四面体状に結合した立体構造を，黒鉛は平面網目状構造をしている。

No.4 の解説　化学反応式

→ 問題はP.124 **正答3**

STEP❶ まず，化学反応式を確認し，反応物と生成物の体積比を求める。

水素H_2と窒素N_2が反応してアンモニアNH_3が生成する化学反応式は，

$3H_2 + N_2 \rightarrow 2NH_3$　…①

これより，水素3Lと窒素1Lからアンモニア2Lが生成することがわかる。

STEP❷ 何をxと置いて考えるか決める。

数的推理や数学などでは，求めるものをxと置くのがセオリーであるが，ここでは最初の水素と窒素の体積をx〔L〕としてみる。①式より，水素の反応する体積は窒素のそれの3倍だから，水素すべて（x〔L〕）が反応し，窒素はxの3分の1の体積だけ反応していると考えられる。そして，アンモニアはxの3分の2の体積だけ生成していることもわかる。

	$3H_2$ +	N_2 →	$2NH_3$
最初の体積	x	x	0
－反応した体積	x	$\frac{x}{3}$	0
＋生成した体積	0	0	$\frac{2x}{3}$
＝残った体積	0	$\frac{2x}{3}$	$\frac{2x}{3}$

題意より，生成したアンモニアは6Lであるから，

$$\frac{2x}{3}=6 \quad \Rightarrow \quad x=9\text{L}$$

すなわち，最初に水素，窒素は9Lずつあったことがわかる。

STEP❸ 仕上げ。

以上から，反応に関与せず余ってしまった気体は窒素で，その体積は

$$9\text{L}\times\frac{2}{3}=6\text{L}$$

である。

以上より，正答は**3**であることがわかる。

No.5 の解説 イオンの生成とその性質

→問題はP.124 正答2

1 × **Naのイオン化エネルギーは，フッ素FやマグネシウムMgよりも小さい。**

原子から電子1個を取り去って1価の陽イオンにするために必要なエネルギーを，**第一イオン化エネルギー**という。**イオン化エネルギーの小さい原子ほど，陽イオンになりやすい**。イオン化エネルギーは，Naが属するアルカリ金属が最も小さく，Clが属するハロゲンは希ガスに次いで大きい。

2 ◎ **$Cl^{-}+NH_4^{+}\rightarrow NH_4Cl$**

正しい。塩素原子Clは，**電子1個を受け取って，1価の陰イオンである塩化物イオンCl^{-}になる**。Cl^{-}とアンモニウムイオンNH_4^{+}が反応して，塩化アンモニウムNH_4Clを生じる。

3 × **Caはイオン化傾向が大きい（イオンになりやすい）。**

カルシウムCaは**常温で水と反応して水素を発生する**。

$Ca+2H_2O\rightarrow Ca(OH)_2+H_2$

4 × **酸素原子Oは，電子2個を受け取って，2価の陰イオンである酸化物イオンO^{2-}になる。**

酸素Oは，銅Cuと反応する際に，Cuから電子2個を奪ってO^{2-}となり，Cuを酸化する**酸化剤**として働く。

5 × **アルミニウム原子Alから価電子3個が放出されて，3価の陽イオンAl^{3+}になる。**

アルミニウムイオンAl^{3+}を含む水溶液に，少量の水酸化ナトリウム水溶液を加えると，**両性水酸化物**である水酸化アルミニウム$Al(OH)_3$の白色沈殿を生じ，過剰に加えると，溶解して無色溶液になる。**ミョウバン**［硫酸カリウムアルミニウム十二水和物$KAl(SO_4)_2\cdot 12H_2O$］は正八面体をした無色結晶である。

実戦問題2 応用レベル

*No.6 次の文は，コロイド溶液に関する記述であるかが，文中の空所A～Dに該当する語の組合せとし て，妥当なのはどれか。

【地方上級（特別区）・平成29年度】

水酸化鉄（III）や粘土のコロイド溶液に，少量の電解質を加えることでコロイド粒子が集まって沈殿する現象を［ A ］といい，このようなコロイドを［ B ］コロイドという。

タンパク質やデンプンのコロイド溶液では，少量の電解質を加えても沈殿しないが，多量の電解質を加えることで沈殿する現象を［ C ］といい，このようなコロイドを［ D ］コロイドという。

	A	B	C	D
1	塩析	親水	凝析	疎水
2	塩析	疎水	凝析	親水
3	凝析	親水	塩析	疎水
4	凝析	疎水	塩析	親水
5	疎水	凝析	親水	塩析

**No.7 元素に関する記述として最も妥当なのはどれか。

【国家専門職・平成18年度】

1 ハロゲンは，イオンや化合物になりにくい特徴を持つ単体の元素のグループであり，元素の周期表では16族に相当する。ヘリウム(He)，ネオン(Ne)，臭素(Br)などが該当し，常温常圧の状態では気体として存在する。

2 アルカリ土類金属は，陽イオンになりやすく，ほかの物質と極めて反応しやすい元素のグループであり，元素の周期表では１族に相当する。カリウム(K)，カルシウム(Ca)，アルミニウム(Al)などが該当し，単体では銀白色の軽い元素で，比較的軟らかい性質を持つ。

3 同一の元素が結晶構造や性質の異なる２種類以上の単体として存在する場合に，これらを同素体という。炭素(C)，硫黄(S)，リン(P)などに見られ，炭素(C)では，ダイヤモンドと黒鉛がその例である。

4 同一の元素でも，電子の数が異なり化学的性質の異なるものが存在することがあり，これらは互いに同位体という。酸素(O)，塩素(Cl)，フッ素(F)などに見られ，電子が多いほうの元素は一般に不安定であり，放射線を放出してほかの元素に変わる。

5 化合物を炎の中で加熱したとき，炎が着色する炎色反応が見られることがあるが，この炎色反応は元素の種類に特有である。ナトリウム(Na)は紫色，銅(Cu)は黄色，バリウム(Ba)は白色である。

＊＊ No.8 溶液の性質に関する記述として最も妥当なのはどれか。

【国家総合職・令和４年度】

1 極性分子であるスクロースやグルコースは，無極性分子の水にはよく溶けるが，極性分子のヘキサンには溶けにくい。これに対して，無極性分子であるヨウ素やナフタレンは，無極性分子の水にはほとんど溶けないが，極性分子のヘキサンにはよく溶ける。このように，極性分子と無極性分子は溶けやすいが，極性分子どうし，無極性分子どうしは溶けにくい傾向がある。

2 一般に，気体の水への溶解度は温度が高いほど大きくなる。これは温度が高いほど，溶液中の気体分子の熱運動が抑えられ，溶液へ飛び込む気体分子の数が多くなるためである。また，炭酸水の容器の栓を開けると，溶けていた二酸化炭素の泡が出てくる。このように，一般に，圧力が下がると気体の水への溶解度は小さくなる。

3 塩化ナトリウムのような不揮発性物質を溶かした希薄溶液の蒸気圧は，同じ温度の純粋な溶媒(純溶媒)の蒸気圧と比べて高くなる。例えば，海水でぬれた水着は，真水でぬれたものよりも乾きやすい。また，希薄溶液の凝固点は純溶媒の凝固点よりも一般に高くなる。例えば，水は０℃で凝固するが，海水は約0.5℃で凝固する。

4 コロイド粒子が液体中に分散したものをゾルという。また，このゾルが流動性を失ったものをゲルといい，ゾルの例として豆乳やマヨネーズが，ゲルの例として豆腐やこんにゃくが挙げられる。さらに，ゲルのうち，乾燥させて水分を除いたものを特にキセロゲルといい，例としてシリカゲルが挙げられる。

5 コロイド溶液に横から強い光を当てると，コロイド粒子の化学反応によって溶液全体が赤みを帯びる。この現象をチンダル現象という。また，コロイド粒子を特別な顕微鏡で観察すると，粒子が不規則に運動している様子が見られる。この現象を電気泳動という。これは，正に帯電しているコロイド粒子が互いに反発し合って，コロイド粒子の運動方向が絶えず変化するからである。

実戦問題2の解説

No.6 の解説　コロイド

→ 問題はP.129　正答4

A：コロイドが，少量の電解質を加えただけで沈殿する現象を凝析という。
河口付近では，海水に含まれる電解質によって粘土が凝析を起こし，堆積することで三角州ができる。

B：凝析を起こすコロイドを疎水コロイドという。
金属の化合物や粘土など，**無機物のコロイドは疎水コロイド**であることが多い。

C：コロイドに電解質を大量に加えて初めて沈殿する現象を塩析という。
豆乳ににがり（塩化マグネシウム$MgCl_2$などの塩）を大量に加えると凝固して豆腐ができるのも，塩析の一種である。

D：塩析を起こすコロイドを親水コロイドという。
デンプン溶液やゼラチンなどのような**有機物のコロイドは，親水コロイド**であることが多い。なお，コロイド溶液をセロハン膜の袋に入れ，袋ごと水につけるとコロイド溶液に含まれる不純物を取り除くことができる。この手法を透析といい，凝析，塩析と混同しやすいので注意が必要である。

以上より，正しい語の組合せを挙げているのは，肢**4**である。

No.7 の解説 元素の性質

→ 問題はP.129 正答3

1 × ハロゲンは酸化力が強い。

ハロゲンは，「塩(えん)のもと」という意味で，**酸化力が強く化学的に活性**があり（反応しやすく），ほかの元素と多くの化合物を作る元素群である。周期表では17族に相当する。単体は常温常圧で，フッ素F_2，塩素Cl_2は気体，臭素Br_2は揮発しやすい液体，ヨウ素I_2は昇華しやすい固体である。

2 × アルカリ土類金属は，反応性が高い。

アルカリ土類金属は，２族に属する６元素（ベリリウムBe，マグネシウムMg，カルシウムCa，ストロンチウムSr，バリウムBa，ラジウムRa）である。銀白色で，アルカリ金属に次いで軽くて軟らかい金属である。化学的に非常に活性が高いため自然界では単体で存在せず，イオンや化合物として存在している。なお，Raは放射性元素である。ベリリウムBeとマグネシウムMgは，他の４元素とは多少性質が異なるので，以前はアルカリ土類金属には含めていなかった。

3 ◎ 同素体は，同じ元素で性質は異なる。

正しい。炭素Cの同素体は，ダイヤモンドや黒鉛のほかに，サッカーボール状の**フラーレン**や，円筒形の**カーボンナノチューブ**が1990年代に相次いで発見され，新素材への応用が期待されている。酸素Oの同素体としては，**酸素O_2**と**オゾンO_3**，硫黄Sの同素体としては，**斜方硫黄**，**単斜硫黄**や**ゴム状硫黄**（無定形硫黄），リンPの同素体としては，**赤リン**や**黄リン**などがある。

4 × 同位体は，同じ性質で質量数が異なる。

同じ元素の原子でも，原子核に存在する中性子の数のみが異なるものがある。これらの原子を互いに**同位体**（アイソトープ）であるという。一般に，同位体は**原子番号（＝陽子数＝電子数）**が等しく**質量数（陽子数＋中性子数）**の異なるものをいう。同位体はその質量は異なるが，電子数が同じであるので，化学的性質は同じである。

5 × 炎色反応から金属イオンを特定できる。

炎色反応は，主にアルカリ金属とアルカリ土類金属に見られ，その炎の色から元素が特定できる。**ナトリウムNaは黄色**，**銅Cuは青緑色**，**バリウムBaは黄緑色**である。そのほか，**リチウムLiは赤色**，**カリウムKは赤紫色**，**カルシウムCaは橙赤色**である。

No.8 の解説　溶液とコロイド溶液

→問題はP.130　正答4

1 ×　極性分子どうし，無極性分子どうしだと溶けやすい。

極性分子とは，分子内の電気的な偏りが大きい分子で，無極性分子とはそういった偏りがない分子をいう。ある物質を他の物質（液体）に溶かそうとするとき，極性分子どうし，無極性分子どうしが溶けやすい。また，水は極性分子，ヘキサンは無極性分子であるから，例示も誤っている。

2 ×　気体の水への溶解度は，低温高圧ほど大きくなる。

気体の水への溶解度は，水温が高いほど小さくなる。温度が高いほど水分子の運動が激しくなり，気体分子を受け入れにくくなるからである。また，圧力が下がる（気体を水へ押しつける力が弱くなる）と気体の水への溶解度が小さくなるので，後半部分は正しい。

3 ×　不揮発性物質を溶かした希薄溶液は，蒸発も凝固もしにくくなる。

蒸気圧とは，液体の蒸発しやすさの指標で，「蒸気圧が大きい＝蒸発しやすい」である。不揮発性物質を溶かした希薄溶液は蒸発しにくくなり（沸点が上昇し），凝固しにくくなる（凝固点が下がる）ので，本肢は全体的に逆である。なお，海水の沸点は100.5℃で，凝固点は－1.8℃である。

4 ◎　ゾルとは，コロイド溶液の別称である。

ゾルは分散媒が流動性を持っていればよく，液体中だけでなく気体中にコロイド粒子が分散したものも，ゾルという。ただし分散媒が気体の場合は，とくにエアロゾルといわれることもある。

5 ×　チンダル現象もブラウン運動も，コロイドの代表的な性質である。

コロイド溶液の横から強い光を当てると，コロイド粒子に光が当たって，光の筋が見えるようになる。これをチンダル現象といい，レンブラント光線（天使のはしご）などが有名である。また，コロイド粒子の不規則な運動はブラウン運動といい，コロイド粒子に溶媒分子がランダムに衝突するために生ずる。なお，本肢でいう「特別な顕微鏡」は限外顕微鏡のことである。コロイド溶液に横から光を当て，チンダル現象を利用してコロイド粒子を観察することができる。電気泳動は，コロイドに電圧をかけることで，電荷を持ったコロイド粒子を吸着する操作をいう。

実戦問題❸ 発展レベル

No.9 ＊＊ **物質の構成に関する記述として，妥当なのはどれか。**

【地方上級（東京都）・平成25年度】

1 １種類の元素からできている純物質を単体といい，水素，酸素および鉄がその例である。

2 ２種類以上の物質が混じり合ったものを混合物といい，水，二酸化炭素およびアンモニアがその例である。

3 ２種類以上の元素がある一定の割合で結びついてできた純物質を化合物といい，空気，海水および食塩水がその例である。

4 同じ元素からなる単体で，性質の異なる物質を互いに同位体であるといい，ダイヤモンド，黒鉛およびカーボンナノチューブは炭素の同位体である。

5 原子番号が等しく，質量数が異なる原子を互いに同素体であるといい，重水素および三重水素は水素の同素体である。

No.10 ＊ **一酸化炭素2.8gを完全燃焼させるときに必要となる酸素の質量として，妥当なのはどれか。ただし，一酸化炭素の分子量を28，酸素の分子量を32とする。**

【地方上級（東京都）・令和２年度】

1 0.8 g

2 1.4 g

3 1.6 g

4 2.8 g

5 4.4 g

No.11 ＊ **物質の三態と熱運動に関する記述として，妥当なのはどれか。**

【地方上級（特別区）・令和４年度】

1 純物質では，状態変化している間，温度は一定に保たれる。

2 粒子の熱運動は温度が高いほど激しくなり，温度には上限も下限もない。

3 物質は，温度や圧力によって状態変化するが，粒子の集合状態は変化しない。

4 拡散は，気体で起こる現象であり，液体では起こらない。

5 固体から直接気体になる変化を蒸発という。

実戦問題3の解説

No.9 の解説　化学の基本用語

→問題はP.134　正答 1

1 ◎ 同じ原子ばかりが集まっているのは単体である。

正しい。同じ原子ばかりでできた，同じ分子の集まりを**単体**という。

2 × 化合物は純物質である。

混合物に関する説明は正しいが，具体例が誤り。水H_2O，二酸化炭素CO_2，アンモニアNH_3はいずれも化合物である。

3 × 化合物は，何種類かの原子でできた分子の集合である。

化合物に関する説明は正しいが，具体例が誤っている。空気，海水，食塩水はいずれも混合物である。

4 × 同素体は，同じ元素の単体で性質の異なるものをいう。

本肢は，同位体ではなく同素体に関する記述である。同素体としてはほかに，硫黄（斜方硫黄と単斜硫黄，ゴム状硫黄）やリン（赤リンと黄リン），酸素（酸素O_2とオゾンO_3）などがある。

5 × すべての元素は，天然または人工に同位体を持つ。

本肢は，同素体ではなく同位体に関する記述である。**同位体とは，原子核を構成する陽子の個数が等しいのに，中性子の個数が異なる原子群**をさす。同位体は，通常は（元素名＋質量数）という呼び方で区別する（たとえばウラン235とウラン238などと呼ぶ）。

No.10 の解説　気体の完全燃焼

→ 問題はP.134　**正答3**

STEP❶　COとO_2のモル数の関係を調べる。

一酸化炭素COが完全燃焼するときの化学反応式は，以下のとおりである。

$$CO + \frac{1}{2}O_2 \rightarrow CO_2$$

この式より，COを完全燃焼させるためには，COのモル数の半分のモル数の酸素が必要であることがわかる。

STEP❷　COのモル数からO_2のモル数を求める。

いま，分子量28のCOが2.8gあるので，モル数は

$$\frac{2.8}{28} = 0.1\text{mol}$$

である。よって，これを完全燃焼させるために必要な酸素のモル数は

$$0.1 \times \frac{1}{2} = 0.05\text{mol}$$

STEP❸　必要なO_2の質量を求める。

0.05 molの酸素の質量は，酸素の分子量が32であることを使うと

$$32 \times 0.05 = 1.6\text{g}$$

である。

よって正答は**3**である。

No.11 の解説 物質の三態

→問題はP.134 正答 1

1 ◎ 純物質が状態変化している間は，温度は不変である。

純物質が状態変化している間は，与えられた熱がすべて状態変化に使われ，温度変化にはかかわらないので，温度は一定である。このように，状態変化に使われる熱を潜熱という。

2 × 温度の下限は，約−273℃である。

粒子の熱運動は確かに温度が高ければ高いほど激しくなり，温度には上限は存在しない。逆に，温度が低ければ低いほど粒子の熱運動は緩やかになり，いずれ止まってしまう。これが温度の下限であり，その温度は−273.15℃＝0Kである。これを絶対零度ともいう。

3 × 粒子の集合状態の変化を，状態変化という。

固体，液体，気体の違いは，粒子（分子）の集合状態の違いであり，この集合状態の変化を状態変化と呼ぶのである。

4 × 気体だけでなく，液体でも固体でも拡散は起こる。

ここで述べている拡散は，分子や原子などの粒子が移動したり，散らばって広がったりする現象をさしている。拡散は気体，液体，固体のいずれの中でも，気体，液体，固体のいずれの粒子が拡散することもありうる。

たとえば水中に砂糖を入れて放置すると，そのうち溶けて見えなくなる。これは，目に見えないほど小さい砂糖（スクロース）の分子が水中に拡散したためである。高野豆腐や乾麺が水を吸って膨潤する現象は，固体中での液体（水）の拡散である。

5 × 液体が気体になる変化は，蒸発という。

固体から液体を経ず，直接気体になる変化は昇華，逆の変化は凝華（ぎょうか）と呼ばれる。蒸発は，液体から気体になる変化である。

テーマ **2** 第2章 化 学

物質の変化Ⅰ（酸化・還元）

必修問題

金属のイオン化傾向に関する記述として最も妥当なのはどれか。

【国家一般職・平成18年度】

1 アルミニウムは沸騰水と反応し，水素を発生しながら溶けてアルミニウムイオンになるが，マグネシウムは沸騰水とは反応せず，変化しない。したがって，アルミニウムはマグネシウムよりもイオン化傾向が大きい。

2 濃硝酸に銀を入れると，水素を発生しながら溶けて銀イオンになるが，濃硝酸にマグネシウムを入れても反応せず，変化しない。したがって，銀はマグネシウムよりもイオン化傾向が大きい。

3 白金は**王水**と反応し，水素を発生しながら溶けて白金イオンとなるが，金は王水には溶けない。したがって，白金は金よりもイオン化傾向が大きい。

4 ナトリウムは常温の水と反応し，水素を発生しながら溶けてナトリウムイオンになるが，亜鉛は常温の水とは反応せず，変化しない。したがって，ナトリウムは亜鉛よりもイオン化傾向が大きい。

5 希硫酸に亜鉛を入れても亜鉛は変化しないが，希硫酸に銅を入れると，銅は水素を発生しながら溶けて銅イオンになる。したがって，銅は亜鉛よりもイオン化傾向が大きい。

難易度　＊＊

必修問題の解説

金属のイオン化傾向は最低限丸暗記しておくべき。そしてイオン化傾向が大きいということはイオンになりやすい，すなわち反応しやすいということであることも同時に覚えておく必要がある。これらさえ知っておけば，この分野は半分は終わったも同じなのである。

◆金属のイオン化列の覚え方

K	Ca	Na	Mg	Al	Zn	Fe	Ni	Sn	Pb	(H_2)	Cu	Hg	Ag	Pt	Au
カ（ね）	カ	ソー	マ（かな）	ア	ア	テ	ニ	ス（る）	ナ	ヒ	ド	ス	ギ（る）	ハッ	キン

「金貸そうかな，まああてにするなひどすぎる借金」
と覚えておくとよい（ナトリウムの化合物のことを，「○○ソーダ」等という）。

1 × イオン化傾向が大きい＝反応しやすい
アルミニウムは，沸騰水であっても**水とは反応しないが**，マグネシウムは，**沸騰水とは緩やかに反応し水素を発生する**。よって，アルミニウムAlは，マグネシウムMgよりもイオン化傾向が小さい。
$Mg+2H_2O \rightarrow Mg(OH)_2+H_2$

2 × 金，銀，銅，白金はイオン化傾向が小さい。
銀Agは，マグネシウムよりもイオン化傾向が小さい。また，**マグネシウムも銀も濃硝酸と反応して溶けるが**，これは濃硝酸の酸化作用によるもので，水素は発生せず，**二酸化窒素NO_2を発生する**。
$Ag+2HNO_3 \rightarrow AgNO_3+H_2O+NO_2$

3 × 金と白金は王水にしか溶けない。
白金Ptも金Auも王水には溶けるが，水素は発生しない。**王水とは，濃塩酸と濃硝酸を体積比で3：1の割合で混合したもの**である。

4 ◎ アルカリ金属はイオン化傾向が特に大きく，水にも溶ける。
正しい。ナトリウムNaは，**常温で水と反応して水素H_2を発生**しナトリウムイオンNa^+になる。なお，**亜鉛Znは常温の水とは反応しない**。
$2Na+2H_2O \rightarrow 2NaOH(Na^++OH^-)+H_2$

5 × 亜鉛は両性金属の一つで，酸にも塩基にもよく溶け水素を発生する。
希硫酸に亜鉛を入れると，水素を発生して溶けるが，銅は希硫酸とは反応しない。よって，銅Cuは，亜鉛Znよりもイオン化傾向が小さい。
$Zn+H_2SO_4 \rightarrow ZnSO_4+H_2$

正答 4

FOCUS

酸化・還元で重要な論点は，電池と電気分解である。電池は2種類の金属のイオン化傾向の違いを利用して自然に電子を移動させる装置，電気分解は外部から電圧をかけることで強制的に電子を移動させる実験である。

単純に仕組みを問う問題もあれば，多少煩雑な計算問題もあるが，いずれにせよパターンはほぼ決まっているので，理解の後は練習あるのみである。

POINT

重要ポイント 1 酸化還元反応

（1）酸化・還元の定義

	酸　素	水　素	電　子	酸化数
酸　化	結　合	分　離	失　う	増　加
還　元	分　離	結　合	得　る	減　少

（2）酸化数の求め方

①単体を構成する原子の酸化数＝0

②化合物を構成する原子の酸化数

酸化数の総和＝0

H（水素）＝**＋1**（金属の水素化合物では例外的に－1）

O（酸素）＝**－2**（過酸化物では例外的に－1）

③イオンを構成する原子の酸化数

単原子イオンの場合　酸化数＝イオンの価数

多原子イオンの場合　酸化数の総和＝イオンの価数

（3）酸化剤と還元剤

①**酸化剤：相手の物質を酸化**し，自らは還元される物質（酸化剤の酸化数は減少）

［例］過マンガン酸カリウム，硝酸，熱濃硫酸，塩素，二クロム酸カリウム

②**還元剤：相手の物質を還元**し，自らは酸化される物質（還元剤の酸化数は増加）

［例］ナトリウム，シュウ酸，水素，硫化水素，塩化スズ（Ⅱ），硫酸鉄（Ⅱ）

※過酸化水素と二酸化硫黄は，相手の物質により酸化剤にも還元剤にもなる。

重要ポイント 2 金属のイオン化傾向（イオン化列）と金属の化学的性質

<table>
<tr><th></th><th>(大)</th><th>K</th><th>Ca</th><th>Na</th><th>Mg</th><th>Al</th><th>Zn</th><th>Fe</th><th>Ni</th><th>Sn</th><th>Pb</th><th>(H)</th><th>Cu</th><th>Hg</th><th>Ag</th><th>Pt</th><th>Au</th><th>(小)</th></tr>
<tr><td>空気中での酸化</td><td colspan="4">常温で内部まで酸化される</td><td colspan="2">①</td><td colspan="7">徐々に酸化されて酸化被膜を作る</td><td colspan="5">酸化されない</td></tr>
<tr><td>水との反応</td><td colspan="4">常温で反応し水素を発生</td><td>②</td><td colspan="3">③</td><td colspan="10">反応しない</td></tr>
<tr><td>酸との反応</td><td colspan="11">希硫酸や塩酸などと反応して，水素を発生する</td><td colspan="4">④</td><td colspan="3">⑤</td></tr>
</table>

①加熱すると燃焼する

②熱水と反応して水素を発生する

③高温で水蒸気と反応して，水素を発生する

④希硫酸や塩酸とは反応しないが，熱濃硫酸や硝酸には溶ける

⑤**王水**（濃硝酸と濃塩酸を1：3の割合で混合したもの）とのみ反応する

［注］鉛Pbは希硫酸や塩酸と反応して，不溶性の被膜を作るので溶けにくい。アルミニウムAl，鉄Fe，ニッケルNiは濃硝酸や濃硫酸との反応で，化学的に安定な酸化被膜（**不動態**）を作るので溶けにくい。

重要ポイント3 電池（化学電池）

(1) 電池の構造と原理

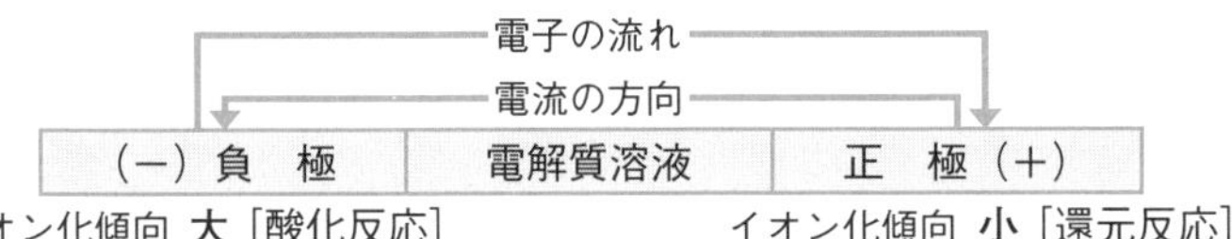

イオン化傾向 大［酸化反応］　　イオン化傾向 小［還元反応］

(2) 実用電池の種類

①**マンガン乾電池：最も広く使用されている乾電池。**起電力1.5V

②**鉛蓄電池：自動車等に使用されている二次電池。**起電力約2.1V

③**ニッケル・カドミウム蓄電池：**普通の乾電池と同じ大きさで，軽く，過充電・長期放置などに耐える二次電池。起電力1.3V

④**リチウム電池：**Li単体を負極に，フッ素処理した黒鉛を正極に用いたものは，起電力が3.0Vもあり寿命も長い。腕時計等に使用されている。

⑤**リチウムイオン電池：**リチウムイオンの移動を利用して充電・放電を行う二次電池で，高電圧，大容量，長寿命である。携帯電話やノートパソコン，電気自動車などに用いられている。発明者の一人吉野彰氏が2019年にノーベル化学賞を受賞した。起電力4.0V前後

重要ポイント4 電気分解

(1) 電気分解：電解質の溶液や融解液に直流電流を流すと，電解質または電極が変化する現象

(+) **陽極**　：**酸化**（電子を失う）反応が起こる。
イオン化傾向の小さい陰イオンが反応する。
（大）$NO_3^- > SO_4^{2-} > CO_3^{2-} > OH^- > Cl^- > Br^- > I^-$（小）
※電極がCuやAgのときは，電極が溶解する。

(−) **陰極**　：**還元**（電子を得る）反応が起こる。
イオン化傾向の小さい陽イオンが反応する。

(2) 電気分解の法則（ファラデーの法則）

①陽極・陰極で変化する物質の量は，**流れた電気量に比例する。**
電子e^- 1 mol当たりの電気量（ファラデー定数）$F = 9.65 \times 10^4$ C/mol
電気量〔C（クーロン）〕＝電流〔A（アンペア）〕×時間〔秒〕

②一定量の電気を流したとき，電極で**変化するイオンの物質量**は，イオンの種類によらず，**イオンの価数に反比例する。**

実戦問題

＊＊
No.1 **酸化と還元に関する記述として，妥当なのはどれか。**

【地方上級（東京都）・令和３年度】

1 物質が水素原子と化合したときは「酸化された」といい，逆に物質が水素原子を失ったときは「還元された」という。

2 酸化数とは原子の酸化の状態を示す数値であり，水素分子中の水素原子の酸化数と化合物中の水素原子の酸化数は等しい。

3 酸化還元反応において，相手の物質を酸化し，自身は還元される物質を還元剤といい，相手の物質を還元し，自身は酸化される物質を酸化剤という。

4 水素よりイオン化傾向の大きい銀は，塩酸や希硫酸とは反応しないが，酸化力の強い硝酸や高温の濃硫酸と反応し，水素を発生する。

5 イオン化傾向の大きいリチウムとカリウムは，空気中では速やかに内部まで酸化される。

＊＊
No.2 **次の文は電池に関する記述であるが，文中の空欄Ａ～Ｄに該当する語の組合せとして，妥当なのはどれか。**

【地方上級（特別区）・平成28年度】

［　Ａ　］電池は，亜鉛板を浸した硫酸亜鉛水溶液と，銅板を浸した硫酸銅（Ⅱ）水溶液を素焼き板で仕切り，両金属板を導線で結んだもので，亜鉛が銅よりもイオン化傾向が［　Ｂ　］ため，銅板が［　Ｃ　］となり，導線を通じて銅板から亜鉛板へ［　Ｄ　］が流れる。

	Ａ	Ｂ	Ｃ	Ｄ
1	ダニエル	大きい	正極	電流
2	ダニエル	小さい	負極	電子
3	ボルタ	大きい	正極	電子
4	ボルタ	大きい	負極	電子
5	ボルタ	小さい	正極	電流

＊＊ No.3 電池に関する記述として最も妥当なのはどれか。

【国家専門職・平成29年度】

1 イオン化傾向の異なる２種類の金属を電解質水溶液に浸して導線で結ぶと電流が流れる。

このように，酸化還元反応に伴って発生する化学エネルギーを電気エネルギーに変換する装置を，電池という。また，酸化反応が起こって電子が流れ出る電極を負極，電子が流れ込んで還元反応が起こる電極を正極という。

2 ダニエル電池は，亜鉛板と銅板を希硫酸に浸したものである。負極で亜鉛が溶けて亜鉛イオンになり，生じた電子が銅板に達すると，溶液中の銅(Ⅱ)イオンが電子を受け取り，正極で銅が析出する。希硫酸の代わりに電解液に水酸化カリウム水溶液を用いたものをアルカリマンガン乾電池といい，広く使用されている。

3 鉛蓄電池は，負極に鉛，正極に白金，電解液に希硫酸を用いた一次電池である。電流を流し続けると，分極により電圧が低下してしまうため，ある程度放電した鉛蓄電池の負極・正極を，外部の直流電源の負極・正極につなぎ，放電時と逆向きに電流を流して充電して使用する。起電力が高いため，自動車のバッテリーとして広く使用されている。

4 リチウムイオン電池は，負極にリチウムを含む黒鉛，正極にコバルト酸リチウムを用いた電池である。リチウム電池よりも起電力は低いが，小型・軽量化が可能であり，携帯電話やノートパソコン等に用いられている。空気中の酸素を触媒として利用するため，購入時に貼られているシールをはがすと放電が始まる。

5 燃料電池は，水素や天然ガスなどの燃料と酸素を用いるものである。発電のときには，二酸化炭素を発生させるため環境への負荷があり，また，小型・軽量化も難しいが，幅広い分野での活用が期待されている。特に負極に酸素，正極に水素，電解液にリン酸水溶液を用いたリン酸型燃料電池の開発が進んでいる。

No.4 ＊＊ **電気分解に関する記述として，妥当なのはどれか。**

【地方上級（特別区）・平成14年度】

1 水酸化ナトリウム水溶液を，両極に白金を用いて電気分解すると，陽極では水素が発生し，陰極では酸素が発生する。

2 塩化ナトリウム水溶液を，炭素棒を陽極に，鉄を陰極に用いて電気分解すると，陽極で塩素，陰極で水素が発生し，水酸化ナトリウムが得られる。

3 銀板と銅板を硝酸銀水溶液に入れ，銀を陽極に，銅を陰極に用いて電気分解すると，陰極の銅が溶け出し，陽極の銀の表面に銅が析出する。

4 銅の電解精錬では，純銅板を陽極に，粗銅板を陰極に用いると，陰極の銅は陽イオンとなって溶け出し，陽極に純粋な銅が析出する。

5 アルミニウムの電解精錬では，水酸化ナトリウム水溶液にアルミニウムを溶融した状態で電気分解すると，陰極に純粋なアルミニウムが析出する。

No.5 ＊＊＊ **白金電極を用いて，硫酸銅（Ⅱ）水溶液を2.00Aの電流で３分13秒間電気分解した。このとき，銅が析出した電極と析出した銅の質量の組合せとして最も妥当なのはどれか。なお，電気量〔C〕＝電流〔A〕×時間〔s〕であり，また，電子１molの電気量は-9.65×10^{4}Cであり，銅の原子量は63.5とする。**

【国家総合職・平成26年度】

	電極	質量
1	陰極	1.27×10^{-1} g
2	陰極	2.54×10^{-1} g
3	陰極	5.08×10^{-1} g
4	陽極	2.54×10^{-1} g
5	陽極	5.08×10^{-1} g

実戦問題の解説

No.1 の解説　酸化と還元

→ 問題はP.142　正答5

1 ×　酸素と結合すると「酸化された」，水素と結合すると「還元された」。
ある物質が他の物質を酸化するとは，ある物質が他の物質から電子を奪うことを意味する。ある物質が水素H原子と結合するときは，水素原子から電子を1個奪うことになるので，水素原子を酸化し，同時に還元されたことになる。

2 ×　単体中の原子の酸化数は，すべて0である。
水素に限らず，単体中の原子の酸化数は必ず0である。これに対し，化合物中の原子の酸化数は0ではない（化合物中では必ず電子の授受が行われているからである）。たとえば，化合物中での水素原子の酸化数は基本的に＋1である。よって本肢は誤りである。

3 ×　相手を酸化するのが酸化剤，還元するのが還元剤である。
相手の物質を酸化し，同時に自らは還元されるのが酸化剤で，逆に相手を還元し，自らは酸化されるのが還元剤である。

4 ×　イオン化傾向が大きい＝反応しやすい。
銀のイオン化傾向は水素より小さい（銀は水素より反応性が乏しい）。よって酸化力の弱い塩酸や希硫酸とは反応せず，酸化力の強い硝酸や熱濃硫酸としか反応しない。強酸だからといって酸化力が強いとは限らない。

5 ◎　イオン化列で最初の方に並んでいる＝反応しやすい。
イオン化列で，リチウムからナトリウムまでの金属（リチウム（Li），カリウム（K），バリウム（Ba），ストロンチウム（Sr），カルシウム（Ca），ナトリウム（Na））は大変反応しやすく，本肢の記述のとおり空気中で速やかに内部まで酸化される。

No.2 の解説　ダニエル電池

→ 問題はP.142　正答1

電池では，イオン化傾向の大きい金属（＝イオンと電子に分かれやすい金属）が負極すなわち電子を出す側，イオン化傾向の小さい金属が正極すなわち電子を受け入れる側になる。よって，**電子は負極から正極に向かって流れる**ことになる。

ダニエル電池（A）は，銅Cu板を硫酸銅$CuSO_4$水溶液に，亜鉛Zn板を硫酸亜鉛$ZnSO_4$水溶液に浸しており，その間を素焼き板で仕切っている。

亜鉛Znは，銅Cuよりもイオン化傾向が大きい（＝イオンと電子に分かれやすい）**（B）**。よって，銅板よりも亜鉛板のほうが，たくさんの電子を生み出すことができることになり，電子は亜鉛板から銅板へ流れると判断できる。以上のことより，亜鉛板が負極，銅板が**正極（C）**であるとわかる。

電流は，電子とは逆に，正極から負極へ向かって流れる。よって，正極である銅板から負極である亜鉛板へ流れるのは，**電流（D）**である。

以上より，正しい組合せは，肢**1**である。

No.3 の解説　電池

→問題はP.143　正答1

1 ◎ イオン化傾向の大きい金属を負極に，小さい金属を正極にする。

両者のイオン化傾向の差が大きければ大きいほど，起電力は大きくなる。

2 × ダニエル電池は，電解質を素焼き板で仕切っているのが特徴である。

本肢で述べられているのは，ボルタ電池である。ダニエル電池は，硫酸亜鉛$ZnSO_4$水溶液と硫酸銅$CuSO_4$（硫酸銅（Ⅱ））水溶液を素焼きの板で隔て，硫酸亜鉛$ZnSO_4$水溶液には亜鉛Zn板（負極）を，硫酸銅$CuSO_4$水溶液には銅Cu板（正極）を浸して，両極板を導線で結んだものである。電解液に希硫酸H_2SO_4を使うのは鉛蓄電池である。

また，アルカリマンガン乾電池（アルカリ乾電池）は，正極に二酸化マンガンMnO_2と黒鉛C，負極に亜鉛Zn，電解液に水酸化カリウムKOH水溶液を使用した電池であるから，正極の材質が誤っている。

3 × 鉛蓄電池の負極は鉛Pb，正極は二酸化鉛PbO_2である。

鉛蓄電池のように充電することで起電力が回復する電池を**二次電池**という。一次電池は，充電が不可能な使い捨て電池をいう。

4 × リチウムイオン電池は，負極に金属リチウムを使用しないものをいう。

負極に金属リチウムを使用すると，「リチウム電池」と呼ばれ区別される。リチウムイオン電池の電圧は一般に，リチウム電池よりも高いことが多い。

なお，本肢の最後の部分は空気電池を想定したものと考えられるが，空気中の酸素は空気電池の正極なので，空気電池に関する記述としても誤りである。

5 × 水素という燃料を必要とする燃料電池は，実際は発電機である。

燃料電池は，水素を燃やして水にする過程で流れるエネルギーを電気として取り出す装置であり，**二酸化炭素を発生しない**といわれている。

なお，燃料電池には，アルカリ型燃料電池とリン酸型燃料電池があるが，いずれも負極は水素などの燃料，正極は空気中の酸素を利用するので，本肢の記述はこの部分が逆である。

No.4 の解説　電気分解で生成する物質

→問題はP.144　正答2

水溶液の電気分解では，水の電離（$H_2O \rightarrow H^+ + OH^-$）により生じる**$H^+$と$OH^-$も反応に関係する**ことが重要である。また，同じ電極に2種類以上のイオンが近づいた場合は，**イオン化傾向の小さいほうが変化する**。

1 × 陽極では，$4OH^- \rightarrow 2H_2O + O_2 + 4e^-$で酸素が，陰極では，$Na^+ > H^+$だから$2H^+ + 2e^- \rightarrow H_2$という反応により水素が発生する。

2 ◎ 正しい。$OH^- > Cl^-$だから陽極では$2Cl^- \rightarrow Cl_2 + 2e^-$という反応により塩素が，$Na^+ > H^+$だから陰極では$2H^+ + 2e^- \rightarrow H_2$という反応により水素が発生し，陰極付近で，水から電離したOH^-とNa^+が反応してNaOH水溶液を生じる。

3 × **陽極の電極が銅Cuや銀Agのときは，陽極が溶解する。**したがって，本肢の場合は銀が溶け出し，陰極の銅の表面に付着する。

4 × 陽極の銅が溶け出し，陰極で析出するので，陽極に粗銅板，陰極に純銅板を用いる。

5 × アルミニウムAlの電解精錬は，鉱石のボーキサイトから精製された酸化アルミニウムと氷晶石の混合物を電気炉で融解し，炭素棒を電極として融解塩電解を行うと，陰極に純粋なアルミニウムが析出する。

No.5 の解説　電気分解の法則

→ 問題はP.144 **正答 1**

STEP❶ 基本知識の再確認，電気量と極板について。

i〔A〕の電流をt〔秒〕だけ流したとき，it〔C〕の電子が移動したことになる。また，電子 1 molが流れたとき，流れた電気量はファラデー定数に等しく96500Cである。

また，電気分解においては，電池の＋極と接続されるのが陽極，電池の－極と接続されるのが陰極で，電子は陰極から流れ出てくる。また，銅イオンのような陽イオンは，原子から電子が抜けている状態なので，逆に電子と合わさることで原子に戻る。よって陽イオンは陰極で析出することになる。

STEP❷ 流れた電気量を計算する。

電流を流した時間を秒で表すと 3 分13秒＝60秒 × 3 ＋13秒＝193秒であるから，流れた電気量〔C〕は問題文の公式よりQ＝ 2 A ×193 s ＝386Cである。そして電子 1 molの電気量が96500Cであることを使うと，流れた電子のモル数nは

$$n=\frac{386}{96500}=\frac{4}{1000}=\frac{1}{250}\,\mathrm{mol}$$

であることがわかる。

STEP❸ 銅の析出を考える。

銅イオンCu^{2+} 1 個は電子e^- 2 個で銅Cu原子 1 個となって析出するので，析出する銅Cuのモル数Nは流れた電子e^-のモル数nの半分で

$$N=\frac{n}{2}=\frac{1}{250}\times\frac{1}{2}=\frac{1}{500}\,\mathrm{mol}$$

である。

STEP❹ 銅の析出量を計算する。

以上より，析出する銅の質量Mは以下のとおりである。

$$M=63.5N=63.5\times\frac{1}{500}=0.127\,\mathrm{g}$$

陰極で 1.27×10^{-1} gの銅Cuが析出するので，正しい組合せを挙げているのは**1**であることがわかる。

物質の変化Ⅱ（酸・塩基など）

必修問題

酸と塩基に関する記述として最も妥当なのはどれか。

【国家総合職・令和２年度】

1 塩化水素，硫酸，セッケン，メタノールなどは，水溶液中で電離して水素イオンを生じ，酸性を示す。化学式がNH_3であるアンモニアも，水に溶けると水素イオンを生じることから酸である。

2 水に溶かした溶質のうち電離したものの割合を**電離度**といい，電離度の大きさは，水溶液中の溶質の濃度と，１分子中に含まれる水素イオンや水酸化物イオンの数である価数で決まる。濃度が低いほど電離度も小さく，また，価数の大きい酸・塩基ほど電離度も大きい。

3 水溶液の酸性や塩基性の強さを表す指標として，pH（水素イオン指数）があり，0.01mol/Lの水酸化カリウム水溶液のpHはおよそ９である。また，炭酸水素ナトリウム水溶液は0.01mol/LでpHおよそ２の強い酸性を示し，タンパク質を溶かすためパイプ用洗剤として用いられる。

4 pH指示薬は，水溶液のpHによって色が変化する試薬であり，たとえば，水酸化カルシウム水溶液にフェノールフタレインを指示薬として加えると赤く変色する。また，青色リトマス紙にレモン汁を垂らすと赤く変色する。

5 塩化ナトリウムなど，酸と塩基の**中和反応**で得られる酸の陰イオンと塩基の陽イオンが結び付いた化合物を**塩**といい，塩の水溶液はすべて中性を示す。また，硫酸１molと水酸化ナトリウム１molを反応させると，過不足なく中和する。

難易度 ＊＊＊

必修問題の解説

そもそも酸とは何か，塩基とは何かをまず押さえよう。水素イオン指数（pH）の計算問題が出題されることはほとんどないが，だいたいの意味ぐらいは知っておこう。本問は，この分野の基本用語を問う基礎問題である。ここでわからなかった用語は，きちんと調べて自分のものにしておく必要があるだろう。

1 × **水素イオンH^+を生じるのが酸，水酸化物イオンOH^-を生じるのが塩基。**
塩化水素HClと硫酸H_2SO_4は酸性であるが，セッケンは塩基性，メタノールCH_3OHは中性である。また，アンモニアNH_3と水H_2Oが反応するとアンモニウムイオンNH_4^+と水酸化物イオンOH^-となるので，**アンモニア水溶液は塩基性**を示す。

2 × **電離度は物質によって異なり，価数や濃度とは無関係である。**
たとえば酸だと，塩酸HClは価数は１だが電離度が大きく強酸性であるし，リン酸という物質は価数が３だが電離度は小さいので弱酸性である。

3 × **pHの値が７だと中性，７より小さいと酸性，大きいと塩基性である。**
水酸化カリウムKOHは強塩基であり，0.01mol/L水溶液の水素イオン指数pHはおよそ11である。また，炭酸水素ナトリウム$NaHCO_3$は弱塩基で0.01mol/L水溶液のpHは8.3程度である。パイプ用洗剤に含まれているのは，次亜塩素酸ナトリウムNaClOという物質であるから，ここでは無関係である。なお，次亜塩素酸ナトリウム水溶液は，塩基性を示す。

4 ◎ **pH指示薬は，pHによって呈する色が変化する。**
正しい。フェノールフタレインは中性～酸性では無色だが，塩基性だと赤色に変化する。**赤色リトマス紙は塩基性で青色に，青色リトマス紙は酸性で赤色に変化**する。

5 × **塩の水溶液は中性とは限らず，反応する前の酸と塩基の強弱によって決まる。**
強酸と弱塩基の塩は弱酸性，弱酸と強塩基の塩は弱塩基性を示す。強酸と強塩基，弱酸と弱塩基の塩は中性を示す。また，１molの硫酸H_2SO_4と過不足なく中和する水酸化ナトリウムNaOHは，２molである。硫酸１分子からは水素イオンH^+が２個生ずるのに対し，水酸化ナトリウム１分子からは水酸化物イオンOH^-が１個しか発生しないので，これらの個数を等しくしようとすると，水酸化ナトリウムが硫酸の２倍だけ必要になるからである。

正答 4

FOCUS

中和の量的関係$zcV=z'c'V'$を利用する計算問題は式さえ覚えておけば正解できるので，この公式を使う計算はマスターしておこう。また，塩の加水分解の内容，pHと水素イオン濃度に関する内容も理解しておこう。化学反応と熱に関するところでは，ヘスの法則に関する計算，結合エネルギーに関するところが出題されやすい内容であろう。化学平衡のところでは，**ルシャトリエの原理**をしっかり理解するとともに，平衡定数に関する内容も押さえておこう。

POINT

重要ポイント 1 塩と塩基

(1) 酸・塩基の定義

公務員試験では，**アレーニウスの定義**を扱うことが多い。

定義	酸	塩基
アレーニウス	電離してH^+を生じる物質	電離してOH^-を生じる物質
ブレンステッド	H^+を与える物質	H^+を受け取る物質

※H^+は，実際は水溶液中ではH_3O^+（オキソニウムイオン）として存在する。

※水H_2Oは酸にも塩基にもなる。

$NH_3 + H_2O \rightleftarrows NH_4^+ + OH^-$（$NH_3$：塩基，$H_2O$：酸）　　$HCl + H_2O \rightleftarrows H_3O^+ + Cl^-$（$HCl$：酸，$H_2O$：塩基）

(2) 酸・塩基の分類

酸の価数　：酸１分子がほかの物質に与えることのできるH^+数

塩基の価数：塩基１分子（組成式相当）の粒子が受け取ることのできるH^+数

価数	酸	塩基
1 価	HCl, HNO_3, CH_3COOH	$NaOH$, KOH, NH_3
2 価	H_2SO_4, H_2CO_3, $(COOH)_2$, H_2S	$Ca(OH)_2$, $Ba(OH)_2$
3 価	H_3PO_4, H_3BO_3	$Fe(OH)_3$

(3) 酸・塩基の強弱：価数とは無関係に，**電離度** α が大きいほど（１に近いほど）強い酸，塩基

強酸	HCl, HNO_3, H_2SO_4	**強塩基**	$NaOH$, KOH, $Ca(OH)_2$, $Ba(OH)_2$
弱酸	CH_3COOH, H_2CO_3	**弱塩基**	NH_3, $Fe(OH)_3$

※H_3PO_4は中程度の酸　※電離度 $\alpha = \dfrac{\text{電離している電解質の物質量}}{\text{溶けている電解質全体の物質量}}$

(4) 水素イオン濃度 $[H^+]$ とpH

①**水のイオン積**　$K_W = [H^+][OH^-] = 1.0 \times 10^{-14} \text{mol}^2/\text{L}^2$（25℃）

②**pH** $= -\log[H^+]$　**[例]** $[H^+] = 10^{-9}$ mol/L のとき，pH = 9.0

③**液性との関係**

酸　性：$[H^+] > [OH^-]$　pH < 7

中　性：$[H^+] = [OH^-]$　pH = 7

塩基性：$[H^+] < [OH^-]$　pH > 7

(5) 中和反応と中和滴定

①**中和**：酸のH^+と塩基のOH^-からH_2Oを生じる反応

②**中和の量的関係**

酸の出すH^+の物質量〔mol〕＝塩基の出すOH^-の物質量〔mol〕

z[価]でc[mol/L]の酸V[mL]とz'[価]でc'[mol/L]の塩基V'[mL]が，ちょうど中和すると，

$zcV=z'c'V'$

という関係が成り立つ。

③**中和滴定曲線**：中和滴定で，加えた酸または塩基の体積と混合溶液のpHとの関係を表した曲線

［例］A：強酸を強塩基で滴定

　　　B：弱酸を強塩基で滴定

　　　C：弱塩基を強酸で滴定

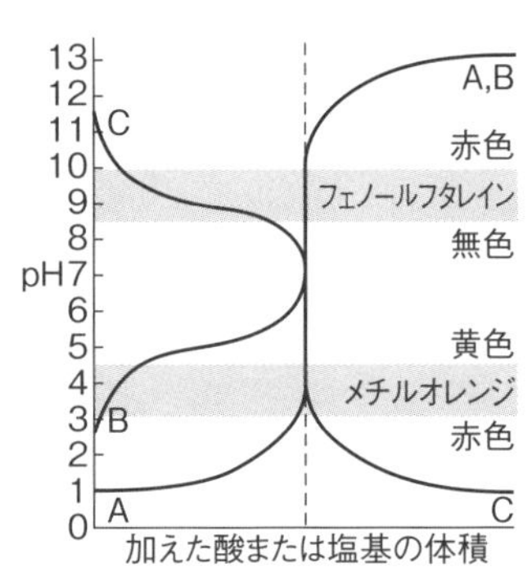

④**指示薬**

フェノールフタレイン

　pH8.3（無色）～pH10（赤色）

メチルオレンジ

　pH3.1（赤色）～pH4.4（黄色）

重要ポイント 2 化学平衡と移動

ルシャトリエの原理：ある可逆反応が平衡状態にあるとき，条件（**温度**，**濃度**，**圧力**）を変化させると，その条件変化を打ち消す方向に反応が進み，新しい平衡状態に至る。ただし，圧力は気体が関係する反応のみに影響を及ぼす。

条件	平衡移動の方向	［例］$N_2+3H_2 \rightleftarrows 2NH_3+92kJ$
濃度	濃度増加→その物質が変化する方向	N_2, H_2 を添加　→平衡は右へ移動
	濃度減少→その物質が生成する方向	NH_3を除去　→平衡は右へ移動
温度	温度上昇→吸熱反応の方向	加熱する　→平衡は左へ移動
	温度降下→発熱反応の方向	冷却する　→平衡は右へ移動
圧力	圧力増加→気体分子数が減少する方向	加圧する　→平衡は右へ移動
	圧力減少→気体分子数が増加する方向	減圧する　→平衡は左へ移動

※触媒は反応の速さに影響を与えるが，平衡の移動には関係しない。

実戦問題

＊
No.1 **図は，0.1mol/Lの溶液Aに0.1mol/Lの溶液Bを少量ずつ加えたときの，反応液のpH変化を示した滴定曲線である。この滴定曲線に関する記述として妥当なのはどれか。**

【国家一般職・平成13年度】

1 溶液Aは強酸の塩酸であり，溶液Bは強塩基の水酸化ナトリウム水溶液である。

2 溶液Aは弱酸の酢酸であり，溶液Bは強塩基の水酸化ナトリウム水溶液である。

3 溶液Aは強塩基の水酸化ナトリウム水溶液であり，溶液Bは弱酸の酢酸である。

4 溶液Aは弱塩基のアンモニア水であり，溶液Bは弱酸の酢酸である。

5 溶液Aは弱塩基のアンモニア水であり，溶液Bは強酸の塩酸である。

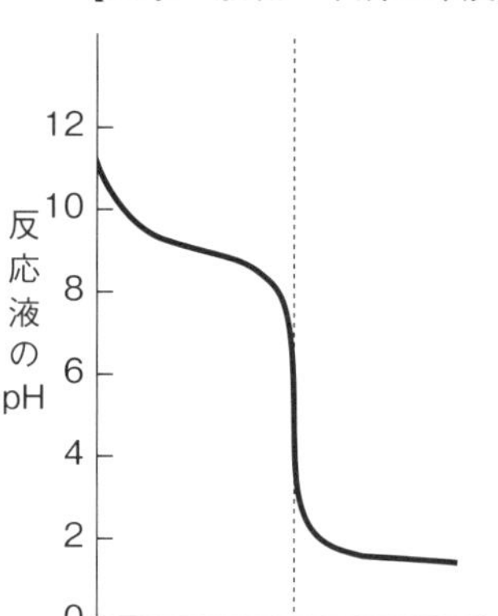

＊＊
No.2 **以下の文章中の［　ア　］～［　ウ　］に入る数値，語句の組合せとして正しいものは次のうちどれか。**

【地方上級（全国型）・平成21年度】

0.20mol/L の酢酸水溶液 10mL に 0.10mol/L の水酸化ナトリウム水溶液を［　ア　］mL 加えるとちょうど中和する。しかし，中和した後の水溶液は，酢酸が弱酸であるため中性にはならない。これは，$CH_3COOH + NaOH \rightarrow CH_3COO^- + Na^+ + H_2O$で生じた$CH_3COO^-$が$CH_3COOH$に戻ろうとして水溶液中の$H^+$を消費するからである。したがって，中和した後の水溶液は中性ではなく［　イ　］性であり，pHは7よりも［　ウ　］。

	ア	イ	ウ
1	5	弱塩基	大きい
2	5	弱塩基	小さい
3	20	弱塩基	大きい
4	20	弱酸	小さい
5	20	弱酸	大きい

No.3 ＊ **中和に関する次の文章中の空欄ア，イに当てはまる語句の組合せとして妥当なものはどれか。**

【地方上級（全国型）・令和３年度】

酢酸CH_3COOHは，酢酸水溶液中では酢酸イオンCH_3COO^-と水素イオンH^+に電離している。0.1mol/Lの酢酸水溶液10mLを0.2mol/Lの水酸化ナトリウム$NaOH$水溶液で中和させるとき，必要な水酸化ナトリウム水溶液は（　ア　）mLである。中和してできた水溶液中では，酢酸イオンが水から水素イオンを奪って酢酸となるため，水溶液は（　イ　）を示す。

	ア	イ
1	5	酸　性
2	5	中　性
3	5	塩基性
4	20	酸　性
5	20	塩基性

No.4 ＊＊＊ **体積１Lの密閉容器に水素2.0mol，ヨウ素2.0molを封入し，一定温度に保ったところ，次式の反応が起こり，やがて平衡状態に達した。**

H_2（気体）＋I_2（気体）⇄2HI（気体）

ここで，平衡定数Kは，$K=\dfrac{[HI]^2}{[H_2][I_2]}$と表される。今，平衡状態に達するまでに$H_2$，$I_2$がそれぞれ$x$molずつ反応したとすると，平衡状態においては$H_2$は［　A　］mol，$I_2$は［　B　］mol，HIは［　C　］molとなるので，この反応のこの温度における平衡定数Kが36であるとき，xは［　D　］molとなる。

空欄C，Dに入る正しい値の組合せは次のうちどれか。

【地方上級（全国型）・平成19年度】

	C	D
1	x	1.0
2	x	1.5
3	$2x$	0.5
4	$2x$	1.0
5	$2x$	1.5

No.5 ＊＊ **アンモニアの合成に関する次の記述中の空欄ア～オに当てはまるものの組合せとして，妥当なのはどれか。**

【地方上級（全国型）・平成30年度】

一定の体積の容器に窒素と水素を入れ，ある温度に保つと，容器内の窒素と水素の濃度が下がり，アンモニアが生成される。しかし，いくら時間がたってもすべての窒素や水素がアンモニアになることはない。アンモニアの合成が可逆反応であり，生成されたアンモニアが窒素と水素に分解する反応も同時に進むからである。このときの反応は次の 式で表される。

[ア] N_2＋[イ] $H_2 \rightleftarrows NH_3$

しばらく時間がたつと，見かけ上，反応が止まったように見えるが，これを平衡状態という。平衡状態において，濃度，温度，圧力などを変化させると，その変化を打ち消すように反応が進み，新たな平衡状態へ移動する。これを利用して，アンモニアの生成率を上げることを考える。

まず，容器の圧力を変化させる。アンモニアの合成により，容器内の気体の分子数は[ウ]するため，圧力を[エ]させれば，アンモニアが増加する。

次に温度を変化させる。アンモニアの合成は発熱反応であるので，容器内の温度を[オ]すれば，アンモニアが増加する。

	ア	イ	ウ	エ	オ
1	$\frac{1}{2}$	$\frac{3}{2}$	減少	低下	低く
2	$\frac{1}{2}$	$\frac{3}{2}$	減少	上昇	低く
3	$\frac{1}{2}$	$\frac{3}{2}$	増加	低下	高く
4	$\frac{3}{2}$	3	増加	低下	高く
5	$\frac{3}{2}$	3	増加	上昇	低く

実戦問題の解説

No.1 の解説　滴定曲線　→ 問題はP.152　正答5

まず，溶液Bを加える前の溶液AのpHが，11付近であることに注目する。これは塩基性の領域（pH＞7.0）であるから，溶液Aは塩基であるとわかり，強塩基である水酸化ナトリウムNaOH水溶液ならpH12以上になるので，**溶液Aは弱塩基のアンモニア水**と判断できる。

次に，中和点（当量点）を超えて過剰の溶液Bを加えた状態のpHは，2.0以下である。これが酸性の領域（pH＜7.0）にあることから，**溶液Bは酸**であるとわかり，pH2.0以下の強い酸性の領域にあるから，**強酸の塩酸**であると判断できる。

したがって，**5**が正答である。

No.2 の解説　中和の量的関係と塩の加水分解　→ 問題はP.152　正答3

0.20mol/Lの酢酸CH_3COOH水溶液10mLを，ちょうど中和するのに必要な0.10mol/Lの水酸化ナトリウムNaOH水溶液の体積を求めるには，中和の量的関係

$zcV = z'c'V'$（z，z'：価数，c，c'：モル濃度，V，V'：体積）

を用いればよい。酢酸は1価の酸，水酸化ナトリウムも1価の塩基だから，

$1 \times 0.20 \times 10 = 1 \times 0.10 \times x \qquad x = 20\text{mL}$

という計算により，ちょうど中和するのに必要な水酸化ナトリウム水溶液の体積が20mL（ア）であることがわかる。

本問の酢酸CH_3COOHのような弱酸や，アンモニアNH_3のような弱塩基が関係する中和の場合，塩を構成する弱酸の陰イオン（CH_3COO^-）や弱塩基の陽イオン（NH_4^+）が，もとの酸（CH_3COOH）や塩基（NH_3）に戻ろうと水と反応する。これを**塩の加水分解**という。弱酸からできた塩の場合は，

$CH_3COO^- + H_2O \rightarrow CH_3COOH + OH^-$

のように反応してOH^-を生じるので，塩基性（イ）を示す。また，弱塩基からできた塩の場合は，H^+を生じるので，酸性を示す。

強酸と強塩基からできた塩の場合は，塩の加水分解は起こらないので，その水溶液は中性を示す。本問の場合，中和によって生じた水溶液中で，前述のような塩の加水分解が起こり，水のH^+が消費されOH^-が残るので，水素イオン濃度［H^+］よりも水酸化物イオン濃度［OH^-］のほうが大きくなる（［H^+］＜［OH^-］）。したがって，水溶液のpHは7より大きい（ウ）。

よって，正答は**3**である。

No.3 の解説　中和滴定

→ 問題はP.153　**正答3**

ア　必要な水酸化ナトリウム水溶液の体積をv〔mL〕とすると，酢酸も水酸化ナトリウムも，価数は1であることを使って，以下の式を立てることができる。

(酢酸の濃度)〔mol/L〕×(体積)〔L〕×(価数)

=(水酸化ナトリウム水溶液の濃度)〔mol/L〕×(体積)〔L〕×(価数)

$$\Rightarrow \quad 0.1\text{mol/L}\times\frac{10}{1000}\text{L}\times1=0.2\text{mol/L}\times\frac{v}{1000}〔\text{L}〕\times1 \quad \Rightarrow \quad v=5\,\text{mL}$$

以上より，空欄アには「5」が入ることがわかる。

イ　このとき中和してできた水溶液中では，

$CH_3COONa \rightarrow Na^+ + CH_3COO^-$

$CH_3COO^- + H_2O \rightleftarrows CH_3COOH + OH^-$

という反応が起き，OH^-が残ることになる。よって，水溶液は塩基性を示す。空欄イには「塩基性」が入る。

以上より，正答は**3**である。

No.4 の解説　化学平衡と平衡定数

→ 問題はP.153　**正答5**

STEP❶　化学反応式の検証。

本問においてテーマとなっている化学反応式は

H_2（気体）＋I_2（気体）$\rightleftarrows$ 2HI（気体）

である。この式によると，平衡状態に達するまでにH_2，I_2は同じモル数だけ反応し，HIはその2倍のモル数だけ生成する。

よって，H_2，I_2がx〔mol〕ずつ反応した（＝減った）とすると，HIは$2x$〔mol〕だけ生成した（＝増えた）ことになる。すなわち，反応前後のモル数を比較すると，以下のようになる。

	H_2（気体）	＋	I_2（気体）	$\rightleftarrows$	2HI（気体）
反応前	2.0		2.0		0
反応後	$2.0-x$		$2.0-x$		$2x$

STEP❷　平衡定数の式に代入，計算する。

平衡定数の式において，$[H_2]$は，「残ったH_2のモル濃度mol/L」を意味する。本問においては容器の容積が1Lであるから，モル数＝モル濃度でかまわない。よって，

$$\text{平衡定数}K=\frac{[HI]^2}{[H_2][I_2]}=\frac{(2x)^2}{(2-x)(2-x)}=36$$

$$\frac{2x}{2-x}=\pm6 \qquad x=1.5\text{または}3$$

であるが，題意より$x\leqq2.0$だから，$x=1.5$molであるとわかる。

以上より，A：$2-x$，B：$2-x$，C：$2x$，D：1.5なので，正答は**5**である。

No.5 の解説 **平衡移動** →問題はP.154 **正答2**

ル・シャトリエの法則とは，化学平衡の状態にある可逆反応の条件を変動させると，その変動を打ち消す方向に平衡が移動するというものである。

ア：「$\frac{1}{2}$」が入る。

NやHの個数が両辺で等しくなることに注意して係数を決めると，まずNは右辺に1個しかないので，左辺のN_2は$\frac{1}{2}$個でよいことになる。

イ：「$\frac{3}{2}$」が入る。

同様に，Hは右辺に3個あるので，左辺のH_2は$\frac{3}{2}$個あればよい。

ウ：「減少」が入る。

ここでは，分子の大きさにはほとんど差がないので無関係であり，個数だけが関係すると考えてよい。簡単のために化学反応式の両辺を2倍して係数を整数に直すと

$$N_2 + 3H_2 \leftrightarrows 2NH_3$$

となる。左辺には窒素N_2分子1個と水素H_2分子3個の計4個の分子がある。右辺にはアンモニアNH_3分子が2個ある。よってアンモニアが合成されると，分子数は4個から2個に半減する。

エ：「上昇」が入る。

圧力を上昇させると，分子数を減らして圧力を下げる方向（右）へ平衡が移動する。よってこのとき，アンモニアが増加する。

オ：「低く」が入る。

発熱反応の場合に容器内の温度を下げると，熱を発して温度を上げる方向（右）へ平衡が移動する。よってこのときも，アンモニアが増加する。

以上より，正しい組合せは肢**2**である。

物質の性質

必修問題

次のA～Dは，金属の性質を示したものである。A～Dの金属の名称を示した組合せとして，正しいのはどれか。

【市役所・平成26年度】

A：軽くて丈夫なジュラルミンの主成分であり，航空機などに用いられる。

B：室温で液体の金属である。有毒であるが，温度計や蛍光灯に用いられる。

C：熱や電気をよく伝えるので，電線に用いられる。さびると緑青を生じる。

D：炎色反応は赤色を示し，携帯機器の二次電池の素材としても利用される。

	A	B	C	D
1	アルミニウム	水銀	金	リチウム
2	アルミニウム	水銀	銅	リチウム
3	アルミニウム	鉛	金	カリウム
4	鉄	鉛	銅	リチウム
5	鉄	鉛	金	カリウム

難易度 ＊

必修問題の解説

単純に金属の特徴を問う問題も，よく出題される。特に身の周りでよく使われている金属に関しては，その特徴や用途などを見直しておこう。本問のような純金属だけでなく，合金やめっきに関しても，まとめておくことをお勧めする。

A：**ジュラルミンは，アルミニウムを主たる素材とする合金である。**
アルミニウムAlに関する記述である。ジュラルミンは，アルミニウムAl，銅Cu，マグネシウムMg，マンガンMnの合金で，航空機の機体のほか，新幹線の車体や，現金輸送用のジュラルミンケースなど，**軽さと丈夫さの両方が要求される**ような場面で，多く使用される。

B：**水銀の単体は，金属のうちで唯一，常温で液体である。**
水銀Hgに関する記述である。単体が常温（室温）で液体の金属は，水銀しかない（水銀の融点は，1気圧下で－39℃）。ガラスに粘着しないため，温度計や気圧計，血圧計などは，ガラスに水銀を封入したものが使用されていた。また水銀は，**1911年に超電導が初めて確認された金属**でもある。

C：**銅は，硬貨や電線の素材である。**
銅Cuに関する記述である。電気や熱を最もよく伝える金属は銀Ag，次いで銅Cu，金Auの順であり，このうちで，最も安いのが銅であるため，身の周りでは，銅が最もよく用いられる。銅の錆を**緑青**（ろくしょう）という。
また，日本においては，1円玉以外の硬貨は，すべて銅の合金である。

D：**リチウムは，最も軽く，水と反応する金属である。**
リチウムLiに関する記述である。リチウムは**最も軽い金属**で，水に浮くほどである（密度0.53g/cm^3）。実際，リチウムを水に入れると，リチウムが水と激しく反応して（水に溶けて）水素H_2を発生するため，ガスを吹きながら水面をぐるぐる回り，だんだん小さくなっていく。「二次電池」は，リチウムイオン電池を指すと思われる。

よって，正答は**2**である。

正答 2

FOCUS

周期表では，第１周期から第３周期まではしっかり覚えておこう。さらに，１族（水素Hおよびアルカリ金属），２族（アルカリ土類金属），17族（ハロゲン）そして18族（貴ガスまたは希ガス）はよく出題される。定番ともいえる気体の製法や性質等に関する内容もしっかり押さえておこう。

重要ポイント 1　周期律と周期表

(1) 周期律：元素を**原子番号の順**に配列すると，周期的に性質の類似した元素が現れてくること。

(2) 周期表：周期律を使って，性質の類似した元素が縦の列に並ぶように配列した表。縦の列を**族**（1～18族），横の列を**周期**（第1～第7周期）という。

周期＼族	1	2	3	4	5	6	7	8	9	10	11	12	13	14	15	16	17	18
1	水素 1 H 1.008																	ヘリウム 2 He 4.003
2	リチウム 3 Li 6.941	ベリリウム 4 Be 9.012											ホウ素 5 B 10.81	炭素 6 C 12.01	窒素 7 N 14.01	酸素 8 O 16.00	フッ素 9 F 19.00	ネオン 10 Ne 20.18
3	ナトリウム 11 Na 22.99	マグネシウム 12 Mg 24.31											アルミニウム 13 Al 26.98	ケイ素 14 Si 28.09	リン 15 P 30.97	硫黄 16 S 32.07	塩素 17 Cl 35.45	アルゴン 18 Ar 39.95
4	カリウム 19 K 39.10	カルシウム 20 Ca 40.08	スカンジウム 21 Sc 44.96	チタン 22 Ti 47.87	バナジウム 23 V 50.94	クロム 24 Cr 52.00	マンガン 25 Mn 54.94	鉄 26 Fe 55.85	コバルト 27 Co 58.93	ニッケル 28 Ni 58.69	銅 29 Cu 63.55	亜鉛 30 Zn 65.39	ガリウム 31 Ga 69.72	ゲルマニウム 32 Ge 72.61	ヒ素 33 As 74.92	セレン 34 Se 78.96	臭素 35 Br 79.90	クリプトン 36 Kr 83.80
5	ルビジウム 37 Rb 85.47	ストロンチウム 38 Sr 87.62	イットリウム 39 Y 88.91	ジルコニウム 40 Zr 91.22	ニオブ 41 Nb 92.91	モリブデン 42 Mo 95.94	テクネチウム 43 Tc (99)	ルテニウム 44 Ru 101.1	ロジウム 45 Rh 102.9	パラジウム 46 Pd 106.4	銀 47 Ag 107.9	カドミウム 48 Cd 112.4	インジウム 49 In 114.8	スズ 50 Sn 118.7	アンチモン 51 Sb 121.8	テルル 52 Te 127.6	ヨウ素 53 I 126.9	キセノン 54 Xe 131.3
6	セシウム 55 Cs 132.9	バリウム 56 Ba 137.3	ランタノイド 57-71 ＊	ハフニウム 72 Hf 178.5	タンタル 73 Ta 180.9	タングステン 74 W 183.8	レニウム 75 Re 186.2	オスミウム 76 Os 190.2	イリジウム 77 Ir 192.2	白金 78 Pt 195.1	金 79 Au 197.0	水銀 80 Hg 200.6	タリウム 81 Tl 204.4	鉛 82 Pb 207.2	ビスマス 83 Bi 209.0	ポロニウム 84 Po (210)	アスタチン 85 At (210)	ラドン 86 Rn (222)
7	フランシウム 87 Fr (223)	ラジウム 88 Ra (226)	アクチノイド 89-103 ＊＊	ラザホージウム 104 Rf (261)	ドブニウム 105 Db (262)	シーボーギウム 106 Sg (263)	ボーリウム 107 Bh (264)	ハッシウム 108 Hs (265)	マイトネリウム 109 Mt (268)	ダームスタチウム 110 Ds (281)	レントゲニウム 111 Rg (280)	コペルニシウム 112 Cn (285)	ニホニウム 113 Nh (284)	フレロビウム 114 Fl (289)	モスコビウム 115 Mc (289)	リバモリウム 116 Lv (293)	テネシン 117 Ts (294)	オガネソン 118 Og (294)
	アルカリ金属（Hを除く）	アルカリ土類金属															ハロゲン	貴ガス（希ガス）

遷移元素（ほかは典型元素）：3～11族

例
元素名 — 水素
原子番号 — 1
元素記号 — H
原子量 — 1.008
色文字…………常温で気体
灰色文字………常温で液体
黒文字…………常温で固体
Ra —— 放射性元素
□は非金属元素，□は金属元素

＊ランタノイド	ランタン 57 La 138.9	セリウム 58 Ce 140.1	プラセオジム 59 Pr 140.9	ネオジム 60 Nd 144.2	プロメチウム 61 Pm (145)	サマリウム 62 Sm 150.4	ユウロピウム 63 Eu 152.0	ガドリニウム 64 Gd 157.3	テルビウム 65 Tb 158.9	ジスプロシウム 66 Dy 162.5	ホルミウム 67 Ho 164.9	エルビウム 68 Er 167.3	ツリウム 69 Tm 168.9	イッテルビウム 70 Yb 173.0	ルテチウム 71 Lu 175.0
＊＊アクチノイド	アクチニウム 89 Ac (227)	トリウム 90 Th 232.0	プロトアクチニウム 91 Pa 231.0	ウラン 92 U 238.0	ネプツニウム 93 Np (237)	プルトニウム 94 Pu (244)	アメリシウム 95 Am (243)	キュリウム 96 Cm (247)	バークリウム 97 Bk (247)	カリホルニウム 98 Cf (252)	アインスタイニウム 99 Es (252)	フェルミウム 100 Fm (257)	メンデレビウム 101 Md (258)	ノーベリウム 102 No (259)	ローレンシウム 103 Lr (262)

原子量の値は，国際純正・応用化学連合（IUPAC）の原子量委員会で承認された資料に基づいて，有効数字4ケタで示した。安定同位体がなく，同位体の天然存在比が一定しない元素については，その元素の最も代表的な同位体の質量数を（ ）内に示してある。

(3) 周期表と元素の分類

典型元素：**1～2族**と**12～18族**に属する元素。とくに非金属元素はすべて典型元素で，周期表の**右上部分**に位置している。

遷移元素：**3～11族**に属する元素。すべて金属元素で，周期表の**中央部**に位置している。

注）近年では，12族を遷移元素に含める場合もある。

重要ポイント 2　元素の周期的特徴

化学的性質だけでなく，イオン化エネルギー，原子半径，電子親和力，電気陰性度などに周期的変化が見られる。

(1) イオン化エネルギー（第一イオン化エネルギー）：
原子が，1個の電子を放出して，1価の陽イオンになるのに必要なエネルギー。イオン化エネルギーが小さいほど，陽イオンになりやすい（**陽性**である)。周期表の右上に行くほど大きく，左下に行くほど小さくなる。

(2) 電子親和力：原子が，電子1個を受け取って，1価の陰イオンになるとき，放出するエネルギー。電子親和力が大きいほど，陰イオンになりやすい（**陰性**である)。貴ガス（希ガス）を除き，周期表の右上に行くほど大きく，左下に行くほど小さくなる。貴ガス（希ガス）元素の原子の電子親和力の値は，ほぼゼロかマイナスである。ハロゲンは，電子親和力が大きいので，1価の陰イオンになりやすい。

(3) 電気陰性度：共有結合をする原子が，共有電子対を引きつける強さの尺度。電気陰性度は，元素の陰性の強さを表しており，典型元素では，貴ガス（希ガス）を除くと，周期表の右上に行くほど大きい。分子では，原子間の電気陰性度の差が大きいほど，電荷の偏り（**極性**）が大きい。

重要ポイント 3　典型元素と遷移元素

(1) 典型元素と遷移元素

典型元素	遷移元素
①金属元素と非金属元素。 ②貴ガス（希ガス）を除き，価電子の数が族番号の一の位と一致する。化学的性質に周期性が見られる。 ③同族元素は価電子数が同じため，その性質が類似している。	①すべて金属元素。 ②価電子数は1または2。 ③いくつかの酸化数を持つ。 ④同族より同周期の元素の性質が類似している。

(2) 典型元素の化学的性質

族			1	2	13	14	15	16	17	18
価電子数			1	2	3	4	5	6	7	0
酸化数			+1	+2	+3	+4	+5, ±3	+4, +6, −2	+7, ±1	——
イオン化エネルギー			小 →							大
電気陰性度			小 →						大	——
電子親和力			小 →						大	最小
第3周期元素	元素記号		Na	Mg	Al	Si	P	S	Cl	Ar
	酸化物	化学式	Na_2O	MgO	Al_2O_3	SiO_2	P_4O_{10}	SO_2	Cl_2O_7	——
		分類	塩基性酸化物		両性酸化物	酸性酸化物				——
	水酸化物 オキソ酸	化学式	NaOH	$Mg(OH)_2$	$Al(OH)_3$	H_2SiO_3	H_3PO_4	H_2SO_4	$HClO_4$	——
		性質	強塩基	弱塩基	両性	弱酸	中程度の酸	強酸	強酸	——

重要ポイント4 非金属元素

(1) 水素 H

①無色，無臭の**最も軽い気体**（H_2）。可燃性。水に溶けにくい。還元性あり。

②貴ガス（希ガス）を除くほとんどの元素と化合する。

(2) 18族元素＝貴ガス（希ガス）（He，Ne，Ar，Kr，Xe，Rn）

①安定な電子配置を持ち，**不活性**である（**単原子分子**）。融点・沸点は低い。

②ヘリウムHe：水素に次いで軽い気体。

ネオンNe：ネオンサインなどに利用。

アルゴンAr：窒素，酸素に次いで空気中に多く含まれる（0.93%）。

(3) 17族元素＝ハロゲン（F，Cl，Br，I，At）

①**単体の性質**：酸化力 $F_2>Cl_2>Br_2>I_2$ 融点・沸点 $F_2<Cl_2<Br_2<I_2$

フッ素F_2：淡黄色で特異臭がある気体。**極めて反応しやすい**。

塩素Cl_2：**黄緑色**で刺激臭がある気体。反応性が大きい。水溶液（塩素水）は強い酸性を示し，**酸化**，**漂白**，**殺菌作用**がある。

臭素Br_2：**赤褐色**で刺激臭があり，**非金属で唯一の液体で重い**（3.1g/cm^3）。

ヨウ素I_2：**黒紫色**で光沢のある板状結晶。**昇華しやすい**。デンプンと反応して青紫色を示す（**ヨウ素デンプン反応**）。

②**ハロゲン化銀**：AgF（無色）以外は水に溶けにくく，光で分解してAgを析出する（**感光性**）。AgCl（白色），AgBr（淡黄色），AgI（黄色）

③**ハロゲン化水素**：色で刺激臭のある気体。水溶液はHFを除いて強酸。HFの水溶液は**ガラス**，**石英**（SiO_2）**を腐食する**。

(4) 主な気体の性質

気体	主な性質	実験室的製法
酸素 O_2	無色 無臭 **助燃性** ほかの多くの元素と酸化物を作る	$2H_2O_2 \rightarrow 2H_2O+O_2$（触媒$MnO_2$）
オゾン O_3	**淡青色 特異臭** 酸化，漂白，殺菌作用あり［成層圏にオゾン層］	$3O_2 \rightarrow 2O_3$（酸素に紫外線を照射） （乾燥した酸素中で無声放電）
一酸化炭素 CO	無色 無臭 有毒 水に溶けにくい 還元性（鉄の製錬）	$HCOOH \rightarrow H_2O+CO$ （ギ酸を濃硫酸とともに加熱）
二酸化炭素 CO_2	無色 無臭 水に溶け酸性（炭酸） 石灰水を白濁する	$CaCO_3+2HCl \rightarrow CaCl_2+H_2O+CO_2$ ［ほかに$NaHCO_3$の加熱分解］
窒素 N_2	無色 無臭 水に溶けにくい 常温では化学的に不活性	$NH_4NO_2 \rightarrow 2H_2O+N_2$ （亜硝酸アンモニウムの熱分解）
アンモニア NH_3	無色 刺激臭 **空気より軽い** 水によく溶け**塩基性**を示す	$2NH_4Cl+Ca(OH)_2 \rightarrow CaCl_2+2H_2O+2NH_3$（加熱）
一酸化窒素 NO	無色 無臭 水に溶けにくい 空気中で酸化されNO_2になる	$3Cu+8HNO_3 \rightarrow 3Cu(NO_3)_2+4H_2O+2NO$（Cuと希硝酸の反応）
二酸化窒素 NO_2	赤褐色 特異臭 有毒 水に溶けて酸性を示す（硝酸を作る）	$Cu+4HNO_3 \rightarrow Cu(NO_3)_2+2H_2O+2NO_2$（Cuと濃硝酸の反応）
二酸化硫黄 SO_2	無色 刺激臭 水に溶けて酸性 漂白作用あり 有毒（大気汚染）	$Cu+2H_2SO_4 \rightarrow CuSO_4+H_2O+SO_2$（Cuと熱濃硫酸の反応）$S+O_2 \rightarrow SO_2$
硫化水素 H_2S	無色 **腐卵臭** 有毒 水に溶けて酸性を示す［金属イオンの検出］	$FeS+H_2SO_4 \rightarrow FeSO_4+H_2S$

重要ポイント 5 金属元素

(1) アルカリ金属とアルカリ土類金属の性質

アルカリ金属（1族） Li, Na, K, Rb, Cs, Fr	アルカリ土類金属（2族） Ca, Sr, Ba, Ra※
①銀白色の軽金属，密度小さい，軟らかい，融点低い ②1価の陽イオンになりやすい（イオン化傾向大），酸素や塩素と直接反応する $2Na + Cl_2 \rightarrow 2NaCl$ ③炎色反応を示す Li（赤），Na（黄），K（赤紫） ④常温で水と反応し H_2 発生（石油中保存） $2K + 2H_2O \rightarrow 2KOH + H_2$	①銀白色の軽金属，アルカリ金属に次いで密度が小さい ②2価の陽イオンになりやすい（アルカリ金属に次いでイオン化傾向が大きい） ③炎色反応を示す Ca（橙赤），Sr（赤），Ba（黄緑） ④常温で水と反応してH_2 発生 $Ca + 2H_2O \rightarrow Ca(OH)_2 + H_2$

※近年ではBe，Mgもアルカリ土類金属に含める場合がある。

(2) レアメタル（マイナーメタル，希少金属）

経済的あるいは技術的な理由で，大量に得ることが大変難しい非鉄金属のうち，工業用需要の多いものをいう。レアアース（＝希土類，周期表３族のうちアクチノイドを除いた17元素）とは異なり，周期表上の概念ではないが，レアアースはレアメタルに含まれる。どの金属をレアメタルと呼ぶかは，国によって異なり，日本では経済産業省で決定される。なお，これに対し，鉄Fe，アルミニウムAl，銅Cuなど大量に生産される金属をベースメタル（メジャーメタル）という。

※レアメタルの例：リチウムLi，チタンTi，タングステンWなど。

重要ポイント 6 金属の用途

(1) 合金

①銅の合金

黄銅（真ちゅう，ブラス）：銅＋亜鉛。黄金色。五円硬貨，金管楽器。

青銅（ブロンズ）：銅＋スズ。さびると青くなる。十円硬貨，銅像。

白銅：銅＋ニッケル。五十円硬貨，百円硬貨，初代五百円硬貨。

ニッケル黄銅：銅＋ニッケル＋亜鉛。白銅より少し黄色っぽい。二代目五百円硬貨。

②鉄の合金

鋼（はがね）（鋼鉄）：鉄＋炭素。炭素の含有量が0.04～２％。硬さと粘りを併せ持つ。

ステンレス鋼（こう）：鉄＋クロム（＋ニッケル）。錆に強く，水回り等によく使用される。

③その他

ジュラルミン：アルミニウム＋銅＋マグネシウム＋マンガン。軽くて強く，強度と軽さを同時に要求する航空機，新幹線等の構造材に使われる。

はんだ：鉛＋スズ。融点が低く，電子部品の接合等に使用される。

ニクロム：ニッケル＋クロム。電気抵抗が大きく，熱を発しやすい。電熱線。

(2) めっき

ブリキ：鉄板にスズをめっきしたもの。錆に弱い。缶詰，おもちゃなど。

トタン：鉄板に亜鉛をめっきしたもの。錆に強い。屋根板など。

実戦問題1　基本レベル

*
No.1　元素の周期表に関する記述として最も妥当なのはどれか。

【国家一般職・平成21年度】

1　周期表は，元素をその原子核中に存在する中性子数の少ないものから順に並べたもので，周期表の横の行は周期と呼ばれる。

2　周期表の1族に属する元素は，いずれも金属元素である。その原子は，いずれも1個の価電子を持ち，電子1個を取り入れて1価の陰イオンになりやすい。

3　周期表の2族に属する元素は遷移元素と呼ばれる非金属元素で，それらの元素の単体の沸点や融点は互いに大きく異なり，常温で気体のものと固体のものがある。

4　周期表の17族に属する元素はハロゲンと呼ばれる非金属元素で，単体はいずれも単原子分子の気体で陽イオンになりやすいという性質を持ち，原子番号の大きいものほど陽イオンになりやすい。

5　周期表の18族に属する元素は貴ガス（希ガス）と呼ばれる非金属元素で，いずれも常温では無色・無臭の気体である。ほかの原子と結合しにくく化合物を作りにくい。そこで，希ガス原子の価電子の数は0とされている。

*
No.2　気体の性質に関する記述として，妥当なのはどれか。

【地方上級（東京都）・平成18年度】

1　塩素は，無色で刺激臭がある気体であり，同温，同圧，同体積で比べると，ヘリウムに次いで軽く，水に溶けると塩素水になる。

2　酸素は，無色で無臭の気体であり，実験室で発生させる場合，さらし粉に塩酸を加えて，下方置換で捕集する。

3　水素は，無色で無臭の気体であり，同温，同圧，同体積で比べると，すべての気体の中で最も軽く，亜鉛に希硫酸を加えると得られる。

4　二酸化硫黄は，黄緑色で刺激臭がある気体であり，人体に有毒で，水に溶けるとアルカリ性を示す。

5　二酸化炭素は，無色で無臭の気体であり，同温，同圧，同体積で比べると，空気より軽く，空気中で燃焼させると青白い炎を出して燃える。

*
No.3　次の気体A～Eのうち，下方置換によって捕集する気体の組合せとして，妥当なのはどれか。

【地方上級（特別区）・平成29年度】

A：アンモニア　　B：一酸化窒素　　C：塩化水素
D：水素　　E：二酸化窒素

1　A　C　　**2**　A　D　　**3**　B　D　　**4**　B　E　　**5**　C　E

No.4 ＊＊ 次のア〜オのうち，元素記号とその元素が炎色反応で示す色を選んだ組合せとして，妥当なのはどれか。

【地上特別区・令和５年度】

	元素記号	炎色反応
ア	Na	黄
イ	Mg	黄
ウ	Ca	青緑
エ	Cu	青緑
オ	Ba	赤紫

1 ア ウ
2 ア エ
3 イ エ
4 イ オ
5 ウ オ

No.5 ＊＊ 金属に関する記述として最も妥当なのはどれか。

【国家一般職・平成23年度】

1 銅は，密度や融点が高い遷移元素であり，金属の中では地球上に最も多く存在している。また，ヒトの血液中のヘモグロビンの中核をなす金属元素であるなど人体に無害な元素でもあり，硬貨など身近なものに広く利用されている。

2 亜鉛は，原子が価電子２個を持つ典型元素であり，また，酸や強塩基の水溶液に溶けて水素を発生する両性元素でもある。硬貨の材料のほか乾電池などにも利用されている。

3 ニッケルとスズは，原子が価電子１個を持つアルカリ金属である。これらはイオン化傾向が小さいので他の金属と結合しやすく，金属どうしの結合剤として利用されている。

4 アルミニウムは，熱や電気をよく通す遷移元素であり，酸化しにくいため自然界では単体で存在することが多い。炎色反応では，反応温度によって赤，青，紫と変化する特徴を持ち，花火の原料にも使われている。

5 100円硬貨に使われている銅，亜鉛，スズの合金はジュラルミンと呼ばれ，硬くて丈夫であるという特徴を持つ。また，５円硬貨に使われている銅，亜鉛の合金は青銅と呼ばれ，さびにくい特徴を持つ。

実戦問題❶の解説

No.1 の解説　元素の周期表

→ 問題はP.164　正答5

1 ×　原子番号は陽子の数である。

周期表は，その元素の原子が持つ陽子の数（**＝原子番号**）の小さいほうから順に並べたものである。横の行を**周期**，縦の列を**族**と呼ぶ。

2 ×　水素以外の１族は，アルカリ金属である。

周期表の１族の元素には，非金属元素である水素Hが含まれる。それ以外の元素はすべて金属元素であり，**アルカリ金属**と呼ばれる。１族元素はHも含めすべて，価電子１個を放出して，１価の陽イオンになりやすい。

3 ×　２族は，アルカリ土類金属である。

周期表の２族の元素には，典型元素ですべて金属元素で，その単体はすべて常温で固体である。これまでは２族のうちBe，Mg以外の元素をアルカリ土類金属と呼んでいたが，近年ではBe，Mgを含めた２族元素すべてをアルカリ土類金属と呼ぶようになっている。遷移元素も周期表の３～11族とされていたが，近年では12族も遷移元素に含む場合がある。

4 ×　17族はハロゲンである。

17族の元素は**ハロゲン**と呼ばれ，すべて非金属元素である。単体は２原子分子で，原子番号の小さいものほど，１価の陰イオンになりやすい。

5 ◎　18族は貴ガス（希ガス）である。

正しい。**貴ガス（希ガス）**は，反応性が低い（反応しにくい）。いずれの単体も原子の状態（単原子分子）で安定に存在する。

No.2 の解説　気体の性質

→ 問題はP.164　正答3

1 ×　塩素Cl_2は，空気よりも重い気体である。

塩素は，**黄緑色**で**刺激臭**があるが，**空気よりも重い**気体である。塩素水は，強い酸性とともに強い酸化力を示し，**殺菌・漂白作用**がある。

2 ×　酸素O_2は，助燃性を持つ。

酸素は，**無色無臭**の気体で，過酸化水素水に酸化マンガン(Ⅳ)を加えると発生する。$2H_2O_2 \rightarrow 2H_2O + O_2$

なお，さらし粉に塩酸を加えて発生する気体は，塩素Cl_2である。

3 ◎　水素H_2は，可燃性である。

正しい。水素は，無色無臭の最も軽い可燃性の気体で，亜鉛に希硫酸を注ぐと発生する。$Zn + H_2SO_4 \rightarrow ZnSO_4 + H_2$

4 ×　二酸化硫黄H_2Sは，漂白作用を持つ。

二酸化硫黄は，亜硫酸ガスとも呼ばれ，有毒ガスであるが，無色であり，水溶液は弱酸性を示す。また，**還元力がある。**

5 ×　二酸化炭素CO_2は，水に溶け弱酸性を示す。

二酸化炭素は，無色無臭の気体であるが，空気よりも重く，不燃性である。

No.3 の解説 下方置換

→問題はP.164 正答5

一般的には，分子量が空気の平均分子量28.8より大きければ空気より重く，小さければ空気より軽い。ただ，**水に溶けやすい気体で空気より軽いのはアンモニアのみである。**

A：**アンモニアNH_3…上方置換**
アンモニアNH_3（分子量＝17）は水に無限に溶けるほど溶けやすく，また空気より軽い。よって，上方置換でなければ捕集できない。

B：**一酸化窒素NO…水上置換**
一酸化窒素NO（分子量＝30）は水に溶けにくい気体なので，水上置換で捕集することができる。

C：**塩化水素HCl…下方置換**
塩化水素HCl（分子量＝36.5）は水に大変よく溶ける。そして塩化水素は空気より重いので，下方置換で捕集するほうがよいことになる。

D：**水素H_2…水上置換**
水素H_2（分子量＝２）は非常に水に溶けにくい気体であるから，水上置換で捕集することができる。上方置換でも捕集できるが，水上置換のほうが，より望ましい。

E：**二酸化窒素NO_2…下方置換**
二酸化窒素NO_2（分子量＝46）は，非常に水に溶けやすいため，水上置換で捕集するのは困難である。そして，二酸化窒素は空気より重いため，下方置換で捕集する必要がある。

以上より，下方置換で捕集する必要のある気体は，**C**塩化水素と**E**二酸化窒素だから，正答は**5**である。

No.4 の解説 炎色反応

→問題はP.165 正答2

金属イオンを含んだ物質をガスの炎で熱すると，炎の色が特有の色を示す場合がある。これを**炎色反応**といい，炎の色から金属イオンの種類を特定することが可能である。以下のように，アルカリ金属（第１族に属する金属元素）やアルカリ土類金属（第２族元素）が主に炎色反応を示す。

リチウムLi…赤，ナトリウムNa…黄，カリウムK…紫
カルシウムCa…橙，ストロンチウムSr…紅，バリウムBa…緑
銅Cu…青緑

No.5 の解説　金属の性質

→ 問題はP.165　**正答2**

1 × 銅は遷移元素の一種で，合金が硬貨や銅像に多く使われている。

銅Cuは，金属のうちでは密度が特に大きいというわけでも，融点が高いというわけでもない。また，**地球に最も多く存在する金属元素は鉄**（地球の表面部分に最も多い金属はアルミニウム）であり，ヘモグロビンに含まれている金属も，鉄である。銅が遷移元素であり，硬貨に使われているという部分は正しい。

2 ◎ 鉄板に亜鉛をめっきすると，トタンになる。

正しい。**真ちゅうは，銅と亜鉛Znの合金**で，五円硬貨に使われている。また，アルカリ乾電池・マンガン乾電池の負極は，亜鉛である。

3 × ニッケルは遷移元素，スズは典型元素である。

ニッケルNiとスズSnは，アルカリ金属（周期表1族の水素以外のリチウムLi，ナトリウムNa，カリウムK，ルビジウムRb，セシウムCs，フランシウムFr）には含まれていない。また，イオン化傾向が小さいということはイオンになりにくい，すなわち反応性に乏しいということであるから，そのような金属が，他の金属と結合しやすいという記述はおかしい。

4 × アルミニウムは典型元素の一種で，炎色反応を示さない。

アルミニウムAlは，熱や電気をよく通すが，13族に属する元素であるから，遷移元素ではない。また酸化しやすく，単体では自然界に存在できない。炎色反応は示さず，花火で白く明るく輝くのが，アルミニウムの化合物である。

5 × ジュラルミンは，アルミニウムと銅などの合金である。

百円硬貨に使われているのは，ジュラルミンではなく白銅（銅とニッケルの合金）である。**ジュラルミンはアルミニウム，銅，マンガンMn，マグネシウムMgの合金**である。また，**青銅は銅とスズSnの合金**であり十円硬貨に使用されている。

実戦問題2　応用レベル

**
No.6　**次の図A～Eのうち，それぞれのビーカーに入っている液体にそれぞれの金属を入れたとき，反応して水素が発生するものを選んだ組合せとして，妥当なのはどれか。**
【地方上級（特別区）・平成19年度】

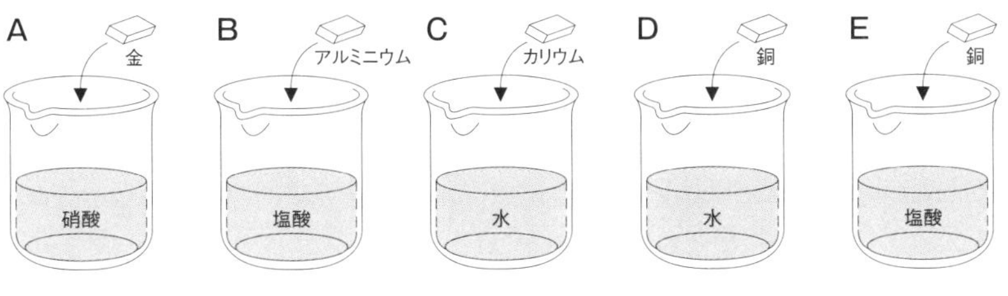

1　A　D　　**2**　A　E　　**3**　B　C
4　B　D　　**5**　C　E

**
No.7　**レアメタルに関する記述として最も妥当なのはどれか。**
【国家一般職・令和元年度】

1　リチウムは自然界では単体で存在しており，空気中の酸素と反応しやすいため水中に保存される。リチウムイオン電池は小型で軽量であり，充電のできない一次電池として腕時計やリモコン用電池に用いられている。

2　白金は古くから貴金属として宝飾品に用いられてきた。また，化学的に不安定であることからさまざまな化学反応に対して触媒として利用され，硫酸の工業的製造や自動車の排ガス浄化装置などにも用いられている。

3　チタンは銅や鉄に比べ重く，硬い金属であり，さまざまな合金を形成する。銅との合金は黄銅と呼ばれ，５円硬貨や金管楽器などに用いられている。また，酸化チタンは赤外線を吸収し，そのエネルギーで強い酸化反応を起こす光触媒としての性質を持つ。

4　タングステンは灰白色の金属であり，金属元素の単体の中で水銀に次いで融点が低く，青色LEDに用いられている。また，他の金属とよくなじむので，主に金属どうしの接合剤に用いられている。

5　バリウムはアルカリ土類金属であり，炎色反応では黄緑色を示す。単体は水と反応し，水素を発生して水酸化物になる。また，硫酸バリウムはＸ線を吸収することから胃のＸ線撮影の造影剤に用いられている。

No.8 * 次の文は，アルミニウムに関する記述であるが，文中の空所A～Cに該当する語の組合せとして，妥当なのはどれか。

【地方上級（特別区）・令和元年度】

アルミニウムの単体は，鉱石の［ A ］を精製して得られる酸化アルミニウムを氷晶石とともに［ B ］して製造される。また，アルミウムは両性金属であり，酸，強塩基の水溶液と反応して［ C ］を発生する。

	A	B	C
1	ボーキサイト	溶融塩電解	水素
2	ボーキサイト	電解精錬	酸素
3	アルマイト	電解精錬	酸素
4	アルマイト	溶融塩電解	水素
5	アルマイト	電解精錬	水素

No.9 * 炭素に関する記述として，妥当なのはどれか。

【地方上級（東京都）・令和４年度】

1 黒鉛は，炭素原子が共有結合により六角形網面構造をなす灰黒色の結晶であり，電気をよく通し，電極に用いられる。

2 活性炭は，黒鉛の微小な結晶が規則的に配列した集合体であり，単位質量当たりの表面積は小さいが，気体等の物質を吸着する性質がある。

3 ダイヤモンドは，炭素原子の単体からなる共有結合の結晶であり，光の屈折率が低く硬いため，宝石や研磨剤に用いられる。

4 一酸化炭素は，炭素や炭素化合物が不完全燃焼したときに生じる有毒な気体であり，無色無臭の不燃性で，水によく溶ける。

5 二酸化炭素は，炭素や炭素化合物が完全燃焼したときに生じる気体であり，空気に比べて軽く，無色無臭の不燃性で，水に溶けて弱い塩基性を示す。

No.10 ＊ **気体に関する次の記述のうち，妥当なものはどれか。**

【地方上級（全国型）・平成29年度】

1 水素は無色無臭の気体であり，水に溶けやすく，水溶液は弱酸性を示す。常温では他の物質と反応しやすいため，酸化剤として利用されている。

2 ヘリウムは無色無臭で他の物質と反応しにくい。気球用ガスとして用いられるほか，低温を作り出すのにも使われる。

3 オゾンは無色無臭で無毒な気体である。化学的に安定で，食品の酸化を防ぐため，食品の包装容器に充填される。

4 アンモニアは刺激臭を持つ気体である。大気に放出されると雨水に溶け，その雨水が酸性を示すため，酸性雨の原因となる。

5 メタンは特異な臭いを持ち有毒で，燃えにくい。温室効果ガスの一つで，赤外線を吸収する働きがある。

No.11 ＊＊ **私たちの生活で身近に見られる物に含まれている元素に関する次の記述のうち，その元素記号と説明文の組合せが最も妥当なのはどれか。**

【国家総合職・平成19年度】

1 H：気球や飛行船に利用されており，無色無臭で２番目に軽い気体として存在する。大気中の含有量が極めて少なく，天然ガスから分離して得られる。容易に液化せず，また化学的に安定であるといった性質を利用して，この気体中で極低温実験が行われている。

2 Al：電気材料および窓枠などの建築材料として使用されており，単体として産出することはないが，酸化物として鉱物や土壌中に広く存在する。この単体と銅などの合金をジュラルミンといい，軽量で機械的にも強いので，航空機の機体などに利用される。

3 O：アンモニアの合成原料として用いられたり，燃料電池に利用されている。宇宙で最も存在する割合が大きい元素であり，無色無臭の気体として存在する。地球上では化合物として大量に存在している。

4 N：沸点が元素の中で最も低く－196℃で液化するため，冷却剤として用いられている。空気の体積の約90％を占めており，動植物の中にもタンパク質などの化合物として存在し，生命活動に欠かせない元素の一つである。工業的には液体空気の分留で得られる。

5 Fe：熱や電気をよく伝え，また展性や延性に富んでいるため，鍋や電線に用いられている。また亜鉛やニッケルとの合金は，装飾品や食器によく用いられている。室温では酸化されにくいが，湿った空気中では徐々に酸化されて青さびを生じる。

実戦問題2の解説

No.6 の解説 金属の反応

→問題はP.169 正答3

A：金は，硝酸とは反応せず，**王水**（濃塩酸と濃硝酸を3：1の体積比で混合した液）にのみ溶ける。

B：アルミニウムAlをはじめとする両性金属は，塩酸HClと反応して，**水素H_2を発生する**。$2Al+6HCl \rightarrow 2AlCl_3+3H_2$

C：カリウムKの属するアルカリ金属は，常温で水と反応して，**水素H_2を発生する**。$2K+2H_2O \rightarrow 2KOH+H_2$

D：銅Cuは，水とは反応しない（水に溶けない）。

E：銅Cuは，塩酸とは反応しないが，硝酸や熱濃硫酸とは反応する。

したがって，水素を発生するのは**B**と**C**であるから，**3**が正答である。

No.7 の解説 レアメタル

→問題はP.169 正答5

1× リチウムLiは反応性が高く，自然界に単体で存在することはあり得ない。
リチウムイオン電池は高スマートフォンやノートパソコン，電気自動車などに使用される，充電可能な二次電池としてつとに有名である。
本肢後半部分は，おそらくコイン型リチウム電池を想定した記述であろう。

2× 白金Ptは，化学的に大変安定な金属である。
安定であり美しいという，白金の性質をいかした用途が**宝飾品**である。**触媒**として使用されるという記述は正しいが，触媒として利用されるのも白金が安定であるがゆえのことである。

3× チタンTiは，大変軽くて強い金属である。
チタンは金属アレルギーを引き起こさない，大変珍しい金属でもある。また，黄銅は銅Cuと亜鉛Znの合金であるし，酸化チタン（Ⅳ）TiO_2は紫外線を吸収することで触媒としての性質を表す（**光触媒**）。

4× タングステンWは，全金属中で融点が最も高い。
本肢は，ガリウムGaに関する記述と考えられる。**ガリウムは全金属中で融点が2番目に低く**，30℃である（最も低いのは水銀Hgの−39℃）。金属どうしの接合剤としての用途が模索されているが，現在のところは主に青色LEDの材料として注目されている。

5◎ アルカリ土類金属は，周期表の第2族に属する。
水と反応して水素H_2を発生し，水酸化物（アルカリ性の液体）となるのはアルカリ金属（第1族のうち水素Hを除いた元素）やアルカリ土類金属の共通した性質である。なお，永らくアルカリ土類金属は第2族元素のうちベリリウムBe，マグネシウムMgを除く4元素（カルシウムCa，ストロンチウムSr，バリウムBa，ラジウムRa）とされてきたが，近年ではBeとMgもアルカリ土類金属に含めるようになっている。

No.8 の解説 アルミニウム

→ 問題はP.170 正答 1

A：アルミニウムの原料は，「ボーキサイト」である。

アルミニウムAlの原料は，**ボーキサイト**といわれる鉱石である。ボーキサイトには50%程度の**酸化アルミニウムAl_2O_3（アルミナ）**を含んでおり，最初にボーキサイトを精製して酸化アルミニウムを得る。

B：アルミニウムは，「溶融塩電解」で得られる。

アルミニウムは，フッ化ナトリウムNaFという塩（えん）と氷晶石を溶融させ（どろどろに溶かし）た液体に，酸化アルミニウムを溶かし，炭素を電極として電気分解することで得られる（**溶融塩電解**）。

氷晶石は，ナトリウムNa，アルミニウムAl，フッ素Fの化合物で，フッ化アルミニウムを溶融させる際の融剤（どろどろにさせる物質）である。

C：アルミニウムは，酸や塩基と反応して「水素」を発生する。

アルミニウムは，容易に酸や強塩基の水溶液と反応して水素H_2を生ずる**両性元素（両性金属）**の一種で，他には亜鉛Zn，スズSn，鉛Pbがある。

以上より，正しい語句の組合せは肢**1**である。

No.9 の解説 炭 素

→ 問題はP.170 正答 1

1 ◎ 黒鉛は，非金属ながら電気の良導体である。

黒鉛は，炭素C原子の持つ４つの価電子のうち３つが炭素原子どうしの結合に使われ，残りの１つが自由電子として結晶内を自由に移動できるため，電気をよく通す。これは，非金属としては大変珍しいことである。

2 × 活性炭は表面積が非常に大きく，微小物質を吸着する。

活性炭は，表面の小孔の大きさをそろえて，ある特定の微粒子を吸着しやすいようにした特殊な炭で，冷蔵庫や靴箱の臭いを取る，あるいは湿気を取るなど，さまざまなものが発売されている。微粒子を吸着する物質は表面に多数の小孔を持ち，その体積に比して表面積が大変大きいという特徴がある。

3 × ダイヤモンドの屈折率は，非常に大きい。

透明な物質は，屈折率が大きいと光が外に漏れ出しにくくなるため，形状によっては美しく輝いて見える。ダイヤモンドが美しく見えるのは，その屈折率の大きさゆえである。

4 × COは，無色無臭可燃性である。

一酸化炭素COは可燃性で，燃えると二酸化炭素CO_2になる。また，水にほとんど溶けない。それ以外の記述は正しい。

5 × CO_2は，水に溶けると弱酸性を示す。

二酸化炭素CO_2の分子量は44で，空気の平均分子量28.8よりも大きい（空気よりも重い）。また，水に溶けて炭酸となり，弱い酸性を示す。

No.10 の解説　気体の特徴　→ 問題はP.171　正答2

1 ×　水素H_2は，無色無臭の気体ではあるが，水にはほとんど溶けない。
一般に常温で他の物質と反応しやすいということもなく，**還元剤**として酸化物から酸素を奪う場合などに利用されることがある。

2 ◎　ヘリウムHeの沸点は，１気圧下で－269℃（４K）である。
液体ヘリウムは，**極低温実験**を行う際に必要である（－170℃程度の低温実験ならば，比較的安価な液体窒素が使われる）。ヘリウム自体は**水素H_2の次に軽い気体**で，水素のように可燃性ではないので，風船，気球，飛行船などに利用される。

3 ×　オゾンO_3は，淡青色特異臭有毒の気体である。
乾いた空気中で放電を起こすと，オゾンが生成される。大変不安定で反応性が高く，いわゆる**活性酸素**の一種である。

4 ×　アンモニアNH_3は，無色刺激臭有毒の気体である。
水に大変よく溶け，**空気より軽い気体**で，その**水溶液はアルカリ性**を示す。後半部分は，おそらく窒素酸化物NO_x（ノックス）や硫黄酸化物SO_x（ソックス）のことを述べているのであろう。

5 ×　メタンCH_4は，無色無臭無毒の気体である。
天然ガスの主成分であり，よく燃える。無臭のはずのメタンが主成分の都市ガスが臭いのは，ガス漏れをわかりやすくするため，人工的に臭いを添加しているためである。以上より本肢は誤りであるが，メタンが**温室効果ガス**の一つであるという記述は正しい。

No.11 の解説　身近な物質に含まれる元素

→ 問題はP.171　正答2

1 × 貴ガス（希ガス）は反応性に乏しく，単原子分子で存在する。

この記述に該当する元素は，**ヘリウムHe**である。ヘリウムは**貴ガス（希ガス）**の代表例で，天然ガスとともに産出することがある。水素H_2に次いで軽い気体で，不燃性であるため，風船や飛行船に利用されている。融点，沸点が最も低く，極低温実験や超電導磁石の冷却剤に用いられている。

2 ◎ アルミニウムの生産には，大量の電気を必要とする。

正しい。**アルミニウムAl**の単体は，銀白色の**軽金属**（密度2.69g/cm^3）で，展延性に富み，熱，電気をよく伝える。そのため，アルミホイルをはじめとした日用品から航空機などの機材まで，広範囲に利用されている。アルミニウムは，**ボーキサイト**などの鉱石から精製した酸化アルミニウム（アルミナ）Al_2O_3を**融解塩電解**（どろどろに溶かしてから電気分解）して得られる金属である。

3 × 水素は，最も軽く，最も単純な元素である。

この記述に該当する元素は，**水素H**である。宇宙で，最も多く存在する元素である。単体H_2は無色・無臭の気体で，あらゆる気体のうちで最も軽い。アンモニアNH_3，塩化水素HClやメタノールCH_3OHをはじめとする，多くの化合物の合成原料である。特に，クリーンエネルギーへの需要が高まる現在，燃料電池の燃料として注目されている。

4 × 窒素は，地球の大気の主成分である。

窒素Nは，その単体N_2が空気中に体積で**約78%**含まれ，動植物体を構成するタンパク質の成分であるなど，生命活動にかかわりの深い元素である。単体(N_2)の沸点は−196℃であるが，ヘリウム（−269℃）よりは高い。

5 × 銅は銀に次いで，電気や熱を通しやすい金属である。

この記述に該当する元素は，**銅Cu**である。銅の合金には，亜鉛Znとの合金である黄銅，ニッケルとの合金である白銅のほかに，スズSnとの合金である青銅などがある。湿気中で生じる銅の青さびは**緑青**（ろくしょう）と呼ばれ，昔から有毒といわれてきたが，ほとんど無害である。

実戦問題③　発展レベル

＊＊
No.12　薬品の取扱いに関する記述として，妥当なのはどれか。

【地方上級（東京都）・平成14年度】

1　ジエチルエーテルおよび二硫化炭素は，いずれも無色無臭で，水に溶けやすく，揮発性の液体で引火性があるため，密栓して火気のない冷暗所に保管する。

2　水酸化ナトリウムおよび水酸化カリウムは，いずれも潮解性があるため密栓して保管し，触れると皮膚に傷害を及ぼすので，誤って皮膚に触れた場合は，すぐに多量の水で洗い流す。

3　赤リンは，暗赤色ろう状の固体で，猛毒であり，空気中で自然発火するため水中に保存するが，黄リンは，淡黄色の粉末で，毒性がなく安定している。

4　濃硫酸は，分解や変色のおそれがあるため，褐色びんに入れ暗所に保管し，濃硫酸を水で薄めるときは，激しく発熱するので，容器を水で冷やしながら，濃硫酸に水を少しずつ注ぐ。

5　フッ化水素は，刺激臭の強い無色，有毒の気体であり，その水溶液であるフッ化水素酸は，強い酸性を示すためガラス容器に密栓して保管する。

＊＊＊
No.13　化学物質に関する記述ア～オにおいて，記号Xはそれぞれ第1周期～第3周期に属する元素の一つを表している。ア～オのうち，Xで表される元素が同じものの組合せとして最も妥当なのはどれか。

【国家専門職・平成17年度】

ア：X_2O_2で表される酸化物の水溶液はオキシドールと呼ばれ，消毒剤や殺菌剤として用いられる。また，この水溶液に酸化マンガン(Ⅳ)を触媒として加えることにより，酸素を発生させることができる。

イ：XOで表される酸化物は血液中のヘモグロビンと結合する力が極めて強く，有毒である。またXO_2で表される酸化物は植物の光合成の原料となる。

ウ：天然で産出される石英や水晶の成分はXO_2で表される酸化物である。XO_2は普通の酸には溶けず，フッ化水素酸にのみ溶ける性質がある。

エ：X_2で表される単体は，室温で刺激臭のある黄緑色の気体である。その水溶液はX_2の一部が水と反応して生じた生成物が強い酸化作用を示すため，漂白剤や殺菌剤として用いられる。

オ：X_2で表される単体は，亜鉛に希硫酸を作用させることによって発生させることができる。また，X_2が酸素と反応するときに生じるエネルギーを電気として取り出す装置が近年実用化されている。

1　ア，エ　　**2**　ア，オ
3　イ，エ　　**4**　イ，オ
5　ウ，エ

No.14 ＊＊＊ **触媒に関するA，B，Cの記述の正誤の組合せとして最も妥当なのはどれか。**

【国家総合職・平成21年度】

A：過酸化水素水に少量の酸化マンガン(Ⅳ)を加えると酸素が発生する。この過程では，酸化マンガン(Ⅳ)は触媒として，過酸化水素水の分解反応を促進させる働きをする。このとき，酸化マンガン(Ⅳ)は酸素の生成量に比例して減少するため，この反応を完結させるためには，酸化マンガン(Ⅳ)を継続的に補充しなければならない。

B：水素と酸素の混合ガスから水を生成する反応は，混合ガス中に適当な触媒を入れて加熱すると速やかに進行する。この反応が速くなるのは，触媒により，触媒がないときの反応経路に比べて活性化エネルギーの低い反応経路が作られるからであるが，反応熱は触媒の有無によって変わることはない。

C：ハーバー・ボッシュ法は，無機水銀を触媒として窒素と水素からアンモニアを合成する方法であり，1960年代までは工業用として広く用いられてきた。しかし，1970年代に触媒と反応物から有機水銀を含む物質ができることがわかったため使用されなくなり，現在，アンモニアは陽極と陰極との間に隔膜を置くイオン交換膜法により合成されている。

	A	B	C
1	正	正	誤
2	正	誤	正
3	誤	正	正
4	誤	正	誤
5	誤	誤	正

実戦問題❸の解説

No.12 の解説　薬品の取扱いと保存法

→ 問題はP.176　正答2

1 ×　ジエチルエーテルと二硫化炭素は，揮発，引火しやすい。

ジエチルエーテル$(C_2H_5)_2O$も二硫化炭素CS_2も，無色の揮発しやすい有毒な液体だが，特有の臭気を持ち，水にはあまり溶けない。

2 ◎　水酸化ナトリウムと水酸化カリウムは，潮解性を示す。

正しい。**潮解性**とは，空気中の水分を吸収し，その吸収した水に溶け込む性質である。

3 ×　赤リンと黄リンは，リンの同素体である。

赤リンは赤褐色であるが，粉末で毒性はほとんどなく，マッチの側薬などに用いられている。**黄リン**は，白色または淡黄色ろう状の固体で，空気中で自然発火し毒性が強い。水中に保存するのは赤リンではなく黄リンである。

4 ×　濃硫酸は，熱すると大変強い酸化力を持つ熱濃硫酸となる。

濃硫酸H_2SO_4は不揮発性で，分解や変色のおそれはあまりないので，取り立てて褐色びんを使用する必要はない。**濃硫酸を水で薄めるときは，多量の熱による沸騰で高温の水が飛び散るのを防ぐため，多めの水の中に，よくかき混ぜながら濃硫酸を少しずつ注ぐ。**

5 ×　フッ化水素はガラスを侵すため，プラスチックボトルに保存する。

フッ化水素HFは無色，刺激臭のある発煙性の液体である。ほかのハロゲン化水素（HCl，HBr，HI）と異なり，常温で液体で存在する。HFそのものも，その水溶液とともに極めて毒性が強い。フッ化水素酸は弱酸である。

No.13 の解説　物質の特性

→ 問題はP.176　正答2

ア：**オキシドールはH_2O_2の水溶液である。**

水溶液が**オキシドール**と呼ばれ，酸化マンガン(Ⅳ)MnO_2を触媒として酸素O_2が発生するのは，**過酸化水素H_2O_2**である。よって，X＝H(水素)である。

イ：**COは有毒ガス，CO_2は光合成の材料である。**

血液中のヘモグロビンとの結合力が強い有毒な気体は，**一酸化炭素CO**である。また，植物の光合成の原料となるのは，**二酸化炭素CO_2**と水H_2Oである。よって，X＝C(炭素)である。

ウ：**SiO_2はすべての岩石に含まれる。**

石英や水晶の成分となる酸化物は，**二酸化ケイ素SiO_2**である。よって，X＝Si(ケイ素)である。

エ：**Cl_2は黄緑色刺激臭の気体である。**

刺激臭があり，酸化力の強い黄緑色の気体は，**塩素Cl_2**である。よって，X＝Cl(塩素)である。

オ：H_2は近年注目の物質である。
亜鉛に希硫酸を作用させて発生する気体は，**水素H_2**である。また，水素が酸素と反応するときに生じるエネルギーを利用したのが，**燃料電池**である。よって，X＝H（水素）である。

したがって，**ア**と**オ**が水素Hに関する記述なので，正答は**2**である。

No.14 の解説　触　媒

→問題はP.177　**正答4**

A× 触媒は，自身が変化しないため，少量加えておけば反応促進が持続する。
酸化マンガン(Ⅳ)MnO_2は，自身が変化することなく，過酸化水素水H_2O_2の分解反応を促進する物質として働く。このような物質を**触媒**という。触媒として働く物質は，その反応の反応速度（活性化エネルギーの量）に影響を与えるだけで，触媒そのものは変化しない。したがって，少量であっても反応終了まで対応できるので，補充する必要はない。

B○ 触媒は，活性化エネルギーを小さくすることで，化学反応を促進する。
正しい。水素と酸素の混合気体は，室温ではほとんど反応しないが，加熱すると爆発的に反応するので，危険である。そこで，ニッケルNiや銅Cuなどの触媒を用いると，安全に，かつ早く反応が進む。この反応に必要な活性化エネルギーは大きいが，触媒が存在すると，活性化エネルギーの小さい別の反応経路を通って反応が進むので，速やかに反応するからである。このように，触媒は活性化エネルギーを小さくする働きがある。また，**反応熱の大きさは，反応前後の物質の種類と状態でのみ決まるので，同じ反応では，触媒の有無にかかわらず同じ値を示す。**

C× ハーバー・ボッシュ法は，空気中の窒素からアンモニアを得る方法である。
ハーバー・ボッシュ法は，窒素と水素を直接反応させてアンモニアを生成する工業的製法であるが，酸化鉄(Ⅲ)Fe_2O_3などを触媒として用いており，現在も広く行われている。水酸化ナトリウムや塩素の優れた製法として，電極に水銀を使用する食塩水の電気分解が長く行われていたが，これもジメチル水銀などの有機水銀が生成されることがわかり，イオン交換膜法に転換されているので，本肢後半はこれについて述べたものだと考えられる。

よって，正答は**4**である。

有機化合物の構造と反応

必修問題

次のA，B，Cに該当する有機化合物の組合せとして最も妥当なのはどれか。

【国家総合職・平成20年度】

A：デンプンを加水分解すると得られる白色粉末である。**単糖類**であり，体内に吸収されるとエネルギー源として利用される。

B：無色で水に溶けにくい芳香族の液体であり，塩基性を示す。無水酢酸を加え反応させると**アセトアニリド**が生成し，この化合物の誘導体は解熱鎮痛剤として用いられる。

C：エタノールを濃硫酸とともに160～170℃で加熱すると得られる気体である。この化合物を付加重合させたものは，ポリ袋やポリ容器などに用いられている。

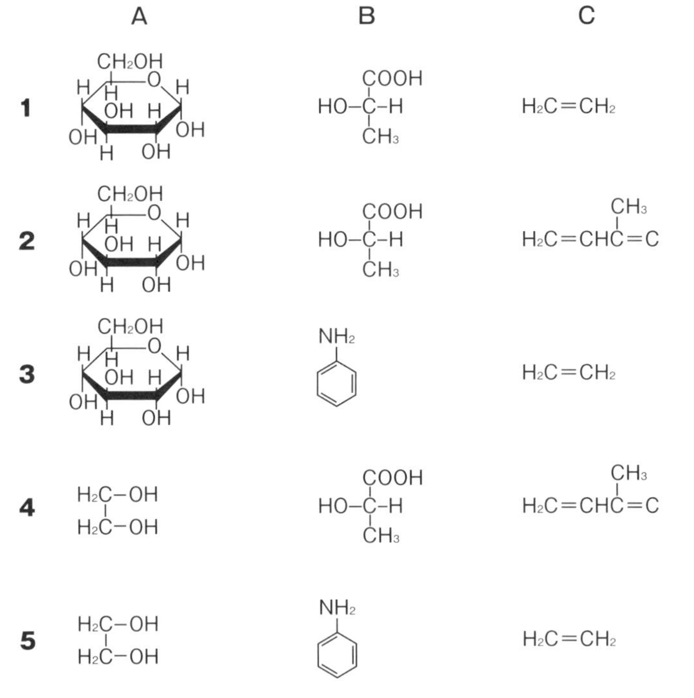

難易度 ＊＊

必修問題の解説

本問では，各選択肢に化学式が与えられているが，それらに対応する物質名は右のようになっている。

ある程度，分子構造を見て物質名がわかるぐらいにはしておくほうがよいだろう。

	A	B	C
1	グルコース	乳酸	エチレン
2	グルコース	乳酸	イソプレン
3	グルコース	アニリン	エチレン
4	エチレングリコール	乳酸	イソプレン
5	エチレングリコール	アニリン	エチレン

A：**グルコース（ブドウ糖）はデンプンの構成要素である。**

デンプンを酵素または希硫酸で加水分解すると得られるのは，**グルコース**（ブドウ糖）である。グルコースは，動植物界に広く分布しており，特に果実中に多く含まれる**単糖類**で，エネルギー源として利用される。デンプンは，数百個以上のα－グルコースがつながっている**多糖類**である。

B：**ベンゼン環を持つ有機化合物を，芳香族という。**

無水酢酸と反応して，アセトアニリドを生じるのは，**アニリン**である。ベンゼン環の炭素原子に**アミノ基**（$-NH_2$）が結合した形の化合物を，**芳香族アミン**といい，アニリンはその最も簡単なもので，代表例である。アニリンは無色で水に溶けにくい液体で，塩基性を示す。アセトアニリドの誘導体であるアセトアミノフェンは，解熱鎮痛剤として用いられている。

C：**ポリエチレンは代表的な合成高分子化合物である。**

エタノールを濃硫酸とともに160～170℃に加熱して得られる気体は，**エチレン**である。エチレンは，分子中に二重結合を１つ持つ鎖式炭化水素である**アルケン**の代表的な化合物で，無色の引火しやすい気体である。水には溶けにくいが，有機溶媒には溶ける。二重結合を持つので反応しやすく，高温高圧，または触媒を作用させると付加重合して，高分子化合物**ポリエチレン**が合成される。ポリエチレンは，ポリ袋などの日用品をはじめ，広く利用されている。

よって，正答は**3**である。

正答 3

FOCUS

有機化合物に関しては，基本的な炭化水素の性質，代表的な官能基とその化合物の性質や反応が重要である。その後で，それぞれの代表的な物質の性質を個別具体的に押さえていくようにしよう。

POINT

重要ポイント1 有機化合物の一般性質

①炭素原子間の共有結合により，**鎖状，環状の基本構造**を作る。
②構成する**元素は少ない**（C，H，N，O，S，P，ハロゲンなど）。
③化合物の**種類は多い**（1000万種以上）。
④**沸点，融点が低い**（300℃以下が大半）。
⑤燃えやすい物質が多い。燃焼すると，多くは**水と二酸化炭素を生じる**。
⑥**水に溶けにくく**，有機溶媒（エタノール，ベンゼンなど）に溶けやすい。
⑦**異性体**（分子式が同じで構造や性質の異なる化合物）を持つものが多い。
異性体には，構造異性体，幾何異性体，鏡像異性体がある。特に鏡像異性体は不斉炭素原子（4つの異なる原子または原子団が結合している炭素原子）を持つ。

重要ポイント2 酸素を含む有機化合物

(1) 官能基による有機化合物の分類

－R，－R′は炭化水素基（*はH－でもよい）

官能基		一般名・一般式		[例]	
ヒドロキシ基	$-OH$	アルコール フェノール類	$R-OH$ $R-OH$ ※1	C_2H_5-OH ⌬－OH	(エタノール) (フェノール)
アルデヒド基[※2]	$-CHO$	アルデヒド	$R-CHO$	CH_3-CHO	(アセトアルデヒド)
ケトン基[※2]	$>C=O$	ケトン	$\genfrac{}{}{0pt}{}{R}{R'}>C=O$	$\genfrac{}{}{0pt}{}{CH_3}{CH_3}>C=O$	(アセトン)
カルボキシ基	$-COOH$	カルボン酸	$^{*}R-COOH$	CH_3-COOH	(酢酸)
ニトロ基	$-NO_2$	ニトロ化合物	$R-NO_2$	⌬－NO_2	(ニトロベンゼン)
アミノ基	$-NH_2$	アミン	$R-NH_2$	⌬－NH_2	(アニリン)
スルホ基	$-SO_3H$	スルホン酸	$R-SO_3H$	⌬－SO_3H	(ベンゼンスルホン酸)
エーテル結合	$-O-$	エーテル	$R-O-R'$	$C_2H_5-O-C_2H_5$	(ジエチルエーテル)
エステル結合	$-COO-$	エステル	$R-COO-R'$	$CH_3-COO-C_2H_5$	(酢酸エチル)

※1　R－は芳香環である。
※2　アルデヒド基とケトン基を総称して，カルボニル基という。

(2) アルコールの特性

①Naと反応して，ナトリウムアルコキシドと水素H_2を生ずる。

$$2CH_3OH+2Na \rightarrow 2CH_3ONa+H_2$$

②**酸化反応**

第一級アルコール $\xrightarrow[\text{酸化}]{(-2H)}$ **アルデヒド** $\xrightarrow[\text{酸化}]{(+O)}$ **カルボン酸**

CH_3CH_2OH　　CH_3CHO　　CH_3COOH

第二級アルコール $\xrightarrow[\text{酸化}]{(-2H)}$ ケトン

$$\begin{matrix}R\\R'\end{matrix}\!\!>CH-OH \qquad \begin{matrix}R\\R'\end{matrix}\!\!>C=O$$

③無機酸やカルボン酸と縮合反応して，エステルを作る（**エステル化**）。

カルボン酸(R−COOH)＋アルコール(R′−OH)→エステル(R−COO−R′)

④分子間に水素結合があるため，比較的沸点が高い。

(3) アルデヒド R−CHO：還元性がある。銀鏡反応やフェーリング反応を示す。

(4) カルボン酸 R−COOH：弱酸性を示す。

(5) フェノール類：水にわずかに溶けて，弱酸性を示す。塩化鉄(Ⅲ)水溶液により，**青紫～赤紫色**の呈色反応をする。

重要ポイント3 油脂（トリグリセリド）

(1) 油脂　$C_3H_5(OCOR)_3$

①**油脂の構造**：グリセリンと高級脂肪酸のエステル。

$C_3H_5(OH)_3 + 3RCOOH \rightarrow C_3H_5(OCOR)_3$

②**油脂の分類**

脂肪：室温で固体の油脂。

脂肪油：室温で液体の油脂。

乾性油：空気中で酸化され，固化しやすい脂肪油。多数の二重結合を持つ脂肪酸からなる。[例] ひまわり油，大豆油

半乾性油：中間的な性質の脂肪油。[例] 綿実油，ごま油，米ぬか油

不乾性油：固化しにくい脂肪油。[例] オリーブ油，落花生油

※**硬化油**：不飽和脂肪酸で構成されている脂肪油にH_2を付加した脂肪。

③**セッケン　3R−COONa**

・**製法**：油脂にNaOH水溶液を加えて加熱（けん化）。

$C_3H_5(OCOR)_3 + 3NaOH \rightarrow C_3H_5(OH)_3 + 3R-COONa$

・**セッケンの乳化作用と界面活性作用**：セッケンは，疎水性部分を内側にして油分を包み，親水性部分を外側にしてコロイド粒子（**ミセル**）を作り，水中に分散させる乳化作用がある。また，表面張力を著しく下げ，繊維の透き間に浸透しやすくする（**界面活性作用**）。

④**合成洗剤（アルコール系，芳香族スルホン酸のNa塩）**

強酸−強塩基より生じた塩で，水溶液は中性であり，硬水中でも沈殿を生じないので，洗浄力がある。

セッケンの分子

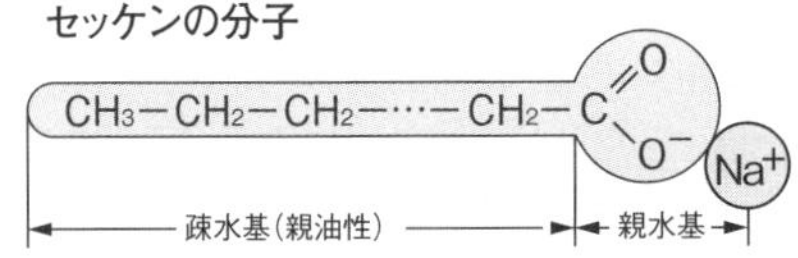

セッケンのミセル

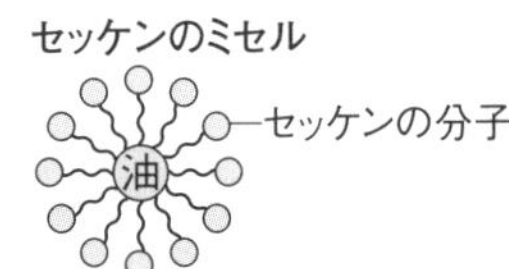

重要ポイント4 天然高分子化合物

(1) デンプン $(C_6H_{10}O_5)_n$ $(n = 250 \sim 10^3)$

①**構造**：多数の α －グルコース分子が脱水縮合して結合した構造。直鎖状の**アミロース**（水に可溶，分子量小）と，枝分かれの多いアミロペクチン（水に難溶，分子量大）の２種類からできている。

デンプン（アミロース）の分子構造

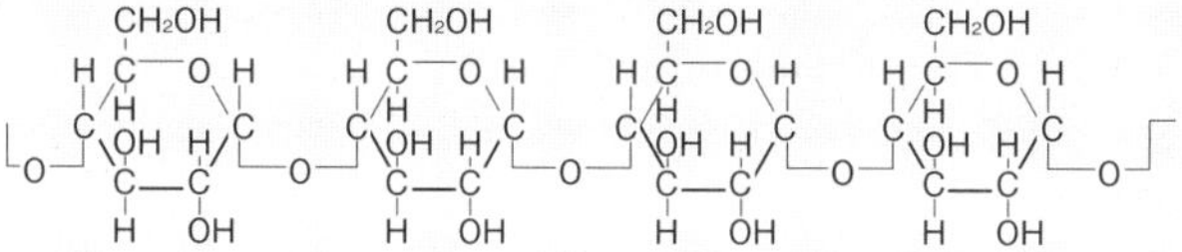

②**性質**：還元性なし。冷水に溶けにくいが，熱水には溶ける。
ヨウ素デンプン反応で青紫～赤褐色を示す。希硫酸と加熱するか酵素により加水分解しデキストリン，マルトースを経てグルコースになる。

③**所在**：光合成で作られ，植物の種子，根，地下茎などに多く存在する。

(2) セルロース $(C_6H_{10}O_5)_n$ $(n \fallingdotseq 5 \times 10^3 \sim 6 \times 10^3)$

①**構造**：多数の β －グルコース分子が脱水縮合して結合した構造。

セルロースの分子構造

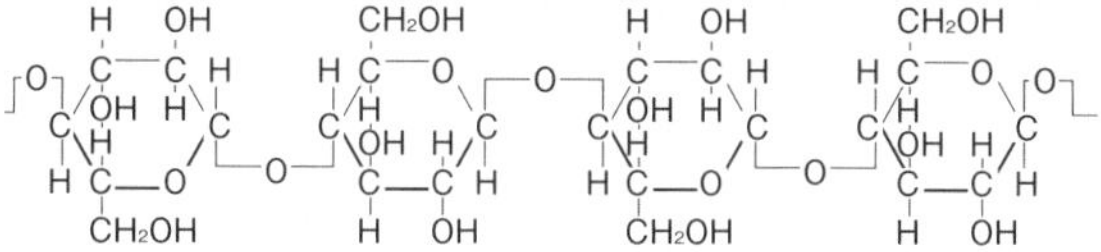

②**性質**：還元性なし。水，エーテル，アルコールなどに溶けない。希硫酸と煮沸するとセロビオース（二糖類，天然にはない）を経てグルコースまで加水分解される。酢酸や硝酸などとエステルを作る。

③**所在**：植物の細胞壁の主成分（植物体の $\frac{1}{3} \sim \frac{1}{2}$）。いわゆる食物繊維の一種。

(3) タンパク質

①**構造**：多種類の**アミノ酸**（$-NH_2$ と $-COOH$ を１分子中に持つ化合物）が脱水縮合して結合（**ペプチド結合**＝アミド結合）した構造（ポリペプチド）。
アミノ酸のみでできている**単純タンパク質**と，糖，色素，核酸を含む**複合タンパク質**（ヘモグロビンなど）がある。**窒素の含有量が多い**（12～20％）。

アミノ酸　　タンパク質

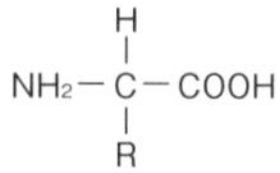

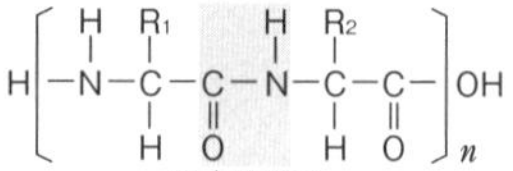

ペプチド結合

②**性質**：水に溶けて，コロイド溶液となる。水溶液を加熱すると凝固する（**変性**）。希酸やNaOH水溶液や酵素（トリプシンなど）で加水分解されアミノ酸になる。

③**呈色反応**

ニンヒドリン反応：ニンヒドリン溶液と加熱（**赤紫**）。アミノ酸の検出。

ビウレット反応：希NaOH水溶液と約１％$CuSO_4$水溶液を加える（**赤紫**）。ペプチド結合の確認ができる。

キサントプロテイン反応：濃硝酸と加熱（**黄色**）。冷却後，アンモニア水を加える（**橙色**）。ベンゼン環を持つアミノ酸（チロシンなど）のニトロ化により起きる。

重要ポイント5 合成高分子化合物

日常生活でよく使われる合成高分子化合物

名称	特徴	用途
ポリエチレン	軽い	軟質：農業用フィルム，袋類 硬質：電線被覆，絶縁材
ポリプロピレン	軽い，熱湯に耐える	ポリバケツ，食品容器など家庭用品全般，カーペット，体育着
ポリスチレン	燃やすと多量のすすを出す	発泡材として梱包材，耐熱材，輸送用容器
ポリ塩化ビニル	燃えにくい，燃やすと塩化水素HClを発生	軟質：ホース，農業用フィルム 硬質：給・排水管などのパイプ類
ビニロン	日本で開発された繊維	衣料（肌着），ロープ
ナイロン6 **ナイロン6,6**	熱に弱い。日本でナイロン6，米国でナイロン6,6を主生産	繊維：各種衣料品，ストッキング 樹脂：歯車類，戸車などの機械部品
ポリエチレンテレフタラート（PET）	強度大きい，染色しにくい	繊維：ワイシャツ，ブラウスなど 樹脂：録音録画用テープ，ボトル
フェノール樹脂（ベークライト）	淡褐色，耐熱性高い	合板製造用，鋳型用の接着剤 電球の口金接着剤
尿素樹脂	無色，耐熱性低い 着色しやすい	化粧合板
メラミン樹脂	無色，耐熱性高い	高級化粧合板
不飽和ポリエステル樹脂	付加重合で網目構造ができ硬化する	化粧合板，汎用FRP用製品として，ヘルメット，ボート，浴槽など

実戦問題 1 基本レベル

＊
No.1 **次の文は，有機化合物および無機化合物に関する記述であるが，文中の空所Ａ～Ｅに該当する語の組合せとして，妥当なのはどれか。**

【地方上級（特別区）・平成20年度】

有機化合物は，主に［ Ａ ］原子を骨格として組み立てられている化合物で，融点と沸点が［ Ｂ ］ものが多く，例としてショ糖や［ Ｃ ］などがある。

有機化合物以外の化合物は無機化合物と呼ばれ，融点と沸点が［ Ｄ ］ものが多く，例として炭酸カルシウムや［ Ｅ ］などがある。

	Ａ	Ｂ	Ｃ	Ｄ	Ｅ
1	炭素	低い	ポリエチレン	高い	塩化ナトリウム
2	炭素	高い	塩化ナトリウム	低い	ポリエチレン
3	窒素	低い	塩化ナトリウム	高い	ポリエチレン
4	窒素	高い	塩化ナトリウム	低い	ポリエチレン
5	窒素	高い	ポリエチレン	低い	塩化ナトリウム

＊＊
No.2 **アルコールに関する記述として，妥当なのはどれか。**

【地方上級（東京都）・平成17年度】

1 アルコールは，分子中のヒドロキシ基が水溶液中で電離するため，アルコールの水溶液はアルカリ性を示す。

2 アルコールは，分子中の炭素数が多くなるほど，沸点が低くなり，また，水に溶けやすくなる。

3 1価アルコールは，分子中のヒドロキシ基が結合した炭素原子に結合している炭素原子の数により，第一級アルコール，第二級アルコールおよび第三級アルコールの3つに分類される。

4 メタノールは，メチルアルコールともいわれ，黄色の液体で，燃料に用いられ，還元されてホルムアルデヒドになる。

5 エタノールは，エチルアルコールともいわれ，有毒の液体で消毒に用いられ，アンモニア性硝酸銀溶液とともに試験管の中で加熱すると，銀鏡反応を示す。

＊＊
No.3 **炭素C，水素H，酸素Oの３種類の元素のみからなる有機化合物44ｇを元素分析するために，酸素を送り完全燃焼させたところ，二酸化炭素CO_2が88ｇ，水H_2Oが36ｇ発生した。このとき，この有機化合物の組成式は以下のように求められる。文中の空欄ア～エに当てはまる数の組合せとして妥当なものはどれか。ただし，原子量はH＝１，C＝12，O＝16とする。**

【地方上級（全国型）・平成27年度】

二酸化炭素CO_2の分子量は，12＋16×２＝44と計算できる。したがって，発生した88ｇは，物質量で［ア］molである。このC原子は有機化合物に含まれていたものなので，有機化合物44ｇの中にC原子は［イ］mol含まれている。同様に，H_2Oの分子量を計算すると，H_2O１分子の中にH原子が２個含まれていることに注意して，有機化合物44ｇの中にH原子が［ウ］mol含まれていることがわかる。ここから，有機化合物の質量の44ｇから，含まれているC原子の質量とH原子の質量を引き算すると，含まれているO原子の物質量が［エ］molとわかり，C，H，Oの物質量の比から，有機化合物の組成式が求められる。

	ア	イ	ウ	エ
1	0.5	0.5	2.0	2.5
2	0.5	0.5	6.0	2.0
3	2.0	2.0	2.0	1.5
4	2.0	2.0	4.0	0.5
5	2.0	2.0	4.0	1.0

＊＊
No.4 **有機化合物の反応に関する記述として，妥当でないのはどれか。**

【地方上級（特別区）・平成23年度】

1 エタノールにナトリウムを加えると，酸素が発生してナトリウムエトキシドが生じる。

2 エタノールを濃硫酸とともに130～140℃に加熱すると，２分子のエタノールから１分子の水が取れてジエチルエーテルを生じる。

3 アセトアルデヒドをアンモニア性硝酸銀溶液に加えて穏やかに加熱すると，銀イオンが還元されて金属銀が析出する。

4 アセトンにヨウ素を加え，さらに水酸化ナトリウム水溶液を反応させると，ヨードホルムの黄色沈殿を生じる。

5 酢酸とエタノールの混合物に少量の濃硫酸を加えて加熱すると，エステル化して酢酸エチルと水が生じる。

No.5 天然高分子化合物に関する記述として最も妥当なのはどれか。

【国家専門職・令和4年度】

1 糖類のうち，グルコースのように加水分解によってそれ以上簡単な糖を生じないものを単糖といい，セルロースのように1分子の糖から加水分解によって2分子の単糖を生じるものを二糖という。さらに，多数の単糖が結合した構造を持つデンプンやコラーゲンなどを多糖という。

2 デンプンには二種類の成分があり，水に溶けやすいアミロペクチンと，水に溶けにくいアミロースからできている。うるち米にはアミロペクチンが，もち米にはアミロースが多く含まれる。デンプンにマルターゼという酵素を作用させると，加水分解されて二糖のグリセリンとなる。

3 核酸にはDNAとRNAの二種類があり，両者に共通の塩基としてアデニン，ウラシル，シトシン，チミンがある。DNAからタンパク質が合成されるときは，二重らせん構造の一部がほどけ，その遺伝情報がRNAに塩基配列の形で伝えられるが，これを翻訳という。

4 アミノ酸は分子内にアミノ基とカルボキシル基を持ち，これらが同一の炭素原子に結合しているアミノ酸をα－アミノ酸という。α－アミノ酸のうち，カゼイン以外は不斉炭素原子を持つため鏡像異性体が存在する。アミノ酸の水溶液にヨウ素を加えて加熱すると，アミノ基と反応して赤紫～青紫色を呈するヨウ素デンプン反応が起こる。

5 酵素は，生体内で起こる化学反応に対し触媒として働くタンパク質である。酵素の働きはpHによって大きく変化し，酵素が最も高い触媒作用を示すpHを最適pHという。多くの酵素は中性付近で最も活性が高くなるが，胃液に含まれるペプシンは強い酸性条件下で最も活性が高くなる。

実戦問題1の解説

No.1 の解説 有機化合物と無機化合物の特徴 → 問題はP.186 正答1

有機化合物は，主に**炭素**（A）原子を骨格として構成される化合物である。構成元素は，炭素C以外に，水素H，酸素O，窒素N，硫黄S，ハロゲンなど十数種類であり，無機化合物と比べると少ない。しかし，**化合物の種類は極めて多い**。

また，有機化合物は分子からできているものが多く，その沸点・融点は大半が300℃以下と，比較的**低い**（B）。加熱すると，沸点・融点に達する前に分解してしまうものもある。

有機化合物には，同じ分子式で表されても，構造が異なるもの（異性体）がある。有機化合物は，異性体を持つものが多く，その構造を明示するため，**構造式**や**示性式**で表されることが多い。ショ糖$C_{12}H_{22}O_{11}$や**ポリエチレン**$[-CH_2-CH_2-]_n$（C）は有機化合物の例である。

有機化合物以外の化合物を，無機化合物という。無機化合物は，有機化合物に比べて沸点・融点が**高い**（D）ものが多い。炭素を含まない化合物は，すべて無機化合物であるが，炭素を含む化合物でも，一酸化炭素CO，二酸化炭素CO_2，炭酸塩（$-CO_3$を含む物質）やシアン化合物（$-CN$を含む物質）などは，無機化合物に分類される。よって炭酸カルシウム$CaCO_3$は，無機化合物に分類される。**塩化ナトリウム**NaCl（E）は炭素を含んでいないので，無機化合物である。

よって，正答は**1**である。

No.2 の解説 アルコールの性質 → 問題はP.186 正答3

1 × アルコールは中性の物質である。
アルコールは水酸基（$-OH$）を持つが**非電解質**なので，水溶液は**中性**である。

2 × Cが増えると沸点は上がり，水に溶けにくくなる。
1価アルコールの沸点は，Cが1個のメタノールCH_3OHが65℃，2個のエタノールC_2H_5OHが78℃，3個の1-プロパノールC_3H_7OHが97℃と，**炭素原子が多いほど高くなる**。逆に，水に対する溶解度は小さくなる。

3 ◎ アルコールには，さまざまな分類がある。
正しい。$-OH$基が結合しているC原子に，**第一級アルコール**では0～1個，**第二級アルコール**では2個，**第三級アルコール**では3個のC原子が結合している。

4 × メタノールを酸化すると，ホルムアルデヒドになる。
メタノールは，無色の**有毒な液体**で，徐々に酸化されると**ホルムアルデヒド**を経て**ギ酸**になる。

5 × アルコールは，銀鏡反応を示さない。
エタノールは，**酒類の主な成分**である無色の液体で，還元性がないので，銀鏡反応は示さない。銀鏡反応は，還元性のあるアルデヒド（$-CHO$を含む物質）およびギ酸HCOOHで起こる反応である。

No.3 の解説　有機化合物の性質（燃焼）

→問題はP.187　**正答5**

炭素Cや水素Hを含んだ物質を完全燃焼させると，CO_2やH_2Oが発生する。このことを，有機化合物に含まれる炭素Cや水素Hの割合を求めるのに利用する。本問で試料として元素分析する有機化合物を，物質Xとする。

STEP❶　炭素Cと水素Hのモル数を求める。

44gのXを完全に燃焼させたとき，Xに含まれるCが変化して，CO_2（分子量＝44）が88g生じている。このCO_2の物質量（モル数）は

$88 \div 44 = 2.0$〔mol〕…（**ア**）

である。よって44gのXには，炭素原子Cが2.0mol（**イ**）含まれている。

同様に，44gのXを完全に燃焼させたとき，Xに含まれるHから，H_2O（分子量＝18）が36g発生している。このH_2Oの物質量（モル数）は

$36 \div 18 = 2.0$〔mol〕

である。よって44gのXには，水素分子H_2が2.0mol含まれている。これは，水素原子Hが4.0mol（**ウ**）だけ含まれているのと同じことである。

STEP❷　xに含まれる酸素Oの質量を求める。

以上より，44gのXに含まれている炭素C（原子量＝12）2.0molと，水素H（原子量＝1）4.0molの質量合計を求めると，

$12 \times 2.0 + 1 \times 4.0 = 28$〔g〕

である。Xに含まれるのは，それ以外では酸素Oのみであるので，44gのXに含まれる酸素原子Oの質量は

$44 - 28 = 16$〔g〕

であり，その物質量（モル数）は，

16g $\div 16 = 1.0$〔mol〕…（**エ**）

である。

STEP❸　炭素，水素，酸素のモル比を求め，組成式を決める。

以上のことより，有機化合物Xに含まれる炭素C，水素H，酸素Oのモル比（＝原子数の比）は

C：H：O＝2：4：1

とわかり，有機化合物Xの組成式はC_2H_4Oである，と判断することができる。

よって，正答は**5**である。

No.4 の解説 有機化合物の反応

→問題はP.187 正答 1

1 × アルコールはナトリウムNaと反応して，水素H_2を発生する。

ナトリウムをアルコールに加えると，水素を発生してナトリウムアルコキシドが生ずる。たとえば，ナトリウムとメタノールだと，ナトリウムメトキシドが生ずるし，ナトリウムとエタノールだと，ナトリウムエトキシドが生ずるといった具合であるから，この部分は正しい。だが発生するのは水素であって酸素ではないので，本肢の記述は妥当ではない。よって，本肢を選ぶべきである。

2 ◎ アルコールは脱水縮合して，エーテルとなる。

正しい。エタノールを濃硫酸とともに130～140℃で熱すると，ジエチルエーテルが生ずる。$2C_2H_5OH \rightarrow (CH_3CH_2)_2O + H_2O$

このように，2つの分子が結合する際に，水のような小さな分子が外れることを**縮合**（特に水が外れる縮合を**脱水縮合**）という。

3 ◎ アルデヒド（アルデヒド基－CHOをもつ物質）は還元性を有する。

正しい。いわゆる**銀鏡反応**である。銀が析出し，試験管内に付着して鏡のように見えることから，そう呼ばれる。銀鏡反応は，**還元性**を持つ**アルデヒド**などで起きる反応である。なお，還元性を持つことを確認する反応としては，ほかに**フェーリング反応**がある。

4 ◎ アセトンやエタノールは，ヨードホルム反応を示す。

正しい。いわゆる**ヨードホルム反応**である。ヨードホルム反応は，右のいずれかの構造を持つ物質でしか起きないことが知られている（Rは水素またはアルキル基）。

```
     H                    H
     |                    |
H — C — C — R        H — C — C — R
     |    ||              |    |
     H    O               H    OH
```

5 ◎ エステル化は，ヒドロキシ基とカルボキシ基から水が取れる反応である。

正しい。**エステル化**とは，**カルボン酸＋アルコール**（またはカルボン酸＋フェノール）**が起こす脱水縮合反応**（選択肢**2**の解説参照）である。このようにしてできた物質を，**エステル**という。

No.5 の解説　天然高分子化合物

→問題はP.188　正答5

1 ×　糖は，単糖，二糖，多糖に分けられる。

単糖，二糖，多糖に関する説明はいずれも正しいが，例示が誤っている。セルロースは多糖であり，コラーゲンはタンパク質の一種であり糖ではない。グルコース（ブドウ糖），フルクトース（果糖）が単糖，スクロース（ショ糖），マルトース（麦芽糖）が二糖である。また，肢2のアミロースやアミロペクチンは，多糖である。

2 ×　デンプンは，アミロースとアミノペクチンから成る。

アミロペクチンとアミロースが逆である。アミロースは水にわずかに溶けるが，アミロペクチンは溶けない。いずれもグルコースが鎖状に連なった高分子化合物であるが，アミロースは直鎖状であまり粘りがなく，アミロペクチンは枝分かれが多く粘りが強いという特徴がある。うるち米（普通の米，ジャポニカ米）はアミロペクチンが約80％でアミロースが約20％，もち米はアミロペクチン100％である。インディカ米にはアミロースが30～40％含まれ，うるち米よりもパサパサしている。デンプンにマルターゼを作用させると，二糖のマルトース（麦芽糖）になる。グリセリンはアルコールの一種で，ここでは無関係である。

3 ×　チミンはDNA，ウラシルはRNAにのみ含まれる。

DNAとRNAに共通の塩基はアデニン，シトシン，グアニンで，残る一つはDNAがチミン，RNAがウラシルなので誤り。また，DNAの遺伝情報がRNAに写し取られることは転写と呼ばれる。翻訳は，RNAに写し取られた塩基配列をアミノ酸配列に変換し，タンパク質を合成する作用をさす。

4 ×　グリシン以外のα－アミノ酸は，不斉炭素原子を持つ。

α－アミノ酸のうち，グリシンのみは不斉炭素原子（4本の結合手すべてに異なる原子や原子団が結合した炭素C原子）を持たず，鏡像異性体が存在しないが，それ以外のα－アミノ酸はすべて不斉炭素原子を持つので，鏡像異性体が存在する。また，ヨウ素デンプン反応は，アミノ酸には関係なくデンプンで起こる反応で，常温では赤紫～青紫色を呈するが熱すると無色になる。カゼインは，牛乳に多く含まれるタンパク質の一種である。

5 ◎　酵素の働きは，温度やpHに大きく左右される。

酵素の働きは温度やpHに影響を受け，酵素が最もよく働く温度（最適温度）はどの酵素でもほぼ同じだが，最適pHは身体のどの部位で働く酵素かによって異なる。ほとんどの酵素は中性～弱塩基性（pH7～8程度）が最適であるが，胃液は強酸性なのでペプシンはpH2が最適である。

実戦問題2　応用レベル

＊＊
No.6　次の有機化合物Ⅰ，Ⅱと，それらの構造式ア～オを正しく組み合わせているのはどれか。

【国家一般職・平成18年度】

Ⅰ：この物質は，サリチル酸，ピクリン酸など，多くの有機化合物の原料となる。また，水に少し溶け，水溶液は弱い酸性を示す。この物質とホルムアルデヒドを縮合重合させると，立体網目構造を持つ熱硬化性樹脂が得られる。

Ⅱ：この物質は，古代からデンプンや糖を酵母を用いて発酵させて作られてきた。工業的には，リン酸触媒の存在するところでエチレンに水蒸気を付加反応させて作られる。

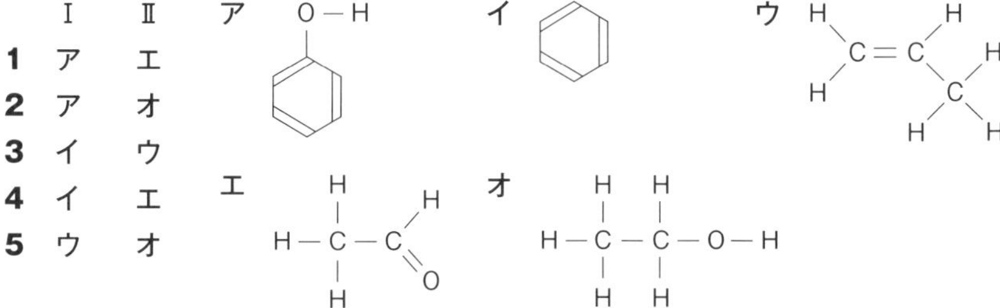

	Ⅰ	Ⅱ
1	ア	エ
2	ア	オ
3	イ	ウ
4	イ	エ
5	ウ	オ

＊＊
No.7　油脂に関する次の記述のア～エに当てはまる語句の組合せとして最も妥当なのはどれか。

【国家専門職・平成19年度】

ゴマ油やバターの主成分である油脂は，［ア］と脂肪酸によるエステルであり，ラード（豚脂）のように常温で固体の脂肪とゴマ油のように常温で液体の脂肪油に大別される。脂肪油にニッケルを触媒として水素を付加させると固化し［イ］となるが，これはマーガリンなどの原料として用いられる。

脂肪は，炭化水素基に二重結合を持たない［ウ］を多く含み，また，脂肪油は，炭化水素基に二重結合を持つ［エ］を多く含む。たとえば，リノール酸や魚油に多く含まれ神経系の発達を促すといわれているドコサヘキサエン酸（DHA）は［エ］である。

	ア	イ	ウ	エ
1	エチレングリコール	硬化油	飽和脂肪酸	不飽和脂肪酸
2	エチレングリコール	乳化剤	不飽和脂肪酸	飽和脂肪酸
3	グリセリン	硬化油	飽和脂肪酸	不飽和脂肪酸
4	グリセリン	硬化油	不飽和脂肪酸	飽和脂肪酸
5	グリセリン	乳化剤	不飽和脂肪酸	飽和脂肪酸

No.8 ＊＊ **有機化合物に関する記述A～Dのうち，妥当なもののみをすべて挙げているのはどれか**

【国家専門職・平成17年度】

A：鎖状の炭化水素の水素原子がヒドロキシ基（ヒドロキシル基）−OHに置き換わった化合物をアルコールという。その一つであるエタノールは無色の液体で，デンプンを発酵させると生成される。

B：アルデヒド基−CHOを持つ化合物をアルデヒドという。その一つであるホルムアルデヒドは刺激臭を持つ無色の気体であり，その水溶液はホルマリンと呼ばれ，生物標本に使われる。

C：カルボキシ基（カルボキシル基）−COOHを持つ化合物をケトンという。その一つである酢酸は刺激臭を持つ黄色の液体で，一般に食酢には酢酸が10％程度含まれている。

D：ベンゼン環を持つ化合物を脂肪族炭化水素という。その一つであるナフタレンは農薬や防虫剤に用いられているが，水によく溶けるため，水質汚染などの環境問題を引き起こしている。

1　A，B　**2**　A，C　**3**　A，D
4　B，C　**5**　B，D

No.9 ＊＊ **タンパク質に関する記述として，妥当なのはどれか。**

【地方上級（特別区）・平成14年度】

1　タンパク質は，多数のアミノ酸が，カルボキシ基とアミノ基との間で脱水縮合したペプチド結合でつながった高分子化合物である。

2　タンパク質は，ヨウ素ヨウ化カリウム水溶液を加えると，ビウレット反応を示し，青紫色になる。

3　タンパク質は，フェノールフタレイン液を加えると，キサントプロテイン反応を示し，赤紫色になる。

4　タンパク質は，水に溶かすと疎水コロイドになり，この水溶液を加熱すると凝固・沈澱するが，アルコールを加えると溶解する。

5　タンパク質は，アミラーゼおよびマルターゼの２種類の酵素によってアミノ酸に加水分解される。

No.10（＊＊） **身近に利用されている化学物質に関する記述として最も妥当なのはどれか。**

【国家専門職・平成20年度】

1 アスパルテームは，天然のアミノ酸であるアスパラギン酸とフェニルアラニンとが結合した構造を持つ，常温では白い結晶性の粉末である。砂糖によく似た味をしているが，低カロリーで，虫歯の原因にならないとされているため，人工甘味料として食料品に広く添加されている。

2 天然ガスは，地層に含まれる水に溶けた状態で存在している。南関東一帯のガス田では，メタンが主に発生する。メタンは，無色透明，無臭で，比重は空気より重いため，地質調査などのボーリングの際に地上に湧出すると，地表面に滞留しやすい。

3 デンプンとセルロースは，共にグルコースが重合した高分子であるが，結合方法が異なるため異なった性質を示す。セルロースは加水分解しやすく還元性を示す。デンプンは植物細胞壁に多く存在し，温水や多くの溶媒に対して溶けにくい。

4 バイオマスプラスチックは，生分解性プラスチックともいい，主に植物に含まれる糖を原料として生産される。微生物によって合成・分解されるため，製造コストが低く，安全性にも優れているが，大気中の二酸化炭素を増加させることが問題となっている。

5 ポリアクリル酸を架橋した高分子は，分子中に親水性のアルキル基を持つため，水と接触すると短時間に吸水して数百倍にも膨らむ。この性質は，紙おむつに応用されている。また，吸水された水は圧力を加えると容易に溶出するため，砂漠の緑化のための保水剤として利用できる。

実戦問題2の解説

No.6 の解説　有機化合物の特性と構造　→問題はP.193　正答2

Ⅰの物質は**フェノール**C_6H_5OHであり，その構造式は**ア**である。有毒で特有の臭気を持つ無色の結晶である。**水に溶け酸性を示す**。アルコールやエーテルにはよく溶ける。空気中に放置すると赤く変わる。フェノールとホルムアルデヒドを縮合重合させると，フェノール樹脂が得られる。

Ⅱの物質は**エタノール**C_2H_5OHであり，構造式は**オ**である。グルコース（ブドウ糖）やフルクトース（果糖）の水溶液に酵母を加えて発酵させると生じる。これを**アルコール発酵**といい，酒類の製造に利用されている。また，地球温暖化防止が期待されるとして，**バイオエタノール**が注目されている。近年の法改正により，対応車両に限り自動車のガソリンに10%までのエタノールの混入が許されるようになった（E10ガソリン）。

なお，ほかの構造式は，**イ**がベンゼン，**ウ**がプロペン（プロピレン），**エ**がアセトアルデヒドである。よって，正答は**2**である。

No.7 の解説　油脂の成分と特性　→問題はP.193　正答3

油脂は，**グリセリン（ア）**と炭素数の多い**高級脂肪酸とのエステル**である。常温で固体の脂肪と，液体の脂肪油に大別される。綿実油や魚油のような脂肪油に，水素を吹き込んで反応させると，ゼリー状または固体の脂肪が生成する。このように，脂肪油に水素を付加して固くした脂肪を**硬化油（イ）**という。硬化油は，マーガリンやショートニングオイルなどに用いられている。

脂肪は，パルミチン酸$C_{15}H_{31}COOH$やステアリン酸$C_{17}H_{35}COOH$のように，炭化水素基に二重結合を持たない**飽和脂肪酸（ウ）**を多く含み，脂肪油は，リノール酸$C_{17}H_{31}COOH$やリノレン酸$C_{17}H_{29}COOH$のように，炭化水素基に二重結合を持つ**不飽和脂肪酸（エ）**を多く含んでいる。

ドコサヘキサエン酸（DHA）は，不飽和脂肪酸の一つで，6つの二重結合を持つカルボン酸の総称である。魚油に多く含まれ，摂取することで「健康になる」または「頭がよくなる」として，サプリメントや菓子などに添加されているが，その効能については不明な点も多い。

よって，**3**が正答である。

No.8 の解説　有機化合物の特性

→ 問題はP.194 **正答 1**

A ○ エタノールは，酒に含まれる「アルコール」である。
正しい。エタノールは，デンプンなどの糖類を**酵母**などにより発酵させて生成する。これを**アルコール発酵**という。

B ○ アルデヒドは還元性を持ち，銀鏡反応を示す。
正しい。**アルデヒドは還元性がある**。**ホルムアルデヒドの約40%水溶液がホルマリン**で，生物標本などの防腐剤として利用されている。

C × 代表的なカルボン酸は，酢酸やギ酸である。
カルボキシ基を持つ化合物は**カルボン酸**である。酢酸は刺激臭のある無色の液体で，**食酢は約３～５%の酢酸水溶液**である。

D × ベンゼン環を含む有機化合物は，特有の芳香をもつことが多い。
ベンゼン環を持つ化合物は，芳香族炭化水素である。**ナフタレン**は，芳香族炭化水素の一種で，無色の板状結晶である。**昇華しやすいが，水には溶けにくい**。染料などの製造および防虫剤に用いられる。

よって，妥当なもののみを挙げているのは肢**1**である。

No.9 の解説　タンパク質の性質

→ 問題はP.194　**正答 1**

1 ◎ **アミノ酸が数万～数十万結合するとタンパク質と呼ばれる。**

正しい。約500種類の**アミノ酸**があり，このうち22種類が多数結合したものを**タンパク質**と呼ぶ。なお，結合個数が少ないものはタンパク質ではなく**ポリペプチド**と呼ぶが，タンパク質とポリペプチドでアミノ酸の個数について明確な基準があるわけではない。

2 × **ヨウ素で呈色するのはデンプンである。**

ヨウ素ヨウ化カリウム溶液を加えて青紫色になるのは，デンプンの検出反応（**ヨウ素デンプン反応**）である。**ビウレット反応**はタンパク質やポリペプチドを検出する反応である。

3 × **キサントプロテイン反応が起こると，黄色を呈色する。**

フェノールフタレインはpH指示薬であり，溶液が塩基性であれば赤色になる。**キサントプロテイン反応**は，試料に硝酸HNO_3を加えて加熱すると黄色を呈し，さらに冷却しアンモニアを加えると橙赤色を呈するという反応で，アミノ酸やタンパク質にベンゼン環が含まれるとこの反応が起こる。

4 × **タンパク質は親水コロイドになる。**

タンパク質は親水コロイドであり，少量の電解質では沈殿しないが，多量の電解質を加えると沈殿する（**塩析**）。また，加熱したり，アルコールを加えると，立体構造の変化やペプチドの切断などが起こり，凝固して沈殿する（**タンパク質の変性**）。

5 × **アミラーゼとマルターゼは，炭水化物の消化酵素である。**

アミラーゼはデンプン（アミロース＋アミロペクチン）をマルトース（麦芽糖）に分解する酵素，**マルターゼは**マルトースをグルコース（ブドウ糖）に分解する酵素である。

No.10 の解説 身近で利用されている化学物質

→ 問題はP.195 正答 1

1 ◎ 人工甘味料にはほかに，スクラロースなどがある。

正しい。アスパルテームは**低カロリーの人工甘味料**で，スクロース（ショ糖，いわゆる砂糖）の約160倍の甘さを持つ。

2 × ガス管で供給される都市ガスの主成分はメタンである。

天然ガスはメタンを主成分とし，そのほかに低分子のアルカン（エタンやプロパン）を含んでいる。石油とともに産出することが多い。メタンや低分子のアルカンは水に溶けにくい。また，メタンは無色で無臭の気体であるが，分子量は16で空気よりも軽い。

関東地方の南部の地下には，約250～40万年前に海底に堆積した地層が分布しており，この地層の透き間にある地下水に天然ガスが溶けている。メタンは地下の高い圧力によって水に溶けているが，大気圧ではほとんど水に溶けない。そのため，この地下水を地上にくみ上げると自然に水からメタンガスが分離するので，東京都内などにある地下1000～2000m程度から温泉をくみ上げている温泉施設では，温泉と天然ガスを分ける装置が設置されている。

3 × セルロースは，食物繊維とも呼ばれる炭水化物の一種である。

デンプンもセルロースも，グルコース（ブドウ糖）が縮重合した高分子化合物である。デンプンはα－グルコース，セルロースはβ－グルコースというグルコースの立体異性体からできている。デンプンは，水には溶けないが，熱水には溶ける場合がある。**植物の光合成**で作られ，種子や根や地下茎などに蓄えられている。加水分解すると，最終的にグルコースになる。還元性はない。セルロースは植物の**細胞壁の主成分**で，デンプンよりも加水分解されにくく，還元性もない。よってデンプンとセルロースの記述が逆である。

4 × バイオマスプラスチックは，環境に優しいといわれている。

バイオマスプラスチック（バイオプラスチック）とは，植物性のエネルギー資源（バイオマス）から作られるプラスチックである。微生物によって二酸化炭素と水に分解されるものが多く，そのようなものは**生分解性プラスチック**ともいう。ただし，バイオマスプラスチックにも生分解性プラスチックでないものがあるし，逆に生分解性プラスチックがすべてバイオマスプラスチックというわけでもない。いったん固定された植物組織から作られるため，燃やしても地上の二酸化炭素の増減に影響を与えない（**カーボンニュートラル**）。ただし，石油原料のプラスチックに比べて，製造コストが高い。

5 × 高吸水性樹脂が吸水した水は，植物の根に容易に吸収される。

高吸水性樹脂（**吸水ポリマー**）は，その分子中に親水性の－COONaが多く存在し，これにより多量の水を取り込むことができる。しかし，圧力をかけても，容易には離水しにくい。

時事・環境・化学全般

必修問題

環境化学に関する記述として最も妥当なのはどれか。

【国家専門職・平成21年度】

1 地球温暖化とは，太陽から放射された赤外線が，地表に達する前に二酸化炭素などの温室効果ガスに吸収され熱エネルギーとして蓄えられることにより，大気温が高まる現象である。温室効果ガスのうち，**メタン**は二酸化炭素の約1万倍の温室効果があり，地球温暖化への寄与率が最も高いといわれている。

2 酸性雨とは，通常は弱アルカリ性を示す雨に，化石燃料の燃焼などに由来する硫黄酸化物や窒素酸化物が溶け，強い酸性になった雨のことである。このうち硫黄酸化物は**ノックス**とも呼ばれ，酸性雨の原因として最も問題になるのは，**一酸化硫黄**である。

3 フロン類は，塩化水素にフッ素が結合した化合物の総称である。毒性が強いため取扱いに注意を要し，また，反応性が極めて高いため，成層圏に存在するオゾンと反応して，生物に有害な紫外線を吸収しているオゾン層を破壊する。

4 ダイオキシン類は，廃棄物の焼却工程などから発生する**有機塩素化合物**で，なかには急性毒性，発がん性を示すものがある。化学的に安定であるため，環境中に放出されると長期間分解されず，また，脂溶性のため体内の脂肪組織に蓄積されやすい。

5 水質汚濁で問題となる重金属として，水銀，六価クロム，**マグネシウム**などがある。マグネシウムには発がん性があり，また，人体に多量に摂取されると骨軟化症や腎臓障害を起こす。工場排水などに含まれる重金属を除去するには，硫酸などを用いて重金属をイオン化するのが有効である。

難易度 ＊＊＊

必修問題の解説

環境に影響を与える物質に関する問題。地球温暖化だけでなく，フロンによるオゾン層破壊，環境ホルモンによる障害なども，人類にとっては喫緊の課題である。

1 × 温室効果ガスは地球放射を吸収する。

大気中の二酸化炭素CO_2などの温室効果ガスは，太陽光線は透過させるが，**地表から放射される赤外線を吸収する性質**がある。このため，熱エネルギーが大気中に蓄積され，大気温の上昇が起こるといわれている。温室効果ガスには，CO_2以外にもメタンCH_4，一酸化二窒素N_2O，フロンなどがある。温室効果は，**CH_4はCO_2の21倍**，N_2OはCO_2の310倍，フロンなどはCO_2の数百から数万倍あるといわれているが，それぞれの**大気中での存在量および人間の活動による排出量はCO_2が圧倒的に多い**ため，CO_2が地球温暖化の主原因と考えられている。

2 × **硫黄酸化物＝ソックス，窒素酸化物＝ノックス**

通常の雨でも，**大気中の二酸化炭素CO_2が溶け込むため，pH5.6～7.0の弱酸性を示す**。**酸性雨とは，pH5.6未満の雨**のことで，硫黄酸化物（ソックス）（SO_x）がオキシダントや酸素と反応して硫酸となり，窒素酸化物（ノックス）（NO_x）が硫黄酸化物と同様に酸化され，硝酸となる。**窒素酸化物や二酸化硫黄が，酸性雨の主要因**である。

3 × **フロンは無色無臭無毒不燃性で反応性が低いが，オゾン層を破壊する。**

オゾン層は，生物にとって有害な紫外線（C波）を吸収する役割を果たす。そのオゾン層のオゾンを破壊するフロン類は，メタン等の**炭化水素のH原子をClとFで置換してできた化合物**の総称である。不燃性で**無毒**，**化学的に安定な化合物**で，冷媒やエアロゾル噴霧剤，消火剤，ウレタンフォーム発泡剤など，広く利用されていた。しかし，オゾン層破壊の原因であることがわかってから，主なフロンは生産禁止になり，**代替フロン**の開発が進められている。

4 ◎ **ダイオキシン類はいわゆる環境ホルモンである。**

正しい。外因性内分泌攪乱化学物質（いわゆる**環境ホルモン**）の一つで，ポリ塩化ジベンゾパラジオキシン（PCDD）とポリ塩化ジベンゾフラン（PCDF）の総称である。**発がん性や催奇形性や生殖障害など，さまざまな毒性がある**といわれている。

5 × **マグネシウムは軽金属で発がん性もない。**

水質汚濁にかかわる重金属としては，カドミウム，鉛，六価クロム，水銀，セレンなどがある。**マグネシウムは密度1.74g/cm^{3}で，重金属（密度が4.0g/cm^{3}以上の金属）ではない**。発がん性があり，人体に多量に摂取されると骨軟化症や腎臓障害を引き起こすとされているのは，**カドミウム**である。工業廃水などに含まれる重金属を除去する方法は，研究開発が進んでいるが，一般的には**水に溶けにくい硫化物などの化合物の形にして回収する方法**がとられている。

「イオン化する≒溶ける」だから，本肢の記述はむしろ逆である。

正答 4

FOCUS

本問のような環境問題に直結する物質だけでなく，人体に影響を与える物質や，日本の経済・産業に影響を与える物質なども，特に世間で話題になっているものがあれば，対策本に出ているか否かにかかわらず，チェックしておくべきであろう。

POINT

重要ポイント1 主な環境汚染

(1) 大気の汚染

①**硫黄酸化物SO*x***：「ソックス」ともいう。硫黄分が含まれている重油やガソリンなどが燃焼するとSO_xを発生し，これが酸性雨の原因となる。

②**窒素酸化物NO*x***：「ノックス」ともいう。自動車などで軽油やガソリンを高温で燃焼させると空気中のN_2とO_2が反応しNO_xを生じ，これが酸性雨の原因となる。

③**浮遊粒子状物質(SPM)**：大気中に浮遊している粒子状物質(PM)のうちで，粒径が10μm以下のものとされている。大気汚染物質の一つである。工場のばい煙，ディーゼル車の排ガスに含まれるもののほか，火山活動や森林火災など自然現象よるものもある。肺がん，呼吸器疾患，花粉症などとの関連が指摘されている。2.5μmより小さいものは，**PM2.5**と呼ばれ，特に西日本で被害が報告されている。

(2) 酸性雨（酸性降下物）

大気中の**SO*x***や**NO*x***が溶け込み，水素イオン指数**pHが5.6より小さくなった雨，雪，霧など**をいう。通常の雨は大気中の二酸化炭素CO_2が溶けているため非常に弱い酸性で，十分に二酸化炭素が溶け込んだ場合のpHが5.6程度であるため，これよりも酸性が強くなると酸性雨と呼ばれる。

※**酸性雨による被害**：湖沼が酸性化し，魚の生息を侵す。
石灰質の建造物や石像を溶解する。森林を破壊する。

(3) 温室効果による地球の温暖化

石油など，化石燃料の大量使用により，大気中のCO_2が増加することなどで起こると考えられている。CO_2の大量吸収源である海洋や熱帯雨林等によるCO_2吸収量が，海水温の上昇や森林の砂漠化が進んだために減少し，地球の温暖化を一層進めていると見られる。

※**温室効果の理由**：CO_2などの温室効果ガスは，太陽光線を透過させるが，地表から放射される赤外線を吸収する性質がある。

(4) オゾン層の破壊

地上から10〜50kmにある**オゾン層**は，生物にとって有害な紫外線（C波）を吸収する役割を果たしているが，大気中に放出された**フロン**などによりオゾン層が破壊され，南極上空に**オゾンホール**が発見されている。

フロンは炭化水素のHをClとFで置換してできた化合物の総称である。塩素Clを含んだフロン類（**特定フロン**）は，先進国では20世紀中に生産が中止された。**代替フロン**としてHFC（ハイドロフルオロカーボン）などが開発されたが，HFCも温室効果が問題視され，より安全なものの開発が進められている。

成層圏に入ったフロンは光解離し，オゾンO_3を破壊する。そのため有害な紫外線（C波）が地表に到達してしまう。

[例] $CCl_2F_2 \rightarrow CClF_2 + Cl$，$Cl + O_3 \rightarrow ClO + O_2$

実戦問題1　基本レベル

No.1 ＊＊ **燃料の製法およびその利用に関する記述として最も妥当なのはどれか。**

【国家総合職・平成18年度】

1　軽油は，原油の分留における留出油の中で最も沸点が低く，分留過程において精留塔の一番下部で凝縮する。主にディーゼルエンジンの燃料として用いられるが，ディーゼルエンジンの排ガスには窒素酸化物や粒子状の大気汚染物質が含まれることから，軽油中の窒素分を低減させるための技術開発が進められている。

2　天然ガスは，石炭，石油と比較して，同じエネルギーを得ることに伴い発生する二酸化炭素の量が多い。天然ガスのうち，メタンを常温下で圧縮して液体にした液化石油ガス（LPG）は都市ガスや化学工業の原材料に用いられ，プロパンやブタンを加圧・冷却して液化した液化天然ガス（LNG）は家庭用や工業用燃料に用いられる。

3　アルコールのうちメタノールとエタノールは，どちらもサトウキビやトウモロコシなどを原料としたアルコール発酵やリン酸触媒を用いてエチレンから工業的に製造されている。ブラジルやアメリカ合衆国などでは自動車用燃料にアルコールが使用されているが，わが国においてはエンジンや燃料系の部品を腐食・劣化させるおそれがあるため，濃度にかかわらず使用が禁止されている。

4　ウランは天然に存在する元素の中で最も原子量が大きい物質である。原子力発電はウランなどの核分裂で生じるエネルギーで水蒸気を発生させ，タービンを動かして発電する方法である。原子力発電では二酸化炭素は排出されないが，放射性物質が人体に有害であることから，廃棄物の安全処理や地震・事故の際の放射性物質の漏えい防止などの課題がある。

5　石炭は，太古の植物やプランクトンが地中で加圧され変質して生じた可燃性の岩石であり，世界の主要石炭層は中生代白亜紀の地層に分布している。わが国では1960年代以降，一次エネルギー総供給に占める石炭のシェアは低下してきたが，石油危機を契機に石炭の液化・ガス化技術の開発が進み，現在では石炭の液化油が一次エネルギー総供給の約２割を占めるに至っている。

◆ No.2（＊＊＊） 物質の構成や変化に関する記述として最も妥当なのはどれか。

【国家専門職・平成24年度】

1 酸化還元反応によって発生するエネルギーを電気エネルギーとして取り出す装置を電池という。マンガン乾電池のように充電による再使用ができない電池を一次電池，車のバッテリーに使われる鉛蓄電池のように充電により再使用ができる電池を二次電池（蓄電池）という。

2 物質の最小構成単位の個数をそろえて表した量は物質量と呼ばれ，モル〔mol〕という単位で表される。1 mol当たりの原子の数（6.02×10^{23}/mol）をファラデー定数といい，物質1 mol当たりの質量はどの物質でも6.02×10^{-23} gと一定である。

3 分子を構成する原子は，価電子を互いに共有することで安定な電子配置となり，結合ができる。鉄や銅などの金属では，原子が出した価電子が特定の原子間に固定され，原子間で価電子が共有されることにより強力な結合となる。これを金属結合という。

4 ある物質が水に溶け，陽イオンと陰イオンに分解されることを電気分解といい，外部から電気エネルギーを加えて自発的には起こらない酸化還元反応を起こさせることを電離という。また，電気分解される塩化ナトリウム，アルコールおよびグルコース等の物質を電解質という。

5 中性子の数が等しくても陽子の数が異なる原子は互いに同位体（アイソトープ）と呼ばれており，質量は同じであるが化学的な性質はまったく異なる。同位体の中には放射線を出す放射性同位体（ラジオアイソトープ）があり，年代測定や医療などに利用されている。

No.3（＊＊） 化学者に関する記述として，妥当なのはどれか。

【地方上級（東京都）・令和元年度】

1 ドルトンは，元素の周期律を発見し，当時知られていた元素を原子量の順に並べた周期表を発表した。

2 カロザースは，窒素と水素の混合物を低温，低圧のもとで反応させることにより，アンモニアを合成する方法を発見した。

3 プルーストは，一つの化合物に含まれる成分元素の質量の比は，常に一定であるという法則を発見した。

4 ハーバーは，食塩水，アンモニアおよび二酸化炭素から炭酸ナトリウムを製造する，オストワルト法と呼ばれる方法を発見した。

5 アボガドロは，同温，同圧のもとで，同体積の気体に含まれる分子の数は，気体の種類により異なるという説を発表した。

＊＊＊
No.4 **わが国における考古学，歴史学上の遺物の材料，保存状況や科学的分析に関する次の記述のうち，最も妥当なのはどれか。**

【国家総合職・平成15年度】

1 銅・スズなどの合金である青銅は，銅剣や銅鐸に用いられていたが，この合金は，純粋な銅よりも硬く，融点が低く，鋳造しやすい性質があり，また，鉄と比べても融点が低い。

2 漆器に用いられるウルシは，植物の樹皮から抽出して得られる無機化合物を主成分とし，水と反応して硬化し，また，いったん硬化すると紫外線や化学物質に強いため，漆器の破片は遺物として残っていることが多い。

3 出土した木材やその炭化物が生成した年代を調べるための放射性炭素^{14}Cを用いた分析は，植物中の^{14}C濃度が，植物が切り倒されてから測定時までの年数に比例して増加することを利用して行われる。

4 人間・動物の骨や歯はカルシウム分を含んでおり，わが国では酸性の火山灰が多いため堆積した火山灰の中に残っている場合が多いが，石灰岩地帯では土壌と化学反応を起こしてしまい残りにくい。

5 勾玉等の装身具に用いられた翡翠(ひすい)はマツ属植物の樹脂の化石であって，熱に弱い性質があり，また，矢じり等の石器に用いられた黒曜石はダイヤモンドの同素体として知られており，割れにくい性質がある。

＊＊＊
No.5 **わが国における資源の再利用に関する次の記述のうち，妥当なのはどれか。**

【地方上級（全国型）・平成25年度】

1 紙の原料は主として石油由来のナフサであるが，最近では古紙の再利用が進んでいる。日本の古紙再生率は先進国の中でも高いほうである。

2 鉄は鉱石を電気分解することで得られ，アルミニウムは鉱石を還元することで得られる。アルミ缶・スチール缶の再利用はかなり進んでいる。

3 プラスチックは基本的に自然界では分解されず，またダイオキシンなどの有害物質の発生源になりうる。プラスチックは種類別に回収されており，たとえばPETは溶解して再利用される。

4 携帯電話などの家電製品の内部にはレアメタルが使われており，使用済みの家電製品は都市鉱山と呼ばれている。金やレアメタルは酸に溶けやすいという性質を利用して回収されて再利用される。

5 普通のガラス（ソーダガラス）は二酸化ケイ素，石灰石，塩化ナトリウムを混合して溶かし合わせて作られる。ガラスびんの再利用はかなり進んでいる。

実戦問題1の解説

No.1 の解説　燃料の製法と利用法　→問題はP.203　正答4

1 × 原油の精製においては，沸点の高い成分ほど精留塔の下部にたまる。

軽油は**沸点が高い**ので，精留塔の下部にたまる。ディーゼルエンジンの排ガスに含まれる窒素酸化物は，空気中の窒素に由来する。軽油中に**微量に含まれる硫黄分**は，燃焼によって硫黄酸化物SOxとなり，排ガス後処理装置として粒子状物質や窒素酸化物NOxを取り除くために用いられる触媒を覆い，性能を低下させる。**軽油の低硫黄化**は，粒子状物質やNOx低減の対策となるとともに，酸性雨の防止にもなる。

2 × 天然ガスは都市ガスやLPガスの原料である。

メタンを加圧冷却して液化したものが液化天然ガス(LNG)で，都市ガス，化学工業用の原材料として使用される。また，**プロパン・ブタンは常温下で圧縮して，簡単に液化できる**ので，これをガスボンベなどに詰め，家庭用，工業用の燃料として使用する。これが**液化石油ガス(LPG)**である。また，天然ガスの成分分子の炭素数は1～4個で，石油（5～22個）や石炭の成分分子と比べて炭素数が圧倒的に少ないので，同じエネルギー当たりの二酸化炭素発生量も少ない。

3 × エタノールは少量なら飲用できるが，メタノールはできない。

サトウキビやトウモロコシなどを原料としたアルコール発酵や，触媒を用いてエチレンから工業的に製造されるのは，**エタノールのみ**である。メタノールは，一酸化炭素を水素と触媒で還元して生産される。日本における燃料用アルコールの使用は，自動車用燃料に混入されるエタノールが**3％まで許されていた**が，法律が改正され，2012年4月から**10％まで混入できるようになった（E10ガソリン）**。E10ガソリンは，内燃機関や燃料系統に影響を及ぼす可能性があるため，対策を施した車両にのみ給油が許されている。

4 ◎ 福島第一原発では，現在でも大量の汚染水が生じている。

正しい。わが国では総発電量の29.2％（『エネルギー白書2010』より）を全国54基の原子力発電に頼っていたが，2011年3月11日の東日本大震災の際に福島第一原子力発電所を大津波が襲い，非常用電源が流されてしまったために原子炉の制御が効かなくなり，**炉心溶融（メルトダウン）**を起こし大量の放射性物質がまき散らされた。結果，周辺住民は避難を余儀なくされた。

5 × わが国は，世界第二の石炭輸入国である。

プランクトン由来なのは石油であるといわれている。主な**石炭層は，古生代石炭紀の地層**に分布している。また，石炭液化技術は開発されてはいるが，コスト等の問題もあり，実用化は進んでいない。**一次エネルギー総供給の約2割を占めるのは，石炭そのもの**である。

No.2 の解説 理論化学全般

→ 問題はP.204 **正答 1**

1 ◎ 電池のエネルギー源は酸化還元反応である。

正しい。**鉛蓄電池**の電圧は1つ2V程度なので，普通自動車のバッテリーでは，これを6個直列に接続することで12Vにしている。なお，大型トラックでは，さらにそれを2個直列に接続することで24Vにしている。

なお，鉛蓄電池以外に実用化されている二次電池には，**ニッカド電池**や**リチウムイオン電池**などがある。

2 × 物質1molは原子（または分子）6.02×10^{23}個である。

1mol当たりの原子の数6.02×10^{23}は**アボガドロ定数**である。また，物質1molの質量は，分子量〔g〕に等しい。たとえば，分子量18の水H_2Oの1molの質量は18gであるし，分子量44の二酸化炭素CO_2は1mol 44gである。

ファラデー定数は，**電子1molが持つ電気量を表す数字（96500C）**である。

3 × 原子間の結合は価電子の挙動がポイント。

本肢は金属結合ではなく，共有結合に関する記述である。金属結合は，価電子が自由に移動できるため，これを**自由電子**という。この自由電子が金属内を移動するので，金属は電気や熱の良導体なのである。

4 × 電離＝自然にイオンに分かれる，電気分解＝人為的にイオンに分ける。

電離と電気分解の説明が，すべて逆である。また，塩化ナトリウムNaClは電解質だが，アルコールやグルコース（ブドウ糖）は電解質ではない。

5 × 原子は，原子核（＝陽子＋中性子）と電子からなる。

原子は，陽子と中性子からなるが，**元素は陽子の個数で分類されている**。よって陽子の数が同じであれば，中性子が何個であっても同じ元素であるということになる。このような関係にある原子どうしを，周期表で「同じ位置にある」ことから，互いに**同位体**であるという。同位体は，同じ元素であるため化学的性質は同じであるが，質量は異なる。

No.3 の解説　化学者　→問題はP.204　正答3

1 × 周期表を作成したのはメンデレーエフである。

本肢は，メンデレーエフに関して述べている。ジョン・ドルトン（ダルトン）はイギリスの化学者で，18～19世紀に活躍し，**近代原子説**や**倍数比例の法則**を唱えたことで有名である。

2 × ハーバー・ボッシュ法を発明したのは，ハーバーとボッシュである。

アンモニアNH_3を合成する**ハーバー・ボッシュ法**を開発したのはハーバーとボッシュであり，これは窒素N_2と水素H_2の混合物を高温高圧下で反応させる方法である。カロザースは，ナイロンを発明した人物である。

3 ◎ プルーストは，定比例の法則を唱えた。

定比例の法則について正しく述べている。プルーストはフランスの化学者で，定比例の法則を否定したベルトレとの論争で有名である。ただし，後に定比例の法則に従わない化合物も存在することがわかっている。

4 × 炭酸ナトリウムは，アンモニアソーダ法によって合成される。

食塩NaCl水とアンモニアNH_3と二酸化炭素CO_2から炭酸ナトリウムNa_2CO_3を合成する方法は**アンモニアソーダ法**であるし，**オストワルト法**はオストワルトが発明した硝酸HNO_3の工業的製法である。

5 × 同温同圧の下で同体積の気体に含まれる分子数は，気体の種類によらず一定。

特に0℃，1 atm（標準状態）の下で22.4 Lの気体には，気体の種類によらず6.02×10^{23}個の分子が存在し，これを1 molという。

No.4 の解説　考古学，歴史学上の遺物の材料，保存状況　→問題はP.205　正答1

1 ◎ 青銅は，最も古くから利用されている合金である。

正しい。**青銅**は銅＋スズを基本とする合金でブロンズとも呼ばれ，実用合金として最も古い歴史を持つ。銅は融点が低く加工しやすい反面，鉄に比べると強度で劣るが，スズを加えることで強度が上がり，鉄の精製が実用化される以前は剣，斧，鏡等に大変よく使われた（いわゆる青銅器時代）。現在では，これに他の金属等を加えることでさまざまな特性を持つ青銅が作られ，多方面で利用されている。十円玉や銅像が，青銅でできている代表的なものである。

2 × 漆(うるし)は，ウルシの木から採れる樹液である。

ウルシの主成分は，ウルシオールと呼ばれるフェノール系の天然樹脂（天然高分子化合物）の一種で，空気中の水分の中から酸素を取り込み，その酸化反応によって液体から固体へと変化する。

3 × 植物が枯死すると，植物体中の^{14}Cは減少していく。

炭素の放射性同位体^{14}Cは，植物体が生きている間は，崩壊しつつも次々と外界から取り込まれて外界と同じ濃度で存在するが，植物が死んだ後は取り込まれることがなくなるため，一定の割合で自然に崩壊する一方となり，減少していく。

4 × **カルシウムなどのアルカリ金属は，酸性の物質と反応しやすい。**
酸性の火山灰が多く含まれている土壌では，カルシウムを含む骨や歯は溶けてしまう。石灰岩地帯では，逆に残りやすい。骨や歯は，石灰岩と同じカルシウムの化合物だからである。なお，歯のエナメル質（表面の白い部分）と象牙質（エナメル質のすぐ内側の部分）は，**ハイドロキシアパタイト**という物質でできており，カルシウムとリンの化合物である。

5 × **樹液の化石は琥珀である。また，黒曜石は火山岩である。**
翡翠（ひすい）は，高圧下でできた変成岩中に産出する宝石で，地学で登場する**輝石の仲間**である。植物の樹脂の化石で，装身具に用いられるのは**琥珀**（こはく）である。**黒曜石**は，黒っぽいガラス光沢のある火山岩である。ダイヤモンドの同素体というのは，**黒鉛**を想定した記述であろうと思われる。

No.5 の解説　リサイクルの現状

→ 問題はP.205　**正答3**

1 × **紙は，植物から作られる。**
紙の原料は，木から採れる**パルプ**であるので誤り。もっとも最近では，森林保護をうたって，樹木以外の植物から紙を作ることも試みられている。

日本における古紙の再利用率は53.6％で，これは世界でもトップクラスの高さを誇る。古紙で再利用できるのは古新聞，古雑誌，段ボールで，古新聞は新聞紙，チラシ，菓子箱などに，古雑誌は段ボールや菓子箱に，段ボールはまた段ボールに再生される。ただしそれらのリサイクルが有効に行われるためには，各家庭における分別が必要不可欠とされる。

2 × **鉄とアルミニウムのリサイクル率は80％超である。**
鉄は**鉄鉱石**を熱し，そこに炭素や一酸化炭素を加えることで**還元**する（酸素を奪う）ことで得られる。また，**アルミニウム**は，その原料である**ボーキサイト**から得られる**アルミナ**という物質を電気分解して得られる。よって，本肢の記述は鉄とアルミニウムが逆である。

スチール缶は何度でもスチール缶として再生することができ，リサイクル率は85.2％。アルミ缶は，リサイクルすることで電気を節約することもできるという利点がある。リサイクル率は82.8％で，うち60％程度がまたアルミ缶として再生されている。

3 ◎ **プラスチックの廃棄には問題を伴う。**
正しい。プラスチックには，土中の微生物のえさとなる**生分解性プラスチック**もあるが，これは特殊な例で，基本的には自然に分解されることはない。また，塩素Clを含んだプラスチックを低温で燃焼させると，ダイオキシンが発生することがある。

プラスチックと一口にいっても，さまざまな種類があるので，それによってどのように再生するのかが違ってくる。ペットボトルなどに使われている**ポリエチレンテレフタラート（ポリエステル，PET）**は，溶解させて繊維として再生されることがある。

4 × **日本は，レアメタルの有効再利用をめざしている。**

前半は正しい。日本では，小型モバイル機器に使用されているレアメタルを有効に再利用するため，2013年４月に**小型家電リサイクル法**を施行させた。

ただし，本肢後半は誤っている。金はイオン化傾向が極端に小さく（非常に反応しにくく），酸といっても**王水**（濃塩酸と濃硝酸を３：１の割合で混ぜた混合液）にしか溶けない。レアメタルは，さまざまな種類があるので，性質に関しては一概にはいえない。

5 × **ガラスびんのリサイクル率も80％超である。**

普通に窓ガラスやガラスびんなどに使われるガラスは，**ソーダガラス**またはソーダ石灰ガラスといい，ケイ砂（二酸化ケイ素の砂）SiO_2，炭酸ナトリウムNa_2CO_3，炭酸カルシウム$CaCO_3$を混ぜて高温で溶かすとできる（「ソーダ」はナトリウムNaをさす）。

ガラスびんは，回収，洗浄されて，またびんとして使われることもあるが，砕かれてアスファルトに混ぜたり，溶かされてまたびんに成形（いわゆる「びんtoびん」）されることも多い。ガラス製品のリサイクル率はおよそ83％で，「びんtoびん」率はそのうちの68％である。

実戦問題2 応用レベル

＊＊
No.6 水に関する次の記述のうち，妥当なものはどれか。

【地方上級（全国型）・平成26年度】

1 水素原子は負に，酸素原子は正に強く帯電しているため，強い静電気力が加わる。そのため同程度の分子量を持つ他の物質より，分子間の結合が強く，沸点は低い。

2 水を電離すると水素イオンが生じる。水溶液の水素イオンの濃度はpHという指標で表され，純水で0，酸性溶液で正，アルカリ性溶液で負である。

3 寒冷地では，水が凍り水道管が破裂することがある。これは，水が液体の場合，密度が高く詰まっているが，固体になると透き間が多くなり，体積が増えるためである。

4 水素分子と酸素分子から水を生じる反応は吸熱反応であり，この熱を電気エネルギーに変換する装置が燃料電池である。燃料電池は水しか排出しないためクリーンな装置であるが，水素分子と酸素分子は室温で爆発的に反応するため注意を要する。

5 水分子しか通さない半透明な膜で，溶液内を海水と純水に仕切り，液面の高さを同じにして放置すると，圧力を加えていなくても海水中の水分子だけが純水のほうへ移動する。このため水不足が問題となっている地域で話題となっている。

＊＊＊
No.7 以下のA～Eの文章中の□には塩素，ケイ素，硫黄のいずれかが入るが，塩素が入るものの組合せとして正しいのは，次のうちどれか。

【地方上級（全国型）・平成21年度】

A：アスベストは□を主成分とする繊維状鉱物で，断熱材等に用いられてきたが，最近ではその発がん性が問題となっている。

B：ダイオキシンは□を含む化合物で，ごみ焼却などの際にも少量発生し，非常に毒性が強いため，大気汚染防止法の指定物質となっている。

C：温泉には□を含むものが多いが，このタイプの温泉では空気中に有毒ガスが放出されている場合があり，中毒による死亡事故に気をつけなければならない。

D：フロンには多くの種類があるが，その多くは□を含み，大気中に放散されると成層圏まで拡散してオゾン層を破壊する。

E：石油には□が含まれ，燃焼の際に発生するその酸化物が大気中で酸に変化して雨に溶け込むと酸性雨の原因となる。

1 A，B　**2** B，C
3 B，D　**4** C，D
5 C，E

No.8 ＊＊ **いろいろな材料に関する記述として最も妥当なのはどれか。**

【国家総合職・平成17年度】

1 鉄は，酸化鉄が主成分である赤鉄鉱などの鉄鉱石を還元剤である石灰石や触媒であるコークスとともに高炉に入れて反応させて生成する。こうして得られた銑鉄は，炭素がほとんど含まれていないので，転炉に移して二酸化炭素を吹き込むことで強度や粘りのある鋼とする。

2 金属は合金とすることでもとの金属にない優れた性質を持つようになることがある。ステンレスはアルミニウムに銅やマグネシウムを加えることで軽くてさびにくくしたものであり，航空機の構造材料や水を頻繁に使用する台所によく用いられている。

3 セラミックスは，人為的な熱処理によって製造された金属酸化物および窒化物の総称であり，近年は高い機能を持つファインセラミックスが材料として用いられるようになってきている。その一つである窒化ケイ素は熱に強いという特性からエンジン部品などに用いられているが，もろくて割れやすく，空気中の酸素とも反応しやすいという欠点も持っており，改良が求められている。

4 清涼飲料水の容器などに用いられるポリエチレンテレフタラート（PET）は，ヘキサメチレンジアミンとアジピン酸がエステル結合で結合したものであり，安価であることから使用量が急速に増えているが，リサイクルの技術が確立されておらずその処分方法が社会問題となっている。

5 プラスチックは，一般に絶縁性で腐食しにくいが，近年はいろいろな機能を持ったものも開発されてきている。たとえば，電気伝導性を示す導電性樹脂や自然界において微生物によって小さい分子に分解される生分解性樹脂などがすでに開発されており，その実用化が進められている。

No.9 ＊＊ **食品に含まれる化学物質・有害物質や食品における化学反応などに関する記述として最も妥当なのはどれか。**

【国家総合職・平成29年度】

1 食品添加物は，加工食品の製造，加工，保存などのために，食品に添加・混和して用いられる。食品添加物としては，たとえば，豆腐の凝固剤であるにがりが挙げられ，この主成分は炭酸水素ナトリウムである。このほかに，キシリトールやサッカリンナトリウムなどの保存料，安息香酸やソルビン酸カリウムなどの甘味料が挙げられる。

2 米などの主成分であるデンプンには，グルコース（ブドウ糖）が直鎖状になったアミロペクチンと，枝分かれした構造を持つアミロースの２種類がある。また，生のデンプンをαデンプンといい，非常に密な粒子構造をしているため，消化されにくい。食べるに当たっては，水を加えて加熱し，消化が容易なβデンプンに変えている。

3 マーガリンは，バターの代用として開発されたものであるが，その原料は大きく異なり，バターの原料は生乳であるのに対して，マーガリンの原料は植物油である。バターは，脂肪乳中の不飽和脂肪酸に水素を添加することにより作られ，この変化を硬化という。一方，マーガリンは，植物油中の飽和脂肪酸を凝集して作られる。

4 有毒有害な化学物質の摂取によって起こる食中毒を化学性食中毒といい，細菌性食中毒などとは異なり季節に関係なく発生する。化学物質が原因となったわが国の公害や事件としては，メチル水銀による水俣病や，カドミウムによるイタイイタイ病のほか，ヒ素による粉ミルク中毒事件，PCBなどによる油症事件などがある。

5 動物や植物には，有毒成分を含んでいたり蓄積したりするものがあり，これらによる中毒には，致死率の高いものもある。動物性自然毒として，フグに含まれる猛毒の青酸化合物があり，また，植物性自然毒として，トリカブトに含まれるテトロドトキシンがある。これらの毒素は，75℃，１分以上の加熱により，分解することができる。

実戦問題2の解説

No.6の解説　水に関する化学

→問題はP.211　正答3

1× 分子間の引き合う力が強くなると，沸点は高くなる。

水素H原子は非金属元素としては最も電気陰性度が小さく，酸素O原子は最も電気陰性度が大きい部類に属するので，これらが結合した分子中では，**共有電子対が酸素O原子のほうに強く引きつけられ，酸素O原子は負に，水素H原子は正に帯電し，分子が極性を持つ**。水もその一つで，ある水分子の正に帯電した部分と，他の水分子の負に帯電した部分が互いに引き合う。このような理由で，**水の沸点や融点は，似た分子構造や似た分子量の物質に比べて，高い**傾向にある。

2× 水素イオン指数は7が中性である。

水素イオン指数pHは，0～14で，酸やアルカリの強弱を示す概念である。pHが7のときだけ中性，7より小さいと酸性，大きいとアルカリ性を示す。また，数字が7から離れれば離れるほど，酸やアルカリが強くなる。

3◎ 水が最も重くなるのは，4℃のときである。

水の密度が最も大きい（同じ質量で，体積が最も小さい）のは，水温が4℃のときである。水分子は，真ん中が「く」の字に折れ曲がった形状をしており，その角度が120度に近い角度のため，雪の結晶は六角形をしていることが多い。これらの分子が，多くの透き間を作りながら結合して固体（氷）になるので，**同じ質量の水では，液体よりも固体のほうが体積が大きい**（密度が小さい）。氷が水に浮くのはそのためであるが，これは大変珍しいことである。

4× 燃料電池は，水素から発電するクリーンな装置である。

水素H_2分子と酸素O_2分子から水H_2O分子を生ずる反応は，発熱反応である。また，この反応は，火をつけるなど，エネルギーを与えなければ起きない。水素と室温で爆発的に反応するのは，フッ素F_2である。

5× 水は，濃度の薄いほうから高いほうへ移動しようとする。

本肢の記述のような膜を，半透膜という（ただし，「半透明」ということではない）。半透膜を隔てて純水と海水を入れて放置すると，水分子は純水から海水のほうへ移動しようとする。このとき発生する圧力を，**浸透圧**という。本肢のように，**海水中の水分子を純水中に移動させようとするのであれば，海水のほうに浸透圧より大きい圧力をかけなければならない。**

No.7 の解説　環境汚染物質の成分元素

→ 問題はP.211　**正答3**

A：**「アスベスト」とは，ギリシャ語で「永遠不滅」を意味する言葉である。**
アスベスト（**石綿**）は**ケイ素Si**を主成分とする繊維状の鉱物で，燃えにくいだけでなく耐熱性や保温性に優れ，また化学的にも安定であるため，防音材や保温材，ブレーキパッド等として多く使用された。理科実験でも「石綿付き金網」としてお馴染みであったが，その繊維片を吸入すると肺がんの原因になることが指摘され，現在では使用が禁止されている。吸入をやめてから数十年後に症状が現れることもあり，「**静かな時限爆弾**」と呼ばれる。

B：**ダイオキシンは，塩素Clを含む物質を低温で燃やすと発生する。**
ダイオキシンとは，ポリ塩化ジベンゾパラジオキシン(PCDD)と，ポリ塩化ジベンゾフラン(PCDF)の総称である。分子中に**塩素Cl**を含んでいる。ダイオキシンの主な発生源は，ごみの焼却による燃焼工程のほか，金属精錬の燃焼工程や紙などの塩素漂白工程などである。無色無臭の固体で，ほとんど水には溶けないが，脂肪などには溶けやすい。また，酸，アルカリなどとも容易に反応しない。**発がん性や催奇形性や生殖障害などさまざまな毒性があるといわれている**。

C：**温泉で見られる火山性ガスには有毒なものもあり，注意が必要である。**
温泉には**硫黄S**を含むものがあり，硫黄泉と呼ばれている。硫黄泉には卵の腐ったようなにおい(腐卵臭)や，湯ノ花による白濁を特徴とするものが多い。特に，有毒な**硫化水素H_2S**を多く含む場合，この気体を長時間または高濃度のものを吸引すると中毒を起こし，時には死亡することもある。硫化水素は空気より重いので，くぼ地などにたまっていることが多い。

D：**塩素Clを含むフロンは，オゾン層を破壊して紫外線量を増加させる。**
フロンは，メタン等の炭化水素のH原子を**塩素Cl**とフッ素Fで置換してできた化合物の総称である。不燃性で無毒であり，化学的に安定な化合物である。そのため，冷媒やエアロゾル噴霧剤，消火剤，ウレタンフォーム発泡剤，フッ素樹脂の原料など，広く利用されていた。しかし，大気中の**オゾン層破壊の原因**であることがわかってから，主なフロンは製造中止となり，現在それに代わる**代替フロン**の開発が進められている。

E：**いわゆる化石燃料は硫黄Sを含んでおり，燃やすと硫黄酸化物を生ずる。**
石油は**硫黄S**を成分中に含んでいる。硫黄を含んだまま石油を燃焼させると，硫黄が酸化されて硫黄酸化物が発生する（その大部分は二酸化硫黄である）。二酸化硫黄はオキシダントや酸素と反応し，硫酸の酸性雨となる。現在，わが国では原油からの硫黄分の除去(**脱硫**)が行われているので，硫黄酸化物による大気汚染は軽減している。しかし，中国などでの工業化の伸展で，そこで発生した硫黄酸化物が，偏西風に乗ってわが国にやって来ることが問題になっている。

以上より，塩素が入るものの組合せは**3**である。

No.8 の解説 いろいろな材料に使われる物質の性質

→問題はP.212 正答5

1 × **鋼は，鉄と炭素の合金である。**

鉄鉱石を，コークスそのものや，コークスが高温で燃焼してできる一酸化炭素により還元すると，**銑鉄**(せんてつ)が得られる。銑鉄には3.5％以上の炭素をはじめ不純物が含まれているため，**融点が低く，硬くてもろい**。銑鉄を転炉に移し，酸素を吹き込んで炭素などの不純物を減らすと，**鋼**が得られる。

2 × **ステンレスは，鉄とクロムの合金である。**

ステンレスは，クロムCrを12％以上含有する合金である。特に，18％のCrと８％のニッケルNiを含む**18-8ステンレス**は，軟かくて加工性に富み，耐食性に優れているので，台所用品など用途は広い。航空機の構造材料に使われるのはジュラルミンである。

3 × **セラミックスは，近年多様化が進んでいる。**

従来のセラミックスは，素材はケイ酸塩に限られていた。近年，その手法を発展させ，窒化ケイ素や酸化アルミニウムなどを用いた**ニューセラミックス**が開発された。窒化ケイ素は，耐熱性や高温強度に優れ，化学的にも安定である。高温構造材料に適している。

4 × **PETとポリエステルは同じ物質である。**

ポリエチレンテレフタラート(PET)は，テレフタル酸またはテレフタル酸ジメチルと，エチレングリコールとの重縮合によって得られる物質で，**ポリエステル**ともいう。PETのリサイクル技術は比較的進んでおり，さまざまな再生品が製造され，流通している。

ヘキサメチレンジアミンとアジピン酸から合成されるのは，ナイロン6，6であるし，これらの結合はエステル結合ではなく，アミド結合である。

5 ◎ **プラスチックの多様化も進んでいる。**

正しい。**電導性樹脂**としては，ポリアセチレンなどが有名である。なお電導性樹脂を発明した**白川英樹**氏は，2000年にノーベル化学賞を受賞している。バイオポリエステルやバクテリアセルロースなどの生分解性樹脂は，自然界でリサイクルする樹脂として注目されている。

No.9 の解説　身近な化学物質

→ 問題はP.213　**正答4**

1 × 食品添加物の使用基準等は，食品安全委員会の評価を受け厚生労働省で定められる。

にがりの主成分は，塩化マグネシウム$MgCl_2$である。また，本肢の後半部分は，保存料と甘味料がすべて逆になっている。キシリトールが甘味料であることを知っていれば，すぐにわかるだろう。

2 × 一度炊いて乾燥させた米をα化米といい，非常食として重宝される。

デンプンを構成するアミロースとアミロペクチンが，逆である。**アミロースが直鎖状で水に溶けやすく，アミロペクチンが多くの枝分かれを持っていて比較的水に溶けにくい**。また，αデンプンとβデンプンも，逆である。βデンプンは固くなった餅で，αデンプンは，それを湿らせて熱することで軟らかくした餅であると考えればよい。

3 × もともとマーガリンはバターの代用品であった。

マーガリンとバターの製法が逆である。**マーガリンは液体状の植物油が原料**で，それに水素を付加して固化させることで作られるのに対し，**バターは牛乳に含まれる動物性脂肪**を凝集させて作られる。

4 ◎ 化学的食中毒は，本来食品に含まれないはずの成分による食中毒である。

正しい。ほかに，化学的食中毒の例としては，赤身魚に多く含まれるヒスチジンというアミノ酸が，ヒスタミン産生菌によってヒスタミンに変化し，そのヒスタミンによって起きる食中毒がある。

5 × 有毒成分を含んだ魚介類や植物は，意外に多い。

フグの持つ毒が，テトロドトキシンである。また，トリカブトの持つ毒はアコニチンといい，アルカロイドと呼ばれる有機化合物群に含まれる物質である（ニコチンやカフェイン，コカイン，モルヒネなどもアルカロイド)。青酸化合物云々の記述は，まったくのデタラメである。テトロドトキシンは，加熱などの一般的な方法では分解（無毒化）することができず，フグは免許を持つ者しか調理してはいけないというのは有名な話である。これに対し，アコニチンは大量の水と一緒に加熱することで解毒することが可能であるため，アイヌ人はこれを毒矢の毒として狩猟に使用した。

生　物

第３章

第3章　生　物

試験別出題傾向と対策

頻出度	試験名	国家総合職					国家一般職					国家専門職				
	年度	21-23	24-26	27-29	30-2	3-5	21-23	24-26	27-29	30-2	3-5	21-23	24-26	27-29	30-2	3-5
	テーマ　出題数	6	2	2	2	2	6	3	3	3	3	6	1	2	3	2
C	1 細胞・組織														1	1
B	2 代謝	1					1	1		1						
A	3 動物の恒常性	2			1		1	2	1	1		1		1	1	1
B	4 植物の恒常性									1		2			1	
C	5 生殖・発生										1					
A	6 遺伝				1		2		2		1	1				
B	7 生態系	1		1		1					1	2	1	1		
C	8 生物全般	2	2	1		1	2									

生物分野は，試験種ごとの出題傾向が比較的はっきり決まっているので，対策は立てやすい。ただ，文系の学生は自然科学系が苦手でも，生物だけは取り組みやすいという印象を強く持つ者が多いため，最もライバルの多い科目ともいえる。それぞれの試験種での頻出分野を把握したうえで学習に臨むべきであろう。

国家総合職，一般職，専門職の試験制度変更に伴い，生物の出題数は２問から０～１問へと減少した。せっかく勉強しても出題されないこともあるので，どのレベルまで勉強するかの判断を，誤らないようにしなければならない。

●国家総合職

平成24年以降の現行の試験制度では，出題されないことがある。特徴的なのが生物学者の業績や環境問題等と生物の基本的な知識を絡めた科目横断的な問題で，２～３年に一度程度のペースで定期的に出題されている。それ以外では，人体や遺伝に関する問題が散見される程度である。断片的な知識では，正解肢を絞り込めない可能性があるので注意が必要である。

●国家一般職

ここ数年は，代謝，人体，植物，生殖と発生，遺伝が順繰りに出題され，これらの間ではあまり偏りが見られない。生態系や進化に関する出題は現在のところまったく見られないが，今後出題される可能性は否定できない。科目横断的な内容の問題は，もともと多くはなかったが，近年はまったく見られなくなった。

●国家専門職

近年の出題に絞って見ると人体，植物，生態系，細胞が出題されている。やや人体が多いが生物自体の出題数が少ないため，それほどの差ではない。それ以外

地方上級（全国型）					地方上級（東京都）					地方上級（特別区）					市役所（C日程）					
21-23	24-26	27-29	30-2	3-5	21-23	24-26	27-29	30-2	3-5	21-23	24-26	27-29	30-2	3-5	21-23	24-26	27-29	30-2	3-4	
6	6	6	7	6	3	3	3	3	3	6	6	6	6	6	6	6	4	5	4	
			1	1						1		1		1	1	2			2	テーマ1
2		1	1			1		1					1		1			1	1	テーマ2
2	1	3	4	3	1	1	3		2	1	1	3	1	2	3	2	2	2	1	テーマ3
	1								1	1	1			1						テーマ4
				1							1		2	1			1			テーマ5
1	1				1	1		1		2	1	1	1	1		1				テーマ6
	2		1	1	1			1		1	2	1	1		1	1		1		テーマ7
1	1	2															1	1		テーマ8

の分野，たとえば代謝，生殖などはここしばらくまったく出題されていない。科目横断的な内容も，もともとまったく出題されていない。比較的，分野を絞り込んだ学習が可能だろう。

●地方上級

全国型は，人体の出題が非常に多い。代謝は，過去には出題数が多かったが，ここ数年は出題数が減少してきている。遺伝や生態系も，最近はほとんど出題されていない。植物や進化に関しての出題は皆無に等しい。また，過去には科目横断的な問題が３年に１回ほど出題されていたが，これもここ５年ほどは出題されていない。ただ，生殖と発生は令和３年におよそ20年ぶりに出題されているので，最近出題されていないからといって，今後も出題されないとは言い切れない。

東京都は，細胞，生殖，生態系に関する出題が極端に少ない。それ以外の分野はここ数年で一通り出題されているが，やはりというか人体に関しては少し多めである。科目横断的な出題は，全く見られない。

特別区は，年に２問出題されるので，要注意である。生殖，遺伝，人体，生態系の出題が多い。細胞，代謝，植物に関してはそれほど多くはないが，いずれも近年出題されているので，結局はほぼ全範囲をカバーすることになるだろう。

●市役所

市役所では，ここしばらくは人体に関する出題が連続している。代謝，植物に関してはほとんど出題がないが，それ以外の分野は万遍なく出題されている印象である。科目横断的な出題はほとんどないので，頻出分野を中心に，それぞれの分野を一つ一つ丁寧に習得していくのが得策と思われる。

細胞・組織

必修問題

体細胞分裂に関する次の記述のA～Dに当てはまるものの組合せとして最も妥当なのはどれか。

【国家専門職・平成19年度】

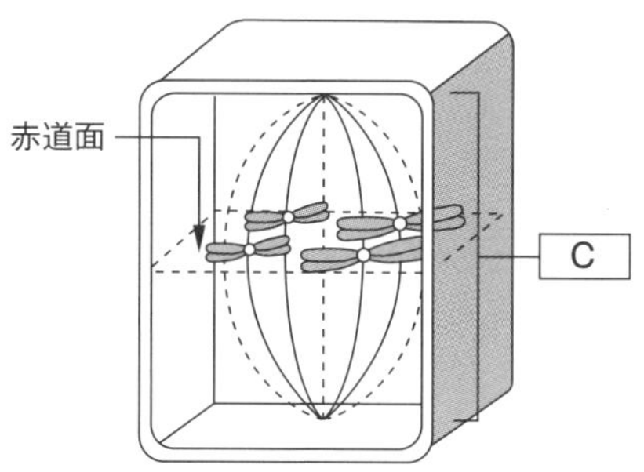

体細胞分裂の過程は，核分裂および細胞質分裂が行われる分裂期と，分裂が行われていない間期とに分けられる。

さらに，**分裂期**は，染色体の状態などから，**前期・中期・後期・終期**の４つの段階に分けられる。

図は体細胞分裂のある段階を表したものであり，その特徴から［ A ］の体細胞分裂における分裂期の［ B ］の状態を表していることがわかる。［ B ］では，染色体が細胞の**中央部（赤道面）**に並び，［ C ］が完成する。

この後，染色体は両極に分かれていく。このとき，それぞれの極の染色体の数はもとの細胞と［ D ］。

	A	B	C	D
1	動　物	中　期	紡錘体	異なる
2	動　物	後　期	中心体	同じになる
3	植　物	中　期	紡錘体	同じになる
4	植　物	後　期	中心体	同じになる
5	植　物	後　期	中心体	異なる

難易度＊＊

必修問題の解説

植物細胞の体細胞分裂の過程について問うている。細胞分裂には体細胞分裂の他に減数分裂もあるので，違いを把握しておこう。また，動物細胞と植物細胞の違いについても確認しておこう。

A：**細胞壁がある≒植物細胞**

動物細胞か，植物細胞かの区別を答えるものである。最外層に厚みのある**細胞壁が描かれている**ことや，両極に**中心体がない**ことから，植物細胞であると判断される。ちなみに，動物細胞か植物細胞かの区別は，四角い形だけでは判断できない。たとえば，動物細胞で四角いものもあれば，植物細胞で丸い形をしているものもある。

B：**染色体が赤道面に並んでいる＝分裂中期**

染色体が中央の赤道面に並んでいることから，中期であることがわかる。前期は核膜が消え，染色体が形成され，全体に散らばっている時期。後期は，中央に並んだ染色体が，両極にそれぞれ移動している時期。終期は，植物細胞では**細胞板**が形成され，動物細胞では**くびれ**が入って細胞が二分される時期である。

C：**紡錘糸＋染色体＝紡錘体**

両極から伸びた**紡錘糸**が，染色体の動原体と結合したもの全体をさしている。これは**紡錘体**と呼ばれる。**中心体**は，動物細胞および藻類・菌類などの一部の植物細胞でみられ，２個の中心粒からなり，細胞分裂のとき，紡錘体の形成に関与する。

D：**体細胞分裂＝染色体数は変化しない。減数分裂＝染色体数が半減する**

体細胞分裂では，分裂後に生じた細胞の染色体数は，**もとと同じである**。一方，減数分裂によって生じた細胞では，染色体数は半減している。

よって，Aは「植物」，Bは「中期」，Cは「紡錘体」，Dは「同じになる」が正しいので，**3**が正答である。

正答 3

FOCUS

細胞に関しては，動物細胞と植物細胞の違い，細胞内器官，細胞分裂に関して出題される。出題自体はそれほど多くはないが，生物の他の分野を学習していくうえでフォローできる内容もあるので，そのときに確実に押さえていくのが効率的だろう。

POINT

重要ポイント 1 細胞の微細構造と機能

次図は，電子顕微鏡によって観察した細胞の模式図である。

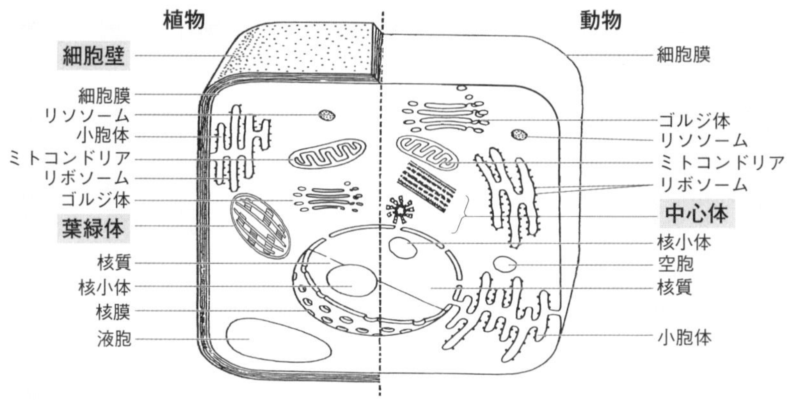

	構　造　物		主　な　働　き　や　特　徴
原形質	核		糸状の染色体，核小体があり，核膜により仕切られる
	細胞質	ミトコンドリア	好気呼吸（クエン酸回路・電子伝達系）の場
		葉緑体	光合成の場。チラコイドに光合成色素が存在
		ゴルジ体	扁平な袋状構造で，物質の貯蔵，分泌に関係
		小胞体	網目状に分布する透き間で，物質の通路
		リボソーム	RNAを含む粒子，タンパク質合成の場
		中心体	２個の中心粒からなり，細胞分裂に重要
		リソソーム	球状の袋で分解酵素を含み，細胞内消化に働く
		細胞膜	選択的透過性を持つ薄い膜
後形質	細胞壁		セルロースやペクチンからなる植物細胞の外壁
	液胞		植物細胞で発達。アントシアニン（色素）等を含む
	細胞含有物		デンプン，脂肪，タンパク質等の粒子

・動物細胞で見られる中心体は，ラン藻（シアノバクテリア）など一部の植物細胞にも存在している。

・葉緑体，細胞壁は植物細胞にのみ見られる。

・リボソーム，小胞体，リソソームは電子顕微鏡を用いないと観察できない。

重要ポイント 2　細胞成分と構成元素

構成成分では**水**が一番多い。次に多いのは**タンパク質**で，細胞の構造上，機能上重要な働きをしており，原形質の主成分といってもよい。構成元素は，酸素O，炭素C，水素H，窒素Nで96%以上となる。

ヒトの元素組成

元素記号	重量〔%〕	元素記号	重量〔%〕
O	65.0	Ca	2.0
C	18.0	P	1.1
H	10.0	K	0.35
N	3.2	S	0.25
計	96.2	計	3.7

変形菌の原形質の化学組成

原形質の成分	重量〔%〕
水	75
タンパク質	12
脂　質	5
核　酸	3
無機塩類	2
その他	3

重要ポイント 3　植物の組織と器官

植物には，細胞分裂が盛んに行われる**分裂組織**（**茎頂分裂組織・根端分裂組織・形成層**）と，分化した細胞からなる**永久組織**がある。関連ある組織をまとめて組織系という。

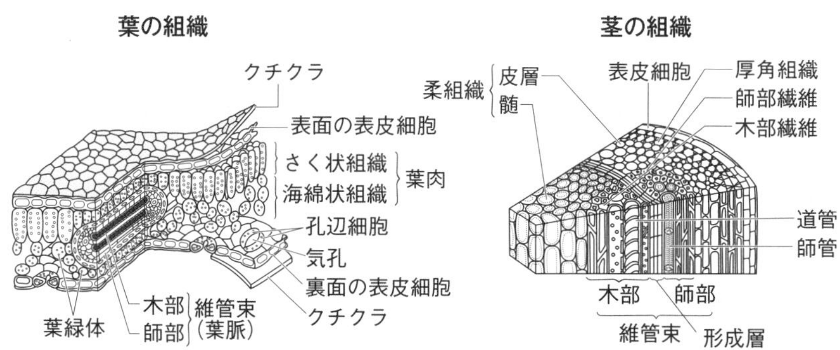

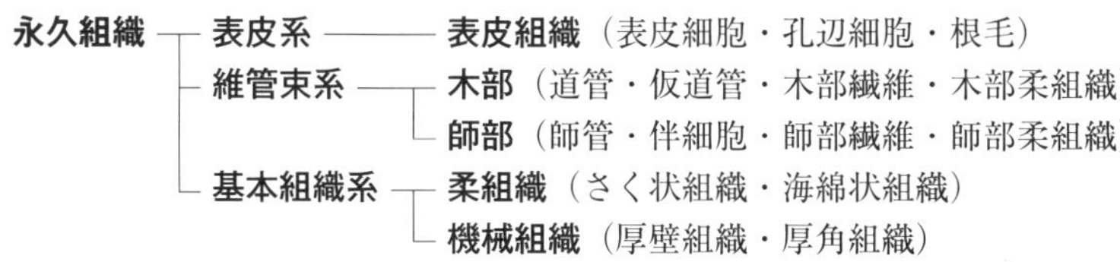

実戦問題

No.1 ＊ **次のA～Eの細胞の構造体のうち，原核細胞の持つ構造体を選んだ組合せはどれか。**

【地方上級（特別区）・平成27年度】

A：液胞　B：核膜　C：細胞膜　D：ミトコンドリア　E：細胞壁

1　A　C　　**2**　A　D　　**3**　B　D
4　B　E　　**5**　C　E

No.2 ＊＊ **植物細胞の構造と働きに関する次の記述のうち，最も妥当なのはどれか。**

【国家専門職・平成17年度】

1　核は，一般に1つの細胞に1個存在する球形の構造物で，その内部は核膜によって数個の核小体（仁）に分かれている。核小体は核液と二重らせん構造を持つ染色体からなり，ヨウ素液で赤紫色に染まる性質を持つ。

2　液胞は，代謝産物の貯蔵・分解，浸透圧の調節の役割などを果たしており，水に糖類・有機酸などが溶けた細胞液と液胞膜からなる。一般に植物細胞で見られる。

3　中心体は，動物細胞には見られないが，植物細胞に一般的によく見られる細胞質である。核分裂の前期に両極に分かれた中心体から細い糸状の紡錘糸が伸びて，紡錘体が形成される。

4　葉緑体は，好気呼吸を通じて光エネルギーを有機物に変える器官で，ストロマという折り重なった袋状の部分と，クロロフィルという緑色の基質からなる。

5　細胞壁は，セルロースと呼ばれる脂肪を主成分とした物質からなり，細胞内部の保護や植物体の支持に役立っている。また，細胞壁は，物質の種類によって透過性が異なる選択的透過性の性質を持つ。

No.3 ＊ **動物や植物の細胞の構造と働きに関する次の記述のうち，正しいものはどれか。**

【地方上級・平成20年度】

1　液胞は動物細胞にのみ存在し，塩類や色素の水溶液を満たしている。

2　動物細胞には核があるが，植物細胞にはない。このため，植物細胞ではDNAは細胞質中に分散して存在している。

3　ミトコンドリアは動物細胞と植物細胞のどちらにも存在し，生体内のエネルギー活動に必要な物質を合成する場となっている。

4　細胞壁は動物細胞で特に発達していて，その主成分はセルロースである。

5　ゴルジ体は植物細胞にのみ存在し，小胞体で合成されたタンパク質などの加工・濃縮・分泌を行っている。

No.4 ＊ 次の図は，双子葉植物の茎の断面を模式的に表したものであるが，図中の空所A～Dに該当する語の組合せとして，妥当なのはどれか。

【地方上級（特別区）・平成20年度】

	A	B	C	D
1	維管束	木部	師部	道管
2	維管束	師部	木部	道管
3	維管束	木部	師部	師管
4	柔組織	師部	木部	気孔
5	柔組織	木部	師部	師管

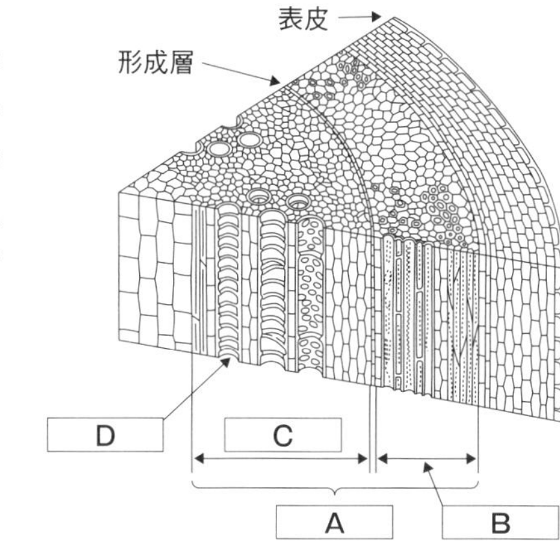

No.5 ＊ 図のA～Dは細胞内に存在する葉緑体，ミトコンドリア，核，小胞体のいずれかの模式図である。これらの図と，これらに含まれる物質やこれらで生じている反応の組合せとして正しいのはどれか。

【国家一般職・平成13年度】

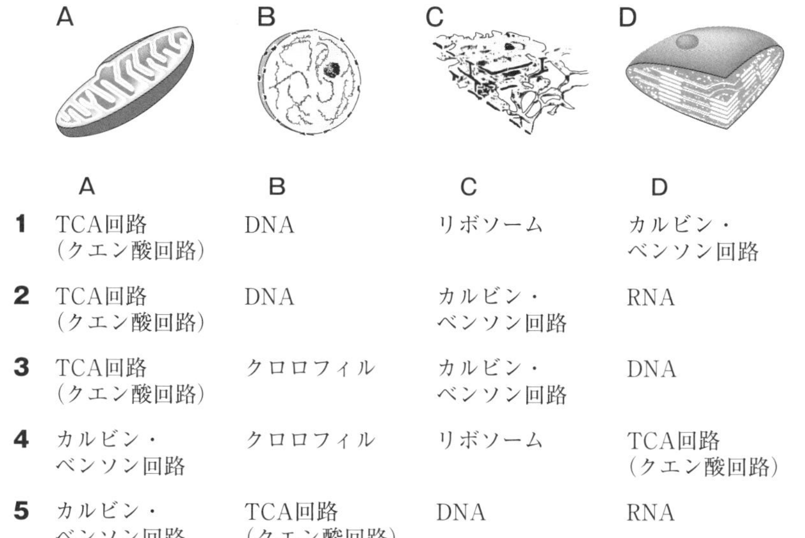

	A	B	C	D
1	TCA回路（クエン酸回路）	DNA	リボソーム	カルビン・ベンソン回路
2	TCA回路（クエン酸回路）	DNA	カルビン・ベンソン回路	RNA
3	TCA回路（クエン酸回路）	クロロフィル	カルビン・ベンソン回路	DNA
4	カルビン・ベンソン回路	クロロフィル	リボソーム	TCA回路（クエン酸回路）
5	カルビン・ベンソン回路	TCA回路（クエン酸回路）	DNA	RNA

実戦問題の解説

No.1 の解説　細胞の構造
→問題はP.226　正答5

原核細胞とは，**DNAなどの核内物質が核膜で隔離されていない，原始的な細胞**である。これに対し，核膜を持つ細胞を真核細胞と呼ぶ。

原核細胞は，細胞壁や細胞膜は持つが，原始的な細胞であるので，真核細胞に比べると構造が単純であり，液胞を持たない。また，ミトコンドリアや葉緑体は，もともと別の生物だったものが原核細胞に取り込まれ，真核細胞に進化したと考えられている（共生説）。

以上より，原核細胞が持つ構造体は，C：細胞膜，E：細胞壁であるので，正答は**5**である。

No.2 の解説　植物細胞の構造と機能
→問題はP.226　正答2

1× **核は，染色体を保護している。**
核は核液と染色体からなり，ヨウ素液ではなく酢酸カーミンや酢酸オルセイン溶液で赤く染まる。核の中にある**核小体はRNA（リボ核酸）**を含んでいる。ヨウ素液は，デンプンの検出に利用される。

2◎ **植物は，水や養分の摂取，老廃物の排出が自由にできないため，液胞が発達している。**
正しい。**液胞**は動物細胞にもあるが，植物細胞で大きく発達している細胞小器官である。植物では，光合成で生成したグルコース（ブドウ糖），アントシアニンなどの色素や，無機塩類，不用物等が含まれている。

3× **中心体は，細胞分裂の際に紡錘糸の起点となり，染色体の分裂に関与する。**
中心体は，動物細胞と一部の植物細胞，細菌とラン藻（シアノバクテリア）で見られる細胞小器官である。また，細胞質とは，核を除いた原形質全体を示す語である。

4× **葉緑体は，葉緑素という色素を含んだ細胞内器官で，植物細胞にしかない。**
葉緑体は光合成の場で，クロロフィルなどの光合成色素を含む**チラコイド**と呼ばれる扁平な袋状の構造と，チラコイドを包む**ストロマ**からなる。好気呼吸を行うのは，ミトコンドリアである。

5× **細胞壁は，野菜などの場合は食物繊維と呼ばれる。**
細胞壁の主成分である**セルロース**は，炭水化物の一種である。原形質を保護し，細胞の形を維持する。また，細胞壁は**全透性**を示す。**選択的透過性**を示すのは，細胞膜のほうである。

No.3 の解説　植物の組織

→ 問題はP.226　**正答3**

1 × **液胞は，植物細胞で顕著な構造物である。**
液胞は，**成熟した植物細胞の90%以上を占める**が，動物細胞では非常に小さい。細胞内で生じた**老廃物**は液胞に集められて貯蔵されたり，液胞内の酵素によって分解されたりする。また液胞に水分を大量に蓄えることで，**体積を増大**させ，消費エネルギーを節約する働きも担っている。

2 × **核は，真核生物である植物と動物の，どちらの細胞にも存在する。**
核の中には，遺伝子の本体である**DNA**とタンパク質からなる染色体が含まれる。原核細胞は，核膜に包まれた核を持たず，DNAが細胞質中に散在する。

3 ◎ **ミトコンドリアは，好気呼吸の場である。**
正しい。**ミトコンドリア**は，ほとんどすべての真核生物の細胞に含まれる細胞小器官である。**好気呼吸**の場で，多くの酵素を含んでいる。その酸素を利用し，生物体が利用するエネルギー物質のATP（アデノシン三リン酸）を合成している。

4 × **細胞壁は，動物細胞には存在しない。**
細胞壁は，植物細胞や細菌の最外側にある丈夫な被膜で，**セルロース**を主成分とする。細胞を保護し，その形状を保持する。

5 × **ゴルジ体は，動物細胞で顕著な構造物である。**
ゴルジ体は，中空の平たい円板状の小胞が積み重なった形をしており，周辺には小球状の小胞などがある。動物細胞に特有の構造と考えられてきたが，植物細胞にも広く見つかっている。ゴルジ体の主要な働きは，物質の貯蔵や分泌である。

No.4 の解説　双子葉植物の茎の断面

→ 問題はP.227 正答2

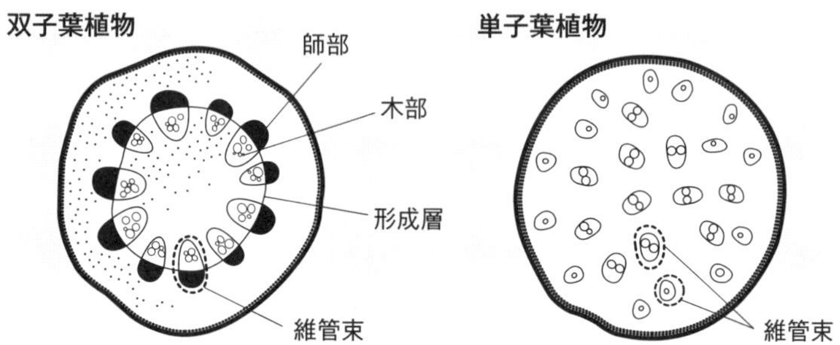

双子葉植物の茎の横断面は，**維管束が放射状**に並んでおり，**形成層**が存在していることが特徴である。**単子葉植物**では，**維管束が散在**し，形成層はない。

双子葉植物の維管束（A）は，外側から**師部**（B），**形成層**，**木部**（C）に分けられ，師部には**師管や師部繊維**などがあり，木部には**道管**（D）や**木部繊維**がある。

師管は，**光合成による同化産物の移動**に使われるが，生きた細胞で構成され，上下の細胞壁の仕切りには多数の小孔を持つ師板がある。

道管は，**水や養分（無機塩類）の運搬**に使われる。死んだ細胞で構成され，上下の細胞の仕切りはなく，1本の管となっている。

よって，正答は**2**である。

No.5の解説　細胞の微細構造

→問題はP.227　正答1

A：**二重膜で，内側にひだ状の構造を持つのは「ミトコンドリア」である。**
ミトコンドリアは，すべての真核細胞中に見られる糸状・顆粒状の細胞小器官である。細胞1個当たり肝細胞では約2500個，植物細胞では100～200個存在する。**好気呼吸の場**で，**TCA回路（クエン酸回路）**と電子伝達系の反応が行われる。ヤヌスグリーンという色素で染色すれば，光学顕微鏡で観察できる。

B：**ほぼ球形で，内部にひも状の構造物を持つのは「核」である。**
内部に**核小体**と，**DNA**を含んだ糸状の**染色体**が見られる。核膜には核膜孔がある。核小体は1～数個あり，RNAを含み，直径2～5 μmで，ピロニンなどの色素でよく染まるので，光学顕微鏡でも見ることができる。染色体は細胞分裂時に太くなり，酢酸カーミンやメチレンブルーなどに染まり，光学顕微鏡で観察することができる。

C：**網目状の膜が重なった構造で，表面に小さな粒子が付着しているのは「小胞体とリボソーム」である。**
小胞体は，細胞質基質中に網の目のように広がる透き間で，物質の通路と考えられている。その壁に付着する小顆粒のリボソームはRNAを含み，タンパク質合成の場である。どちらも，電子顕微鏡を使って，はじめて見ることができる。

D：**二重膜の内側に，扁平な構造物を多数持つのは「葉緑体」である。**
葉緑体は**光合成**を行う場で，植物細胞にのみ存在する。その内部には，**チラコイド**と呼ばれる扁平な袋が積み重なっており，ここにクロロフィルaやクロロフィルb，カロテン，キサントフィルなどの光合成色素が含まれる。チラコイドの周りを，無色で粘度の高い液体であるストロマが満たしている。葉緑体は，2～5 μmの楕円形や球形が多いが，アオミドロではリボン状，ホシミドロは星形である。なお，**カルビン・ベンソン回路**は，葉緑体の**ストロマ**部分で行われる。

よって，正答は**1**である。

代　謝

必修問題

下の文の空欄A～Cに当てはまる数値の組合せとして妥当なのはどれか。

【市役所・平成21年度】

下のグラフは，ある陽性植物について25℃の室温のもとで50cm²の葉で1時間に行われる光合成量を，**光―光合成曲線**の形で示したものである。

このグラフによれば，暗室で光合成によるCO_2の吸収が行われていないときの呼吸によるCO_2の排出量は［　A　］mgである。一方，光が十分に当たっている状態での光合成に利用されるCO_2の量は［　B　］mgである。また，そのときに光合成によって放出されるO_2の量は［　C　］mgである。

ただし，光合成全体の化学反応式は

$$6CO_2+12H_2O \rightarrow C_6H_{12}O_6+6H_2O+6O_2$$

と表すことができ，CO_2の分子量は44，O_2の分子量は32であるとする。

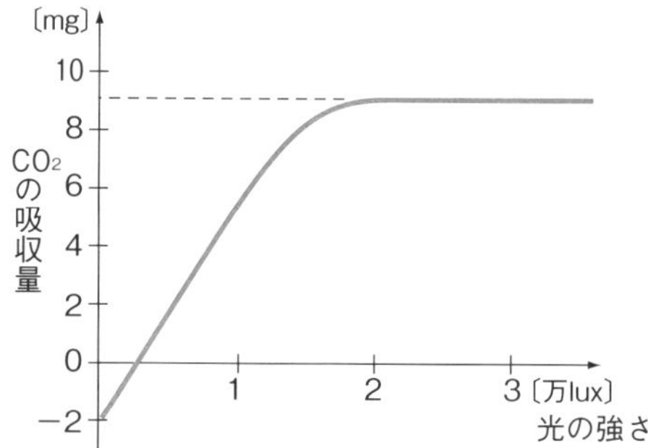

	A	B	C
1	2	11	8
2	9	9	11
3	2	9	8
4	9	11	11
5	2	9	11

難易度＊＊

必修問題の解説

光合成量は，吸収される二酸化炭素量によって測定される。一方，植物は光の有無とは関係なく，常に呼吸によって二酸化炭素を放出している。光ー光合成曲線では，**光の強さ0のときの吸収量が呼吸量**に等しくなる。

植物の光合成量（光合成速度）は二酸化炭素吸収量，呼吸量（呼吸速度）は二酸化炭素量放出量で判断される。暗いときは放出量＝呼吸量であるが，明るいときは光合成と呼吸は同時に行われるため，吸収量＝光合成量ではなく，**吸収量＝光合成量ー呼吸量**である。このときの吸収量を**「見かけの光合成量」**といい，**吸収量＋呼吸量**を**「真の光合成量」**という。

A：呼吸によるCO_2の排出量。
グラフにおいて，光の強さ0のときの二酸化炭素吸収量がー2mgとなっているので，**呼吸による二酸化炭素の排出量**は2mgであることがわかる。

B：光合成に使用されるCO_2の量。
一方，光が十分当たっているときの**二酸化炭素吸収量**は，グラフを見ると9mgである。これは外部からの吸収量であり，実際に光合成に利用される二酸化炭素の量（真の光合成量）は，呼吸で放出される量（呼吸量）と外部からの吸収量（見かけの光合成量）の合計で，2mg＋9mg＝11mgである。

C：光合成によって放出されるO_2の量。
反応式により，**6molの二酸化炭素から1molのグルコースが合成**され，同時に**6molの酸素が放出**される。光合成においては，1molの二酸化炭素につき1molの酸素が生じることになる。
二酸化炭素の1molの重さは，分子量から44gであり，酸素1molの重さは32gである。よって，二酸化炭素11mgに対応する酸素の量x〔mg〕は次の比例式で求めることができる。

$$11\text{mg} : x\,[\text{mg}] = 44\text{mg} : 32\text{mg}$$

これより $11\text{mg} \times 32\text{mg} = x\,[\text{mg}] \times 44\text{mg}$ となり，xを求める。

$x = \dfrac{32 \times 11}{44} = 8$ より，放出される酸素の量は，8mgである。

以上より，正しい数値の組合せは**1**である。

正答 1

FOCUS

代謝のうち同化作用，特に光合成に関してはさまざまな内容の問題が出題されてきた。近年，地方上級以外の試験種では単独での出題が減少してはいるが，重要項目であることに変わりはない。

異化作用に関する出題はもともと多くはなかったものの，近年その比率が少し上昇してきているので要注意である。

POINT

重要ポイント 1 光合成の反応

光合成は主に緑色植物の**葉緑体**で行われ，葉の気孔より取り入れた二酸化炭素(CO_2)と根から吸収した水(H_2O)を利用し，有機物(グルコース$C_6H_{12}O_6$)を合成する反応である。光合成は，以下の反応式で示される。

$6CO_2 + 12H_2O$(＋光エネルギー) → $C_6H_{12}O_6 + 6O_2 + 6H_2O$

光合成は，次の４つの反応からなる。

①光エネルギーの吸収と変換
②水の分解
③ATPの生成
④二酸化炭素の固定

①②③は葉緑体の**チラコイド**で，④は**ストロマ**で行われる。

葉緑体内の反応

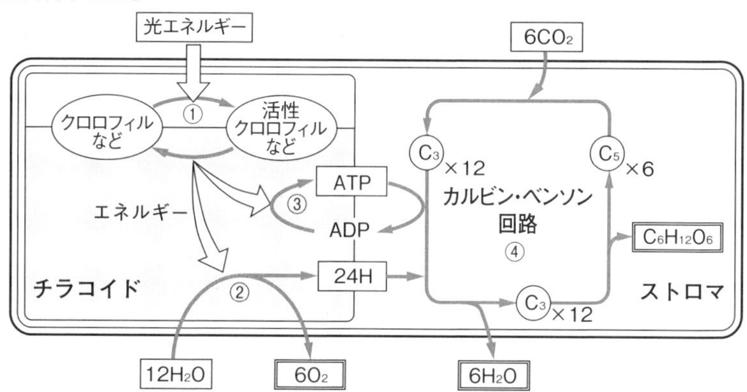

葉緑体：普通直径約５μm，厚さ２～３μmの凸レンズ状であり，外側は二重の膜で包まれ，内部には多数の扁平な袋状の膜構造を示す**チラコイド**がある。チラコイド以外の基質の部分を**ストロマ**という。光合成色素はチラコイドに含まれる。また，チラコイドが密になった部分を**グラナ**という。

葉緑体の構造

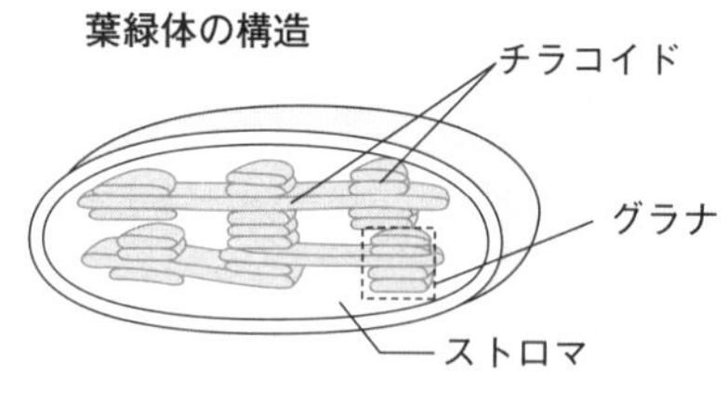

葉緑体は固有のDNAを持っており，自己増殖を行っている。

重要ポイント 2　光ー光合成曲線（ライトカーブ）

真の光合成量＝見かけの光合成量＋呼吸量

補償点：光合成量と呼吸量が等しくなり，見かけ上ガスの出入りがない光の強さのこと。

光飽和点：それ以上光を強くしても，二酸化炭素の吸収量が変化しなくなる光の強さ。

陽生植物は補償点が大きく，光飽和点における光合成速度も大きいが，陰生植物はいずれも小さい。

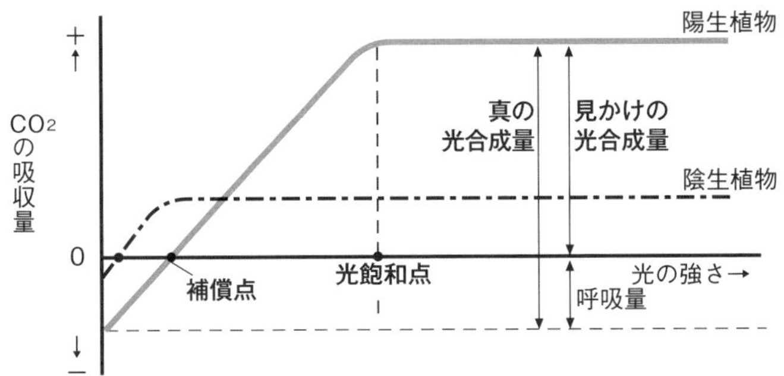

重要ポイント 3　光合成細菌と化学合成細菌

(1) 光合成細菌：紅色硫黄細菌などは，光合成を行う際に，H_2Oではなく，**硫化水素 H_2S** を利用する。

$$6CO_2 + 12H_2S + (\text{光エネルギー}) \rightarrow C_6H_{12}O_6 + 12S + 6H_2O$$

(2) 化学合成細菌：アンモニアNH_3や亜硝酸HNO_2の酸化エネルギーを利用。

①亜硝酸菌　$2NH_3 + 3O_2 \rightarrow 2HNO_2 + 2H_2O + (\text{化学エネルギー})$

②硝酸菌　$2HNO_2 + O_2 \rightarrow 2HNO_3 + (\text{化学エネルギー})$

$$6CO_2 + 12H_2O + (\text{化学エネルギー}) \rightarrow C_6H_{12}O_6 + 6O_2 + 6H_2O$$

重要ポイント 4　光と光合成色素

クロロフィルa：光合成を行うすべての植物に含まれる。マグネシウム(Mg)を含む化合物で，光合成の主要色素。光合成に特に有効な光は，赤色光と青紫色光である。

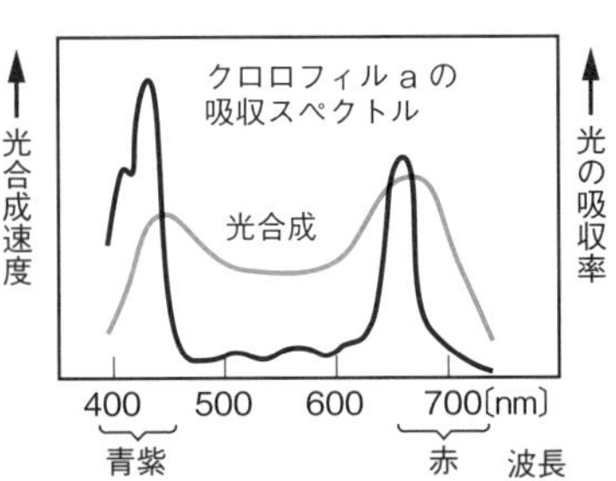

重要ポイント 5 C_4植物

C_3 植物：外界から吸収したCO_2を直接カルビン・ベンソン回路に取り込み光合成を行う植物。

C_4 植物：外界から吸収したCO_2をリンゴ酸などのC_4化合物に取り込み，さらにカルビン・ベンソン回路を経て光合成を行う植物。光合成の適温が30～40℃と高く，補償点は低いが光飽和点は高い。サトウキビ，トウモロコシなどが知られている。

強光・高温・乾燥の環境下では，水分を失うため気孔は閉じられる。C_3植物のように気孔から取り入れたCO_2をすぐに利用できないため，**CO_2を濃縮して利用するC_4回路**を持つと考えられる。このことは，光合成能力の高さ，生産性の高さと関連している。

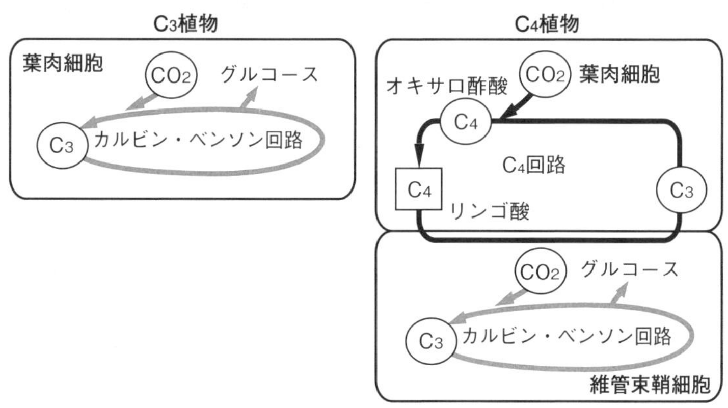

重要ポイント 6 植物の窒素同化

窒素Nは，**タンパク質**合成に必要不可欠な元素である。窒素N_2は地球大気の約78%を占めるが，ほとんどの動植物はこれを直接利用することができない。我々ヒトは他の動植物を食することで窒素を得ている。

以下の窒素固定と窒素同化（狭義）を併せて，窒素同化（広義）という。

窒素固定：ラン藻類，アゾトバクター，根粒菌（マメ科植物の根粒に共生している菌）は，空気中の窒素から**アンモニウムイオンNH_4^+**を合成することができる。また，湿った空気中で放電現象（落雷）が起きると空気中の窒素と酸素が結合して**硝酸イオンNO_3^-**が生じる。これらを窒素固定といい，空気中の窒素を生態系に取り込む重要な作用である。

窒素同化（狭義）：アンモニウムイオンや硝酸イオンは水に溶け，植物がこれらを根から採り入れてアミノ酸やタンパク質を合成する。これを狭義の窒素同化という。

重要ポイント 7　呼吸（内呼吸）

生命活動に必要なエネルギーを**ATP**（アデノシン三リン酸）という形で得ることを**内呼吸**という。内呼吸には，呼吸基質の分解に酸素を使うエネルギーの生産効率のよい**好気呼吸**と，有機物（呼吸基質）の分解に酸素を使わないがエネルギーの生産効率が低い**嫌気呼吸**がある。

ATPという形のエネルギーは，生命活動のためにいろいろなエネルギーに変換される。たとえばホタルでは光へ，電気ウナギでは電気へと変化する。

重要ポイント 8　好気呼吸

好気呼吸は次の3つの反応からなる。

①**解糖系**
②**クエン酸回路（サイクル）**（クレブス回路，TCA回路）
③**電子伝達系**（水素伝達系）

好気呼吸の反応式は以下のように示される。**重要ポイント1**で示した光合成の反応式の逆になっている点に注目してほしい（光合成の場合は，38ATPの代わりに光エネルギーが使われる）。

$$C_6H_{12}O_6+6O_2+6H_2O \rightarrow 6CO_2+12H_2O(+38ATP)$$

細胞質基質では解糖系が，ミトコンドリアのマトリクスではクエン酸回路，ミトコンドリアのクリステでは電子伝達系の反応が行われる。

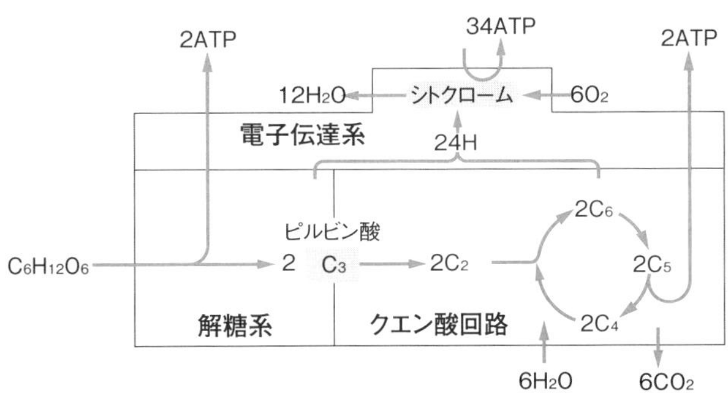

ミトコンドリア：内外二重の膜からできており，内膜は内側に折れ曲がって，**クリステ**という多数のひだを作っている。

ミトコンドリアは独自のDNAを持っており，自己増殖を行っている。

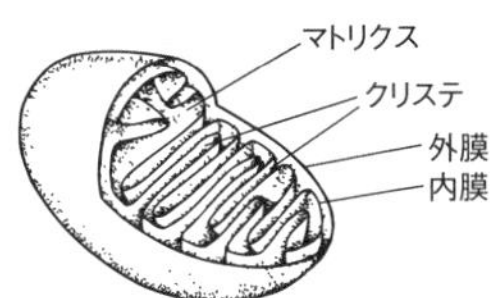

重要ポイント9 嫌気呼吸

(1) 発酵：微生物が行う嫌気呼吸のうち，生成される物質が人間にとって有用である場合。いずれもATP２分子を得る。

①**アルコール発酵：酵母**が行い，**グルコース（ブドウ糖）をエタノールと二酸化炭素に変えてエネルギーを生産する。酵母は酸素があるときは酸素を使って好気呼吸を行う**ため，アルコール発酵を行わせるためには無酸素状態にする必要がある。

②**酢酸発酵：酢酸菌**が行い，**エタノールを酢酸と水に変えてエネルギーを生産する。**嫌気呼吸だが酸素を使うため，**酸化発酵とも**呼ばれる。

③**乳酸発酵：乳酸菌**が行い，**グルコース（ブドウ糖）を乳酸に変えてエネルギーを生産する。**

(2) 腐敗：微生物が行う嫌気呼吸のうち，**生成される物質が人間にとって有害，不快な場合。**主にタンパク質等を分解するため，窒素Nや硫黄Ｓなどを含む有害物質が生じる。

(3) 解糖：筋肉においては通常，酸素呼吸が行われるが，**酸素の供給が足りない場合**には，筋肉内で乳酸発酵と同じ反応が起きて**乳酸とATP**が作られる。この反応を**解糖**という。乳酸は酸素が供給されると分解され，一部はグルコース合成に利用される。

$$C_6H_{12}O_6 \rightarrow 2C_3H_6O_3(+2ATP)$$

重要ポイント10 酵素反応の特徴

生体内で行われる物質の複雑な化学変化を**代謝**といい，すべて**酵素**の働きによって進められる。物質の代謝には必ずエネルギーの出入りや変換が伴っており，これを**エネルギー代謝**という。

(1) 生体触媒：酵素は，自分自身は変化せず，化学反応の早さを変化させる触媒機能を持ち，無機触媒に対して生体触媒と呼ばれる。細胞内で作られ，細胞内外で作用する。

(2) 基質特異性：酵素の本体は，**タンパク質**である。特異的な立体構造を持ち，基質（結合する相手）と結合して触媒作用を示す活性中心がある。この形に合致する特定の基質とのみ反応する。

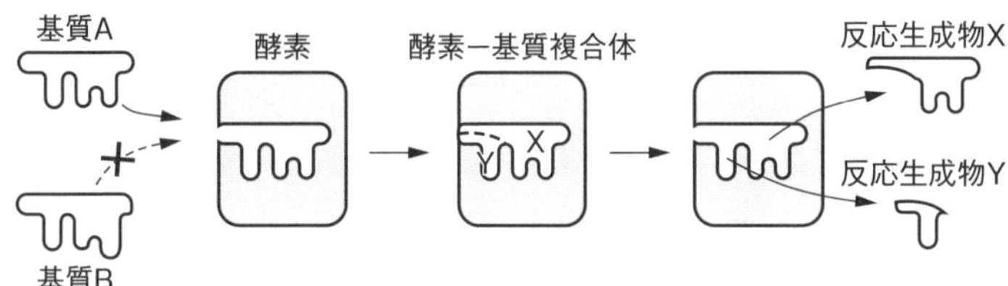

(3) 最適pHと最適温度：酵素によって最も適したpHや温度がある。多くの酵素は最適pHが中性～弱アルカリ性（pH７～８）付近だが，ペプシンのみは強酸性（pH2.2）である。

ヒト体内の場合，30～40℃で酵素反応が最大となる。70℃を超すとタンパク質が**熱変性**を起こし働けなくなり，温度を下げてももとには戻らず，酵素の働きを失う（失活する）。

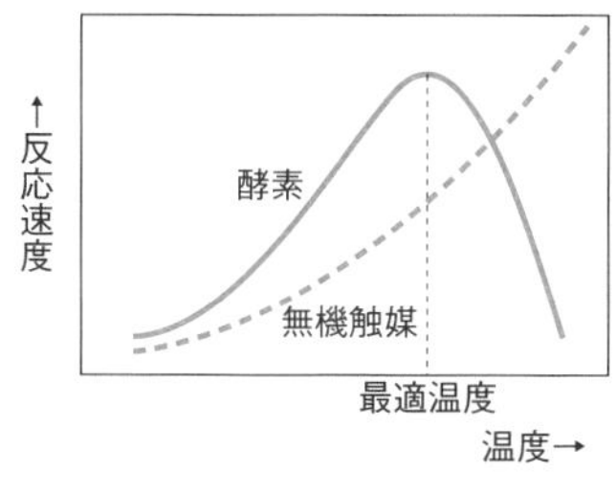

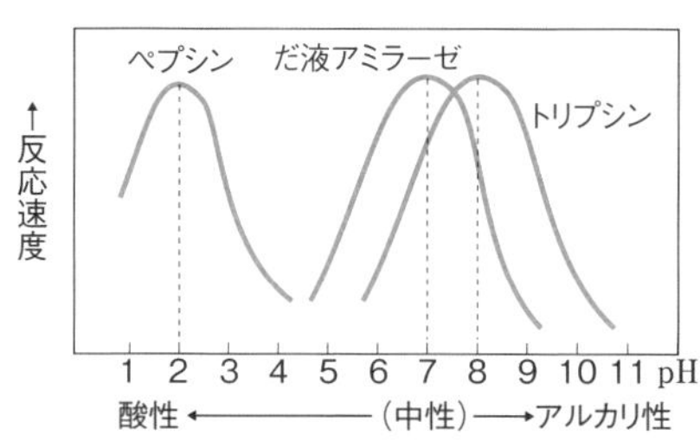

(4) 酵素の構造：酵素にはタンパク質だけからなるものと，タンパク質以外の成分（補酵素）を含むものがある。

補酵素は，低分子の有機物（ビタミン類など）で一般に熱に強い。透析するとタンパク質から容易に解離する。

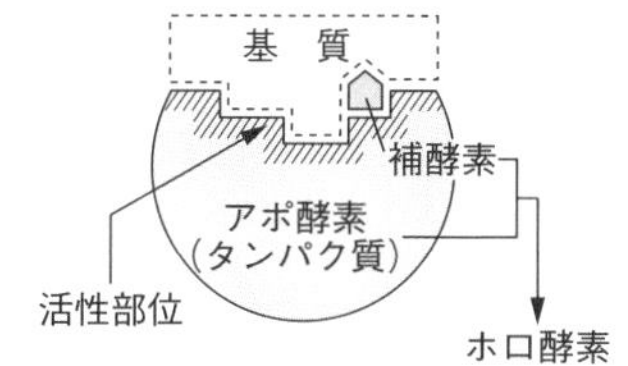

重要ポイント11　ヒトの消化酵素

アミラーゼ（だ液）	デンプン→マルトース（麦芽糖）
マルターゼ（腸液）	マルトース→グルコース（ブドウ糖）
リパーゼ（すい液）	脂肪→脂肪酸＋モノグリセリド※
ペプシン（胃液）	タンパク質→ペプトン（ポリペプチド）
トリプシン（すい液）	ペプトン→ポリペプチド
ペプチダーゼ（腸液）	ポリペプチド→アミノ酸
スクラーゼ	スクロース（ショ糖）→グルコース＋フルクトース（果糖）
ラクターゼ	ラクトース（乳糖）→グルコース＋ガラクトース

※脂肪はグリセリンに脂肪酸が3分子結合した物質（トリグリセリド）である。以前は，リパーゼは脂肪を脂肪酸3分子とグリセリンにまで分解すると考えられていたが，現在では脂肪酸2分子とモノグリセリド（グリセリンに脂肪酸が1分子結合した物質）までしか分解できないことがわかっている。

実戦問題❶　基本レベル

＊
No.1　光合成速度に関する記述として，妥当なのはどれか。

【地方上級（東京都）・平成18年度】

1　光合成速度は，植物が単位時間当たりに窒素を吸収する量を測定することで知ることができる。

2　光合成速度は，光の強さ，温度および二酸化炭素濃度が一定の環境のとき，植物の種類に関係なく，同じ値を示す。

3　光合成速度は，温度および二酸化炭素濃度が一定の環境のとき，ヒマワリでは，光の強さによらず，呼吸速度を下回っている。

4　光合成速度は，温度および二酸化炭素濃度が一定の環境のとき，ヒマワリでは，光を強くすると増加するが，光の強さが光飽和点以上では一定となる。

5　光合成速度は，温度が限定要因であるとき，ヒマワリでは，二酸化炭素濃度が高くなるほど増加する。

＊
No.2　細胞内で有機物を分解してエネルギーをATPの形で取り出す働きを内呼吸というが，内呼吸には好気呼吸と嫌気呼吸がある。これらに関する次の記述のうち，正しいものはどれか。

【地方上級（全国型）・平成18年度】

1　好気呼吸，嫌気呼吸ともにその過程でATPを生成するが，その量は好気呼吸のほうが多い。

2　動物の筋肉内で行われるのは好気呼吸だけであり，その過程でグルコースが分解されて乳酸ができる。

3　好気呼吸，嫌気呼吸ともにクエン酸回路，解糖系と呼ばれる反応過程を含んでいる。

4　乳酸発酵は好気呼吸であり，乳酸菌によってグルコースが分解されて乳酸ができる。

5　アルコール発酵は嫌気呼吸であり，酵母によってグルコースが分解されてメタノールができる。

No.3 ＊ **次の文は，発酵に関する記述であるが，文中の空所A～Cに該当する語の組合せとして，妥当なのはどれか。**

【地方上級（特別区）・平成30年度】

微生物が，［ A ］を使わずに有機物を分解してエネルギーを得る反応を発酵という。［ B ］は，［ A ］が少ないときには，アルコール発酵を行い，［ C ］をエタノールと二酸化炭素に分解してエネルギーを得ている。

	A	B	C
1	葉緑体	乳酸菌	グルコース
2	葉緑体	乳酸菌	ATP
3	酸素	乳酸菌	グルコース
4	酸素	酵母	ATP
5	酸素	酵母	グルコース

No.4 ＊＊ **生物の代謝とエネルギーに関する記述として最も妥当なのはどれか。**

【国家専門職・平成19年度】

1 生物のエネルギー代謝は，同化と異化に大別される。植物や細菌が行っている光合成は同化に，動植物が行っている呼吸やアブラナ科植物の根に共存している根粒菌が行っている窒素固定は異化に該当する。

2 好気呼吸の反応は，解糖系，クエン酸回路，水素伝達系（電子伝達系）の3つの過程に分けられる。このうち，解糖系は，細胞質基質で行われ，クエン酸回路と水素伝達系（電子伝達系）は，ミトコンドリアで行われる。

3 酸素がない条件下で行われる嫌気呼吸の例として，乳酸発酵が挙げられる。嫌気呼吸の特徴は，グルコース（ブドウ糖）を，カルビン・ベンソン回路を利用して，酸素を利用することなく，乳酸などと二酸化炭素とに分解し，ADPを得ることにある。

4 光合成には，明反応と暗反応がある。明反応は，葉緑体中のクチクラで光エネルギーを吸収し化学エネルギーに変換するもので，暗反応はゴルジ体中のグラナで化学エネルギーを利用して，グルコース（ブドウ糖）を合成するものである。

5 微生物の中には，光の当たらない暗黒条件下で無機物を還元して，その際に遊離する化学エネルギーを利用して有機物を合成するものがあり，これを化学合成という。酵母や温泉などに生息する紅色硫黄細菌が，この例に該当する。

実戦問題1の解説

No.1 の解説　光合成速度　→問題はP.240　**正答4**

1 × 光合成に必要な気体は二酸化炭素である。
光合成速度は，使用される二酸化炭素の量（CO_2量）を測定することで知ることができ，**真の光合成速度＝見かけの光合成速度＋呼吸速度**である。窒素の吸収量ではない。

2 × 同じ環境でも，植物の種類によって光合成速度は異なる。
光合成速度は，同じ条件であっても，植物の種類によって異なる。陽生植物と陰生植物によっても，補償点や光飽和点は異なる。

3 × 光の強弱によって，光合成速度と呼吸速度の大小関係は異なる。
陽生植物のヒマワリの光合成速度は，温度やCO_2量が十分な環境にて，光を強くしていくと増加し，呼吸速度と光合成速度が等しくなる。この光の強さを**補償点**という。さらに光を強くすると，光合成速度が呼吸速度を上回るようになる。

4 ◎ 光合成速度は，光の強さが光飽和点を超えると一定となる。
正しい。ヒマワリに限らず，陽生植物でも陰生植物でも，光を強くすると，光合成速度は増加していくが，ある光の強さ以上では一定となる。この光の強さを**光飽和点**という。

5 × 限定要因とは，生物の生理作用を最も束縛する条件のことである。
反応速度（光合成速度）は，ある**最小の要因**によって限定されると考えられ，その最小の要因を**限定要因**という。温度が限定要因のときは，光合成速度は温度によって限定されてしまうので，それ以外の要因（CO_2濃度や光の強さ）が変化しても，光合成速度は変化しない。

No.2 の解説　嫌気呼吸と好気呼吸

→ 問題はP.240　正答1

1 ◎ 好気呼吸のほうが，嫌気呼吸よりも効率がよい。
正しい。**好気呼吸**では１分子のグルコースから最終的に**38分子**のATPを得られるが，**嫌気呼吸**では**2分子**のATPしか得られない。

2 × 解糖は，乳酸発酵と同じ反応だが，「発酵」とはいわない。
筋肉内では好気呼吸が行われるが，激しい運動の際には酸素が不足するため，嫌気呼吸の一種である**解糖**によってATPが作られ，結果として疲労物質である**乳酸**ができる。

3 × 解糖系は，好気呼吸，嫌気呼吸に共通した反応である。
嫌気呼吸は解糖系のみでエネルギーを生み出すが，好気呼吸は解糖系のみならずクエン酸回路，電子伝達系の３つの反応それぞれでエネルギーを生み出している。嫌気呼吸ではクエン酸回路が行われないので，本肢は誤りである。

4 × 乳酸は，牛乳のタンパク質を凝固させるため，ヨーグルトなどの製造に利用される。
乳酸発酵は，**乳酸菌**が行う反応で，酸素を使わない**嫌気呼吸**の一種である。筋肉の中で，酸素が足りないときに起こる解糖と，反応内容は同じである。

5 × エタノールは酒に含まれるアルコールで，メタノールは毒物である。
アルコール発酵は，**酵母**が行う**嫌気呼吸**の一種で，酒などの製造に利用されるが，この反応で生じるのは，メタノールではなく**エタノール**である。

No.3 の解説　嫌気呼吸と好気呼吸

→ 問題はP.241　正答5

A：「酸素」が入る。発酵は，酸素を使わない無気呼吸の一種である。
発酵は，酸素を使わずに有機物からエネルギーを得る無気呼吸（嫌気呼吸，無酸素呼吸）の一種である。無気呼吸の結果，生成した物質が人間にとって**有益であれば「発酵」，有害であれば「腐敗」**と呼ぶ。

B：「酵母」が入る。アルコール発酵を行うのは，酵母（酵母菌）である。
酵母は**ミトコンドリア**を持っているので，酸素が十分にある環境では好気呼吸を行い，グルコース$C_6H_{12}O_6$をCO_2とH_2Oに分解することもできる。このときはATP38分子ぶんのエネルギーを得ることができる。
乳酸菌は乳酸発酵を行い，グルコースから乳酸を生成する。

C：「グルコース」が入る。アルコール発酵の呼吸基質はグルコースである。
アルコール発酵は，酵母菌が酸素の少ない環境下でグルコースをエタノールC_2H_5OHとCO_2に分解し，ATP２分子ぶんのエネルギーを得る反応である。

以上より，正しい語句を選んでいるのは肢**5**である。

No.4 の解説　代謝とエネルギー

→問題はP.241 正答2

1 ×　同化は光合成や窒素同化など，異化は呼吸である。

同化とは，無機物から有機物を合成する反応で，エネルギーを必要とする。異化は，有機物を分解する反応で，エネルギーが放出される。本肢は，同化の一種である窒素固定を異化と述べているので，誤りである。

2 ◎　解糖系は細胞質基質で行われる。

正しい。**ミトコンドリアは好気呼吸の場**であり，クエン酸回路はミトコンドリアのマトリクス（内膜の内側）内で，電子伝達系はミトコンドリアの内膜上で行われる。

3 ×　カルビン・ベンソン回路は，光合成の回路反応である。

嫌気呼吸では**解糖系**によって，グルコースがピルビン酸にまで分解されるときに生じるATPを利用する。ピルビン酸は，乳酸発酵では乳酸に，アルコール発酵ではエタノールと二酸化炭素に変化する。

4 ×　光に関する反応は，葉緑体のチラコイドで進む。

現在では，明反応と暗反応という呼び方は使われなくなっている。クチクラは，植物の葉などの細胞表面を覆うロウを主成分とする膜のことである。ゴルジ体は，物質の貯蔵や分泌に働く細胞の微細構造で，光合成とは直接関係はない。グラナは，チラコイドが重層してひとかたまりになった部分をさす言葉である。

5 ×　化学合成は，
無機物の酸化エネルギーを利用して，有機物を合成する反応である。

化学合成は**亜硝酸菌**や**硝酸菌**，**硫黄細菌**が行う。硫黄泉などに生息する紅色硫黄細菌は，光合成細菌の一種であるが光合成色素を持たず，二酸化炭素CO_2と硫化水素H_2Sから有機物を生産する。酵母が行うのは，嫌気呼吸の一種であるアルコール発酵であるから，むしろ逆である。

実戦問題2　応用レベル

＊＊ No.5　酵素に関する記述として妥当なもののみをすべて挙げているのはどれか。

【国家総合職・平成17年度】

A：酵素の活性部位は，それぞれ一定のアミノ酸配列によって固有の立体構造を持っている。基質は，この活性部位の立体構造に適合するものしか結合できない。したがって，それぞれの酵素が働く基質は決まっていて，他の物質には作用しない。

B：酵素の濃度を一定にして基質の濃度を変えると，酵素反応の速度は，基質濃度が低い範囲では，基質濃度の増加とともに直線的に増加するが，ある濃度以上になると，基質濃度が増しても増加せず，ほぼ一定に保たれる。

C：酵素は，普通，温度が高くなるに従って反応速度が次第に速くなるが，100℃以上の高温になると，酵素タンパク質が変性するために働きを失う。酵素の働きは，60～70℃のもとで最も活発になるものが多い。

D：酵素の反応が最大のときのpHを最適pHといい，一般には，6.0～8.0の値が多い。だ液で働くリパーゼや胃で働くアミラーゼの最適pHは中性付近であるが，すい液に含まれるペプシンの最適pHは10以上の強いアルカリ性となっている。

1　A，B
2　A，C
3　B，C
4　B，D
5　C，D

＊ No.6　細胞内で酸素を用いて有機物を分解してATPを合成する働きを呼吸(細胞呼吸)という。呼吸に関する次の記述のうち，妥当なものはどれか。

【地方上級（全国型）・令和2年度】

1　呼吸を担う細胞小器官は，動物ではミトコンドリア，植物では葉緑体である。
2　呼吸に使われる有機物は主にタンパク質であり，タンパク質を使い切った後，炭水化物や脂肪が使われる。
3　呼吸で合成されたATPは，生命活動のエネルギー源として使われる。
4　呼吸に使われた有機物は，最終的に窒素と酸素に分解される。
5　激しい運動をしている筋肉組織では，酸素の代わりに乳酸が用いられる。

No.7 ＊＊ **生物が行う同化作用に関する次の記述のうち，最も妥当なのはどれか。**

【国家専門職・平成16年度】

1 植物の光合成速度と呼吸速度がつりあって，見かけの光合成速度が０になるときの光の強さを補償点といい，また，光合成速度は光がある一定の強さを超えると変化しなくなるが，このときの光の強さを光飽和点という。陽生植物は陰生植物よりも，一般に光飽和点は高いが補償点は低い。

2 植物の光合成の色素は，緑色のクロロフィルと黄色や赤色などのカロテノイドに大きく分けられる。クロロフィルは夏季に主に緑色の光を利用して光合成を行い，カロテノイドはクロロフィルが光合成を行えない春季の芽生え時や秋季の落葉時に黄色や赤色の光を利用して光合成を行う。

3 光合成を行う反応回路はカルビン・ベンソン回路と呼ばれる。この反応は，水を酸素と水素イオンに分解するカルビン回路と，二酸化炭素をグルコース（ブドウ糖）に固定するベンソン回路の２つから成り立っている。

4 光の当たらないところでは，有機物を酸化させて生じる化学エネルギーを利用して，炭酸同化を行う細菌が存在している。このような細菌の働きを化学合成といい，この代表的な例として，乳酸菌による，二酸化炭素から乳酸を生成する乳酸発酵が挙げられる。

5 植物は，一般に大気成分の窒素を直接利用することができない。しかし，マメ科植物の根にすむ根粒菌などは，大気中の窒素を取り込んで，アンモニアに変えることができ，これらは植物により窒素同化に利用される。

No.8 ＊＊＊ **植物の光合成とバイオ燃料に関する記述として最も妥当なのはどれか。**

【国家総合職・平成22年度】

1 光合成は，光エネルギーを化学エネルギーに変換する光化学反応と，化学エネルギーを用いてブドウ糖（グルコース）を生産する暗反応の二段階に大別される。光化学反応は葉緑体内部に存在するストロマで，暗反応は葉緑体内部のクロロフィルで行われる。暗反応の反応回路はクエン酸回路と呼ばれる。

2 光合成速度は，温度，光の強さ，二酸化炭素濃度によって影響を受ける。温度は，光合成における化学反応を触媒する酵素の活性に影響し，一般に，30℃程度までは温度が上昇するほど光合成速度は増大するが，40℃を超えると減少する。一方，光の強さ，二酸化炭素濃度が増加すればするほど光合成速度は増大し続ける。

3 光合成では，１molのブドウ糖を合成するのに，６molの二酸化炭素と３molの水を必要とする。一方，好気呼吸により１molのブドウ糖を分解するには，６molの酸素が必要である。また，糖質作物からバイオエタノールを製造する場合，１molのブドウ糖から，最大で６molのエタノールが製造される。

4 植物は，光合成によって合成されるブドウ糖の結合方式の違いにより，C_3植物とC_4植物に分類される。イネやダイズはC_3植物であり，トウモロコシやサトウキビはC_4植物である。一般に，C_3植物のほうがC_4植物よりも光合成の効率がよく生産性が高いため，バイオ燃料の原料として使用されているものの大半はC_3植物である。

5 バイオエタノールは，サトウキビ等の糖質作物，トウモロコシ，イネ等のデンプン質作物を発酵，蒸留して製造される。その製造工程について，デンプン質作物には，糖質作物では不要な糖化の工程が追加される。また，バイオディーゼルは，なたね，パーム等の油糧作物や廃食用油といった油脂を原料として製造される。

***
No.9 微生物の性質や利用に関する記述として最も妥当なのはどれか。

【国家専門職・平成20年度】

1 肉眼で観察できないような微小な生物を微生物と呼ぶ。微生物は，原核生物と真核生物とに大別され，前者は細胞壁を持たずDNAが細胞質中に拡散するもの，後者は細胞膜の外側に細胞壁を持つものと定義されている。

2 原核生物は細菌類またはバクテリアと総称され，概して真核生物より小さい。細菌類の中でも最も小さいウイルスは，無機塩しか含まない水中や空気中においても，細胞分裂によって盛んに増殖することができる。

3 細菌類の中で，胞子を作って増殖するものをカビと呼ぶ。カビには多くの種類が存在し，それぞれの特性に応じて，味噌，納豆，ヨーグルトなどの製造に用いられている。また，コウジカビのように，抗生物質であるペニシリンを産生するものもある。

4 酵母は，嫌気呼吸により糖をエタノールと二酸化炭素に分解するアルコール発酵を行うため，酒類の製造に利用されている。酸素が存在するとアルコール発酵は阻害され，糖は二酸化炭素と水にまで分解される。

5 エタノールから酢酸の生合成を行う細菌を酢酸菌といい，食酢の製造に利用されている。酢酸菌は，酸素があると生きられない嫌気性細菌であり，また，雑菌などが生育できない非常に低いpHを好む。

実戦問題❷の解説

No.5の解説　酵素

→問題はP.245　正答1

A○ 酵素の本体は，タンパク質である。

正しい。タンパク質は，20種類のアミノ酸が多数結合したものだが，**アミノ酸配列が少しでも異なると，立体構造は違ったものになる**。そのため，酵素と反応する相手（基質）との結合は，立体的に合致する物質だけということになる（鍵と鍵穴説）。このような酵素の性質を，**基質特異性**という。

B○ 酵素と基質は，酵素基質複合体を形成し反応を進める。

正しい。基質濃度が高いほど酵素基質複合体が形成されやすく，反応が促進される。しかし，基質がすべて酵素と複合体を形成するようになると，それ以上基質の濃度が上がっても，反応速度は変化せず一定となる。

C× 酵素反応は，温度の上昇によって盛んになる。

ヒト体内のものでは一般に**35～40℃あたりで最大値を示す**。これが最適温度であるが，さらに温度を高くすると反応速度は次第に低くなり，**多くの酵素は60～70℃を超えると反応性が急激に低下する**。これは，酵素の本体であるタンパク質が，高温のために**熱変性**を起こしてしまい，酵素として働けなくなる（**失活**する）からで，これは温度を下げても，もとには戻らない。

D× 最適pHは，酵素によって異なる。

たとえば，**だ液に含まれるアミラーゼの最適pHは７（中性），強酸性の胃の中で働き，タンパク質をペプトンに分解するペプシンの最適pHは２（強酸性）**である。また，すい液に含まれ，ペプトンをポリペプチドに分解する**トリプシンの最適pHは８の弱アルカリ性**である。リパーゼは，すい液に含まれ，脂肪を脂肪酸とモノグリセリドに分解する酵素である。この記述は臓器，消化酵素，最適pHの組合せがばらばらである。

よって，正しいのは**A**と**B**なので，**1**が正答である。

No.6の解説　好気呼吸

→問題はP.245　正答3

1× 好気呼吸を行う細胞小器官は，ミトコンドリアである。

好気呼吸を行って，有機物からエネルギーを取り出すのは，動物でも植物でもミトコンドリアである。葉緑体は，光合成を行う細胞小器官である。

2× 呼吸基質は主に炭水化物である。

呼吸に使われる有機物（呼吸基質）は主に炭水化物であり，炭水化物を使い切ると脂肪が使われる。タンパク質は，身体を形作るための物質でありエネルギー源ではないので，余程のことでもない限り，呼吸基質とはならない。

3◎ ATPは，エネルギー通貨とも呼ばれる。

ADP（アデノシン二リン酸）からATP（アデノシン三リン酸）を合成することで，エネルギーを蓄える。

4× 有機物(有機化合物)は，炭素の化合物である。

呼吸に使われる炭水化物や脂肪は，炭素C，水素H，酸素Oからできており，基本的には窒素Nが含まれていないので，内呼吸によって窒素N_2が生じることはない。また，酸素O_2は呼吸によって生じるというよりはむしろ，好気呼吸が行われる際に利用される物質である。

5 × **乳酸は，嫌気呼吸による副産物にすぎない。**
筋肉組織が激しい運動をしているとき，酸素が十分にあると好気呼吸を行いCO_2を生ずるが，酸素が足りないときは解糖を行い，副産物として乳酸を生成する。よって乳酸を利用して何かをするということではない。

No.7 の解説　同化作用

→ 問題はP.246　**正答 5**

1 × **陽生植物（陽性植物）は，日当たりのよい場所に生育する植物で，補償点も光飽和点も高い。**
陰生植物（陰性植物）は，補償点が低いため，弱い光の場所でも生育することができる。

2 × **光エネルギーを吸収する色素はクロロフィルaで，主に赤色と青紫色の光が吸収される。**
カロテンやキサントフィルも光エネルギーを吸収し，クロロフィルaに集めている。これは，春や秋などの季節によって変化するものではないし，緑色に見えるということは，緑色の光が眼に入っているということだから，緑色の葉は緑色の光を多く反射していることになる。ただし，緑色の光を吸収していないわけではないので，この部分は誤りとはいえない。

3 × **カルビン回路とベンソン回路という２つがあるわけではない。**
光を吸収して活性化されたクロロフィルaにより水が分解され，生じた水素と合成されたATPを利用して，取り入れた二酸化炭素を有機物（グルコース）に合成する反応全体を，**カルビン・ベンソン回路**（または**カルビン回路**）という。

4 × **乳酸菌の乳酸発酵は無気呼吸の一種で，グルコースを分解して乳酸にする作用である。**
化学合成を行う細菌としては，土壌中の亜硝酸菌や硝酸菌がある。それぞれ，無機物のアンモニアを亜硝酸に，亜硝酸を硝酸に酸化するときに生じる化学エネルギーを用いて，二酸化炭素を固定する。

5 ◎ **根粒菌は，窒素固定を行っている。**
正しい。多くの植物は，大気中の窒素を直接利用することはできず，水に溶けたアンモニウムイオン，亜硝酸イオン，硝酸イオンを根から吸収して利用している。マメ科植物の根にすむ根粒菌は，大気中の窒素を植物が利用できるアンモニウムイオンの形に変えて植物に与え，植物からは炭水化物を得ている。

No.8 の解説　植物の光合成とバイオ燃料

→ 問題はP.246 正答５

1 × **光合成の過程は，４つの段階に分類される。**

光合成は①**光エネルギーの吸収**，②**水の分解**，③**ATPの合成**，④**二酸化炭素の固定**であり，光に関係するのは①だけである。光エネルギーの吸収は，葉緑体の**チラコイド**に含まれる**クロロフィル**が行う。他方，二酸化炭素の固定は，**ストロマ**の**カルビン・ベンソン回路**によって行われる。**クエン酸回路**は，好気呼吸の反応である。暗反応の名称は，近年は使われなくなっている。

2 × **光の強さやCO_2濃度がある一定値を超えると，光合成速度は一定となる。**

温度に関しては正しい。しかし光が強いほど光合成速度も速くなるが，ある明るさ以上の環境では，光合成速度は一定となってしまう。二酸化炭素濃度でも同様である。これは，複数の反応が組み合わさって光合成が行われているからである。

3 × **$CO_2$６分子からグルコース１分子が合成される。**

光合成の反応式は，

$$6CO_2+12H_2O+(\text{光エネルギー})\rightarrow C_6H_{12}O_6+6O_2+6H_2O$$

であり，好気呼吸の反応式は，

$$C_6H_{12}O_6+6O_2+6H_2O\rightarrow 6CO_2+12H_2O+(38ATP)$$

である。これより光合成では，６molの二酸化炭素と12molの水が必要であることがわかる。

　アルコール発酵の反応式は，

$$C_6H_{12}O_6\rightarrow 2C_2H_5OH+2CO_2+(2ATP)$$

で示されるので，１molのブドウ糖（グルコース）から２molのエタノールが作られる。

4 × **C_4植物は，C_3植物よりも光合成の効率がよい。**

C_4植物は，CO_2の固定に際して，カルビン・ベンソン回路のほかにCO_2濃縮のためのC_4経路（ハッチ・スラック回路ともいう）を持つ植物である。C_4経路の名は，CO_2固定において，初期産物であるオキサロ酢酸が，C_4化合物（１分子中に炭素C原子を４個持つ化合物）であることに由来する。これに対して，カルビン・ベンソン回路しか持たない植物を，**C_3植物**という。

5 ◎ **バイオエタノールは，アルコール発酵によって作られる。**

正しい。**バイオエタノール**は，植物が作り出す糖，デンプン，セルロースなどを原料として製造されたエタノール（エチルアルコール）のこと。バイオディーゼルとは，生物由来油から作られるディーゼルエンジン用燃料の総称であり，菜種油やパーム油，オリーブ油，ひまわり油，魚油や獣脂および廃食用油など，さまざまな油脂が原料となりうる。いずれも環境に負荷をかけにくいといわれるが，原料によって品質にばらつきが生じてしまうことが問題点として挙げられている。

No.9 の解説　微生物の性質や利用

→ 問題はP.247　正答4

1 ×　細菌類とラン藻類は，原核生物である。

原核生物である細菌類とラン藻（シアノバクテリア）類は核を持たず，DNAが裸の状態で細胞基質中に存在する。**真核生物**は核を持ち，細胞小器官が発達している。原核生物は細胞壁を持つが，ミトコンドリアや葉緑体，ゴルジ体を持たない。

2 ×　ウイルスは，生物ではないとする考え方もある。

ウイルスは細胞を持たず，他の生物の細胞を利用して，自己を複製させる微小な構造体で，自己増殖できない。タンパク質の殻と，その内部に詰め込まれた核酸（DNAあるいはRNA）からなる。「生物」の定義にもよるが，ウイルスは自己増殖能を持たないので，生物ではないとする考え方もある。

3 ×　菌類は，真核生物である。

カビの仲間は**菌類**と呼ばれ，真核生物である。一般にキノコ・カビ・酵母などが含まれる。外部の有機物を利用する**従属栄養生物**である。コウジカビの利用により，味噌・醤油・日本酒などが作られる。納豆は細菌の一種である納豆菌を，ヨーグルトは細菌の一種である乳酸菌を利用する。また，ペニシリンを作るのは，アオカビである。

4 ◎　酵母は，好気呼吸も嫌気呼吸もできる。

正しい。**酵母**は，酸素のない環境（嫌気条件）の下では，エネルギーを得るために嫌気呼吸である**アルコール発酵**を行って，グルコースからアルコール，有機酸，二酸化炭素などを生成するが，酸素の存在下では**好気呼吸**を行い，グルコースを二酸化炭素と水に分解する。ワインの製造では，樽などにブドウを詰めて，嫌気的条件を作っている。

5 ×　酢酸菌は，エタノールを酢酸に変える。

酢酸菌は，酸素を利用して**エタノールを酸化し，酢酸を生産**する好気性細菌である。酸を生産するため，酸には耐性を持ち，pH 5.0 以下でも成長する。

動物の恒常性

必修問題

ヒトの生体防御や老廃物排出に関する記述として最も妥当なのはどれか。

【国家一般職・平成21年度】

1 体内にウイルスや細菌などの**抗原**が侵入すると，血小板の一種であるT細胞とB細胞の働きによってこれを排除するタンパク質である**抗体**が生成され，抗体と結合した抗原は赤血球の食作用により処理される。

2 ヒトの体は，以前に侵入した抗原に対する**免疫記憶**があり，２回目以降の侵入にすみやかに多量の抗体を生産して反応できる。この性質により体に直接害のない異物に過剰な抗原抗体反応が引き起こされ，生体に不都合な症状が起きることを**アレルギー**という。

3 肝臓では血液中の有害物の無毒化や不用代謝物の分解が行われ，そのランゲルハンス島の細胞で，タンパク質の分解によって生じた毒性の強いアンモニアが無毒のアミノ酸に分解される。

4 腎臓では，腎小体で血液がろ過されて原尿が作られる。この原尿は，**細尿管**を通過する際にアミノ酸が，次の膀胱（ぼうこう）で残りの多量の水分と無機塩類が血液中に**再吸収**されて，尿素が濃縮される。

5 一部のホルモンは腎臓の再吸収の作用に関係しており，脳下垂体後葉から分泌されるアドレナリンは水の再吸収を促進し，副腎皮質から分泌されるインスリンは無機塩類の再吸収を調節する。

難易度＊＊

必修問題の解説

動物の恒常性，そのうちでも特にヒトの体に関する出題は非常に多く，ほとんどの試験種で最頻出であるといってよい。基本的にはそれぞれの部位に特化した問題が多いが，本問のように人体全般について問うような問題もしばしば出題される。

1× 免疫に関与する血球は白血球である。

T細胞とB細胞は，白血球の一種であるリンパ球である。T細胞の指示により，B細胞が抗原に対応した抗体を産生する。**抗原抗体反応**によって凝集した抗原は，白血球の一種である**マクロファージ**などの食作用によって除去される。血小板は血液の凝固に働き，赤血球は酸素運搬に働く血液の有形成分であるから，ここでは無関係である。

2◎ アレルギーは過剰な抗原抗体反応である。

正しい。**病後免疫**では，たとえば麻疹（はしか）などは１度かかれば２度はかからない。一方，花粉やハウスダストなど，本来ならば害のない物質を抗原と見なして抗体を作ってしまうために，不快な状態になる反応を**アレルギー**といい，アレルギーによる症状には**花粉症**，**アトピー性皮膚炎**，**気管支ぜんそく**などがある。

3× 肝臓のオルニチン回路でアンモニアを解毒する。

タンパク質が分解されると，細胞にとって有毒なアンモニアが生じる。肝臓は，肝細胞における**オルニチン回路**の反応によって，**アンモニアを毒性の低い尿素に変える**。ランゲルハンス島は，すい臓にある内分泌腺で，このうちA（アルファ）細胞（α細胞）から血糖値を上げるグルカゴン，B（ベータ）細胞（β細胞）から血糖値を下げるインスリンというホルモンが分泌される。

4× 腎臓は血液から不要物を取り出して尿を作る。

腎臓でろ過が行われるが，**ろ過装置の最小単位はネフロン（腎単位）**で，ヒトの腎臓１個に約100万個ある。腎動脈から送られてきた血液のタンパク質以外の血漿成分は一度**ボーマンのう**中に濾過され，「**原尿**」と呼ばれる。原尿は１日約170L作られるが，水分，ブドウ糖（グルコース），無機塩類をはじめとする必要な物質は，**細尿管を通る間に再吸収**され，腎うから輸尿管を通ってぼうこうに送られ，尿となるのは１日約1.5Lほどである。

5× アドレナリンもインスリンも血糖値を調節するホルモンである。

脳下垂体後葉から分泌される**バソプレシン**は，腎臓での水の再吸収を促進するホルモンである。**アドレナリン**は副腎髄質より分泌されるホルモンで，血糖値を上げる作用がある。副腎皮質から分泌されるホルモンには，糖質コルチコイドと鉱質コルチコイドがある。**糖質コルチコイド**は，タンパク質を糖に変えることで血糖値を上昇させる。**鉱質コルチコイド**は，無機塩類の再吸収を促進させる働きがある。**インスリン**は，すい臓のランゲルハンス島B（ベータ）細胞（β細胞）から分泌され，血糖値を低下させる。

正答 2

FOCUS

このテーマの中でも，頻出の内容とそうでない内容が比較的はっきりしている試験種が多い。よって，各自の受験する試験種において，どこが頻出なのかをしっかり把握して対策に当たるとよい。

POINT

重要ポイント 1 免疫

免疫とは個体を認識することである。体内に入った異物に対して，これを攻撃し排除する機構をいう。体液性免疫と細胞性免疫がある。

(1) 体液性免疫：侵入した異物（**抗原**）に対し，特異的に働く物質（**抗体**）ができ，異物を溶解・凝集・無毒化させる。この反応を**抗原抗体反応**という。

抗体：**免疫グロブリン**と呼ばれるタンパク質からなり，Y字型の分子構造で，異物に結合する特異的な構造を持つ。リンパ球の**B細胞**が産生する。

(2) 細胞性免疫：抗原に直接反応するもので，マクロファージや胸腺由来のリンパ球の**T細胞**が行う。T細胞は，B細胞の抗体産生を誘導する働きも持つ。

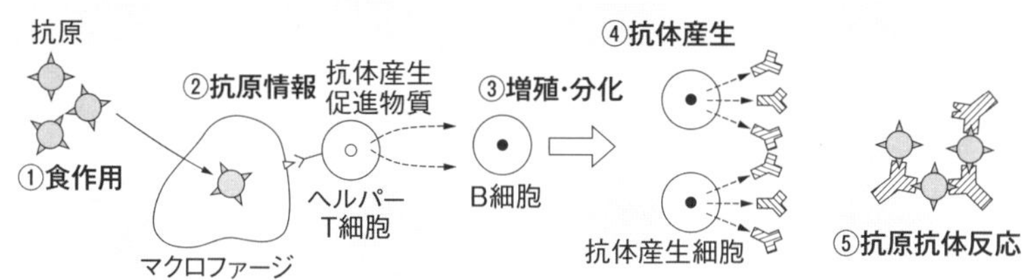

エイズ（AIDS，後天性免疫不全症候群）：HIV（ヒト免疫不全ウイルス＝エイズウイルス）はT細胞に侵入してこれを破壊するため，T細胞からの情報が伝わらずB細胞では抗体が産生されないなど，免疫のメカニズムが破壊される。そこで，普通では影響のない細菌やカビなどに体が冒されてしまう（日和見（ひよりみ）感染）。

アレルギー：花粉・薬剤・食物など本来ならば害のない特定の物質（アレルゲン）に対して抗原抗体反応が過剰に起こり，発疹や発作など病的症状を引き起こすこと。

重要ポイント 2 ヒトの神経系

(1) 脳の働き：ヒトの神経系は，**中枢神経系**と**末梢神経系**に分類できる。中枢神経系は**脳**と**せき髄**，末梢神経系は**体性神経系**と**自律神経系**からなる。

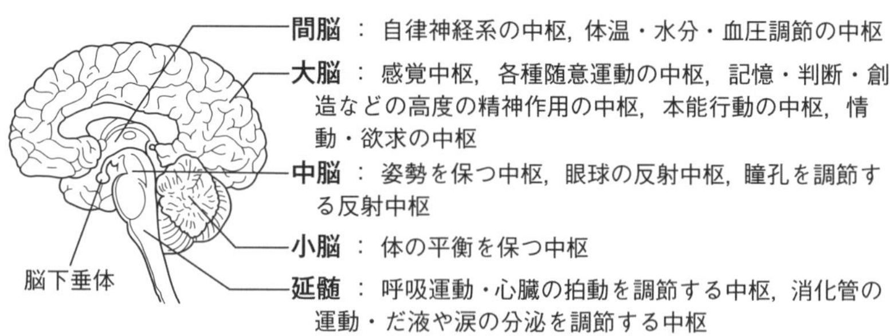

(2) 末梢神経系の働き：**体性神経系**は随意的な神経で，**大脳新皮質**に制御される。**運動神経（遠心性）**と**感覚神経（求心性）**がある。

自律神経系は不随意的で，内臓を調節している。**交感神経**と**副交感神経**があり，いずれも**間脳視床下部**によって制御されている。**交感神経**はノルアドレナリン，**副交感神経**はアセチルコリンという神経伝達物質を分泌し，互いにほぼ正反対の働きを行う（**拮抗作用**，下の表を参照）。**交感神経は緊張状態，副交感神経は休息状態**で優先的に働いていると覚えよう。

	心臓拍動	血圧	血糖	呼吸	瞳孔	発汗	唾液腺	消化	排泄	立毛筋	皮膚血管
交感神経	促進	上昇	増加	促進	拡大	促進	抑制	抑制	抑制	収縮	収縮
副交感神経	抑制	下降	減少	抑制	縮小	－	促進	促進	促進	－	－

重要ポイント3 肝臓と腎臓の働き

(1) 肝臓：栄養の貯蔵・胆液の分泌・アルブミンやグロブリンの合成・**尿素合成**・赤血球やホルモンの破壊・解毒作用・体温の発生

(2) 腎臓：腎単位（ネフロン）がろ過装置。原尿のうち有用な成分は，細尿管を移動中に必要に応じて再吸収される。不用な尿素などは濃縮されてぼうこうに送られる。

腎臓の構造

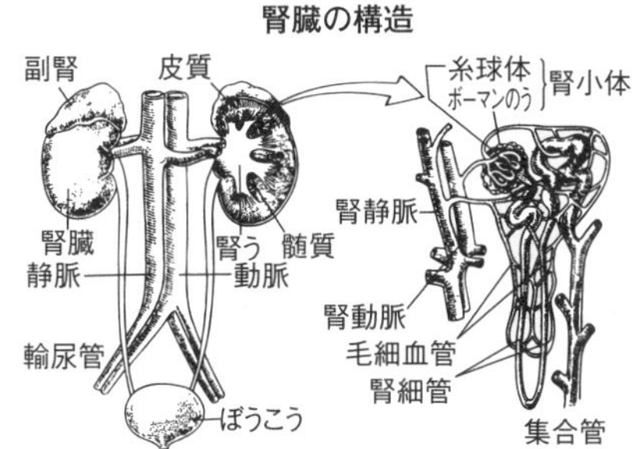

腎単位（ネフロン）─┬─**腎小体**── ボーマンのう＋糸球体
　　　　　　　　　　　└─**腎細管**（再吸収）

重要ポイント4 窒素化合物の排出

タンパク質の分解によって生じるアンモニアNH_3は，細胞にとって有害である。動物の生活様式に応じて，形を変えて排出している。排出器官も，体表，原腎管（プラナリア），腎管（ミミズ），腎臓（脊椎動物）などがある。

アンモニア：有毒，可溶性。水中生活をする下等動物，水生無脊椎動物，両生類（幼生），硬骨魚類。

尿素：毒性弱く，可溶性。軟骨魚類，両生類，ホ乳類。

尿酸：毒性なし，不溶性。ハ虫類，鳥類，昆虫類。

重要ポイント 5 目の構造

視神経：情報を大脳の感覚野に伝える。

錐体細胞（円錐細胞）：光の色を感じる細胞。

桿体細胞（棒細胞）：光の強弱（コントラスト）を感じる細胞。ロドプシンという色素を含む。

黄点（黄斑）：網膜の中心で，錐体細胞のみが密に存在する部分。形や色を感じる能力が高い。

盲点（盲斑）：視神経が網膜に接続している部分で，ここだけは光を感じることができない。

遠近調節：近い物体を見るとき，水晶体の周りを環状に取り巻く毛様筋が収縮し，水晶体を引っ張っているチン小帯がゆるみ水晶体の厚さが増す。

重要ポイント 6 耳の構造

うずまき管：内部にあるコルチ器に聴細胞がある。音はリンパ液の振動となって伝わり，聴細胞が感知し興奮は聴神経を経て，大脳の聴覚中枢へ伝わる。

前庭：体が傾くと**平衡石（耳石）**が動き，感覚細胞を刺激し傾きを感知する。

半規管：互いに直交した３個の半規管があり，体の回転に伴う内リンパ液の動きが感覚細胞を刺激し回転を感知する。

重要ポイント 7 ホルモンと働き

内分泌線		ホルモン	働　き
脳下垂体	前葉	**成長ホルモン**	タンパク質合成促進， 骨，筋肉などの成長促進
		甲状腺刺激ホルモン	チロキシンの分泌促進
		副腎皮質刺激ホルモン	糖質コルチコイドの分泌促進
		生殖腺刺激ホルモン	生殖腺の発達促進， 性ホルモンの分泌促進
	後葉	**バソプレシン**	腎臓における水分の再吸収促進， 血圧の上昇
甲状腺		**チロキシン**	代謝の促進， 成長・変態（両生類）の促進
すい臓のランゲルハンス島	α 細胞	**グルカゴン**	血糖量増加
	β 細胞	**インスリン**	血糖量減少
副腎	皮質	**糖質コルチコイド**	血糖量増加
		鉱質コルチコイド	体液中の無機塩類を調節
	髄質	**アドレナリン**	血糖量増加
卵巣	ろ胞	ろ胞ホルモン（エストロゲン）	雌の二次性徴の発現
	黄体	黄体ホルモン（プロゲステロン）	妊娠の継続・維持，排卵抑制
精巣		雄性ホルモン（アンドロゲン）	雄の二次性徴の発現

重要ポイント 8 血液の成分

血液の組成

成分		直径〔μm〕	形状	核	数〔/μL〕	生成場所	働き
有形成分(45%)	赤血球	7～8	円盤状	無	男 500万 女 450万	骨髄,(ひ臓)	O_2, CO_2の運搬
	白血球	20～25	アメーバ状	有	6000～8000	骨髄	食作用,免疫
	血小板	2～3	不定形	無	20～40万	骨髄	出血時の血液凝固
液体成分	血しょう	水(約90%),タンパク質,グルコース(0.1%,血糖という),無機塩類,ホルモン,尿素などを含み,物質・熱の運搬や免疫に働く					

重要ポイント 9 動物の行動

(1) 生得的行動:生まれつき備わった行動

①**走性**:刺激に対して,方向性のある行動。光走性,流れ走性,化学走性。

②**反射**:刺激に対して,意識とは無関係に起こる反応。脊髄や延髄,中脳が中枢。

③**本能行動**:生まれながらの走性や反射が,いくつも組み合わさって起こる一定の行動。行動の順序を変えたりはできない。

(2) 習得的行動:経験によって得られる行動

①**条件反射**:反射を起こす刺激と,直接関係のない刺激(条件刺激)を同時に与えると,条件刺激だけで反射が起こるようになる。

②**学習**:動物が経験によって新しい行動ができるようになること。試行錯誤,慣れ,刷り込みなどがある。

③**知能**:経験や学習をもとに未経験のことを洞察する能力。

重要ポイント 10 動物の情報伝達

フェロモン:昆虫などが情報伝達のために体外に分泌する化学物質をいう。ホルモンと異なり,体外に放出される。性フェロモン,集合フェロモン(ゴキブリ),警戒フェロモン,道しるべフェロモン(アリ)などがある。

ミツバチのダンス:蜜を見つけたミツバチは,巣に戻ると8の字ダンスを踊る。これによって,えさの方向と距離を仲間に伝えている。

ホタルの発光:雄の発光パターンは種によって異なる。雌も特異的な発光で応答。

動物の日周期性:動物は外因のリズムとは別に,生得的におよそ1日を周期とする内因的なリズムを持つ。これを生物時計または体内時計という。

実戦問題❶　基本レベル

No.1 * **ヒトの神経系に関する次の記述A～Eのうち，正しいもののみをすべて挙げているのはどれか。**

【地方上級（全国型）・平成23年度】

A：ニューロン（神経単位）は，細胞体，樹状突起，軸索からなり，刺激の大きさに比例して興奮の大きさが変わる。

B：ニューロン内ではアセチルコリンという神経伝達物質によって興奮が伝わり，ニューロン間では電流が流れることによって興奮が伝わる。

C：人間の脳では大脳と小脳が大きな役割を担っており，大脳には感覚や随意運動などの中枢があり，小脳には記憶・思考・理解などの中枢がある。

D：人間の体内は自律神経によってバランスが保たれており，自律神経系の中枢は間脳の視床下部にある。

E：呼吸運動，心臓の拍動，消化管の運動などの中枢は，延髄にある。

1　A，B
2　A，C
3　B，D
4　C，E
5　D，E

No.2 * **次のA～Eは，体内環境の維持に関するホルモンであるが，血糖量の増加に働くものの組合せとして，妥当なのはどれか。**

【地方上級（特別区）・平成29年度】

A：アドレナリン

B：インスリン

C：グルカゴン

D：鉱質コルチコイド

E：チロキシン

1　A，C
2　A，D
3　B，C
4　B，E
5　D，E

No.3 ＊ **ヒトの脳に関する記述として，妥当なのはどれか。**

【地上特別区・令和５年度】

1 大脳の新皮質には，視覚や聴覚などの感覚，随意運動，記憶や思考などの高度な精神活動の中枢がある。

2 間脳には，呼吸運動や心臓の拍動など生命維持に重要な中枢や，消化液の分泌の中枢がある。

3 中脳には，からだの平衡を保ち，随意運動を調節する中枢がある。

4 延髄には，姿勢を保ち，眼球運動や瞳孔の大きさを調節する中枢がある。

5 小脳は，視床と視床下部に分かれており，視床下部には，自律神経系の中枢がある。

No.4 ＊ **ヒトのホルモンに関する記述として，妥当なのはどれか。**

【地方上級（特別区）・平成26年度】

1 視床下部から分泌される糖質コルチコイドは，腎臓におけるナトリウムイオンの再吸収を促進する働きがある。

2 甲状腺から分泌されるパラトルモンは，腎臓における水の再吸収を促進し，血圧を上昇させる働きがある。

3 すい臓のランゲルハンス島から分泌されるグルカゴンは血糖量を増加させ，インスリンは血糖量を減少させる働きがある。

4 副腎から分泌されるチロキシンは，血液中のナトリウムイオン濃度やカリウムイオン濃度を調節する働きがある。

5 脳下垂体前葉から分泌されるバソプレシンは，血液中のカルシウムイオン濃度を増加させる働きがある。

No.5 ＊ **血液の組成に関する以下の記述のうち，正しいのはどれか。**

【市役所・平成21年度】

1　赤血球の一種であるリンパ球は，リンパ節，胸腺，脾臓で作られ，免疫反応に関与している。

2　白血球の一種であるヘモグロビンは，骨髄で作られ，肝臓と脾臓で破壊され，酸素や炭酸ガスを運搬する役割を担っている。

3　血小板は骨髄で作られる無核の細胞片であるが，出血の際に血液の凝固作用を促進する働きがあるため，止血には欠かせない。

4　血しょうは血液の約70％を占める液体成分で，栄養分・老廃物・ホルモン・ビタミン・無機塩類・水・抗体・フィブリンなどを含んでいる。

5　血液の凝固は，血しょう中の水溶性のフィブリンが不溶性のフィブリノーゲンに変化することによって起こる。

No.6 ＊ **次の文は，ヒトの腎臓に関する記述であるが，文中の空欄①～④に該当する語の組合せとして，正しいのはどれか。**

【市役所・平成28年度】

腎臓は，人体に①{**ア**：1つ／**イ**：1対2つ}あり，②{**ア**：肝臓／**イ**：すい臓}で作られた尿素を血液からこし取る機能を持つ排出器官である。腎小体で血液がろ過されて原尿ができるが，血球や③{**ア**：タンパク質／**イ**：アミノ酸}は，糸球体からボーマンのう側へこし出されない。原尿は細尿管から集合管へ送られ，その過程で水や無機塩類などが再吸収される。このとき，水はほとんど再吸収され，尿素はあまり再吸収されない。グルコースは④{**ア**：再吸収される／**イ**：再吸収されない}。

	①	②	③	④
1	ア	ア	イ	イ
2	ア	イ	ア	イ
3	ア	イ	イ	ア
4	イ	ア	ア	ア
5	イ	イ	ア	ア

実戦問題1の解説

No.1 の解説　ヒトの神経系

→問題はP.258　正答5

A× ニューロンが伝える興奮の大きさは，刺激の大きさによるわけではない。
ニューロンは**神経単位**，**神経細胞**ともいい，刺激がある一定値以下のときは興奮がまったく伝わらず，それを超えたときだけ，決まった大きさの興奮を伝える。興奮を伝えるために最小限必要な刺激の大きさを，**閾値（いきち，しきいち）**という。

B× ニューロン内は「伝導」，ニューロン間は「伝達」。
ニューロン内では，電流が流れることにより興奮が伝わる**（神経伝導）**。そして，ニューロン間ではドーパミン，βエンドルフィン，アセチルコリンなどの神経伝達物質によって刺激が伝わる**（神経伝達）**。

C× 大脳新皮質は，意識をつかさどる。
この記述は，**大脳新皮質**の働きに関するものである。小脳は身体の平衡を保っている。

D○ 自律神経は交感神経と副交感神経からなる。
正しい。**交感神経と副交感神経**は，常に両方が働いている（これを拮抗作用という）が，緊張状態では交感神経が，休息状態では副交感神経が優先的に働くことで，体を調節している。

E○ 延髄は脳幹の一つで，生命維持に関する機能を持つ。
正しい。延髄は，だ液分泌やおう吐の中枢でもある。

よって，正しいのは**D**，**E**なので，正答は**5**である。

No.2 の解説　ヒトのホルモン

→問題はP.258　正答1

A○ アドレナリンは，**副腎髄質**から分泌されるホルモンで，**血糖量の増加**に働く。よって妥当である。

B× インスリンは，**すい臓ランゲルハンス島B(ベータ)細胞（β細胞）**から分泌されるホルモンで，血糖（グルコース）をグリコーゲンに変え，結果的に**血糖量の減少**に働く。よって妥当ではない。

C○ グルカゴンは，**すい臓ランゲルハンス島A(アルファ)細胞（α細胞）**から分泌されるホルモンで，グリコーゲンをグルコースに変え，結果的に**血糖量の増加**に働く。よって妥当。

D× 鉱質コルチコイドは，**副腎皮質**から分泌されるホルモンで，ナトリウムイオンの排出を抑制し，カリウムイオンの排出を促進する。よって，そもそも血糖とは無関係である。

E× チロキシン（サイロキシン）は，**甲状腺**から分泌されるホルモンで，代謝を促進させ，成長・発育を促す。よって，これも妥当ではない。

以上より，血糖量の増加に働くホルモンは**A**と**C**なので，正答は**1**である。

No.3 の解説 ヒトの神経系（脳）

→ 問題はP.259 正答1

1 ◎ 大脳新皮質は，脳の高次機能の中枢である。

大脳皮質（特に新皮質）は灰白質で知覚，随意運動，思考，推理，記憶などの中枢があり，脳の高次機能をつかさどる。深部は白質で**大脳髄質**ともいわれ，各部を連絡する有髄線維でできている。

2 × 間脳の視床下部は，自律神経の中枢である。

呼吸運動，心臓拍動の中枢は延髄である。間脳は，視床と視床下部に分けられ，視床は嗅覚以外の感覚神経を中継する。視床下部は自律神経を制御するほか，消化液の分泌や体温調節の中枢でもある。

3 × 中脳は，眼球運動に関する反射の中枢である。

本肢は，小脳に関する記述である。

4 × 延髄は，呼吸運動，心臓拍動，唾液分泌などの重要な調節中枢である。

本肢の記述は，中脳に関するものである。中脳は，調節反射，瞳孔反射，眼球運動反射のほか，姿勢反射の中枢でもある。

5 × 小脳は，身体の平衡を保つ中枢である。

このため，小脳が損傷を受けると，運動や平衡感覚に異常をきたし，精密な運動ができなくなる。本肢は，間脳に関して述べたものである。

No.4 の解説 ヒトのホルモン

→ 問題はP.259 正答3

1 × コルチコイドを分泌するのは，副腎皮質である。

糖質コルチコイドは，血糖値を上げる働きがある。

2 × パラトルモンを分泌するのは，副甲状腺である。

また，本肢はバソプレシンの働きについて述べているので誤り。

3 ◎ グルカゴンとインスリンは逆の働きをする。

正しい。**グルカゴン**は**ランゲルハンス島のA（アルファ）細胞（α細胞）**，**インスリン**は**B（ベータ）細胞（β細胞）**から分泌されるという事実も覚えておこう。

4 × チロキシン（サイロキシン）は，甲状腺から分泌される。

また，チロキシンはホ乳類においては代謝（異化）を促進させる働きをしているのであって，本肢で述べているような，無機塩類の濃度調節は，副腎皮質が分泌する鉱質コルチコイドの働きである。以上より本肢も誤り。

5 × バソプレシンを分泌するのは，脳下垂体後葉である。

バソプレシンは**抗利尿ホルモン**ともいい，腎臓における水分の再吸収を促進し，尿を減らす働きがある。毛細血管を収縮させ，血圧を上昇させる働きもある。血中のカルシウムイオン濃度を増加させるのは，パラトルモンである。

No.5 の解説 ヒトの血液

→問題はP.260 **正答3**

1 × リンパ球は，免疫反応に関与している白血球の一種である。
リンパ球は，骨髄で作られる。骨髄で未熟な状態で産出された後，**胸腺で成熟するもの（T細胞）**と**骨髄で成熟するもの（B細胞）**がある。

2 × 酸素の運搬に働くのは，赤血球である。
赤血球が酸素を運搬するのは，赤血球に含まれる**ヘモグロビン**という色素の働きによる。赤血球は骨髄で作られ，役目を終えたあとは，脾(ひ)臓で壊される。赤血球の寿命は，ヒトで120日程度とされている。

3 ◎ 血小板は，細胞のかけらである。
正しい。出血などにより，**血小板**が破壊されると，血小板因子が放出され，連鎖的に反応が進み，血液が凝固する。

4 × 血しょうは，血液の無形成分（液体成分）であり，血液のおよそ55%を占める。
血液の有形成分だけでなく，栄養分やホルモン，老廃物などを運搬する働きのほか，体温やpHを一定値に保つ働きも持っており，さらに免疫にも深くかかわっている。

5 × フィブリノーゲンが変化して，フィブリンとなる。
血しょう中に含まれる**フィブリノーゲン（繊維素源）**がトロンビンという酵素によって結合されて，繊維状の**フィブリン（繊維素）**となり，このフィブリンが血球を絡めとって，血ぺいとなることで血液凝固が起こる。

No.6 の解説 腎臓，肝臓の働き

→問題はP.260 **正答4**

①：**イ「1対2つ」**が入る。腎臓は，腰部背中側に1対（2個）ある。大きさは，だいたい握りこぶし程度である。

②：**ア「肝臓」**が入る。窒素排出物である有毒なアンモニアを，毒性の低い尿素に変えるのは，肝臓の**オルニチン回路**である。

③：**ア「タンパク質」**が入る。タンパク質は，アミノ酸が数万～数十万個も結合した巨大な分子であるため，通常はこし出されることがない。これがこし出されるようになると，いわゆるタンパク尿を排出するようになる。タンパク尿は，腎臓の異常を示している。

④：**ア「再吸収される」**が入る。**グルコースは，体のエネルギー源**として必要な物質であるから，当然に再吸収される。これも，再吸収されなければ，糖尿を排出するようになる。

よって①～④の組合せは「**イアアア**」となるので，正答は**4**である。

実戦問題❷　応用レベル

＊＊
No.7　**ヒトの血液の有形成分に関する次の記述のうち，妥当なのはどれか。**

【市役所・平成28年度】

1　血液の有形成分は，赤血球，白血球，血小板に分けられる。単位体積当たりに最も多く含まれるのは，白血球である。

2　血小板は骨髄の幹細胞が分化したもので，有核の細胞片である。数時間で機能が低下し，肝臓で破壊される。

3　赤血球はヘモグロビンを多く含む。ヘモグロビンは鉄を含む赤色の色素であり，酸素の多いところでは酸素を取り込み，少ないところでは酸素を離す性質がある。

4　白血球はマクロファージやＢ細胞を含む。マクロファージは抗体を分泌し，Ｂ細胞は食作用によって病原体を取り込み，分解する。

5　血液型は医療行為において重要であり，たとえばABO式やRh式の分類法は，血小板の構造の型によって分類したものである。

＊
No.8　**ヒトでは，外部の刺激によって受容部の細胞が興奮し，その興奮が神経系を通して伝わっていく。これに関する次の記述のうち，妥当なもののみをすべて挙げている組合せはどれか。**

【地方上級（全国型）・平成27年度】

ア：目，耳，皮膚などの受容部が受容した刺激は，感覚神経を通して伝えられる。感覚神経は，運動神経ともに体性神経系を構成している。

イ：通常，興奮は，感覚神経から脊髄を通って脳に伝えられるが，反射のように素早い反応では，脊髄，脳を通らず，感覚神経から直に運動神経に伝えられる。

ウ：神経系は，ニューロンと呼ばれる神経細胞でできている。興奮は，１個のニューロン内では神経伝達物質の移動によって，ニューロンとニューロンの間では，電気の変化によって伝えられる。

エ：１個のニューロンは，一定の大きさ以上の刺激を受けると興奮するが，刺激の大きさが変わっても興奮の大きさは変わらない。

オ：ニューロンは，通常は細胞体から１本の軸索が長く伸びた構造をしている。興奮が軸索の中を伝わる方向は定まっており，軸索から細胞体に向かって伝わる。

1　ア，ウ
2　ア，エ
3　イ，エ
4　イ，オ
5　ウ，オ

No.9 ＊＊ **ヒトの自律神経系や，ホルモンに関する記述として妥当なものはどれか。**

【市役所・平成25年度】

1 副交感神経の刺激により，体表の血管と立毛筋は収縮し，発汗が促進される。

2 交感神経には消化器官の運動を促進する働きがあり，副交感神経には消化器官の運動を抑制する働きがある。

3 自律神経系と内分泌系の中枢は，大脳にある。

4 インスリンは，すい臓のβ細胞から分泌されるホルモンであり，グルコースの細胞内への取り込みやグリコーゲンの合成を促進させる。

5 1つの内分泌腺から，複数のホルモンが分泌されることはない。

No.10 ＊ **ヒトの免疫に関する次の記述のうち，妥当なものはどれか。**

【地方上級（全国型）・平成30年度】

1 抗体による免疫反応の原因となる物質は抗原と呼ばれる。抗原は主に無機物質からなり，タンパク質や糖は抗原にはなりえない。

2 ある物質に対するアレルギーを発症すると，その物質に対する免疫反応が起こらなくなり，その物質が体内に侵入しても除去できなくなり，特有の症状が現れる。

3 エイズを発症すると，免疫機能が促進され，ヒトに無害なカビや細菌などにも強い免疫反応が起こり，さまざまな症状が起こる。

4 生体に他人の臓器を移植すると，その臓器組織が異物と認識され，リンパ球の攻撃を受け拒絶反応が起こるため，免疫を抑制する薬剤の投与が必要である。

5 感染症の予防には，その病原体をワクチンとして接種し，免疫を獲得する方法が効果的である。そのときに接種される病原体の毒性は高められている。

＊＊
No.11 **ヒトの器官に関する記述として最も妥当なのはどれか。**

【国家専門職・平成18年度】

1 眼は，直径約3cmの球状で，カメラに似た構造を持っている。フィルムの働きをする網膜上には，明暗を識別する錐(すい)体細胞と，色を識別する桿(かん)体細胞という視細胞が分布しており，ヒトを含めたホ乳類は，桿体細胞が発達しているため，ほかの生物に比べ色がよく見える。

2 耳は外耳，中耳，内耳からなっている。外耳は，うずまき管，前庭，半規管などの部分からなっており，うずまき管には体の傾きや運動を感じ取る感覚細胞があり，前庭と半規管には音波を受容する聴細胞がある。

3 神経系は，多数のシナプスと呼ばれる神経細胞体が，リンパ節によって連結し合って構成されている。シナプスは，細胞体から多くの突起が伸びた形をしており，神経の興奮はこの突起を通じて，隣のシナプスへ伝えられる。

4 脳は，大脳，中脳，小脳，延髄の4つに分かれており，ほぼ左右対称な構造となっている。運動や感覚に関して右脳が体の右側，左脳が体の左側を支配しているため，右脳の運動中枢に障害が起きると右半身の運動にまひが現れる。

5 筋肉は，中枢神経系からの命令に応じて反応を起こす代表的な効果器（作動体）である。筋肉は，細かいしま模様のある横紋筋と，しま模様のない平滑筋とに大別され，手足などを動かす筋肉である骨格筋と，心臓を動かす筋肉である心筋は，横紋筋である。

＊＊
No.12 **ヒトの器官に関する記述として最も妥当なのはどれか。**

【国家一般職・平成24年度】

1 脳は小脳，中脳，大脳などにより構成されている。小脳には呼吸運動や眼球運動の中枢，中脳には言語中枢，大脳には睡眠や体温の調節機能がある。

2 耳は聴覚の感覚器であるとともに，平衡覚の感覚器でもある。平衡覚に関する器官は内耳にあり，前庭はからだの傾きを，半規管は回転運動の方向と速さを感じる。

3 心臓と肺との血液の循環は肺循環と呼ばれる。これは全身から戻ってきた血液が，心臓の左心房から肺静脈を通して肺に送られ，その後，肺動脈を通して心臓の右心室に送られるものである

4 小腸は，胃で消化できない脂肪をグリセリンに分解する消化酵素を分泌している。このグリセリンは，大腸の柔毛の毛細血管より血液に吸収される。

5 腎臓は，タンパク質の分解の過程で生じた血液中のアンモニアを，尿素に変える働きがある。この尿素は，胆のうを通して体外に排出される。

実戦問題2の解説

No.7 の解説　ヒトの血液

→問題はP.264　正答3

1× 最も多い血球は，赤血球である。
血液1 μL（1 mm^3）当たりの個数は，多い順に，**赤血球（450万～500万個），血小板（20万～40万個），白血球（6000～8000個）**である。

2× 血小板は，完全な細胞ではない。
血小板は，骨髄の巨大核細胞（造血幹細胞の一種）の細胞質から生成される，細胞破砕物（細胞片）である。無核で，その**寿命は10日前後**であり，主に脾臓で破壊される。

3◎ 貧血は，鉄の欠乏による赤血球不足で引き起こされることがある。
正しい。ヒトの血液の有形成分で，色を持つものは赤血球だけである。

4× 「ファージ」は「食細胞」という意味で，異物を消化するはたらきを意味する。
マクロファージとB細胞の働きが逆である。

5× 血液型は，ABO式やRh式以外にも，さまざまな分類が存在する。
ABO式やRh式などのような血液型の分類は，赤血球の表面に結合している抗原の違い等によるものである。

No.8 の解説　ヒトの神経系

→問題はP.264　正答2

ア○ 感覚神経は求心性，運動神経は遠心性の神経である。
感覚神経と運動神経を体性神経系，交感神経と副交感神経を自律神経系という。そして，これらすべてを合わせて末梢神経系という。

イ× 反射は，必ず反射中枢を介して発生する。
反射の場合，反射中枢と呼ばれる中脳，延髄，せき髄のいずれかへ感覚神経によって刺激が伝わると，そこから運動神経によって，作動体へ刺激が伝わる。感覚神経から直接，運動神経へ刺激が伝わることはあり得ない。

ウ× ニューロン内の信号は，電気刺激となって伝わる。
興奮は，1個のニューロン内では，**電気の変化（イオンの移動）**によって伝えられ（信号伝導），複数のニューロン間では，**神経伝達物質の移動**によって伝えられる（信号伝達）。以上より，本肢の記述は逆である。

エ○ ニューロンは，全か無かの法則に従って信号を伝える。
ニューロンは，ある一定の強さより弱い刺激だと反応しないが，**一定の強さを超える刺激を受けると，興奮が伝わる。伝わる興奮の大きさは，刺激の強さによらず，一定の大きさ**である。これを全か無かの法則という。

オ× 細胞体の樹状突起が入力端子，軸索の末端が出力端子に相当する。
興奮が伝わる向きは，基本的には**樹状突起から細胞体，細胞体から軸索に向かう向き**であるので，本肢の記述は逆である。

以上より，正しい**ア**と**エ**を選んでいる肢**2**が正答である。

No.9 の解説　自律神経系とホルモン

→ 問題はP.265　正答4

1 × 交感神経は緊張時に発汗を促進させる。

これは交感神経の働きである。なお,「発汗」は，熱の放散のために起きる発汗ではなく，**緊張した際に手のひらで起きる発汗**である。

2 × 交感神経は消化器官の働きを抑制させる。

交感神経と副交感神経の働きが，逆である。

3 × 間脳視床下部が，自律神経系と内分泌系の中枢である。

自律神経系も内分泌系も，中枢は**間脳の視床下部**である。視床下部の上には視床があり，感覚神経の通り道となっている。

4 ◎ インスリンは血糖を減少させる。

正しい。**インスリンはヒトの体内では唯一，血糖の減少を促進するホルモン**であり，グルカゴンと逆の働きをしている。

5 × 1つの内分泌腺が，複数のホルモンを分泌することがある。

たとえば，甲状腺からはチロキシン（サイロキシン）やトリヨードチロニン（トリヨードサイロニン）などのホルモンが分泌される。これらを，**甲状腺ホルモン**と総称する。

No.10 の解説　免疫

→ 問題はP.265　正答4

1 × さまざまな物質や刺激が抗原となる。

抗原は無機物質とは限らず，タンパク質でできた**ウイルスなども抗原**となる。また，食物に含まれるタンパク質，炭水化物がアレルゲン（アレルギーの原因となる抗原）として認められた事例もあるばかりでなく，そもそも物質ではない紫外線や温度変化などの刺激ですらアレルゲンたりうる。

2 × 免疫の過剰反応がアレルギーである。

アレルギーとは，起こらなくてもよいところで**免疫が起こりすぎてしまう現象**をいう。免疫が起こらないわけではない。

3 × エイズウイルスHIVは，ヘルパーT細胞を破壊する。

エイズ（後天性免疫不全症候群）を発症すると，免疫を開始させる働きを持つ**ヘルパーT細胞**が破壊されて減少するため，免疫力が極端に低下し，普段ならば発症しないような細菌やウイルスなどでも発症してしまうようになる。

4 ◎ 拒絶反応は，細胞性免疫である。

拒絶反応を抑えるためには**免疫抑制剤**を服用するが，服用すると免疫全体が抑制されてしまう。

5 × ワクチン接種は，能動免疫の一種である。

ワクチンを接種すると，身体の中であらかじめ抗体を生成するので，その病原体に感染しても，発症しにくくなる。病原体そのものをワクチンとして接種する場合は，健康上の影響が出にくいように毒性を弱めている。

No.11 の解説　ヒトの器官

→ 問題はP.266　正答5

1 ×　桿体細胞は光の強弱を，錐体細胞は光の色を主に識別する。
ヒトなど脊椎動物の眼は，カメラに似た構造でカメラ眼とも呼ばれる。視細胞のうち明暗を識別するのは桿体細胞，色を識別するのは錐体細胞なので，本肢の記述は逆である。また，ホ乳類にもさまざまな組合せの視細胞を持つ種が存在するため，一概にはいえない。

2 ×　うずまき管は聴覚を，前庭と半規管は平衡感覚を司る。
耳は，**前庭・半規管・うずまき管**からなる。前庭には体の傾きを，半規管には体の回転を感じる**感覚細胞**があり，うずまき管には，音を感じる**聴細胞**がある。情報は感覚神経によって中枢に運ばれ，感覚を生じる。

3 ×　シナプスは，ニューロン間の隙間をさす言葉である。
神経系は，**ニューロン**と呼ばれる神経細胞からなる。ニューロンは，細胞体から伸びた**樹状突起**と，長く伸びた**軸索**からなる。シナプスとは，ニューロンと他のニューロンの間の空間であり，神経伝達物質をやり取りすることで他の神経細胞に情報を伝達する。

4 ×　大脳の右半球は左半身，左半球は右半身の運動や感覚を制御している。
脳は，大脳・小脳・脳幹の３つに大きく分類され，脳幹はさらに中脳・橋・延髄等に分類することができる。大脳の左半球は右半身，右半球は左半身の運動や感覚をつかさどっており，たとえば，右の手をコントロールするのは左の脳であり，右の目から得た情報も左の脳で分析される。

5 ◎　基本的に，横紋筋≒骨格筋＝随意筋であるが，例外もある。
正しい。筋肉には，**横紋筋・平滑筋**の２種類がある。しま模様のある横紋筋は主に骨格筋であり**随意筋**である。平滑筋はしま模様はなく，主に内臓筋であり不随意筋であるが，心臓を構成する**心筋**だけは，横紋筋でありながら不随意筋である。

No.12 の解説　ヒトの身体（全般）

→問題はP.266　**正答2**

1 × **高度な精神活動は，大脳新皮質の働きと考えてよい。**

本肢の記述は脳の働きがバラバラである。呼吸運動は延髄，眼球運動は中脳，言語中枢は大脳，睡眠や体温の調節は間脳視床下部がそれぞれ担っている。

2 ◎ **リンパの動きで身体の回転運動を，耳石の動きで身体の傾きを知覚する。**

正しい。**前庭器官**内の細胞には**感覚毛**があり，この上に炭酸カルシウムでできた**耳石**という石が乗っている。体が傾くと耳石が動き，その動きを感覚毛が感知することで，体が傾いたことを知覚できる。また**半規管**は互いに直交した３本のリング状の管で，中にリンパが満たされている。体が回転するとリンパも回転するので，その動きを半規管内の感覚毛が感知して体の回転を知覚する。

3 × **体循環は左心室から右心房，肺循環は右心室から左心房への循環である。**

全身からの血液は，大静脈を流れて心臓の右心房に戻ってきて，右心室から肺動脈を通って肺へ送られる。肺からの血液は，肺静脈を流れて心臓の左心房へ戻ってくる。そして左心室から大動脈を通って，全身へ送られるのである。よって本肢は右と左がすべて逆。また，肺から心臓へ血液を送り込むのは肺動脈ではなく肺静脈である。

4 × **小腸は，消化と吸収をともに行っている器官である。**

柔毛から栄養分を吸収するのは，**小腸**の働きである。大腸には柔毛はなく，吸収するのも水分である。

5 × **腎臓は，血液から不要物をこし取って尿を生成する。**

アンモニアを尿素に変えるのは，腎臓ではなく**肝臓**である。また，尿素を血液からこし取って尿を生成するのは**腎臓**で，その尿をためておくのは**膀胱**であり，胆のうは関与しないので本肢も誤り。

実戦問題3　応用レベル

No.13 ＊＊＊ **アレルギーに関する記述として最も妥当なのはどれか。**

【国家総合職・平成13年度】

1　ツベルクリン反応は，結核菌の成分を体内に注射するとそれを抗原とする免疫反応が生じ，皮膚が炎症を起こし，赤くはれるということを利用して，結核菌に感染したことがあるか否かを調べる，一種のアレルギー反応の応用である。

2　花粉症は，ブタクサ，スギ，シラカバなどの花粉が抗原となり引き起こされるが，いずれの場合もアレルゲンと呼ばれる同一の抗体が関与するため，花粉の種類に関係なく，くしゃみ，鼻づまり，目のかゆみなどの共通した身体症状が生じる。

3　アレルギーは，体内に侵入した物質の毒素に対して免疫反応が生じ，じんましんやぜんそくなどの病的な反応が引き起こされるもので，物質の毒素を無毒化する白血球の数が多い体質ほどアレルギー性の疾患は生じにくい。

4　食物アレルギーによる疾患は，卵，牛乳，大豆等の植物に含まれるアミノ酸が抗原となって，乳幼児期に発症することが多いが，これは乳幼児期に抗原抗体反応が不完全であるためであり，成長とともに抗体が成熟して変容するため，成人すると発症しても症状が軽くなる。

5　アレルギーの一つであるアトピー性皮膚炎等の治療に用いられるステロイド剤は，細胞からのヒスタミンの放出を防止することによりアレルギー症状を緩和するが，過剰に使用すると小脳に作用して副腎皮質刺激ホルモンの分泌を過度に促進し，成長障害を引き起こすという副作用がある。

No.14 ＊ **ヒトの腎臓に関する記述として，妥当なのはどれか。**

【地方上級（東京都）・令和４年度】

1　腎臓は，心臓と肝臓の中間に左右一対あり，それぞれリンパ管により膀胱につながっている。

2　腎臓は，タンパク質の分解により生じた有害なアンモニアを，害の少ない尿素に変える働きをしている。

3　腎臓は，血しょうから不要な物質を除去すると同時に，体液の濃度を一定の範囲に保つ働きをしている。

4　腎うは，腎臓の内部にある尿を生成する単位構造のことで，１個の腎臓に約１万個ある。

5　腎小体は，毛細血管が集まって球状になったボーマンのうと，これを包む袋状の糸球体からなっている。

＊＊
No.15 動物の行動には生まれつき備わった生得的行動のほかに，経験や学習による行動が見られる。次のA～Eの記述のうち，経験や学習による行動の例として妥当なもののみをすべて挙げているのはどれか。

【国家専門職・平成28年度】

A：ミツバチは，「8の字ダンス」を踊ることにより，仲間に餌場までの距離や方向を伝える。

B：アメフラシは，水管に触れられるとえらを引っ込めるが，繰り返し触れられると次第にえらを引っ込めなくなる。

C：カイコガの雄は，雌の尾部から分泌される性フェロモンをたどって雌に近づき交尾を行う。

D：メダカは，流れのない容器の中ではばらばらの方向に泳ぐが，容器内の水が一定方向に流れるようにすると流れに向かって泳ぐ。

E：アオガエルは，ある種の虫を食べようとすると，その虫から刺激的な化学物質を舌に噴射されるため，この虫を食べなくなる。

1 A，B，D　**2** A，C
3 A，D　**4** B，C，E
5 B，E

＊＊＊
No.16 ヒトの感覚器に関する次のア～エの記述のうち，妥当なものをすべて挙げているものはどれか。

【地方上級（全国型）・令和２年度】

ア：眼は視覚の感覚器であり，水晶体がレンズのはたらきをする。水晶体の前方にある虹彩が伸縮し，瞳孔の大きさを変化させることで焦点を合わせる調節をする。

イ：耳は聴覚の感覚器のみならず平衡覚の感覚器でもあり，体の回転や傾きの刺激の受容に関与する。

ウ：鼻の嗅細胞や舌の味細胞は化学物質を刺激として感じる感覚器であり，化学物質と結合する受容体を持つ。

エ：眼や耳で受け取った刺激は，感覚神経を通じて感覚の中枢である延髄に伝えられ，刺激が感覚として受け取られる。

1 ア，イ　**2** ア，ウ
3 ア，エ　**4** イ，ウ
5 イ，エ

実戦問題3の解説

No.13 の解説　アレルギー　→問題はP.271　正答 1

1◎ ツベルクリン反応は，細胞性免疫である。
正しい。結核菌の抗原に反応するT細胞が体内に存在して，注射されたツベルクリン（結核菌の培養液から抽出した液体）を抗原として反応するもので，**細胞性免疫**の一種である。

2× アレルギーを引き起こす抗原を，特にアレルゲンと呼ぶ。
抗原とは，体内に侵入した細菌，ウイルス，異種のタンパク質，多糖類などの**非自己成分**である。花粉症は，スギやヒノキ，シラカバ，ブタクサなどの花粉を抗原として起こるアレルギー反応であり，いずれも花粉に対する抗体の働きによって，**マスト細胞（肥満細胞）**が**ヒスタミン**という物質を放出する。このヒスタミンがくしゃみや鼻水の原因となるのであって，どの花粉に対しても同じ抗体ができるからではない。抗体は，抗原によって，それぞれ異なるのである。

3× アレルギーの原因は，ヒスタミンである。
花粉・卵・牛乳などが抗原となって抗体が生産され，**マスト細胞**が**ヒスタミン**を分泌し，発疹などの**アレルギー症状**が出る。白血球量とは無関係である。

4× 食物アレルギーは，年齢によって変化する。
食物アレルギー自体は，確かに成長するに従って穏やかになっていくが，これは抗体が変容するためではない。特に0～2歳の間は，腸の働きが一人前とはいえず，口から入ってきたものを消化したり，病原菌などと食べ物を選別する力が弱い傾向がある。免疫系も大人のそれと比べると，まだまだ発達していない。また，0～2歳児では，大人に比べて腸管から血管にタンパク質が透過しやすいことも，この時期に食物アレルギーが集中する大きな原因と考えられる。

5× ステロイド剤は，副腎皮質ホルモンと同じ物質である。
アトピー性皮膚炎の治療に処方されることが多く，ステロイド剤によって皮膚炎は治るが，あまり濫用すると，副腎皮質がホルモンを分泌しにくくなる。そのような状態で，ステロイド剤の使用を突然やめてしまうと，激しい副作用が起こる。本肢は，副腎皮質刺激ホルモンの分泌を促進すると述べているので，逆である。また，副腎皮質刺激ホルモンは，小脳ではなく脳下垂体前葉から分泌されるので，この部分も誤りである。

No.14 の解説　腎臓　→ 問題はP.271　正答3

1 ×　腎臓は左右に１個ずつある。
腎臓は，肝臓より下の腰のあたりの背中側に左右一対ある。血液から不要物をこし取って尿を作り，輸尿管で膀胱に送り出す。

2 ×　腎臓は，血液中の不要物をこし取って捨てる。
毒性の強いアンモニアを毒性の弱い尿素に変えるのは，肝臓のオルニチン回路（尿素回路）の働きである。

3 ◎　腎臓も恒常性の維持に役立っている。
正しい。不要物の除去のほか，必要な物質（アミノ酸，グルコース，ミネラル等）や水を原尿から再吸収して，浸透圧や水分量を調節している。

4 ×　腎小体と細尿管を合わせて腎単位という。
本肢が述べているのは腎単位（ネフロン）で，腎臓の機能を持つ最小単位である。腎単位は，一個の腎臓に約100万個ある。腎うの「盂(う)」は鉢(はち)や椀(わん)を意味し，腎単位から原尿が流れ込むろうとのような部分のことである。

5 ×　ボーマンのうが糸球体を包んでいるのが腎小体である。
ボーマンのうと糸球体の説明が逆である。ボーマンのうの「嚢(のう)」は「袋」という意味で，球状の糸球体を包み込んでいる。

No.15 の解説　動物の行動　→ 問題はP.272　正答5

動物の行動は，先天的行動（生得的行動）と後天的行動（習得的行動）に大別でき，本問において「経験や学習による行動」といわれているのは，後天的行動である。

先天的行動は，走性，反射，本能行動に分けられる。

後天的行動は，学習，条件反射，知能行動に分ける場合と，学習と知能行動に分ける場合がある（その場合，条件反射は学習に含まれる）。

A ×　本能行動は複雑な先天的行動である。
ミツバチの「８の字ダンス」は，先天的行動（生得的行動）のうちの，本能行動の例である。本能行動とは，走性や反射が複雑に組み合わさり，**全体として高度で合目的な行動となっているもの**をいう。また，本能行動は，その行動をしている**当事者には，まったく目的意識がない**ことも特徴の一つである。

B ○　「慣れ」も，経験や学習による行動の一つである。
アメフラシの腹部の水管（海水を出し入れする管）に触れると，アメフラシはえらを引っ込める（えらの引っ込め反射）。しかし繰り返し触れていると，えらを引っ込めなくなってしまう。これを「慣れ」といい，水管にある刺激受容体からの刺激を伝える感覚神経が，神経伝達物質をあまり分泌しなくなるためであると考えられている。

C × **フェロモンは本能行動を誘発する。**
同種の生物の出すフェロモンによって誘発される行動は，本能行動と考えられる。

D × **走性は，方向性のある動きである。**
先天的行動（生得的行動）のうちの，走性の例である。走性とは，ある刺激を受けた生物が，**刺激源に対して方向性のある動きをする**（刺激源に近づく，あるいは遠ざかる）ことをいう。流れが刺激となっている走性を走流性といい，**メダカは，水の流れに逆らう正の走流性**を持つ。

E ○ **ホ乳類でなくても条件反射が起こる。**
条件反射の例と考えられる。条件反射は，当初はホ乳類でしか起こらないと考えられていたが，ゴキブリでも起こることが，2006（平成18）年に確認されている。

以上より，習得的行動について述べている**B**，**E**が正しい。これらを選んでいる肢**5**が正答である。

No.16 の解説　感覚器官

→ 問題はP.272　**正答4**

ア × **虹彩は，目に入る光の量を調節する。**
焦点を合わせるのは，水晶体の周囲を取り巻くチン小帯と毛様筋である。毛様筋が緊張して縮まると，チン小帯が緩んで水晶体の厚みが大きくなって焦点が短くなり，毛様筋が弛緩して伸びると，チン小帯も伸びて水晶体を引っ張るので厚さが薄くなり，焦点は長くなる。

イ ○ **耳は聴覚と平衡覚を感じ取る。**
正しい。耳ではうずまき管が聴覚，前庭と半規管が平衡感覚を感じる。半規管と前庭の内部には感覚毛が生えており，リンパで満たされている。身体が回転すると半規管の内部のリンパが回転し，感覚毛がそれを感知する。また，身体が傾いたり動いたりすると，前庭の感覚毛上の耳石（炭酸カルシウムの小さな塊）が動くので，それを感覚毛が感知することができる。

ウ ○ **鼻と口には，においや味のある物質の受容体がある。**
正しい。鼻奥の嗅細胞は空気中の，口中の味細胞は液体中の物質を表面の受容体で受け取って，その臭いや味を刺激として受け取る。

エ × **感覚の中枢は大脳新皮質にある。**
感覚の中枢は基本的に大脳新皮質であるので，感覚神経は視床を通り，大脳新皮質に接続されている。しかし，嗅覚の中枢のみは大脳辺縁系にあり，感覚神経は視床を通らない。

以上より，正答は**4**である。

植物の恒常性

必修問題

植物の生活と環境に関する記述として最も妥当なのはどれか。

【国家総合職・平成18年度】

1 根からの水の吸収には，根毛細胞と細胞外の土壌の浸透圧が大きく関係している。**根毛**は，仮道管が変化した微細細胞の集合体であり，植物細胞内の中で最も溶液濃度が高いため，浸透圧により，土壌中の水が根毛内に浸透してくる。根毛で吸収した水は，主に水の凝集力により，植物体内の師管を通って茎，葉に上昇する。

2 樹木では，木の外側や南側などには陽葉がつき，木の内側や北側には陰葉がつく。陽葉と陰葉で**光一光合成曲線**を比べると，陰葉のほうが，光飽和点が低く，呼吸速度も小さいが，補償点は高い。また，葉の構造を比べると，陽葉は，大形で葉肉が厚くクチクラ層が発達しているが，柵状組織はあまり発達せず，単層であることが多い。

3 **短日植物**は，短日条件の日長を芽で感知して，芽を花芽に分化させる。この花芽に分化させる物質は花成ホルモン（フロリゲン）と呼ばれている。花成ホルモンは，成長阻害作用の働きがあるオーキシンとジベレリンが主成分の複合物質であり，最近，一部の植物でその分離・同定がなされた。

4 **落葉樹**は，冬が近づくと，温度変化や日長の変化が刺激となって，葉中の緑色色素であるクロロフィルが，赤色や黄色の色素であるカロテンやキサントフィルに変化することにより，紅葉する。同時に，葉柄の付け根に，海綿状組織と呼ばれる細胞群が形成され，ここで葉が離脱して落葉する。

5 **気孔**は，２個の孔辺細胞に囲まれた透き間で，葉の裏面などに分布しているが，この気孔の開閉は，孔辺細胞が膨らんだりしぼんだりすることで起こる。葉の内部の水分が不足すると，葉のアブシシン酸が増加し，その作用によって膨圧が下がるため気孔が閉じる。その結果，蒸散量が低下し植物体から失われる水分量が減少する。

難易度＊＊

必修問題の解説

植物の吸水は，根毛の働きによる。葉の**蒸散作用**とも関係し，**気孔**の働きとも密接につながっている。気孔は，葉の裏に多く，気体の出入りを調節している。また，**花芽形成**や**落葉**などにも，**植物ホルモン**が関係している。

1 × 根毛は根の表皮細胞が変化したものである。
吸収された水は，表皮細胞から皮層を通過して維管束系の木部道管細胞に入り，茎や葉に運ばれる。植物を茎の基部で切断すると，切口から水が排出されることからもわかるように，根圧による能動的な吸水の仕組みも働いて，上昇している。

2 × 陰葉は光飽和点も低く，呼吸速度も小さいが，補償点も低い。
陽葉は陰葉に比べて，クチクラ層は変わりないが柵状組織が発達し，強光の下では，葉の内部で光が乱反射を繰り返すことで最も効率よく光合成をすることができる。

3 × 短日条件の日長を暗期の長さとして感知するのは、芽ではなく葉である。
葉で作られた花芽形成ホルモンが，師管を通って芽の先端に届くと，花芽が形成される。この花芽形成ホルモンが，フロリゲンである。オーキシンやジベレリンは，植物ホルモンであるがフロリゲンとは別の物質である。

4 × 落葉は，葉柄の付け根に離層が形成されることによって生じる。
この形成離脱は，アブシシン酸によってエチレンが活性化されて起こる。イチョウなどの**黄葉**は，低温のためクロロフィルが分解され，もともと葉に含まれている**キサントフィル**の黄色が見えるようになるため起きる。モミジなどの**紅葉**は，葉の中にある物質が，グルコースと結合して**アントシアニン**という赤い色素になり，クロロフィルの分解とともに赤色が見えるようになるためである。**海綿状組織**は，葉の裏側にある透き間の多い組織で，この透き間が光合成における二酸化炭素の通り道となっている。

5 ◎ 膨圧によって細胞が膨らみ，気孔が開閉する。
正しい。気孔は，２個の孔辺細胞に囲まれた透き間で，気体の出入りを調節している。**浸透圧の変化によって生じる膨圧により，細胞が膨らみ，孔辺細胞の形が変化して，気孔の大きさが変わる。**

正答 5

FOCUS

植物に関しては，その構造，運動などどれをとっても動物（人体）ほどの出題はなされていない。強いて挙げるとすれば植物ホルモンおよび光周性は比較的重要度が高いと考えられる。特に光周性は多少ややこしいので，混同しないように注意が必要である。

POINT

重要ポイント 1 植物ホルモン

屈性：植物の持つ，外界からの刺激に対し，植物体を屈曲させる性質。

オーキシン：細胞の伸長や分裂を促進させるホルモンで，茎や根の成長点で形成される。最適濃度は器官によって異なり，濃すぎると成長を抑制する。茎では，ホルモンが下に集まり，下の細胞が伸長するので上向きに曲がる。根では，下に集まったホルモンが濃すぎて，細胞の成長が抑制され，下向きに曲がる。

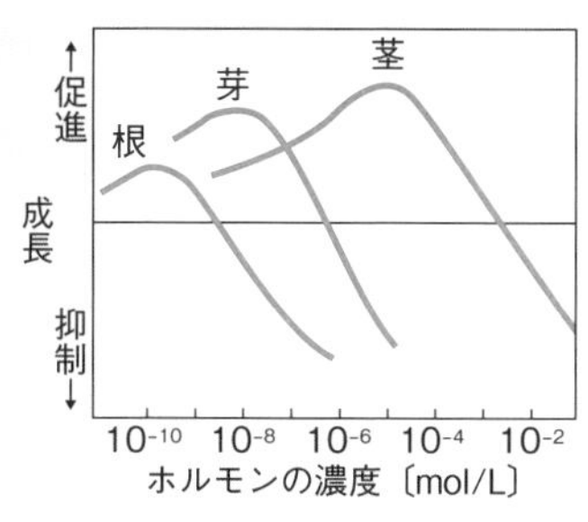

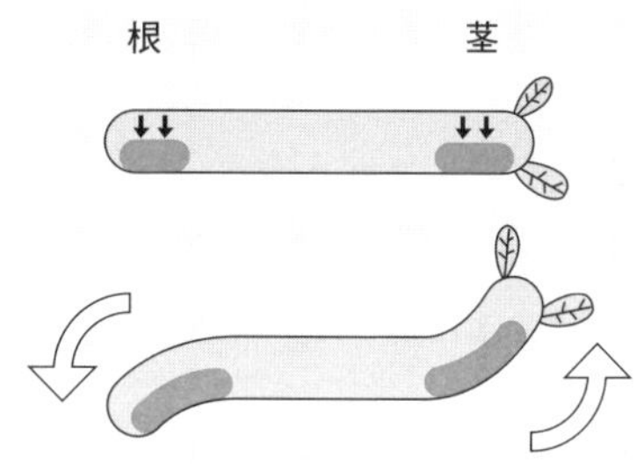

サイトカイニン：細胞分裂の促進，発芽伸長促進，植物の老化抑制。

ジベレリン：細胞の伸長・分裂促進，発芽促進，種なしブドウの生産に利用。

アブシシン酸：落葉，落果の促進，種子・頂芽の発芽抑制。

エチレン：果実の成熟促進。バナナ，ミカン，リンゴなど。

重要ポイント 2 光周性

日長時間ではなく，**連続した暗期の長短**によって花芽の形成が左右される性質。

長日植物：アブラナ，ニンジン，ダイコン，ホウレンソウ。春咲きが多い。

短日植物：キク，アサガオ，コスモス。秋咲きが多い。

中性植物：ナス，トマト，ヒマワリ，ハコベ。四季咲きが多い。

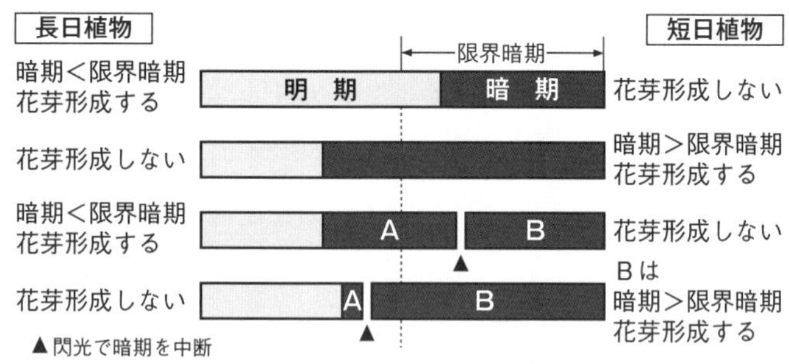

実戦問題

No.1 ＊＊ **植物の光周性に関する次の文中の下線部（ア）～（ウ）の正誤について，妥当な組合せはどれか。**

【市役所・平成17年度】

植物には，花の咲く時期が暗期の長さによって決まっているものがあり，これを光周性という。限界暗期が12時間の植物に対して，A～Cの明暗周期で育てたとき，(ア)Aでは，長日植物は花芽形成をしないが，Bでは長日植物は花芽形成をする。また(イ)Cでは，長日植物は花芽を形成せず，短日植物は花芽を形成する。また，(ウ)長日植物は夏から秋に咲くものが多く，短日植物は春から初夏にかけて咲くものが多い。

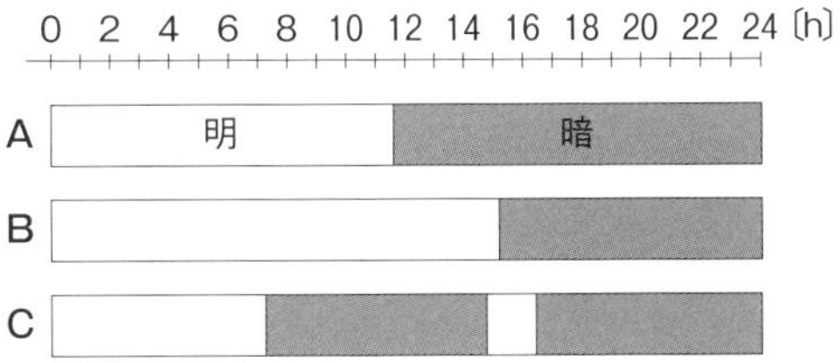

0 2 4 6 8 10 12 14 16 18 20 22 24〔h〕

A 明 暗

B

C

	ア	イ	ウ
1	正	正	誤
2	正	誤	正
3	正	誤	誤
4	誤	正	正
5	誤	正	誤

No.2 ＊＊＊ **植物と水に関する記述として最も妥当なのはどれか。**

【国家専門職・平成20年度】

1 水は，植物体内において物質を運搬し，生化学反応の反応物質として働くだけでなく，植物細胞の形の保持や植物のからだの支持に関与している。蒸散量が吸水量を上回り植物体が水分欠乏に陥ると，細胞の膨圧が維持できなくなり，植物はしおれる。

2 植物は，太陽の光エネルギーを使って，大気中の酸素と根から吸収した水および窒素酸化物から有機物を合成する光合成を行う。光合成速度は，植物を取り巻く外部環境の影響も受けるが，主に体内に存在する水の量に依存する。

3 根から吸収された水は，師管を通って同化組織のある葉に運ばれる。体内で水分が過剰になったときには，葉脈の末端にある水孔から排水されるが，このとき，無機塩類は体内に残留するため細胞内の浸透圧が保持される。

4 植物体の表面を覆う表皮細胞の外面には水を通しにくい形成層があり，水分の蒸発を防いで乾燥からからだを保護している。また，葉の柵状組織に発達している気孔では蒸散が行われ，蒸散時に発生する水の気化熱により葉の温度上昇が抑えられている。

5 乾燥状態になると，植物体内では植物ホルモンの一つであるバソプレシンが急速に合成され，その濃度が高まる。バソプレシンの作用により孔辺細胞内の浸透圧が上昇すると気孔の閉孔が誘導され，その結果，蒸散量が低下し，植物体から失われる水分量は減少する。

No.3 ＊＊ **植物ホルモンに関するA～Dの記述のうち，妥当なものを選んだ組合せはどれか。**

【地方上級（特別区）・平成25年度】

A：サイトカイニンには，細胞分裂の促進や老化の抑制・気孔の開孔などの働きがある。

B：エチレンには，果実の成熟や落葉・落果の促進などの働きがある。

C：アブシシン酸には，茎の成長や不定根の形成の促進，子房の成長の促進などの働きがある。

D：オーキシンには，種子の休眠の維持や発芽の抑制，葉の気孔の閉孔などの働きがある

1 A，B　　**2** A，C
3 B，C　　**4** B，D
5 C，D

＊＊
No.4 花芽の形成または発芽の調節に関する記述として，妥当なのはどれか。

【地方上級（東京都）・平成15年度】

1 長日植物は，明期の長さにかかわらず，暗期が連続した一定の長さ以下になると花芽を形成する植物であり，例として，キク，コスモスがあり，秋に開花する。

2 短日植物は，暗期が連続した一定の長さ以上になると，花芽を形成する植物であり，例として，オオムギ，ホウレンソウがあり，春に開花する。

3 光中断は，暗期の途中に光を短時間当てて暗期を中断することであり，これにより連続した暗期が限界暗期以下になると，短日植物では花芽ができず，長日植物では花芽ができる。

4 春化処理は，秋まき植物の発芽種子への低温処理であり，秋まきコムギでは，冬の低温と冬の短日条件で花芽が形成されることから，発芽後に氷点下の温度で保存し，春にまいて開花させる。

5 光発芽種子は，光によって発芽が促進される種子で，発芽を促す光として，近赤外光が有効であり，近赤外光の照射直後に赤色光が照射されると，近赤外光の効果は打ち消され発芽しなくなる。

＊＊＊
No.5 植物の成長や分化に関する記述として最も妥当なのはどれか。

【国家総合職・平成16年度】

1 種子は一定期間休眠した後，適当な環境刺激で発芽するが，その環境刺激の一つに光がある。光の波長の中でも，近赤外光は発芽を促進し，赤色光は発芽を抑制する。森の中では落ち葉に遮られて，赤色光の量は減少し近赤外光の量が増加するため，種子は発芽しやすい。

2 植物の片側から光を当てると，植物は光の方向に屈曲して成長するが，このような性質を屈光性という。これは光に当たる部分の細胞の成長が促進されるためで，茎頂部を切り取っても同じ現象が生じる。

3 植物ホルモンの一つであるオーキシンは，主に茎の頂端分裂組織で合成され，茎の基部へ向かって移動し，逆方向には移動しない。オーキシンは茎のほか，根，側芽の成長も促進するが，その濃度が高すぎると成長は抑制される。

4 花芽の分化について，長日植物では，一定時間以上の連続した暗期（限界暗期）が必要であり，途中で光照射（光中断）を行うと花芽を形成しない。光による刺激は花芽を形成する茎頂部で感受するため，すべての葉を覆い，茎頂部のみに光を照射しても光照射の効果は現れる。

5 果実の成熟を促進する植物ホルモンにエチレンがあり，果実の成熟以外にも葉の気孔の開閉，種子の休眠誘導を促進している。また，エチレンは果実が成熟する直前に放出されるが，空気中に放出されると他の個体には作用しない。

実戦問題の解説

No.1 の解説　植物の光周性

→ 問題はP.279　**正答3**

花芽の形成が，１日のうちの暗期の長さの変化に左右される性質を，光周性という。

長日植物は，連続した暗期がある一定時間（限界暗期）より短くなると花芽を形成する。**短日植物**は，暗期が一定時間より長くなると花芽を形成する。光周性を示さないものを**中性植物**という。

限界暗期が12時間の長日植物の場合，Aでは，暗期＞限界暗期なので花芽を形成せず，Bでは，暗期＜限界暗期なので花芽を形成する。よって，（**ア**）は正しい。

またCでは，連続した暗期＜限界暗期なので，長日植物は花芽を形成し，短日植物は花芽を形成しない。よって，（**イ**）は誤りである。

長日植物は，アブラナ，ホウレンソウなど春から初夏にかけて開花するものが多く，短日植物はキク，アサガオなど秋に開花するものが多いので，（**ウ**）は誤りである。

よって，正答は**3**である。

No.2 の解説　植物と水

→ 問題はP.280　**正答1**

1◎ **細胞膜が細胞壁を内部から圧する力を，膨圧という。**
正しい。植物細胞には細胞壁があるため，陸上植物の細胞を高張液に入れた場合には**原形質分離**が起こり，真水に入れた場合には，一部の細胞を除いて膨らむだけで破裂することはない。膨圧は，細胞壁の薄い植物体を支えたり，気孔の開閉，オジギソウ・食虫植物の運動の原動力となっている。

2× **光合成は，二酸化炭素と水から，グルコースを合成する反応である。**
光合成速度は，光の強さ・温度・二酸化炭素の濃度に影響を受ける。光合成材料の水の量にも影響を受けるはずだが，植物体には大量の水が含まれるため，実際にはほとんど影響はない。

3× **根から吸収された水は，木部の道管を通って葉に運ばれる。**
水孔は，気孔のように状況に合わせて開閉できる構造ではなく，単なる穴である。葉の先端や葉脈が終わる葉の縁，鋸歯の先端付近などに見られる。

4× **表皮細胞の外側にあるのは，クチクラという透明で水を通さない層である。**
形成層は，**双子葉植物**の茎にあり，細胞分裂を行っている。蒸散が行われるのは，主に葉の裏側に発達している気孔からである。

5× **気孔開閉に関係するホルモンは，アブシシン酸である。**
アブシシン酸は，気孔の閉鎖を誘導する作用を持つことが知られており，結果的に植物体から失われる水分量を減少させる。**バソプレシン**は，ヒトの脳下垂体後葉から分泌されるホルモンで，抗利尿活性を持つ。血管収縮作用もある。

No.3 の解説 植物ホルモン

→ 問題はP.280 正答 1

A ○ カルスとは，未分化状態の植物細胞の塊のこと。
正しい。サイトカイニンかオーキシン，あるいはその両方を与えながら植物細胞を培養すると，**カルス**を形成する（何を与えればよいかは植物の種類による）。これを種のように育てると，植物体を得ることができる。

B ○ エチレンは，生長や花芽形成を阻害することが多い。
正しい。リンゴなどは，多くのエチレンを放出することが知られており，ジャガイモと一緒に保管することで，ジャガイモの発芽を抑制できる。またエチレンは成熟ホルモン，老化ホルモンとも呼ばれ，成熟した果実から放出されてほかの果実の成熟を促すことがある。

C × ジベレリンは，種なしブドウを作るのに利用される。
アブシシン酸（アブシジン酸）ではなく，**ジベレリン**に関する記述である。ジベレリンは，1926年に黒沢英一氏によって，世界で初めて発見された植物ホルモンである。アブシシン酸は，生長を抑制するほか，種子の発芽を抑制する働きもある。

D × オーキシンは，基本的には成長を促進する。
オーキシンではなく，**アブシシン酸（アブシジン酸）**に関する記述である。オーキシンは最初に認識された（発見されたわけではない）植物ホルモンで，ギリシャ語の「成長」という意味の言葉からそう呼ばれるようになった。

よって，正答は**1**である。

No.4 の解説　花芽の形成

→ 問題はP.281　**正答3**

1 ×　長日植物は，連続暗期が一定期間より短くなると花芽を付ける。

長日植物は，秋から冬にかけて成長し，開花期は夜がだんだん短くなる春から初夏になるアブラナ，ダイコン，ホウレンソウ，オオムギなどである。

2 ×　短日植物は，連続暗期が一定期間より長くなると花芽を付ける。

短日植物は，春から夏にかけて成長し，開花期は夜が長くなる夏から秋になるアサガオ，キク，コスモスなどである。

3 ◎　植物にとっては，連続した暗期が重要である。

正しい。連続した暗期が限界暗期より長いと，短日植物は花芽を付ける。長日植物は，限界暗期より短いと花芽をつける。限界暗期の長さは種によって異なる。

4 ×　人為的に低温に遭遇させて，花芽形成を誘導することを，春化処理という。

越冬してから春に開花する植物には，一定期間低温の中で過ごさないと，花芽を形成しないものがある。低温の温度や期間は，種類によって異なる。

5 ×　光発芽種子の発芽促進には，赤色光が有効である。

種子の発芽条件は，一般に水・空気・温度であるが，レタス，タバコ，ミツバ，ゴボウなどの種子は，光も条件とする。このような種子を，**光発芽種子**という。赤色光照射直後に近赤外光が照射されると，赤色光の効果は打ち消されてしまうので，発芽しなくなる。

No.5 の解説　植物の生長や分化

→ 問題はP.281　正答3

1 ×　光発芽種子に関係するのは，赤色光と近赤外線である。

種子の中には，光があると発芽しにくいもの（**暗発芽種子**：キュウリ，ネギ，スイカなど）と，発芽しやすいもの（**光発芽種子**：レタス，タバコ，セロリなど）がある。光発芽種子では吸水後光に反応するが，赤色光が発芽促進に，近赤外光が発芽抑制に働く。

2 ×　オーキシンは茎頂部で生成され，下部へ移動する。

屈光性は，茎の成長点で作られ，細胞を伸張させる**オーキシン**というホルモンが，光によって分解されたり反対側に移動して，光と反対側の細胞をより伸張させるために曲がることで起こるといわれている。茎頂部を切り取ると，オーキシンが産生されなくなるため，屈光性は起こらなくなる。

3 ◎　オーキシンの濃度がどのような影響を及ぼすかは，部位によって異なる。

正しい。同じ濃度のホルモンによっても，部位によって効果が異なる場合があり，たとえばオーキシンの場合，横に倒れた植物の茎と根では，**重力**によって**オーキシンは下側**へ移動する。このとき，茎では下側の細胞の伸長が促進されるため上に曲がるが，根では逆にオーキシンにより下側の細胞の伸長が抑制されるため下に曲がる。

4 ×　植物の光周性に影響を与えるのは，連続した暗期の長さである。

長日植物は，暗期が**限界暗期**より短くなると花芽を形成する。暗期の合計時間が限界暗期より長くても，短時間の光を照射する光中断を行うと，花芽を形成する場合がある。**花成ホルモン**は葉で形成され茎頂部に移動して働くので，茎頂部だけに光を当てても，花芽は形成されないと考えられている。

5 ×　エチレンは，空気中に放出されると他の個体にも影響を及ぼす。

エチレンは，果実の**成熟を促進**させる植物ホルモンである。ガス灯近くの街路樹がよく落葉することから，ガス灯に使用されていたエチレンが関係していたことがわかった。ある個体から放出されたエチレンは，ほかの個体にも作用し，成熟したリンゴと未成熟のバナナを一緒にしておくと，バナナが速く熟す。ただし，**種子の休眠誘導**に働くのは**アブシシン酸**であるから，本肢は誤りである。

生殖・発生

必修問題

次の文は，動物または植物の生殖と発生に関する記述であるが，妥当なのはどれか。

【地方上級（特別区）・平成16年度】

1 **有性生殖**では，卵や精子のように合体を行う生殖細胞を接合子といい，接合子の合体を接合と呼び，その結果生じた細胞が配偶子である。

2 動物の卵や精子のもとになる細胞は，形成体と呼ばれ，発生の比較的早い時期から分裂を繰り返し，雌は**卵原細胞**，雄は**精原細胞**になる。

3 ウニの卵は，**卵割**が進むと次第に割球が多くなり，胚全体が桑の実のような**桑実胚**になって，胚の内部に**卵割腔**と呼ばれる空所ができ始める。

4 イネなどの被子植物における**胚乳種子**とは，発芽のときの養分となる炭水化物，脂肪，タンパク質などの貯蔵物質を子葉に蓄積した種子である。

5 **重複受精**は，イチョウなどの裸子植物に見られる受精方式であり，精細胞が助細胞と反足細胞にそれぞれ受精することをいう。

難易度＊＊

必修問題の解説

生殖には，質的に変化しない**無性生殖**と質的に変化する**有性生殖**がある。動物の発生は，１個の**受精卵**が卵割という特別な体細胞分裂により細胞数を増やして胞胚になり，**胞胚**がさらに変化して**原腸胚**となり，細胞が３つのグループ（胚葉）に分かれ，形成体の働きにより次第に器官が形成される。

1 × 配偶子が合体したものが接合子である。

有性生殖とは，生殖細胞の合体で新個体を形成することをいい，合体する前の生殖細胞を**配偶子**，配偶子が合体することを接合，接合したものを**接合子**という。両親の配偶子の大きさや形が同じとき同形配偶子，少し異なるとき異形配偶子，極端に異なり一方だけが運動能力を持ち他方は運動能力を持たないとき前者を精子，後者を卵（らん）（卵子）という。また，**特に精子と卵の合体を受精**といい，受精によって生じた接合子を，**受精卵**という。

2 × 始原生殖細胞から卵子，精子ができる。

精子や卵のもとになるのは始原生殖細胞で，発生のごく早い時期に準備され，体細胞分裂を繰り返して多くの卵原細胞や精原細胞となる。これらは，さらに卵母細胞や精母細胞となって減数分裂を始める。**形成体**とは，胚の発生過程で出てくる言葉で，カエルの**原口背唇部**のように，周りにある未分化の部分を，**分化した組織に誘導する部分**のこと。

3 ◎ 卵割では細胞分裂が起きても全体の大きさは変わらない。

正しい。**卵割では，分裂が進むほど割球（細胞）が小さくなり**，胚内部に**卵割腔**という透き間が生じる。割球が増えると，全体が桑の実に似てくることから，この時期の胚を桑実胚（そうじつはい）と呼ぶ。

4 × 植物の種類によって種のどこに栄養を畜えるかが異なる。

イネやカキなどの**胚乳種子では，重複受精によって生じた胚乳に養分が蓄えられる**。貯蔵物質はデンプン，脂肪，タンパク質である。マメ科やブナ科のように子葉に養分が蓄えられるものを**無胚乳種子**という。

5 × 重複受精は被子植物特有の受精である。

重複受精は，被子植物に見られる受精様式である。花粉母細胞が減数分裂して花粉となる。花粉が発芽し，伸びた花粉管内に**精細胞**が２個形成される。一方，胚嚢（はいのう）母細胞が減数分裂して胚嚢細胞となり，さらに３回の核分裂後，１個の**卵細胞**と２個の**極核**を持った**中央細胞**，助細胞，反足細胞からなる**胚嚢**となる。受粉後，精細胞と卵細胞，精細胞と中央細胞の２か所で受精が行われることを重複受精という。

正答 3

FOCUS

この分野からの出題自体はそれほど多いわけではない。ただし有性生殖と無性生殖の違いに加え，体細胞分裂（テーマ１「細胞・組織」にて詳述）と減数分裂の違い，また iPS細胞などの最新技術に関する時事的問題などが扱われる可能性はある。

POINT

重要ポイント 1 生殖

生殖とは，生物が新個体を作り出すことである。

(1) 無性生殖：体がちぎれて新個体になる方法。同質の個体が形成される。

①**分裂**：プラナリアやイソギンチャクなどの多細胞生物でも行われる。

②**出芽**：体の一部が膨らみ，離れて新個体となる。酵母やヒドラなど。

③**栄養生殖**：植物の根・茎・葉などの栄養器官から新個体が形成される。ジャガイモの塊茎，サツマイモの塊根，ユリのむかごなど。

④**胞子生殖**：胞子を形成するもの。菌類，藻類，コケ植物，シダ植物など。

(2) 有性生殖：特別な細胞（配偶子）の合体によって新個体が形成される方法。

受精：配偶子の合体を接合というが，特に精子と卵の合体を受精という。

重要ポイント 2 減数分裂

第一分裂と第二分裂が続いて起こり，染色体数は半減する。

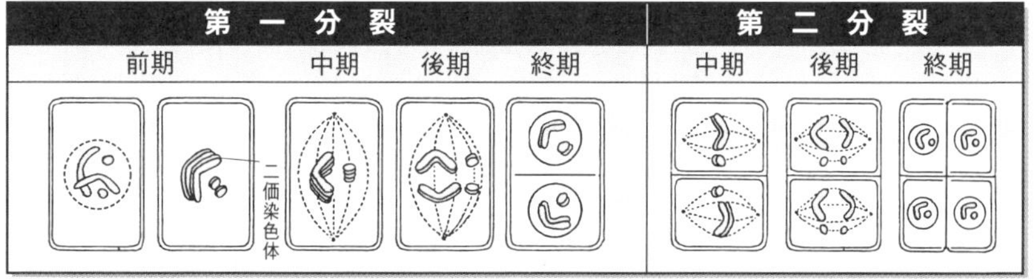

重要ポイント 3 カエルの発生

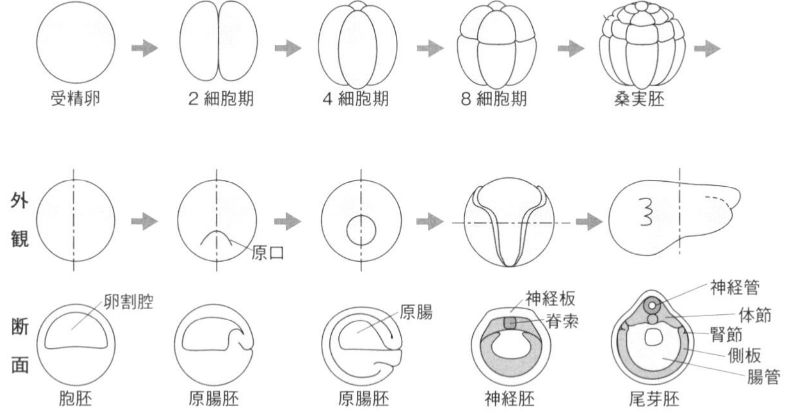

実戦問題

No.1＊ **生殖には２個の配偶子が合体して新しい個体が作られる有性生殖と，配偶子によらない無性生殖がある。生殖に関する以下のア～オの記述のうち，妥当なものをすべて挙げているのはどれか。**

【地方上級（全国型）・令和３年度】

ア：無性生殖は，大腸菌やゾウリムシなど構造が単純な生物のみが行い，動物や植物は有性生殖のみである。

イ：分裂は無性生殖，栄養生殖は有性生殖である。

ウ：有性生殖の配偶子は，染色体数が体細胞の半分で，減数分裂によって作られる。

エ：無性生殖で生じた子は，親と遺伝子が同一のクローンである。

オ：無性生殖と有性生殖を比べると，好適な環境で個体数が急激に増加しやすいのは有性生殖である。

1　ア，ウ
2　ア，オ
3　イ，エ
4　イ，オ
5　ウ，エ

No.2 ＊＊ **生物の生殖と発生に関する記述として最も妥当なのはどれか。**

【国家一般職・平成19年度】

1 生殖の方法は，無性生殖と有性生殖に大別される。無性生殖の例には，アメーバの分裂，藻類の同形配偶子による接合，有性生殖の例には，ウニの受精，ユリの球根による栄養生殖がある。

2 細胞の分裂方法には，体細胞分裂と減数分裂がある。このうち減数分裂は，卵と精子が受精し，染色体数が倍加して通常の細胞の４倍の染色体を持つようになった受精卵が，染色体数を半減させるために行う分裂である。

3 動物の受精卵で行われる初期の細胞分裂を卵割といい，ほぼ同じ大きさの割球ができる卵割を等割という。卵割のしかたは卵の卵黄の量と分布が関係していると考えられており，ヒトの卵は卵黄が比較的少ない等黄卵で，卵割は等割で始まる。

4 動物の受精卵の細胞分裂が進むと，外胚葉，中胚葉，内胚葉の３つの胚葉を形成する。脊椎動物の場合，外胚葉からは骨格系が，中胚葉からは脳神経系と消化器官系が，内胚葉からは循環器系がそれぞれ分化する。

5 被子植物の受精は２か所で起こり，これを重複受精という。一つはめしべの柱頭で起こる受精で５倍体の胚を形成し，もう一つは花粉管のある，やくで起こる受精で２倍体の種皮を形成する。

No.3 ＊＊ **生殖細胞が形成されるときに起こる減数分裂の過程に関する次の文ア～キを順序どおりに並べたものとして，妥当なのはどれか。**

【地方上級（特別区）・平成20年度】

ア：母細胞の相同染色体が対合する。

イ：対合していた相同染色体が分離して，それぞれ両極へ移動する。

ウ：核膜が現れ，細胞質分裂が起こり，４個の娘細胞が形成される。

エ：分裂した細胞で赤道面に染色体が並ぶ。

オ：細胞質分裂が起こり，各相同染色体を１本ずつ含む細胞が２個できる。

カ：対合した相同染色体が赤道面に並ぶ。

キ：染色体が縦の裂け目から分離して，それぞれ両極へ移動する。

1 アーイーカーオーキーエーウ

2 アーエーキーウーカーイーオ

3 アーオーカーキーエーイーウ

4 アーカーイーオーエーキーウ

5 アーキーエーウーイーカーオ

No.4 ＊＊ **動物の発生の仕組みに関する記述として最も妥当なのはどれか。**

【国家一般職・平成17年度】

1　受精卵から胚発生の過程で，いつ分化の決定が起こるかということは，動物の種類によってかなり違いがある。軟体動物や節足動物は，胚の発生運命の決定が比較的遅く，割球を分離しても，それぞれが完全な個体に発生する。このような卵のことを，モザイク卵という。

2　受精卵の核は全遺伝子を持っているが，その後細胞が分化していくに従って，必要のない遺伝子は取り除かれていく。そのため，核を取り除いた受精卵に，成体となったカエルの上皮細胞から取った核を移植すると，上皮のみが形成される。

3　他の胚域に働きかけてそこに一定の組織や器官を形成させる働きのあるものを形成体（オーガナイザー）という。この働きが発現するのはイモリでは原腸胚後期からであり，原腸胚初期に形成体部分を移植すると形成体としての働きを失う。

4　発生の進行に伴い，胚の細胞は一定の秩序に従って分化し，いろいろな器官が形成される。脊椎（せきつい）動物では，外胚葉からは表皮が形成され，中胚葉からは神経管や消化管が分化し，内胚葉からは脊索，体節，腎節，側板が生ずる。

5　胚の各部が将来どのような器官になるかを図に表したものを原基分布図（予定運命図）といい，生体に害のない青や赤などの色素を含んだ寒天片を胚の各部分に押し当てて染色し，染色された各部分からどのような器官が形成されてくるかを調べる方法がある。

実戦問題の解説

No.1 の解説　有性生殖と無性生殖

→ 問題はP.289　正答5

ア× 動植物も，無性生殖を行うことがある。
無性生殖は，植物だとジャガイモは塊茎，サツマイモは塊根で現に殖やされているし，ヤマノイモやオニユリはむかごから芽や根が出て新個体となる。動物だとイソギンチャクは分裂，ヒドラは出芽で殖える。

イ× 栄養生殖も無性生殖の一種である。
分裂（身体がほぼ二等分されて殖える方法）だけでなく，出芽（親の身体から小さい子の身体が分かれて殖える方法）や栄養生殖（植物が生殖器官によらず，他の器官から個体数を殖やす方法）も無性生殖である。

ウ○ 配偶子（生殖細胞）は，染色体を体細胞の半分しか持たない。
正しい。ヒトの場合，体細胞は23種類の染色体を２本ずつ持っており，生殖細胞はこの23種類を１本ずつ持っている。子は，両親の生殖細胞からそれぞれの染色体を１本ずつ受け継ぎ，２本ずつ持つことになる。

エ○ 同じ遺伝子を持つ個体群をクローンという。
正しい。無性生殖で殖えた個体群や，一卵性双生児はすべて互いにクローンである。

オ× 好適な環境で殖えやすいのは無性生殖である。
無性生殖は身体の構造が単純で済むため，無性生殖で殖えた個体群は好適な環境で個体数が急激に増加しやすいという利点があるが，すべてが同じ遺伝子を持つため，環境の変化等の影響により全滅もしやすいという欠点がある。一方，有性生殖で殖えた個体群はさまざまな組合せの遺伝子を持つため，環境の変動が起きても種が生き残りやすいという利点がある反面，身体の構造が複雑になり，子孫を増やすために相手が必要になるなどの欠点もある。

以上より，正答は**5**である。

No.2 の解説　生殖法と発生

→ 問題はP.290　正答3

1× **無性生殖**には，**分裂**，酵母やヒドラの**出芽**，アオカビやゼンマイなどの**胞子生殖**，ジャガイモ（塊茎）やサツマイモ（根茎），ユリの球根（鱗茎）などの**栄養生殖**がある。**有性生殖**には，緑藻類が行う同形配偶子接合や，異形配偶子接合がある。特に配偶子の分業が進んだ卵と精子の接合を**受精**という。

2× 生物の持つ染色体数は決まっている。**減数分裂**は，精子や卵のような有性生殖を行う生殖細胞の形成時に行われ，染色体数が半分になるもので，生殖細胞どうしの合体によって，染色体数がもとに戻ることになる。

3◎ 正しい。受精卵が行う体細胞分裂を**卵割**という。普通の体細胞分裂と異なり，分裂後の細胞が大きくならずに次の分裂が始まるため，細胞の数が増えても全体の大きさは変わらない。卵黄の量と分布によって，等黄卵，端黄卵，心黄卵がある。また卵割の様式によって，等割，不等割，盤割，表割がある。

4 × 体の中央にある**脳神経系が，外胚葉から生じる**ということに注意。神経胚初期において，**神経板**が生じて，中央がへこむ形で**神経管**となり，これが脳神経系となる。中胚葉からは骨格系や生殖系，内胚葉からは呼吸器系や消化器系が生じる。

5 × **重複受精**では，花粉管内の２個の**精細胞**のうち，１個は胚嚢（はいのう）の中の卵細胞と，ほかの１個は中央細胞と合体する。中央細胞には２個の核（極核）があり，受精後は３倍体の**胚乳**となる。やくは花粉の蓄えられた袋であるし，胚嚢を包む珠皮が発達して種皮となるから，これらもすべて誤り。

No.3 の解説　減数分裂の過程

→ 問題はP.290　**正答4**

減数分裂の過程を，問題文中にある**ア～キ**を並べ替えて順を追ってたどると，以下のようになる。

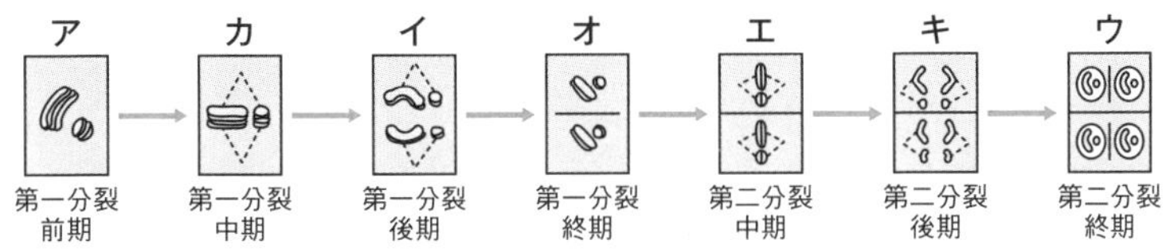

よって，正答は**4**である。

No.4 の解説　動物発生の仕組み

→ 問題はP.291　**正答5**

1 × イモリやカエル，ヒトなど，本肢が述べているように，胚の発生運命の決定が比較的遅く，割球を分割しても，それぞれが完全な個体に発生するものを**調節卵**という。クシクラゲやカイコのように，運命の決定が比較的早く，分割すると完全な個体になれないものを，**モザイク卵**という。

2 × 核を取り除いた卵細胞に，成体となったカエルの上皮細胞の核を移植すると，完全な個体が形成される。このように，まったく同じ遺伝子配列を持つ複数の個体を**クローン生物**という（一卵性双生児も互いにクローンである）。このことから，すべての細胞の核が全遺伝子を持っていることがわかる。

3 × **形成体**は早くから分化が進む。原腸胚初期において，ほかの細胞の運命がまだ決定されていないのに，形成体は本来なるべきものになり，さらに，周りの細胞の分化（誘導）を起こさせる。

4 × 脊椎動物では，**外胚葉**からは表皮や神経管が，**中胚葉**からは脊索・腎節・体節・側板が，**内胚葉**からは消化管が形成される。

5 ◎ 正しい。**フォークト**は，生体に無害な色素を寒天片に染み込ませて染色するという**局所生体染色**により，各細胞が発生に従って何になるかという予定運命を調べた。その結果を図にしたものを**原基分布図**（予定運命図）という。

遺 伝

必修問題

遺伝の法則に関する記述として最も妥当なのはどれか。

【国家一般職・平成28年度】

1 メンデルの遺伝の法則には，**顕性（優性）の法則**，**分離の法則**，**独立の法則**があり，そのうち独立の法則とは，**減数分裂**によって配偶子が形成される場合に，相同染色体がそれぞれ分かれて別々の配偶子に入ることをいう。

2 遺伝子型不明の丸形（**顕性（優性）**形質）の個体（AA または Aa）に**潜性（劣性）**形質のしわ形の個体（aa）を**検定交雑**した結果，丸形としわ形が1：1の比で現れた場合，遺伝子型不明の個体の遺伝子型は Aa と判断することができる。

3 純系である赤花と白花のマルバアサガオを交配すると，雑種第1代（F_1）の花の色は，赤色：桃色：白色が1：2：1の比に分離する。このように，顕性潜性の見られない個体が出現する場合があり，これは**分離の法則**の例外である。

4 ヒトのABO式血液型について，考えられ得る子の表現型（血液型）が最も多くなるのは，両親の遺伝子型が AO・AB の場合または BO・AB の場合である。また，このように，1つの形質に3つ以上の遺伝子が関係する場合，それらを**複対立遺伝子**という。

5 2組の対立遺伝子 A，a と B，b について，A は単独にその形質を発現するが，B は A が存在しないと形質を発現しない場合，B のような遺伝子を**補足遺伝子**といい，例としてカイコガの繭の色を決める遺伝子などが挙げられる。

難易度＊＊

必修問題の解説

遺伝にまつわるさまざまな用語の意味を問う問題。遺伝といえばメンデルの三法則が思い浮かぶが，その理解のためには基本用語を知っていることが必須である。遺伝子の概念を使うことで比較的理解しやすくなるだろう。そしてそのさまざまなバリエーションを追々理解していくとよい。

1 × **分離の法則は，相同染色体が分離すること。**
本肢は，分離の法則に関して述べているので，誤りである。独立の法則とは，**2組の対立遺伝子が，互いに影響を及ぼし合うことなく，次の世代に遺伝する**場合もあることを述べたものである。

2 ◎ **検定交雑で，顕性（優性）形質を持つ個体の遺伝子型がわかる。**
顕性（優性）形質を持つ個体は，遺伝子型が［AA］か［Aa］かがわからない。遺伝子型［aa］と［AA］の個体を親（P）として交雑すると，顕性（優性）の法則により，雑種第１代（F_1）はすべて遺伝子型［Aa］となり，顕性（優性）形質を持つ。本問の事例では，できる豆がすべて丸形である。
遺伝子型［aa］と［Aa］の個体を親（P）として交雑すると，F_1の遺伝子型は［aA］，［aa］，［aA］，［aa］で，これらが等確率で発生するので，分離比は（顕性（優性）形質）:（潜性（劣性）形質）＝１：１である。本問の事例では，丸形としわ形の豆が同数ずつできることになる。
以上のようにして，顕性（優性）形質を持つ個体の遺伝子型を特定することができる。このような手法を，検定交雑という。

3 × **不完全顕性（優性）は，顕性（優性）形質と潜性（劣性）形質が混ざった形質を持つ個体が現れる。**
本肢は，不完全顕性（優性）の例である。おおむね正しいが，**不完全顕性（優性）もメンデルの分離の法則に従っている**。よって本肢も誤りである。

4 × **ヒトABO式血液型の遺伝子は，複対立遺伝子である。**
子の表現型の可能性が最大になるのは，両親の遺伝子型が［AO］と［BO］の組合せのときで，このとき，子の遺伝子型としてありうるのは，［AO］（＝血液型Ａ型），［BO］（＝Ｂ型），［AB］（＝AB型），［OO］（＝O型）であり，このとき，すべての血液型の子が発生する可能性がある。

5 × **一方の顕性（優性）遺伝子だけでも形質を発現するのは，条件遺伝子である。**
本肢は，条件遺伝子に関する記述なので，誤りである。**補足遺伝子の場合，２組の対立遺伝子のうち，双方の顕性（優性）遺伝子をともに持つ個体のみが，ある形質を発現し**，そうでない個体は，いずれもその形質を発現しない。スイートピーの花色の遺伝が，例として挙げられる。
カイコガの繭の色は，抑制遺伝子の例である。

正答 2

FOCUS

一見すると複雑でややこしい内容だが，法則を理解しておこう。メンデルの法則を中心に，さまざまな語句や概念を覚えておこう。また，DNAやRNAに関しても，出題数が増加しているので要注意である。

POINT

重要ポイント 1 一遺伝子雑種

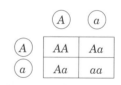

1組の対立形質にのみ注目して交配した場合，遺伝子型［AA］×［aa］の雑種第1代（F_1）は［Aa］となる。顕性（優性）遺伝子［A］と潜性（劣性）遺伝子［a］が同時に存在すると顕性（優性）形質が現れる（**メンデルの顕性（優性）の法則**）。雑種第2代（F_2）での分離比は，右の表のように［AA］:［Aa］:［aa］が1：2：1となる（**メンデルの分離の法則**）。

	Ⓐ	ⓐ
Ⓐ	AA	Aa
ⓐ	Aa	aa

不完全顕性（優性）：対立形質や対立遺伝子のうち，他方の形質を完全に隠しきれない顕性（優性）をいう。マルバアサガオ，オシロイバナ，キンギョソウの花の色は赤［R］が顕性（優性），白［r］が潜性（劣性）であるが，［Rr］は両者が混ざって桃色となる（**中間雑種**）。雑種第二代（F_2）の分離比は［RR］（赤）:［Rr］（桃色）:［rr］（白）＝1：2：1である。

複対立遺伝子：3種類以上が互いに対立している遺伝子。ABO式血液型の遺伝には［A］,［B］,［O］の3種類の遺伝子が関与し，［A］,［B］が顕性（優性），［O］が潜性（劣性）である（［A］,［B］には顕性潜性関係はない）。

重要ポイント 2 二遺伝子雑種

独立した2組の対立形質に注目すると，遺伝子型［$AaBb$］×［$AaBb$］では，次の代は表現型［AB］:［Ab］:［aB］:［ab］が9：3：3：1の割合となる（**メンデルの独立の法則**）。

補足遺伝子：互いに独立した二対の対立遺伝子の顕性（優性）遺伝子どうしがそろわないと，形質を発現できない。

［例］ スイートピーの花色　紫：白＝9：（3＋3＋1）＝9：7

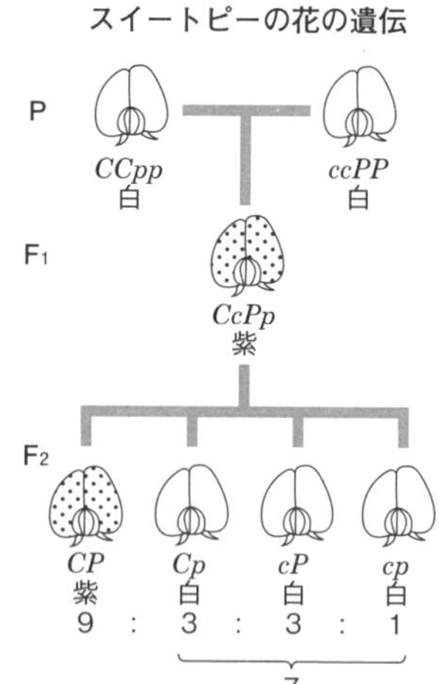

条件遺伝子：互いに独立した二対の対立遺伝子の，一方の顕性（優性）遺伝子は単独でも形質を発現するが，他方の顕性（優性）遺伝子は単独では形質を発現できず，前者と揃わないと形質を発現できない。

［例］ ハツカネズミの毛色　灰：黒：白＝9：3：（3＋1）＝9：3：4

抑制遺伝子：互いに独立した二対の対立遺伝子の，一方の顕性（優性）遺伝子が他方の顕性（優性）遺伝子の働きを抑制する。

［例］ カイコガのまゆ色　白：黄＝（9＋3＋1）：3＝13：3

同義遺伝子：互いに独立した二対の対立遺伝子が同じ形質を発現する。

［例］ナズナの果実　ウチワ型：ヤリ型＝（9＋3＋3）：1＝15：1

重要ポイント 3　伴性遺伝

性染色体（X染色体）上の遺伝子によって起きる遺伝で，雌雄によって形質の現れ方に差があるのが特徴である。

キイロショウジョウバエの眼の色の遺伝：昆虫の場合，雌雄の決定はホ乳類と同じXY型で，XXが雌，XYが雄である。赤眼遺伝子を［G］，白眼遺伝子を［g］とすると，雌の場合はX^GX^G，X^GX^g，X^gX^gの三通りがあり得るが，X^gX^gのみが白眼，それ以外は赤眼である。雄の場合はX^GY，X^gYの2通りでX^gYが白眼，X^GYが赤眼を持つ。赤眼の雌（X^GX^g）と赤眼の雄（X^GY）の交配では，下の表のようになり，雌は白眼遺伝子［g］を持つものもあるが，すべて赤眼となる。雄では赤眼と白眼が1：1に生じる。

♂＼♀	X^G	X^g
X^G	X^GX^G	X^GX^g
Y	X^GY	X^gY

伴性遺伝には，他に血友病の遺伝，赤緑色覚異常の遺伝（いずれもヒトで起きる遺伝）がある。

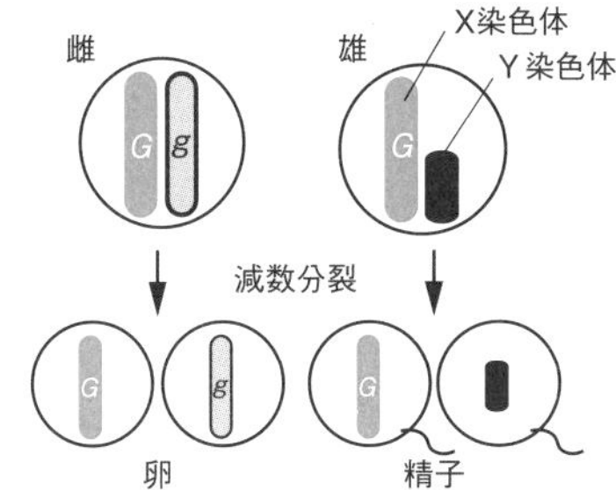

重要ポイント 4　遺伝子の連鎖，交叉，組換え

遺伝子は連鎖しているが故に，交叉によって組換えが生じる。

連　鎖：一本の染色体に，複数の遺伝子が存在すること。ヒトの場合，染色体は23種類しかないが，遺伝子は2万種類以上あるので，遺伝子は連鎖しているはずである。

交叉（乗換え）：細胞分裂時に，相同染色体どうしの同じ部分が切断され，互いに入れ替わって再結合する現象。

組換え（遺伝的組換え）：染色体の交叉によって，両親から受け継いだ染色体とは異なる遺伝子の組合せを持つ染色体ができること。

注：「遺伝子組換え作物」「遺伝子組換え食品」等の「組換え」は，ある生物に，別の生物の有用な性質を持つ遺伝子を人為的に組み込むことであり，意味が異なる。

重要ポイント5 遺伝子の本体

遺伝子

遺伝子の本体は，染色体を構成するDNAの塩基配列である。

DNA

DNA（デオキシリボ核酸）は，リン酸・糖（**デオキシリボース**）・塩基が結合したヌクレオチドが連なった二重らせん構造をもつ高分子化合物である（二重らせん構造は，1953年にワトソンとクリックによって解明された）。塩基は**アデニンA**，**チミンT**，**シトシンC**，**グアニンG**の４種類があり，アデニンとチミン，シトシンとグアニンが互いに水素結合する。

RNA

RNA（リボ核酸）のヌクレオチドは，リン酸・糖（**リボース**）・塩基からできている。また，塩基は**アデニンA**，**ウラシルU**，**シトシンC**，**グアニンG**である。

RNAのはたらき

mRNA…DNAの二重らせんがほどけ，その一方に結合することでDNAの塩基配列の鋳型を写し取る。

tRNA…写し取った塩基配列を元に，タンパク質合成に必要なアミノ酸をリボソームに運ぶ。

rRNA…リボソームを構成するRNAで，塩基配列を元にタンパク質を合成する。

DNAとRNAの違い

① ヌクレオチドを構成する糖が，DNAは**デオキシリボース**，RNAは**リボース**である。

② DNAを構成する塩基には**チミンT**が含まれるが，RNAは**ウラシルU**である。

③ DNAは二重らせん構造であるが，RNAは二重らせん構造ではない。

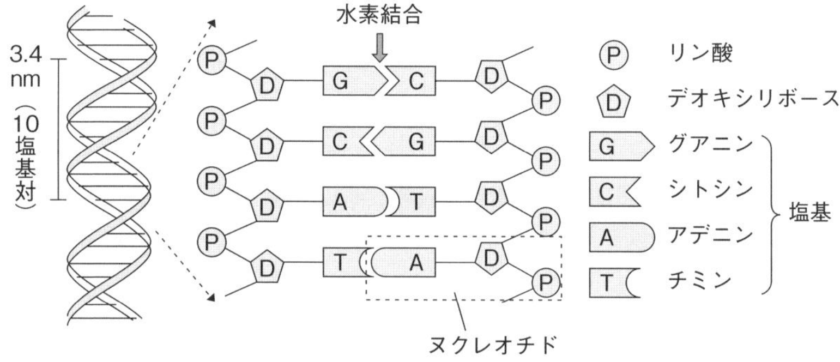

実戦問題 1　基本レベル

＊＊
No.1　遺伝子と染色体に関する記述として，妥当なのはどれか。

【地方上級（東京都）・平成21年度】

1　１本の染色体に２つ以上の遺伝子が存在することを互いに連鎖しているといい，連鎖している遺伝子では，独立の法則に従い配偶子が作られる。

2　染色体の一部の交換に伴い染色体内の遺伝子が入れ替わる現象を組換えといい，組換えは遺伝子間の距離が離れているほど起こりにくい。

3　各染色体に存在する遺伝子の配列を図に示したものを染色体地図といい，キイロショウジョウバエの唾腺（だせん）染色体では，実験で観察した染色体地図と組換え価から求めた染色体地図とは，遺伝子の配列の順序が逆となっている。

4　性染色体にはX染色体とY染色体とがあり，ヒトはXY型の雌ヘテロ型に分類され，X染色体２本が接合することによって雄となる。

5　遺伝子が性染色体に存在するため雌雄で形質の伝わり方が異なる遺伝を伴性遺伝といい，伴性遺伝の例として，キイロショウジョウバエの眼色の遺伝が挙げられる。

＊
No.2　赤色の花のマルバアサガオと白色の花のマルバアサガオとを交雑させると，次の世代にはすべて桃色の花が咲く。この桃色の花のマルバアサガオを自家受精させた場合に，次の世代に咲くマルバアサガオの花の色とその割合として，妥当なのはどれか。

【地方上級（東京都）・平成26年度】

1　全部桃色の花が咲く。

2　赤色の花１，白色の花１の割合で咲く。

3　赤色の花１，桃色の花１，白色の花１の割合で咲く。

4　赤色の花１，桃色の花２，白色の花１の割合で咲く。

5　赤色の花２，桃色の花１，白色の花２の割合で咲く。

No.3 ＊＊ ハツカネズミの毛の色には，灰色，黒色，白色がある。この毛の色には２組の独立に遺伝する対立遺伝子（B，b と G，g）が関係しており，B，G はそれぞれ b，g に対して顕性（優性）で，表現型を[　]で表すと，毛の色は，[BG]の場合は灰色，[Bg]の場合は黒色であり，それ以外の[bG]，[bg]の場合は白色になることがわかっている。

ある灰色の個体Aについて，遺伝子型が $bbgg$ である白色の個体と交配させる場合，灰色の子と黒色の子は生まれるが白色の子は生まれないことがわかっている。この交配により灰色の子が生まれた場合，個体Aと，灰色の子の遺伝子型をそれぞれ正しく示しているのはどれか。

【地方上級（全国型）・平成24年度】

	A	灰色の子
1	$BBGg$	$BBGg$
2	$BBGg$	$BbGg$
3	$BbGG$	$BbGG$
4	$BbGg$	$BBGg$
5	$BbGg$	$BbGg$

No.4 ＊ 次の文は，染色体に関する記述であるが，①～③にあてはまる語句の組合せとして妥当なのはどれか。

【市役所・平成27年度】

ヒトの染色体数は①{a：46本／b：82本}であるが，性染色体には X 染色体と Y 染色体があり，XY の組合せで②{a：雄／b：雌}となる。また，体細胞分裂において，終期に分裂した後の細胞の染色体数は，後期の細胞の③{a：$\frac{1}{2}$倍／b：2倍}となる。

	①	②	③
1	a	a	a
2	a	a	b
3	a	b	a
4	b	a	b
5	b	b	a

No.5 ＊＊ **生物の遺伝情報等に関する記述として最も妥当なのはどれか。**

【国家一般職・令和４年度】

1　遺伝子の本体であるDNAとRNAは，炭素原子を７個持つ単糖類のリボースに，アデニンやチミンなどの六種類の塩基が結合した化合物である。DNAは，二重らせん構造をとっている。

2　細胞分裂には，体細胞分裂と減数分裂がある。分化した細胞が増えるときに行う体細胞分裂では，細胞の核には分化に関与する部位の遺伝情報しかなく，その部位のDNAのみが複製され，娘細胞に分配される。

3　遺伝情報は，DNAからRNAを経てタンパク質へ伝わる流れと，逆にタンパク質からRNAを経てDNAへ伝わる流れがある。このうち，タンパク質からDNAへの流れは生物の進化に深く関係しており，これをセントラルドグマという。

4　タンパク質は，環状に並んだアミノ酸が立体構造をとったものであり，生物の形質に関わる物質である。生物種が異なるとタンパク質の合成に必要とされるアミノ酸も異なり，この必要とされるアミノ酸を必須アミノ酸といい，ヒトの場合，グルタミン酸やアルギニンなどがある。

5　DNAの塩基配列の情報を写し取ったRNAをmRNAといい，mRNAの３つの塩基が一組となって，特定の一つのアミノ酸を指定している。このアミノ酸が並び，隣り合うアミノ酸がつながることでタンパク質が合成される。

＊＊ No.6 遺伝に関する記述として最も妥当なのはどれか。

【国家総合職・令和元年度】

1 遺伝子の本体はDNAであり，DNAは，塩基，糖，タンパク質が結合したヌクレオチドが鎖状につながってできている。塩基には，アデニン（A），グアニン（G），チミン（T），シトシン（C）の４種類がある。DNAは，塩基を内側にした２本のヌクレオチド鎖による二重らせん構造をしており，同じ種類の塩基どうしが結合してはしご状となっている。

2 ある生物の集団において，集団の大きさが十分に大きく，交配が任意に行われ，他の集団との間の遺伝子の流出・流入や突然変異，自然選択がない状態で，遺伝子頻度が世代を超えて変わらないことをハーディ・ワインベルグの法則という。一方，有性生殖の過程での配偶子の選ばれ方などで偶然により集団内の遺伝子頻度が変化することがある。この変化は遺伝的浮動と呼ばれ，小さな集団ほど遺伝的浮動の影響が大きい。

3 植物の品種改良において，イネなど同じ個体の花粉で受精する自殖性植物では，両親として選んだ２つの系統を人為的に交配し，遺伝子型がヘテロ接合体のものの割合を高めることで，後代の選抜と自殖を行う改良方法が用いられている。また，突然変異は，減数分裂時の遺伝子の組換えを主な要因としており，これも品種改良に利用されている。

4 生物は，形態的・生理的な特徴などの共通性の程度で分類されており，分類の基本となる単位である種が用いられ，よく似た種をまとめた科，近縁の科をまとめた属など段階的に分類されている。また，生物の個体間には，同種であっても形質に違いがあり，これを変異という。変異には環境変異と遺伝的変異があり，いずれも繁殖により子に受け継がれる。

5 ゲノムとは，個体の形成や生命活動を営むのに必要な一通りの遺伝情報のことであり，ゲノムを構成する個々のDNAの長さはゲノムサイズと呼ばれている。ヒトのゲノムサイズは他の生物と比べて大きいことから，その塩基配列は完全には解読されていないものの，大半が解読されている。国際的には，遺伝子組換え生物による生態系への影響を防止するための枠組みとしてワシントン条約が締結されている。

実戦問題1の解説

No.1 の解説 遺伝子や染色体 → 問題はP.299 正答5

1 × **連鎖している遺伝子には独立の法則が当てはまらない。**

1本の染色体に2つ以上の遺伝子が乗っている現象を**連鎖**といい，互いに連鎖している遺伝子を，まとめて連鎖群と呼ぶ。同一染色体にある連鎖群は，配偶子形成時の減数分裂ではまとまって行動するため，**メンデルの独立の法則は当てはまらない**。

2 × **組換えは遺伝子どうしが離れているほど起こりやすい。**

組換えは，**遺伝子の距離が離れているほど起こりやすい**と考えられるが，染色体の太さなども関係する。なお，ここで述べている「組換え」は，いわゆる「遺伝的組換え」である。「遺伝子組換え作物」「遺伝子組換え食品」の「組換え」は，人為的に他の生物の遺伝子を組み込むことであり，意味が異なるので注意して欲しい。

3 × **実際の染色体は折れ曲がっている。**

同一染色体上にある各遺伝子の位置関係を，直線で示したものが，染色体地図である。キイロショウジョウバエの唾腺染色体の実験で観察した染色体地図と，組換え価から求めた染色体地図とでは，**遺伝子間の距離は必ずしも一致しないが，遺伝子の配列順序はよく一致している**。

4 × **XY型の場合，ホモは雌，ヘテロは雄。**

ヒトを含むホ乳類やキイロショウジョウバエでは**XXの組合せ（ホモ）で雌**，**XYの組合せ（ヘテロ）で雄**となる。これを雄ヘテロ型という。

5 ◎ **伴性遺伝は，雌雄によって形質の現れ方が異なる。**

正しい。伴性遺伝の例としては他に，ヒトの赤緑色覚異常の遺伝やヒト血友病の遺伝などがある。

No.2 の解説 メンデルの法則（不完全顕性（優性）） → 問題はP.299 正答4

マルバアサガオの，不完全顕性（優性）の問題である。マルバアサガオの花色の遺伝は，赤が顕性（優性），白（無色）が潜性（劣性）であるから，赤色の遺伝子を［R］，そうでない遺伝子を［r］とすると，［RR］を持つ個体は赤色の花を，**［Rr］を持つ個体は桃色の花**を，［rr］を持つ個体は白色の花をつける。

［Rr］どうしを交配すると，次の世代は［RR］：［Rr］：［rr］＝赤：桃：白＝1：2：1の割合で発生する。

以上より正答は肢**4**である。

No.3 の解説　メンデルの法則（条件遺伝子）

→ 問題はP.300　正答2

互いに独立に遺伝する２組以上の優性遺伝子のうち，**一方は他方の存在を前提として形質を発現するが，他方は単独でも形質を発現する**場合，前者の顕性（優性）遺伝子を**条件遺伝子**という。この事例では，遺伝子［*G*］がそれに当たる。

遺伝子型不明の灰色の個体Ａと，遺伝子型［*bbgg*］の白色の個体（aとする）を親（P）として交雑した場合，遺伝子［*B*］・［*b*］のみを考慮すると，雑種第一代（F_1）は白色の個体が生じないことから［*BB*］もしくは［*Bb*］しかあり得ず，個体aが［*bb*］であるから個体Aは［*BB*］しかあり得ない。

遺伝子［*G*］・［*g*］のみを考慮すると，灰色（［*GG*］もしくは［*Gg*］）と黒色（［*gg*］）があり得るが，個体aが遺伝子［*G*］を持たないので，F_1は［*Gg*］か［*gg*］であることがわかる。よって個体Ａは遺伝子［*G*］も遺伝子［*g*］も持つ（［*Gg*］である）ことがわかる。

これらを総合すると，個体Ａの遺伝子型は［*BBGg*］であることがわかる。

そして，灰色の子は，遺伝子［*B*］も遺伝子［*G*］も持っているが，個体Ａは遺伝子［*b*］と遺伝子［*g*］しか持っていないので，F_1のうち，灰色の個体の持つ遺伝子型は［*BbGg*］である。正しい組合せは，肢**2**である。

No.4 の解説　染色体について

→ 問題はP.300　正答1

①：**ヒトの染色体数は，<u>46本</u>**である。染色体は，本数が多ければ高等生物であるということでもなく，ヒトよりたくさんの染色体を持つ動物はたくさんいる。たとえば，イヌやニワトリは78本，コイは100本の染色体を持っている。

②：性染色体は，性を決定する染色体である。ヒトを含むほとんどのホ乳類の場合，*X*染色体と*Y*染色体の２種類があり，*XX*の組合せ（ホモ）を持つのが雌または女性，***XY*の組合せ（ヘテロ）を持つのが<u>雄</u>**または男性である。
鳥類やハ虫類の場合は，*Z*染色体と*W*染色体を持ち，*ZZ*（ホモ）を持つのが雄，*ZW*（ヘテロ）を持つのが雌である。

③：体細胞分裂においては，分裂の前に染色体数が２倍になる。具体的には，間期（細胞分裂が終了してから，次の細胞分裂が始まるまでの期間）の間に，それぞれの染色体は２つずつに分裂している。このセットを姉妹染色体という。姉妹染色体は前期を経て中期までは一体となっているが，後期に至ると両極に分かれ，終期では赤道部分で２つに分かれ，２つの細胞となる。すなわち，**後期から終期に至る過程で，１つの細胞に含まれる染色体数は<u>$\frac{1}{2}$</u>になる**。

よって，①はa，②はa，③はaなので，**1**が正答である。

No.5 の解説　DNAとRNA　→ 問題はP.301　正答5

1 × DNAの糖はデオキシリボース，RNAの糖はリボースである。

DNAの糖はデオキシリボース（$C_5H_{10}O_4$），RNAの糖はリボース（$C_5H_{10}O_5$）で，いずれも炭素原子を5つ持つ単糖類（いわゆる五炭糖）である。また，塩基はDNA，RNAそれぞれ4種類ずつである。

2 × 分化した細胞にも，すべての遺伝情報が含まれる。

すべての細胞には，すべての遺伝情報が格納されている。分化した細胞にもすべての遺伝情報が格納されているが，ただ現に表現されている情報以外は使えない状態になっているだけである。それを再びすべて使えるようにしたのがiPS細胞（詳しくは331ページ参照）である。

3 × セントラルドグマは，遺伝情報のDNA⇒RNA⇒タンパク質の流れである。

セントラルドグマとは，DNAにある遺伝情報がRNAによる転写，リボソームによる翻訳を経てタンパク質へ流れるという生物学の基本概念で，フランシス・クリックによって提唱された。ただし本肢で述べているとおり，逆にタンパク質からDNAへの情報の流れも存在することが，最近判明している（ただし，それはセントラルドグマとは呼ばれない）。

4 × タンパク質は，多数のアミノ酸が結合してできている。

タンパク質は，おおむね50以上のアミノ酸が鎖のように連なった天然高分子化合物の一種ではあるが，環状ではない。また必須アミノ酸とは，ヒトが必要としているが，体内で合成できず経口摂取する必要のあるアミノ酸をいい，トリプトファン，ロイシン，リシン，バリン，スレオニン，フェニルアラニン，メチオニン，イソロイシンの8種類にヒスチジンを加えた9種類をいう。よってグルタミン酸もアルギニンも必須アミノ酸ではない。

5 ◎ 塩基配列は，遺伝情報を表している。

アミノ酸を指定するmRNAの3つの塩基のセットをトリプレットといい，1つのトリプレットが1つのアミノ酸に対応している。

No.6 の解説 遺伝

→ 問題はP.302 正答2

1 × **DNAの塩基はAとT，CとGが結合する。**

DNA（デオキシリボ核酸）は，糖，塩基，リン酸が結合した**ヌクレオチド**が鎖状につながってできている。また，二重らせん構造においては，向かい合ったヌクレオチドの塩基どうしが結合するが，その際，**アデニン（A）とチミン（T），シトシン（C）とグアニン（G）**が結合するようになっている。

2 ◎ **ハーディ・ワインベルグの法則が成り立たないと，遺伝的浮動が起きる。**

ハーディ・ワインベルグの法則とは，遺伝子頻度（各遺伝子型の出現する確率）は，ある条件下では世代を超えて変動しないという法則である。たとえば，優劣ホモを交雑したとき，雑種第2代の分離比が**優性：劣性＝3：1**になるとするのは，この法則が成り立っているという前提に立っている。

遺伝的浮動とは，ハーディ・ワインベルグの法則が成り立たないこと（上記の例でいえば，分離比が3：1にならないこと）をいう。「浮動」は「定まらない」という意味である。

3 × **品種改良は，掛け合わせと突然変異を利用して行われる。**

イネやトマトは自殖性植物（一つの花の中でおしべとめしべが受粉する（自家受粉する）植物）の代表であるので，この部分は正しい。

しかし，**突然変異は放射線等による遺伝子の変異によって起きる**ものなので，本肢の最後の部分が誤りである。

4 × **環境変異は遺伝しない。**

現在の科学では，**遺伝的変異（突然変異）は遺伝するが，環境変異は遺伝しない**ということになっている。環境変異は，遺伝子の変化を伴わない表面だけの変異だからである。

5 × **ヒトゲノム計画は2003年に終了している。**

ヒトDNAの塩基配列（ヒトゲノム）は，日米欧の「ヒトゲノム計画」によって2003年（DNAの二重らせん構造が解明された1953年からちょうど半世紀後）に既に解読が完了している。

また，本肢の最後の部分は「遺伝子組換え生物等の使用等の規制による生物の多様性の確保に関する法律（通称**カルタヘナ法**）」に関するものである。ワシントン条約は，正確には「絶滅のおそれのある野生動植物の種の国際取引に関する条約」といい，国際間の商業目的の過度の取引による種の絶滅を防ぐための条約であるから，遺伝子組換え生物の生態系への影響とは無関係である。

実戦問題2　応用レベル

＊＊＊
No.7 バイオテクノロジーに関する記述として最も妥当なのはどれか。

【国家一般職・平成29年度】

1 ある生物の特定の遺伝子を人工的に別のDNAに組み込む操作を遺伝子組換えという。遺伝子組換えでは，DNAの特定の塩基配列を認識して切断する制限酵素などが用いられる。

2 大腸菌は，プラスミドと呼ばれる一本鎖のDNAを有する。大腸菌から取り出し，目的の遺伝子を組み込んだプラスミドは，試験管内で効率よく殖やすことができる。

3 特定のDNA領域を多量に増幅する方法としてPCR法がある。初期工程では，DNAを一本鎖にするため，−200℃程度の超低温下で反応を行う必要がある。

4 長さが異なるDNA断片を分離する方法として，寒天ゲルを用いた電気泳動が利用される。長いDNA断片ほど強い電荷を持ち速く移動する性質を利用し，移動距離からその長さが推定できる。

5 植物の遺伝子組換えには，バクテリオファージというウイルスが利用される。バクテリオファージはヒトへの感染に注意する必要があるため，安全性確保に対する取組みが課題である。

＊＊
No.8 ショウジョウバエの体色に関する遺伝子を A（正常体色）と a（黒体色），翅に関する遺伝子を B（正常翅）と b（痕跡翅）とすると，A と B，a と b はそれぞれ同一染色体上にあり，連鎖している。正常体色・正常翅（$AABB$）の雌と，黒体色・痕跡翅（$aabb$）の雄との交配でできた F_1 はすべて正常体色・正常翅（$AaBb$）であった。この F_1 の雌と黒体色・痕跡翅の雄の個体を交配すると，正常体色・正常翅が170匹，正常体色・痕跡翅が32匹，黒体色・正常翅が35匹，黒体色・痕跡翅が163匹という結果が得られた。このときの組換え価はおよそいくらか。

【国家一般職・平成18年度】

1 6.7%
2 16.8%
3 24.7%
4 32.2%
5 47.9%

自然科学 第3章 生物

＊＊ No.9 RNA（リボ核酸）に関する記述として，妥当なのはどれか。

【地方上級（特別区）・平成24年度】

1 DNAから伝令RNAへの遺伝情報の転写は，DNA合成酵素の働きにより，DNAの塩基配列を鋳型として行われる。

2 RNAはDNAと異なり，塩基としてチミン（T）を持ち，ウラシル（U）を持っていない。

3 伝令RNAは，タンパク質と結合して，タンパク質合成の場となるリボソームを構成する。

4 運搬RNAには，伝令RNAのコドンと相補的に結合するアンチコドンと呼ばれる塩基配列がある。

5 真核生物では，DNAの遺伝情報が伝令RNAに転写され始めると，転写途中の伝令RNAにリボソームが付着して翻訳が始まる。

＊＊ No.10 遺伝に関する記述として，妥当なのはどれか。

【地方上級（東京都）・平成15年度】

1 メンデルの法則には，顕性（優性）の法則，独立の法則，全か無かの法則の３つがあり，このうち独立の法則とは，１対の対立遺伝子が，配偶子が形成されるときに，互いに分かれて別々の配偶子に入ることをいう。

2 ホモ接合体は，同じ遺伝子の組合せの個体で，ヘテロ接合体は，異なる遺伝子の組合せの個体であり，ホモ接合体は，自家受精を何代繰り返しても，子孫には同じ形質の個体しか現れない。

3 不完全顕性（優性）では，赤色の花（RR）と白色の花（rr）の品種を交雑すると，花の色は，F_1では赤色：桃色が３：１，F_2では赤色：桃色：白色が９：３：１となり，例として，スイートピーがある。

4 条件遺伝子は，１つの形質に関して３種類以上の遺伝子が対立関係にあるときの遺伝子で，例として，ヒトのABO式血液型に関する遺伝子があり，AはBおよびOに対して優性であり，BとOの間には優劣関係がない。

5 致死遺伝子は，個体を胎児の発生過程で死に至らしめる遺伝子であり，例として，黄色のハツカネズミどうしを交雑すると，黄色の遺伝子は，色に関しては劣性であり，致死作用では顕性（優性）であるため，F_1は黒色：黄色が２：１となる。

実戦問題2の解説

No.7 の解説　バイオテクノロジー　→問題はP.307　正答1

1 ◎ 正しい。DNAは，A，C，G，Tの４種類の塩基が一定の規則性に従って並んでいる。**塩基配列は，３つでワンセット**となり，それぞれ合成するアミノ酸を表している。「制限酵素」とは，ある特定の塩基配列だけに反応し，そこでDNAを切断する働きを持つ酵素である。

2 × プラスミド（plasmid）とは，細胞内にはあるが核外にある環状のDNA一般をさし，核内にある染色体DNAとは区別される。大腸菌は，増殖のスピードが速いため，特定の遺伝子を組み込んだ大腸菌内のプラスミドを，効率よく殖やすことができる。よって，本肢の述べるような，大腸菌から取り出したプラスミドを効率よく殖やせると述べている部分が誤りである。

3 × PCR（Polymerase Chain Reaction）法とは，特定の塩基配列だけを取り出して増殖させる方法で，DNAポリメラーゼという酵素を利用するため，そのように呼ばれる。PCR法の初期工程では，二重らせんのDNAをほどいて１本にするため，約94℃の高温にして熱変性させる必要がある。

4 × 寒天（アガロース）ゲルを使用した電気泳動法は，DNA断片（核酸）を分離するのに利用される方法である。アガロースゲルは小孔の多い網目構造をしているため，電圧を掛けると断片がその小孔を通り抜けて移動する。小さな断片ほど早く移動でき，断片の大きさごとに分離することができる。

5 × バクテリオファージ（ファージ）は，細菌に感染するウイルスの総称で，「細菌を食う者」という意味である。特に大腸菌に感染するものが研究されてきたが，バクテリオファージがヒトに感染することはない。

No.8 の解説　組換え価　→問題はP.307　正答2

染色体上に２組の**対立遺伝子**が同時に乗っている（**連鎖している**）場合は，減数分裂によって配偶子が作られる際に，**染色体の交叉**が起こり，**遺伝子の組換え**が生じる。遺伝子間の距離などによって，生じる配偶子の割合が異なり，それによって，次代の表現型の割合が決まってくる。

F_1と潜性（劣性）ホモ（遺伝子型［$aabb$］の個体）との間で交配（検定交雑）を行うと，F_1で生じた配偶子の遺伝子型の分離比がそのまま次の代の表現型の比となって現れる。このことを利用して組換えの起こった生殖細胞の割合を求め，組換え価が計算できる。計算式は次のようになる。

$$組換え価 = \frac{組換えの起こった個体}{検定交雑で得られた全個体数} \times 100$$

$$= \frac{32 + 35}{170 + 32 + 35 + 163} \times 100 = 16.8〔\%〕$$

よって，正答は**2**である。

自然科学 第3章 生物

No.9 の解説　DNAとRNA

→ 問題はP.308　正答4

RNAには伝令(メッセンジャー)RNA（mRNA），運搬(トランスポート)RNAまたは転移(トランスファー)RNA（ｔRNA），リボソームRNA（ｒRNA）の３種類がある。

DNAの塩基配列をmRNAが写し取り（転写），ｔRNAがそれをリボソームまで運び，ｒRNAがタンパク質を合成（翻訳）する。

1 ×　DNAの情報を写し取る際に合成されるのはmRNAである。

DNAからmRNAへは，**RNAポリメラーゼというRNA合成酵素**の働きによって，塩基配列が転写される。このとき，DNAのアデニン（A）にはウラシル（U）が，チミンにはアデニンが，シトシン（C）にはグアニン（G）が，グアニンにはシトシンが対応する。DNAを合成するわけではないので，DNA合成酵素という部分が誤り。

2 ×　DNAはチミンを持ち，RNAはウラシルを持つ。

DNAの持つ塩基はアデニン（A），チミン（T），シトシン（C），グアニン（G）の４種類であるが，**RNAはチミン（T）の代わりにウラシル（U）を持つ**ので，本肢の記述は逆である。

3 ×　ｒRNAがリボソームを構成する。

リボソームを構成するのは，リボソームRNA（ｒRNA）と，リボソームタンパク質と呼ばれるおよそ50種類のタンパク質である。伝令RNA（mRNA）ではないので誤り。

4 ◎　DNAの鋳型がコドンで，それを写し取ったのがアンチコドンである。

正しい。**コドン**とは，特にmRNAでそれぞれのアミノ酸に対応する３つの塩基配列のことをいう。たとえば「ＣＵＡ」の組合せだとロイシン，「ＡＵＣ」だとイソロイシンを表しているといった具合である。塩基はＡとＵ，ＣとＧがそれぞれ互いに鋳型のような構造であるので，「ＣＵＡ」とは「ＧＡＵ」が，「ＡＵＣ」とは「ＵＡＧ」が，互いに鋳型の関係にある。この鋳型のことを，**アンチコドン**という。

5 ×　真核生物では，転写が終わらないと翻訳が始まらない。

本肢は，真核生物ではなく，原核生物に関する記述であるから誤り。真核生物は，DNAが核内にあるため，mRNAがそれを転写して，核外に持ち出さないと，翻訳できない。ところが原核生物は核膜を持たず，DNAが生物内に拡散しているため，mRNAが転写，翻訳をその場で行うという違いがある。

No.10 の解説　さまざまな遺伝

→問題はP.308　**正答2**

1 ×　メンデルの法則は，顕性（優性）の法則・分離の法則・独立の法則の３つである。
本肢が述べているのは，分離の法則である。顕性（優性）の法則とは，純系どうしの交配では，雑種第１代に顕性（優性）の形質が現れること。独立の法則とは，異なる染色体上にある各対立遺伝子が，互いに独立して行動し，組み合わさることである。

全か無かの法則とは，神経細胞が閾値以下の刺激では興奮せず，閾値以上では，刺激の強さに関係なく同じ大きさの興奮が起きることであるから，ここでは無関係である。

2 ◎　ホモ接合体は，自家受精を何代繰り返しても，同じ形質の個体しか現れない。
正しい。**ホモ接合体（純系）**とは，遺伝子記号で示せば，［*AA*］または［*aa*］のような組合せの場合で，**ヘテロ接合体（雑種）**は，［*Aa*］という組合せの場合である。

3 ×　不完全優性の例として，オシロイバナやマルバアサガオが知られている。
赤［*RR*］と白［*rr*］のそれぞれが作る配偶子は，［*R*］と［*r*］で，合体したF_1の遺伝子型は，［*Rr*］となり，この表現型はすべて桃色となる。F_1の自家受精によるF_2では，［*RR*］：［*Rr*］：［*rr*］が１：２：１であるから，赤［*RR*］：桃色［*Rr*］：白［*rr*］＝１：２：１となる。

4 ×　１つの形質に対して，３種類以上の遺伝子がかかわる場合を複対立遺伝子と呼ぶ。
複対立遺伝子の例として，ヒトのABO式血液型がある。ABO式血液型では，**［*A*］と［*B*］には顕性，潜性の関係はなく，［*O*］に対しては［*A*］も［*B*］も顕性（優性）を示す**。遺伝子型で示すと，A型には［*AA*］と［*AO*］の２種類，B型も［*BB*］と［*BO*］があり，AB型の遺伝子型は［*AB*］，O型は［*OO*］である。
条件遺伝子とは，ある特定の遺伝子が存在することが条件で働く遺伝子のことである。

5 ×　致死遺伝子を持つと，生まれる前に死んでしまう。
黄色の遺伝子［*Y*］は，色に関して顕性（優性）で，致死に関しては潜性（劣性）である。黄色［*Yy*］×黄色［*Yy*］の交配結果は，［*YY*］：［*Yy*］：［*yy*］＝１：２：１である。しかし，［*YY*］は致死となるため生じない。そこで，黄色［*Yy*］：黒［*yy*］＝２：１となる。

生態系

必修問題

次の文は，植生に関する記述であるが，文中の空所A～Cに該当する語の組合せとして，妥当なのはどれか。

【地方上級（特別区）・平成28年度】

植生を構成する植物のうち，個体数が多く，地表面を広く覆っている種を［ A ］種という。植生全体の外観を［ B ］といい，［ A ］種によって決まる。植生とその地域に生息する動物などを含めたすべての生物の集まりを［ C ］といい，［ B ］によって区分される。

	A	B	C
1	先　駆	群生相	ニッチ
2	先　駆	相　観	ニッチ
3	先　駆	相　観	バイオーム
4	優　占	群生相	ニッチ
5	優　占	相　観	バイオーム

難易度＊＊

必修問題の解説

生態系の分野でも，さまざまな用語が登場する。それらの用語を一つ一つ，出てくるたびにきちんと覚えていこう。

ある場所に存在する，植物の集団のすべてのことを，植生という。植物群落とは，その植物の集団一つ一つをさす言葉である。

A：**最も多いのが優占種，そうでないのは付随種。**

「優占」が入る。植生もしくは植物群落内で，最も個体数（または占める面積や量）が多い種を優占種，そうでない種を付随種という。**優占種は，群落の最上層を構成するとともに，群落を代表し特徴づける**（たとえば，松林の優先種はマツである）。また，同じ群落の他の構成種に，最も大きく影響を与える。

先駆種（先駆植物）は，植物群落の遷移の初期段階で，最初に裸地に侵入する植物をいう。一般に陽生植物で，極端な環境に耐えうる種であることが多い。

B：**相観は，植生の見た目のこと。**

「相観（そうかん）」が入る。植生の構成種全体の見た目（景観）のことを，相観という。相観は，主に優占種の種類，生活形（高木，低木，草本などの形態），その密度によって決定される。

群生相というのは， 主に昆虫の場合，個体群密度などの生活環境によって，姿や行動が変化（相変異）する場合があるが，何世代にもわたって個体群密度が高い場合には，体が小さくなったり，翅（はね）が長くなったりする。このような，密集して生きるのに適した特徴をいう。

C：**バイオームは，その地域にいる生物全体をいう。**

「バイオーム」が入る。バイオーム（biome：生物群系）とは，ある環境に生きている生物全体（植物に限定されない）をさす言葉である。**バイオームは，気候的特性によって決定される，一定の相観を持つ生物群全体**である。植物群系との違いは，バイオームは植物に限定されていない点である。とはいえ，バイオームを決定するのは基本的には植物であり，たとえば陸上は，植物の形態により森林，草原，荒原といったバイオームに分類される。

ニッチは，ここでは生態的地位（食物連鎖における，食う食われるの立場のこと）をさす。

以上より，空欄に該当する語句を正しく挙げているのは，肢**5**である。

正答 5

FOCUS

もともと種々雑多な内容が混在している分野であるが，出題に関しても広範な内容が少しずつ問われるので，的が絞りにくい。これまでに出題されてきた内容を中心に，少しずつ覚えていくのがよいだろう。

POINT

重要ポイント 1 生態系

(1) 生態系：密接な関係にある**生物群集**と**無機的環境**を一体としてとらえたものをいい，生物群集は役割上，生産者・消費者・分解者に分けられる。

①**生産者**：無機物から有機物を合成する生物。光合成を行う緑色植物，化学合成を行う化学合成細菌など。

②**消費者**：生産者が生産した有機物を利用する，植物食性動物や動物食性動物など。

③**分解者**：遺体や排出物を無機物に分解する，菌類やバクテリア。

(2) 食物連鎖：被食者と捕食者の作る，一連の生物のつながりのこと。実際には，複雑なつながりで，網の目のようになっているため，**食物網**とも呼ばれる。

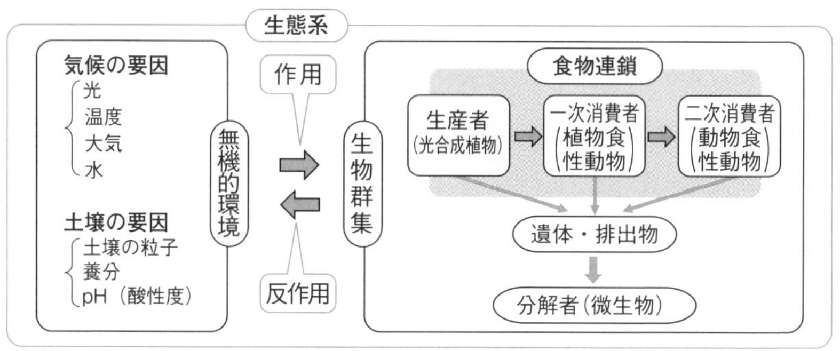

重要ポイント 2 遷移

遷移：植物群落が時間とともに変化していく現象をいう。植物では，土砂崩れや火山の爆発によって裸地が生ずると，最初は地衣類やコケ類が見られ，さらに，一年生草本が侵入。多年生草本，陽樹から最後には陰樹の林になる。

極相：陰樹林では，暗い林床でも生育できる陰樹の苗しか育たず，大きな木が倒れるとすぐに下の陰樹が成長し，いつまでも陰樹林が続く。これをクライマックス（**極相**）という。

重要ポイント 3 物質循環

生態系内の物質やエネルギーは，食物連鎖などにより移動する。

物質の循環：分解産物は，再び生産者に利用され，消費者→分解者と循環する。

エネルギーの流れ：光合成によって植物にとり入れられ，生態系の各構成者によって利用されるたびに，その大半は熱として放出され，循環することはない。

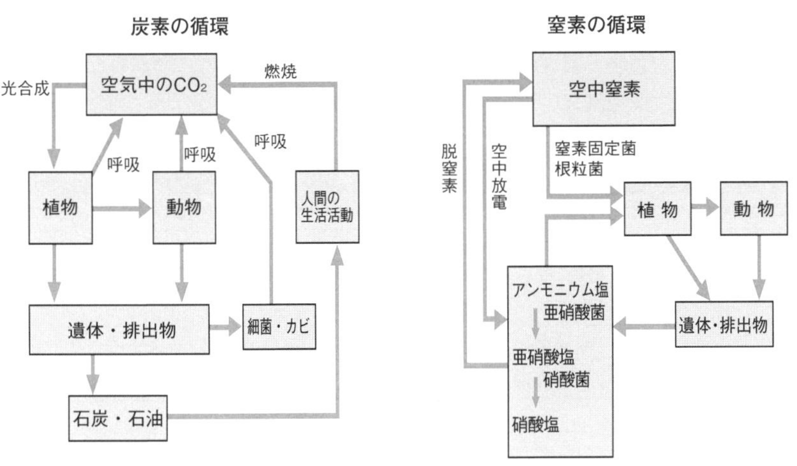

重要ポイント 4 生物の進化説

(1) ダーウィン

「**自然選択説**」：生存競争，適者生存によって新種が形成される。

(2) ラマルク

「**用不用説**」：用いるものは発達，不用なものは退化。子孫に遺伝。

(3) ド＝フリース

「**突然変異説**」：オオマツヨイグサの研究から突然変異を発見。

(4) アイマー

「**定向進化説**」：生物は一定の方向に進化する性質を持つ。

(5) 現代の進化説

進化は突然変異，自然選択，隔離が要因となり，生物集団の遺伝子構成が変化して起こると考えられている。

重要ポイント 5　生物の系統分類

(1) 五界説：従来は，生物を動物と植物の２つに分ける説（二界説）であったが，現在では５つに分ける五界説が広く受け入れられている。

原核生物界（モネラ界）：原核細胞からなる生物。細菌類とラン藻（シアノバクテリア）類。

原生生物界：単細胞の動物と単細胞・多細胞の藻類。

菌界：胞子生殖をする従属栄養生物。からだは菌糸からなる。

植物界：陸上植物。独立栄養生物。

動物界：多細胞の動物。従属栄養で，細胞壁を持たない。

植物界　菌界　動物界
原生生物界
原核生物界

(2) 植物界

分類群				特徴や生活環	具体例
コケ植物				雌雄あり。配偶体が本体。胞子体は寄生	スギゴケ，ゼニゴケ
維管束植物	シダ植物			胞子で増殖。胞子体が本体。配偶体は前葉体と呼ばれ，独立生活をするが小形	ワラビ，スギナ
維管束植物	種子植物	裸子植物		胚珠が裸出。配偶体は胞子体に寄生	イチョウ，ソテツ
維管束植物	種子植物	被子植物	双子葉類	胚珠は子房内に存在 配偶体は胞子体に寄生 胚乳の核相は$3n$	エンドウ，アサガオ
維管束植物	種子植物	被子植物	単子葉類		イネ，ユリ，ラン

(3) 動物界

分類群		特徴					具体例
海綿動物		無胚葉性				体腔なし　海底に固着生活	カイメン
刺胞動物		二胚葉性				体腔なし　散在神経系	クラゲ，サンゴ，ヒドラ
扁形動物		三胚葉性	旧口動物			体腔なし　かご形神経系	プラナリア，サナダムシ
輪形動物		三胚葉性	旧口動物			原体腔　肛門あり　原腎管	ワムシ
線形動物		三胚葉性	旧口動物			原体腔　肛門あり　側線管	カイチュウ，センチュウ
環形動物		三胚葉性	旧口動物	真体腔		閉鎖血管系 はしご形神経系	ゴカイ，ミミズ
軟体動物		三胚葉性	旧口動物	真体腔		幼生から環形動物と近縁	タコ，アサリ，ウミウシ
節足動物		三胚葉性	旧口動物	真体腔		外骨格　はしご形神経系	カニ，エビ，ハチ，クモ
棘皮動物		三胚葉性	新口動物	真体腔		五放射相称　水管系　管足	ウニ，ヒトデ，ナマコ
原索動物		三胚葉性	新口動物	真体腔		幼生は脊索を持つ	ナメクジウオ，ホヤ
脊椎動物	無顎(がく)類	三胚葉性	新口動物	真体腔	管状神経系	胚膜なし　変温　NH_3	ヤツメウナギ
脊椎動物	魚類	三胚葉性	新口動物	真体腔	管状神経系	胚膜なし　変温　NH_3	サメ，フナ，マグロ
脊椎動物	両生類	三胚葉性	新口動物	真体腔	管状神経系	胚膜なし　変温　尿素	カエル，イモリ
脊椎動物	ハ虫類	三胚葉性	新口動物	真体腔	管状神経系	胚膜あり　変温　尿酸	ヘビ，カメ，ワニ
脊椎動物	鳥類	三胚葉性	新口動物	真体腔	管状神経系	胚膜あり　恒温　尿酸	ニワトリ，ペンギン
脊椎動物	ホ乳類	三胚葉性	新口動物	真体腔	管状神経系	胚膜あり　恒温　尿素	ヒト，イヌ，パンダ

実戦問題1 基本レベル

*No.1 両生類，ハ虫類，鳥類，ホ乳類に属する動物の組合せとして，正しいのはどれか。

【地方上級（東京都）・平成22年度】

	両生類	ハ虫類	鳥類	ホ乳類
1	サンショウウオ	カモノハシ	コウモリ	クジラ
2	カエル	トカゲ	カモノハシ	クジラ
3	カエル	カメ	ペンギン	コウモリ
4	カメ	トカゲ	ダチョウ	コウモリ
5	カメ	サンショウウオ	ダチョウ	ペンギン

***No.2 生態系に関する記述として最も妥当なのはどれか。

【国家一般職・平成19年度】

1 大陸棚の生態系には生物の種の数が多く，特にサンゴ礁は，地球上の生物の約半数の種が存在するといわれるほど生物多様性に富んでおり，遺伝子資源の供給源としても注目されている。

2 砂漠や深海では，一般に生物の多様性が極度に限定され，食物網などの生態系の構成要素が欠如するため，生態系そのものが成り立たず，わずかにオアシスや熱水噴出口周辺に例外的に小規模な生態系が見られる。

3 外来生物は，種間の競争を激化させて生態系を活性化させるだけでなく，在来近縁種との交雑により種を増加させるなど，新たな遺伝資源の導入による生物多様性の増大に寄与する。

4 熱帯多雨林には，枯死した植物を分解する生物が多いため，土壌に栄養分が豊富に蓄積されており，伐採や焼き畑によって森林が失われた場合でも生態系全体の回復が早いという特徴がある。

5 極相の陰樹林は，陸上の生態系の中で最も安定したものの一つであり，植物が豊富でさまざまな生活場所があることから動物の種類も多く，生物の多様性に富んでいる。

No.3 ＊＊ **次のA～Dのうち，植物群落の遷移に関する記述として，妥当なものの組合せはどれか。**

【地方上級（東京都）・平成16年度】

A：乾性遷移とは，溶岩台地などの裸地から始まる遷移をいい，裸地に侵入した地衣類やコケ植物の根が岩石の風化を促進することにより，岩石の保水力が衰え，栄養塩類が次第に乏しくなるため，草本類や木本類は侵入できない。

B：二次遷移とは，主に森林の伐採や山火事によって植物群落が破壊された跡地から始まる遷移をいい，すでに土壌が形成されており，根や種子が残っているため，一次遷移に比べて，速い速度で遷移が進む。

C：陽樹林とは，草原や低木の植物群落に，陽樹が侵入して形成される森林をいい，陽樹林の内部では，次第に光の量が多くなり，陽樹の芽生えが次々と生育するため，陰樹の芽生えは生育できない。

D：極相とは，遷移の最後に到達する，大きな変化を示さない安定した植物群落の状態をいい，それぞれの地域の気候条件を反映した植物群落が形成されるため，必ずしも極相が森林になるとは限らない。

1 A，B
2 A，C
3 B，C
4 B，D
5 C，D

No.4 ＊＊ **次の文は，生物の密度効果に関する記述であるが，文中の空所A～Cに該当する語の組合せとして，妥当なのはどれか。**

【地方上級（特別区）・平成16年度】

トノサマバッタは，低い個体群密度では［A］と呼ばれる通常の個体になるが，幼虫の時に高い密度で成長した場合は，体色が黒く，長いはねを持ち，後あしが短くて飛ぶ能力が高いなどの特徴を持つ［B］と呼ばれる個体になる。このように，個体群密度が個体の形質に影響を及ぼす現象を［C］という。

	A	B	C
1	単相	複相	相変異
2	単相	群生相	相変異
3	単相	群生相	遷移
4	孤独相	複相	遷移
5	孤独相	群生相	相変異

実戦問題1の解説

No.1 の解説　動物の分類

→問題はP.317　正答3

両生類・ハ虫類・鳥類・ホ乳類は，系統上は**脊椎動物門**に属している。魚類を含めた脊椎動物門は，身体が頭部と胴部に分けられ，2対のヒレまたは足を持つ，閉鎖血管系でヘモグロビンを持つ，神経管の周りに椎骨を形成する，排出器として腎臓を持つといった共通点がある。

ホ乳類の中で原始的なものには，卵を生む**単孔類**（カモノハシのみ），**有袋類**（カンガルー，ワラビー，コアラなど）がある。

	魚類	両生類	ハ虫類	鳥類	ホ乳類
呼吸器官	エラ	エラ（幼生）肺（成体）	肺	肺	肺
心臓の構造	1心房1心室	2心房1心室	2心房1心室	2心房2心室	2心房2心室
体温	変温	変温	変温	恒温	恒温
子の生まれ方	卵生（水中）	卵生（水中）	卵生（陸上）	卵生（陸上）	胎生
体表	うろこ	粘膜	うろこ	羽毛	毛
［例］	サメ，エイ，マグロ，タツノオトシゴ	サンショウウオ，カエル，イモリ	ヤモリ，カメ，ヘビ，ワニ，トカゲ	ペンギン，ダチョウ	イヌ，ネコ，クジラ，コウモリ，イルカ，シャチ

よって，正答は**3**である。

No.2 の解説　生態系と生物受様性

→問題はP.317　正答5

1 × 陸上の生態系に比べ，海洋生態系（特に**サンゴ礁**）は確かに**生物の多様性**に富むが，それでも生物の約半数の種が存在するとはいえない。

2 × 砂漠には，ネズミ類やラクダ，オオカミなどの消費者が存在し，**食物網**を形成している。また，深海と浅海は，**物質循環**などで密接な関係を持っており，生態系は成立している。

3 × **外来種**は，多くの場合**在来種**の絶滅を引き起こし，安定した生態系を破壊するように働くことが多い。また，**雑種**を形成するなど，進化の長い歴史の中で形成されてきた種の消滅を引き起こす。

4 × **熱帯多雨林**は，生物の多様性が大きく，生物種の約半数が存在するといわれる。しかし，枯死した植物は速やかに分解され，栄養素が流水によって土壌中より失われるため，一度破壊されると，回復が非常に困難である。

5 ◎ 正しい。**極相の陰樹林**の生態系は，安定している。陰樹林では，林床に届く光が弱いため，下草があまり育たず，それらをエサとしている動物も決まってくるが，生物の種類数が少ないわけではない。

自然科学　第3章　生物

No.3 の解説　植物の遷移

→ 問題はP.318　**正答4**

A ×　乾性遷移は，完全な裸地から始まる遷移である。

次第に岩石の風化が進んで地衣類やコケ植物が侵入し，有機物が蓄積して土壌が形成されると，草本や木本が侵入する。植物の生育によって，岩石の保水力は，むしろ促進される。

B ○　二次遷移とは，火事や伐採による裸地化から始まる遷移をいう。

正しい。これに対し，**一次遷移**とは，火山噴火や海底隆起など，まったく新しい裸地上で始まる遷移のことである。

C ×　草原となり，土壌が十分形成されると，陽樹が侵入する。

陽樹林が形成されると，その地表は暗く，陽樹の芽生えは成長できず，**陰樹**の芽生えのみが成長し，次第に陽樹と陰樹が入れ替わるようになる。いったん陰樹林が形成されると，陰樹の芽生えが常に準備され，親木が倒れてもすぐに次が成長し，陰樹林が続くようになる。地殻変動や山火事，火山の噴火などが起こらない限りは，他の状態に遷移することなく長続きする（**極相**）。

D ○　最も長続きする植物群落を，極相という。

正しい。**極相**は，雨の多い日本では森林になることが普通だが，地域の気候条件を反映した植物群落が形成されるので，極相＝森林とは限らない。

正しいのは**B**と**D**なので，正答は**4**である。

No.4 の解説　密度効果

→ 問題はP.318　**正答5**

生物の**密度効果**とは，たとえば個体群密度が上昇するにつれ，生殖行動の妨害や産卵数の減少によって個体群の増殖が抑えられるというように個体群密度が生物に作用することをいう。

トノサマバッタでは，個体群密度が低いときには体色が緑色であしが長い個体が生まれるが，これを**孤独相（A）**という。しかし，幼虫が高い密度で成長した場合，体色は褐色で，あしが短くはねが長い個体になり，移動性が増す。これを**群生相（B）**という。これは密度効果によって，幼虫の内分泌活動に変化が起こるためと考えられる。このように個体群密度が個体の形質に影響を及ぼす現象を**相変異（C）**という。

単相・複相とは細胞の染色体の状態を示す語で，相同染色体を各２本ずつセットで持っている場合を複相，片方のみを持っている場合を単相という。**遷移**とは，植物群集などが環境条件によって変化していくことをいう。

よって，正答は**5**である。

実戦問題❷　応用レベル

No.5（＊＊）**同じ時期に生まれた個体群内のある世代の個体数が，出生後の時間とともに減少する様子をグラフ化したものを生存曲線という。図のように，その動物の寿命を100とした相対年齢を横軸，出生時の生存個体数を10^3とした対数目盛を縦軸に表すと，大きくⅠ，Ⅱ，Ⅲの３つの型に分類できる。次のＡ～Ｅの動物のうち，一般的にⅠの型に該当するものの組合せとして最も妥当なのはどれか。**

【国家一般職・平成20年度】

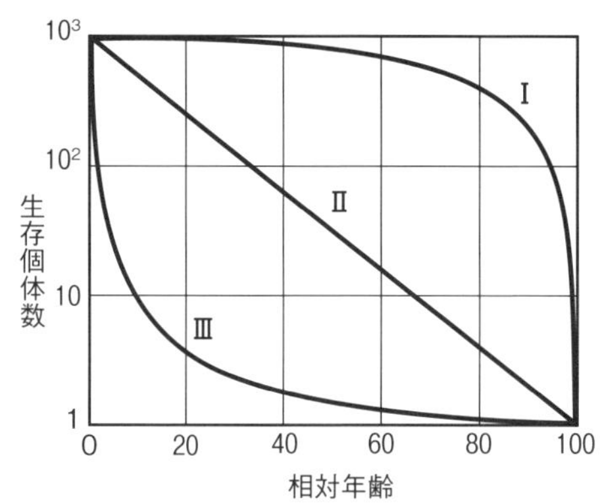

Ａ：ゾウ，クジラのように，大型で寿命の長い動物

Ｂ：火山活動，山火事，洪水などのかく乱によってできた，競争相手の少ない空間に急速に広がる場合に有利な動物

Ｃ：食物連鎖において，下位の動物

Ｄ：多くの野鳥のように，各発育段階ごとの死亡率がほぼ一定している動物

Ｅ：発育初期に親による保護や養育を手厚く受ける動物

1　Ａ，Ｂ
2　Ａ，Ｅ
3　Ｂ，Ｄ
4　Ｃ，Ｄ
5　Ｃ，Ｅ

No.6 ＊＊ **脊椎動物に関する次の記述のうち，妥当なのはどれか。**

【市役所・平成29年度】

1 脊椎動物は全動物の種のうち50%を占めている。

2 脊椎動物の進化の過程は，魚類から両生類，両生類からハ虫類，ハ虫類から鳥類，鳥類からホ乳類の順である。

3 一般に，両生類は肺呼吸をしない。幼生はえら呼吸であり，成体は皮膚呼吸である。

4 一般に，ハ虫類は変温動物であり，うろこがある。具体例としては，ヘビやワニが挙げられる。

5 一般に，ホ乳類の心臓は２心房２心室で構成されている。しかし，魚類や両生類には心房と心室の区画がない。

No.7 ＊＊＊ **生物の進化に関する記述として最も妥当なのはどれか。**

【国家専門職・平成24年度】

1 ダーウィンは，従来の自然選択説に対して，用不用の説に基づく進化論を提唱した。これは，生物は環境に適応しようとするが，その結果が子孫に遺伝（獲得形質の遺伝）し，次第に環境に適応した形質を持つ生物が誕生するというものである。

2 古生代末や中生代末には生物が大量絶滅したが，その絶滅の空白を埋めるように別の系統の生物が新たに誕生し繁栄している。古生代末の裸子植物の絶滅後に被子植物が，中生代末の恐竜類の絶滅後にホ乳類が，それぞれ誕生したと考えられている。

3 人類は，中央アジアに生息していた霊長類より進化したものと考えられている。進化の主な要因は氷河期到来による森林の消失と草原の出現で，その結果，大脳，手，耳などの機能が発達したと考えられている。

4 恒温動物の種分化に関しては，温暖な地域では大型化し，寒冷な地域では小型化する傾向が見られる。わが国では，南九州の屋久島に生息するヤクシカやヤクザルは，ぞれぞれシカ類，サル類の中でも最も大きいことがこの例として挙げられる。

5 大陸から離れた島に住む生物は，ほかの場所へ移動することが難しく地理的に隔離された状態が続くと単一種の集団間に生殖的隔離が起き，種分化が生じることがある。わが国では，海洋島である小笠原諸島において，種分化が起こり，陸産貝類や植物などの固有種が多く見られる。

***
No.8 環境問題に関する次の記述のうち，妥当なものはどれか。

【市役所・平成26年度】

1 熱帯雨林では土壌中の微生物による有機物の分解が遅いため，栄養が地中にとどまり肥沃な土壌を形成する。近年伐採が進み土壌が破壊されているが，短期間で再生しやすい。

2 工場の排煙や自動車の排ガス等に含まれる炭素，硫黄，窒素等が大気中で化学変化すると酸性物質ができ，これが雨水に溶け込むと酸性雨になる。酸性雨は，森林の枯死など大きな被害をもたらす。

3 家庭や工場からの排水等の流入によって海の汚染が急激に進むと，赤潮が発生することがある。赤潮は，汚水により植物性プランクトンが増えたために，光合成が過剰に行われることによって起こる。

4 外来生物によって在来種の生存が脅かされている。たとえば，沖縄のやんばるの森では外来種であるヘビが在来種であるマングースを補食するため，マングースの数が急激に減っている。

5 特定の有害物質が生体内に蓄積し，食物連鎖を通じてより高次の消費者に濃縮されていくことがある。たとえば，殺虫剤BHCはこのような濃縮によって特に牛の体内に多く蓄積することが知られている。

*
No.9 生態系における物質収支に関する記述として，妥当なのはどれか。

【地方上級（特別区）・令和２年度】

1 総生産量とは，生産者が光合成によって生産した無機物の総量をいう。

2 生産者の純生産量とは，総生産量から現存量を引いたものをいう。

3 生産者の成長量とは，純生産量から枯死量と被食量を引いたものをいう。

4 消費者の同化量とは，生産量から被食量と死亡量を引いたものをいう。

5 消費者の成長量とは，摂食量から不消化排出量を引いたものをいう。

No.10 ＊＊＊ **図は，年平均気温と年平均降水量を基に世界の植生についてその分布を表したものである。A，B，Cに関する次の記述のうち，妥当なのはどれか。**

【国家専門職・平成12年度】

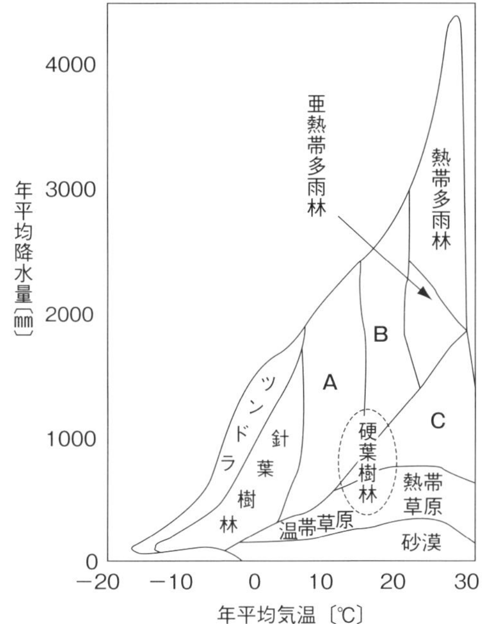

1　Aは夏緑樹林であり，冬季に気温が低くなる温帯に分布し，夏に着葉し，冬には落葉する樹林である。わが国の東北地方北部などに分布し，ブナ，ミズナラなどがある。

2　Aは照葉樹林であり，夏の高温期に降水量が多い地帯に見られ，光沢のある常緑性の広葉をつける樹林である。中国東南部などに分布し，シイ，クスノキなどがある。

3　Bは雨緑樹林であり，季節風の影響によって雨期と乾期がはっきりした地帯に分布し，乾期に落葉する樹林である。東南アジアなどに分布し，チーク，ユーカリなどがある。

4　Cは雨緑樹林であり，年中高温で湿度が高く，多様な樹種を持つ樹林である。アマゾン川流域などに分布し，樹高が50mに達する巨木層を持ち，つる植物も多い。

5　Cは照葉樹林であり，夏に雨が少ないので夏の乾燥に耐える樹種が発達した樹林である。地中海沿岸などに分布し，オリーブ，ユーカリなどがある。

実戦問題2の解説

No.5 の解説　生存曲線

→ 問題はP.322　**正答2**

生存曲線のパターンで，逆Ｌ字型であるⅠの生物は，初期の死亡率がとても低い動物である。親の保護が厚い，ヒトや大型ホ乳類がこれに該当する。

右下がりの直線で示されるⅡの生物は，死亡率が年齢とは関係なく一定であることを示すのもので，ヒドラや鳥類，ハ虫類などがこれに該当する。

Ｌ字型の生存曲線を示すⅢの生物は，初期の死亡率が高い特徴を持つ動物で，産卵数の多い魚類，両生類などがこれに該当する。

したがって，Ⅰに該当するのは**A**，**E**であるから，正答は**2**である。

No.6 の解説　脊椎動物

→ 問題はP.323　**正答4**

1×　動物種のほとんどは，昆虫などの節足動物である。
これまでに発見され，命名された生物は，動物だけでも137万種以上おり，うち昆虫を含む節足動物が104万種で全体の７割を占める。また軟体動物は8.5万種，脊椎動物は6.6万種である。ただし昆虫などは未発見の種も多数あるといわれており，その総数は数百万種とも数千万種ともいわれている。なお，ホ乳類は6000種弱，鳥類とハ虫類はそれぞれ１万種程度しか発見されていない。

2×　ハ虫類，鳥類とホ乳類は異なる進化を辿っている。
古生代石炭紀中期～後期に両生類が進化の過程で竜弓類（りゅうきゅう）と単弓類（たんきゅう）に分かれ，竜弓類はハ虫類へと進化し，その後ハ虫類から進化した鳥類が登場した。また，単弓類はホ乳類として進化したと考えられている。よって，**ホ乳類は，ハ虫類や鳥類から進化したわけではない**。

3×　両生類は，水棲生物と陸上生物の中間体である。
両生類の幼生はえら呼吸，成体は肺呼吸と皮膚呼吸を行う。肺の機能が完全ではないので皮膚呼吸で補う必要があり，外呼吸の３～７割は皮膚呼吸に頼っている。体表が粘膜で覆われているのは，皮膚呼吸の際に酸素が水分に溶け込んだほうが吸収しやすいからである。

4◎　ハ虫類は肺呼吸を行い，硬い殻の卵を産むという特徴がある。
ほかに，トカゲ類，カメ類もハ虫類である。**ヤモリはハ虫類だが，イモリは両生類**である。なお，ハ虫類の「爬（は）」は「地をはう」という意味である。「虫」は「蛇」を意味し，われわれの想像する「虫」とは異なる概念である。

5×　脊椎動物の心臓は，どの種であっても心房と心室に分かれている。
ホ乳類，鳥類，一部のハ虫類の心臓は**二心房二心室**の四部屋に分かれている。両生類や大半のハ虫類の心臓は２心房１心室，魚類は１心房１心室である。部屋が分かれていればいるほど，動脈血と静脈血が混ざりにくくなり，効率がよくなる。

No.7 の解説　生物の進化＜一般＞

→問題はP.323　正答５

1 × ラマルクの用・不用説は，ダーウィンの自然選択説よりも古い。

用・不用説はダーウィンではなく，**ラマルク**によるものである。ダーウィンが提唱したのは，自然選択説である。

2 × いずれの生物種も，繁栄する少し前の紀に出現している。

地学の内容。先カンブリア代と古生代，古生代と中生代，中生代と新生代の間には，それぞれ生物の大絶滅が発生しているが，ある代で繁栄した種は，そのひとつ前の代で出現していることがほとんどである。たとえば，中生代に繁栄したハ虫類は古生代末期に，新生代に繁栄したホ乳類は中生代に出現している。また，裸子植物は絶滅していないし，被子植物の誕生は中生代白亜紀頃だと考えられている。

3 × アフリカ単一起源説では，人類の祖先はアフリカで誕生したとされている。

人類の祖先が，チンパンジーの祖先と分かれたのは600～700万年前で，その**起源はアフリカ**であるといわれている。人類（ヒト）の定義ははっきりしていないが，道具や火を使う，二足歩行をする，複雑な言語体系がある，などが挙げられることが多い。またそのきっかけは，アフリカが乾燥化したため，森林が減少し，サバンナとなったためであると考えられている。

4 × 同一種の動物は，寒冷地では大型化，温暖地では小型化するという説がある。

ベルクマンの法則について述べた肢であると思われるが，大小が逆である。体のサイズが２倍になると，表面積は2^2倍，体積は2^3倍になるので，同体積当たりの表面積は半分になる。すなわち，体が大きければ大きいほど，体表から熱が奪われにくくなり，寒い地域での生息に有利になるのである。なお，ベルクマンの法則に似た法則に，**アレンの法則**がある。同種か近縁の生物では，寒冷な地域に分布する種ほど，突出部（耳，吻（ふん），尾など）が小さくなるというもので，これも体の表面積で説明されている。

5 ◎ 小笠原諸島だけでなく，日本には多くの固有種が存在する。

正しい。特定の地域（最大１大陸まで）にしか分布しない生物種を**固有種**といい，それ以上広い地域に分布する種は汎存種などという。よって，日本の特定の地域だけでなく，日本全土に分布する種でも，世界的に見て日本にしか分布しないのであれば，固有種といえるのである。ただし，本肢で述べている固有種は，小笠原諸島だけに見られるという意味であると思われる。日本の場合，特に小笠原諸島には，世界でもここにしか見られない種が多く，植物のおよそ37％が固有種である。なお，ほかの地域から移り住んだ種は**外来種**，そのうち人間の活動に付随したものは**帰化動物**や**帰化植物**と呼ばれる。

No.8 の解説　環境問題

→ 問題はP.324 正答5

1 ×　熱帯雨林は一度破壊されると，なかなか再生しない。

熱帯雨林は，有機物の分解が速く，栄養分のもとになる落葉落枝を昆虫が運び去ってしまうので，土壌は層が薄く非常に痩せている。木々が伐採されると，大量の雨によって栄養分が押し流されもするため，なかなか再生しにくい。

2 ×　酸性雨の原因は，硫黄Sと窒素Nの酸化物である。

硫黄S，窒素Nに関しては正しいが，**炭素は酸性雨の原因ではない**。化石燃料に含まれる硫黄分が酸化されると**硫黄酸化物SO*x***，空気中の窒素が酸化されると**窒素酸化物NO*x***となり，雨水に溶け込むことで強い酸性の雨になる。これを酸性雨と呼ぶ。炭素Cが酸化されてできた二酸化炭素CO_2は当たり前に雨水に溶け込んでいるものであるから，それよりも強い酸性になったものを酸性雨と呼ぶのである。

3 ×　赤潮は，植物プランクトンが光合成できなくなることで酸欠が起きる。

赤潮は，**汚水による富栄養化によって，植物プランクトンが異常発生**することで起きるが，日光が遮られてしまうため光合成はあまり行われなくなり，水中の酸素が急激に消費され，魚が酸欠で大量死する。

4 ×　マングースは，人間が持ち込んだ外来種である。

沖縄のマングースは，明治時代にハブやネズミを駆除するために，バングラデシュから移入されたものであるから，マングースのほうが外来種である。もともと沖縄には肉食のホ乳類がおらず，沖縄の固有種は身を守るすべを持たない。実際，捕獲したマングースからは，固有種を食した痕跡が発見されている。このため，マングースは2005年に特定外来生物に指定された。

5 ◎　水に溶けにくく化学変化しにくい物質は，生物濃縮が起こりやすい。

正しい。**生物濃縮**に関する記述である。BHCはベンゼンヘキサクロライドという物質で，安価で強力な殺虫作用があるため，殺虫剤として農作物に対して大量に使用されたが，自然界で分解されにくいため，日本では1971年に使用が禁止された。

No.9 の解説　生態系の物質収支

→ 問題はP.324　正答3

生産者，消費者の物質収支は，以下の図のような関係にある。

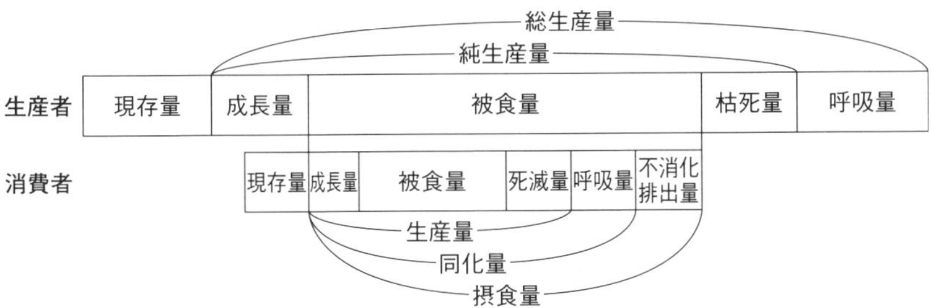

1 × 生産者が光合成によって生産するのは有機物であって，無機物ではないので誤りである。無機物は，光合成の材料である。

2 × 生産者の純生産量は，総生産量から呼吸量を差し引いたものである。総生産量には現存量は含まない。

3 ◎ 生産者の成長量は，純生産量から被食量と枯死量を差し引いたものであるから正しい。

4 × 本肢は，消費者の成長量に関する記述である。消費者の同化量は，摂食量から不消化排出量を差し引いたものである。

5 × 本肢は，消費者の同化量に関する記述である。消費者の成長量は，摂食量から不消化排出量，呼吸量，被食量，死滅量を差し引いたものである。

No.10 の解説　群系と気候

→ 問題はP.325　正答1

1 ◎ 正しい。植物群落の外観的な分類を**群系**といい，群系はその土地の年間降水量と年平均気温に左右される。降水量の多いほうから順に，森林→草原→荒原となり，それがさらに気温により細分される。

2 × Aは**夏緑樹林**である。夏季は温暖または高温で，冬季は寒冷，降水量の多い地域に見られ，ナラ，ブナ，クヌギ，カエデなど，落葉広葉樹が多い。季節によって景観が変わる。

3 × Bは**照葉樹林**である。夏季は高温，冬季は寒冷で，冬季に雨量が少ない地域で見られ，**常緑広葉樹**でクチクラの発達しているクスノキ，タブ，カシ，シイ，ツバキなどがある。

4 × Cは**雨緑樹林**である。年中高温で，雨期と乾期がある地域に見られ，雨期に緑葉をつけ，乾期に落葉するチークなどの高木がある。

5 × 常緑広葉樹で小型の葉を持ち，クチクラが発達しているオリーブやユーカリが見られるのは，**硬葉樹林**である。夏に雨が少なく冬に多い地中海性気候の，地中海沿岸，カリフォルニア半島，南アフリカのケープ地方などにある。

生物全般

必修問題

表は，日本の医学者・生物学者とその業績の一部を示している。表中の1～5のそれぞれの業績の分野に関する記述として最も妥当なのはどれか。

【国家総合職・令和3年度】

	人　名	業　績
1	北里柴三郎	破傷風菌の培養に成功
2	高峰譲吉	アドレナリンの抽出に成功
3	黒沢英一	植物ホルモンであるジベレリンを発見
4	牧野佐二郎	ヒトの染色体が46本であることを発表
5	山中伸弥	iPS細胞の作製に成功

1　破傷風菌などの細菌は**真核細胞**から成る真核生物であり，そのDNAは核膜に包まれている。細菌の細胞内には，光エネルギーを吸収して光合成を行う**ミトコンドリア**や，呼吸によりエネルギーを取り出す役割を担う液胞などの細胞小器官が存在する。**北里柴三郎**は，培養した破傷風菌から得られた毒素を利用して**血清療法**を開発し，破傷風の治療と予防に貢献した。

2　食事の摂取によって血糖値が上昇すると，その信号が交感神経を通じて伝わり，**アドレナリン**や**インスリン**が分泌される。アドレナリンはインスリンと共に，肝臓に蓄積されているグリコーゲンから**グルコース**の生成を促進し血糖値を低下させる。高峰譲吉は，抽出したアドレナリンを血糖降下薬として製剤化し，糖尿病の治療に貢献した。

3　黒沢英一は，イネの成長が通常より促進される**イネ馬鹿苗病**の原因菌の培養液から**ジベレリン**を発見した。ジベレリンには成長作用の他に落果促進作用があり，未熟なバナナを放置するとジベレリンの作用により徐々に熟していく。一方，未熟なバナナと成熟したリンゴを密閉容器に入れると，リンゴ由来の**エチレン**がジベレリンと拮抗し，バナナの成熟を遅らせることができる。

4　染色体に含まれる**DNA**は，塩基，糖，脂肪酸が一つずつ結合した**ヌクレオチド**が多数鎖状に連なった構造を持つ。DNAを構成する糖は**リボー**

スであり，塩基にはアデニン，チミン，グアニン，ウラシルの４種類がある。牧野佐二郎がヒトの染色体の本数を発表して以降，ダウン症候群のような染色体数の異常に起因する疾患の解明が進んだ。

5 **iPS細胞**は，分化した体細胞に遺伝子を導入することで細胞を未分化な状態に戻したものであり，さまざまな細胞に分化する多能性と高い繁殖能を持つ。**山中伸弥**は，iPS細胞の作製でノーベル生理学･医学賞を受賞した。この細胞は**再生医療**などへの活用が期待されているが，医療応用上の問題として，**腫瘍化の可能性**も指摘されており，このリスクを軽減するための研究も進められている。

難易度＊＊

必修問題の解説

広く生物学全体に関してだけでなく，生物学の歴史，生物学にかかわってきた人物など，生物学にまつわるさまざまな内容が問われることがある。こういった問題には，自分の断片的な知識が少しでも問題に出てきたら，そこから腕ずくで正答をひねり出す力業（ちからわざ）も必要になってくる。さて本問には知っている用語はいくつ出てきているだろうか？

1 × 葉緑体は光合成を，ミトコンドリアは好気呼吸を行う。
破傷風菌は確かに細菌の一種であるが，細菌は原核細胞であり核膜もミトコンドリアも液胞も持たず，細胞内には染色体とリボソームしかない。真核細胞内で光エネルギーを吸収して光合成を行うのは**葉緑体**で，好気呼吸によりエネルギーを取り出すのが**ミトコンドリア**である。液胞は，成熟した植物細胞に見られ，内部に液体をたたえている。**北里柴三郎**は，破傷風菌の**抗毒素（抗体）**を発見し，また**血清療法**を開発して第１回ノーベル生理学・医学賞にノミネートされた。

2 × インスリンは血糖を減らし，アドレナリンは増やす。
インスリンは，血糖（血液中のグルコース）を**グリコーゲン**に変えて肝臓に蓄えるので，**アドレナリン**とは逆の働きをしている。高峰譲吉は，牛の副腎からアドレナリンを世界で初めて抽出，結晶化することに成功した。しかし，彼が「タカヂアスターゼ」という名で製剤化したのは，ダイコンに含まれるジアスターゼという消化酵素である。

3 × 種なしブドウは，ジベレリンの作用によってできる。

ジベレリンは，世界で初めて発見された植物ホルモンである。生長伸長作用のほかに，単為結実（受精しなくても果実ができること）の促進作用があり，ブドウを種なしにし果実を大きくするために使用されている。

未熟な果実を成熟させるのは，**エチレン**である。未熟な果実と成熟した果実を密閉容器に入れると，成熟した果実からエチレンが放出され，未熟な果実の成熟が早くなる。

4 × DNAはチミン，RNAはウラシルを持つ。

DNAもRNAも，ヌクレオチドは塩基，糖，リン酸から成る。DNAを構成するヌクレオチドに含まれる糖は**デオキシリボース**，塩基は**アデニン**，**チミン**，**グアニン**，**シトシン**の４種類である。RNAを構成するヌクレオチドに含まれる糖が**リボース**，塩基は**アデニン**，**ウラシル**，**グアニン**，**シトシン**であり，**チミンはDNAにしかなく，ウラシルはRNAにしかない**。

5 ◎ iPS細胞は，分化した細胞を初期化して作成される。

iPS細胞を分化させることで生じる腫瘍に関しては，その発生メカニズムが研究され，初期化因子（分化した細胞を未分化な細胞に戻すための遺伝子）やベクター（初期化因子を導入するための運び屋）を工夫することで，解決されつつある。

正答 5

F O C U S

少なくとも本試験においては，すべての選択肢の内容を知っていなくてもよいし，またすべての選択肢の正誤がわからなくてもよい。正答肢１つがわかればよいのであるが，それがわかるためにはたくさんの知識が必要とされる。ここで生物の総仕上げをしよう。

実戦問題

No.1 ＊＊ **ヒトが必要とする栄養素についての以下の文章中の下線部分に関する記述として正しいのは，次のうちどれか。**

【地方上級（全国型）・平成21年度】

ヒトが必要とする栄養素のうち，特に大量に摂取する必要のあるタンパク質・脂肪・炭水化物を三大栄養素という。三大栄養素は人体の$_ア$構成物質や$_イ$エネルギー源として使われるが，そのまま使われるのではなく，消化という働きによって分解・吸収されたのち，$_ウ$呼吸のための原料や$_エ$人体を構成する材料となる。また，少量の摂取で足りるが体の調節作用と関係の深い$_オ$無機塩類とビタミンを副栄養素という。

1 ア：三大栄養素のうち，人体の構成物質として最も多いのは炭水化物である。

2 イ：三大栄養素のうち，同質量で最も多くのエネルギーを取り出せるのは炭水化物である。

3 ウ：呼吸の原料であるグルコースは水と二酸化炭素に分解されるが，その過程でエネルギーがATPの形で取り出される。

4 エ：三大栄養素は最終的には無機物質に分解されたのち，有機物質に作り変えられて人体を構成する材料になる。

5 オ：無機塩類のうち，鉄とリンはイオンとして体液中に存在し，カリウムとナトリウムは人体の体液以外部分の構成成分として存在する。

No.2 ＊＊ **細菌に関するア～エの記述のうち，妥当なもののみをすべて挙げているのは，次のうちどれか。**

【地方上級（全国型）・平成25年度】

ア：細菌の中には病原菌となるものが少なくない。肺炎やインフルエンザは細菌によって引き起こされる病気である

イ：細菌の細胞は細胞膜がなく細胞質がむき出しになっているため，細菌は極端に低温な場所や高温な場所では生息できない。

ウ：炭酸同化を行う細菌には，光をエネルギー源として利用するタイプと，エネルギー源を化学エネルギーのみに依存するタイプがある。

エ：細菌は人体とのかかわりが深い。人体の常在菌は病原菌の繁殖を抑制したり食物の分解を手助けしたりするが，体の抵抗力が落ちると病気を引き起こすこともある。

1 ア，イ　　**4** イ，エ
2 ア，ウ　　**5** ウ，エ
3 イ，ウ

自然科学 第3章 生物

＊＊ No.3 環境と生物の反応に関する記述として最も妥当なのはどれか。

【国家総合職・平成24年度】

1 ヒトの耳においては，音（音波）の刺激が鼓膜を振動させ，それが中耳から内耳へと伝わる。音の高低は音波の振幅の違いで生じ，振幅の大きい音波ほど鼓膜を大きく振動させることにより高音と感覚される。また，内耳には前庭と半規管があり，前者では，リンパ液の動きで回転運動の方向や速さを，後者では，平衡石の動きでからだの傾きや重力の方向をとらえる

2 ヒトの血液中に含まれるグルコースのことを血糖という。血糖量はその増減が常に間脳の視床下部や膵臓にフィードバックされ，自律神経系やホルモンの働きによって調節されることで一定の範囲に維持されている。血糖量の増加時にはインスリンが分泌され，逆に減少時にはグルカゴン，アドレナリン，糖質コルチコイドが分泌される。

3 動物の行動には生得的な本能行動や習得的な行動がある。本能行動の一つに刷り込みがあり，アヒルのひなが，ふ化後まもなくの時期に見た動く物体を記憶し追従することなどが挙げられる。また，動物によっては，化学物質を分泌して同種の個体に特有の本能行動を引き起こすものがある。このうち，フェロモンと呼ばれる化学物質は，生殖行動の場合に限って分泌される。

4 植物の光合成速度は，見かけの光合成速度から呼吸速度を差し引いたものであり，光の強さや温度などの環境要因のうち最も不足している要因によって決定される。一般的な緑葉の植物の光合成に有効な波長の光は緑色光であり，これらの光がクロロフィルなどの光合成色素に吸収されるため，植物の葉が緑色に見えている。

5 植物の葉にある気孔は環境の変化に伴い開閉する。一般に高温・多湿のときには，孔辺細胞内の浸透圧が減少し，吸水して膨圧が高くなるため気孔が開き，蒸散やガス交換が行われる。このように気孔を開くときには，植物ホルモンであるアブシシン酸が作用している。アブシシン酸にはこのほか，種子の発芽や落葉・落果を促進する働きがある。

実戦問題の解説

No.1 の解説　ヒトが必要とする栄養素
→問題はP.333　正答3

1 × 人体の構成成分で最も多いのは水（60～70%），次いでタンパク質（15～20%）であるから，三大栄養素のうちで最も多いのはタンパク質である。

2 × **炭水化物**の一種である単糖のグルコース（ブドウ糖）は，細胞の主要なエネルギー源であるが，同質量で最も多くのエネルギーを取り出せるのは**脂肪**である。また，脂肪は，貯蔵できるエネルギー源として重要である。

3 ◎ 正しい。細胞が，呼吸基質を分解してエネルギーを取り出し，**ATP（アデノシン三リン酸）**を生成する働きを**呼吸**（内呼吸）という。呼吸基質として，炭水化物，脂肪，タンパク質のいずれもが使われうるが，最も重要で最初に使われるのは，**炭水化物**である。

4 × 三大栄養素は，ある程度まで細分化され吸収されるが，無機物にまで分解されるわけではない。たとえば炭水化物は単糖に，タンパク質はアミノ酸に，脂肪は脂肪酸とモノグリセリドにまで分解されて吸収される。

5 × **鉄**は，酸素運搬に重要な，ヘモグロビンの構成要素である。また，**リン**は，核酸，ATP，骨，神経，筋肉などに広く存在している。一方，**カリウム**と**ナトリウム**は，細胞中や体液中にイオンとして存在している。カリウムは細胞内，ナトリウムは細胞外に多い。

No.2 の解説　細　菌
→問題はP.333　正答5

ア × 肺炎は，さまざまな原因によって起きる，肺の疾患全体をさす言葉なので，細菌が原因とは言い切れない。また，**インフルエンザはウイルス疾患**であるので，細菌によって引き起こされるわけではない。

イ × 細菌にも，細胞膜はある。また，低温や高温など，ほかの生物が生息できないような特殊な環境にも，細菌が生息しているケースは多数確認されている**（極限環境微生物）**。温度でいえば，0℃で生息するものから120℃以上で生息するものまで，さまざまな種類が存在する。

ウ ○ 正しい。光をエネルギー源として利用するタイプは**光合成細菌**，化学エネルギーのみに依存するタイプは**化学合成細菌**である。

エ ○ 正しい。人体には，至るところに細菌がすみ着いており，外界と接する皮膚，目，鼻，口，排泄器官，生殖器官などにいるが，最も多いのが**腸内細菌**で，およそ100種類の細菌が全部で100兆個もいるといわれており，その重さは1～1.5kgにも及ぶ。ヒト1人を構成する細胞の個数が約60兆個であるから，それよりも多くの細菌がすみ着いているのである。これらの細菌は，消化を助けたり，肌の潤いを保ったりといった働きもある一方，傷や炎症が生じた場合には，化膿や皮膚炎の原因となる場合もある。

よって，正しいのは**ウ**と**エ**なので，正答は**5**である。

No.3 の解説　生物の反応<生物全般>

→ 問題はP.334 正答2

1 ×　前庭器官と半規管は，体の傾きや回転を感知する。

前庭器官（前庭）と半規管の説明が逆である。**前庭器官**は卵形で中空の器官で，内部には感覚毛が生えておりリンパで満たされている。**感覚毛**に**平衡石（耳石）**が載っていて，体が傾きを耳石の動きで知覚することができる。**半規管**は**三半規管**ともいい，リング状の三本の管が互いに直交している（管の中には感覚毛が生えており，リンパが満たされている）。体が回転すると内部のリンパが回転し，それを感覚毛が知覚することで体の回転を認識する。

2 ◎　血糖値を下げるホルモンは，インスリンしかない。

正しい。グルコースは，ブドウ糖のことである。血糖値を上げるホルモンには，さまざまなものがある。

3 ×　刷り込みは，習得的な行動（後天的行動）である。

ただし，習得的行動としては例外的に，変更・修正が困難である。また，**フェロモン**は，生殖行動の場合に限って分泌されるというわけではなく，仲間にえさ場や敵の存在を伝える場合や，仲間を呼び寄せる場合にも分泌される。

4 ×　真の光合成速度は，呼吸量と見かけの光合成速度の合計である。

光合成速度（真の光合成速度）から呼吸速度を差し引いたのが，見かけの光合成速度である。

また，植物の葉が緑なのは葉緑素が緑色に見えるからであるが，緑色に見えるのは，緑色の光が反射される割合が大きいからである。逆に緑以外の色は葉緑素によく吸収され，光合成を行うためのエネルギー源となっている。よって，本肢の記述はすべて誤りである。

5 ×　浸透圧が上昇し，吸水して膨圧が高くなるため気孔が開く。

気孔は気体を出し入れする孔なので，水分は水蒸気の状態で放出される（蒸散作用）。孔辺細胞内の浸透圧が上昇すると，吸水して膨圧が高くなって膨れ，気孔が開く。本肢は，浸透圧が減少すると述べているので誤っている。また，アブシシン酸は気孔を閉じさせる作用，種子の発芽を抑制させる作用があるので，この部分も逆である。

地　学

第４章

試験別出題傾向と対策

頻出度	試験名	国家総合職					国家一般職					国家専門職				
	年度	21-23	24-26	27-29	30-2	3-5	21-23	24-26	27-29	30-2	3-5	21-23	24-26	27-29	30-2	3-5
	テーマ ＼ 出題数	5	2	2	1	1	7	0	0	0	0	4	2	1	0	1
A	1 地球の運動と太陽系	2		1	1							1				
B	2 恒星と宇宙		1													
A	3 大気と海洋	1	1	1			3									
C	4 天気の変化	1														1
A	5 地球の内部構造と地震						1					2		1		
B	6 地球の構成物質と火山					1	2						2			
B	7 地球の歴史	1					1					1				

地学の出題範囲は，天文・宇宙，気象・海洋，地球の内部構造，地震，火山や岩石，地球の歴史など多岐にわたっているが，比較的基本的な内容の出題が多いため，幅広く正確な基礎知識を確実に身につけておくことが大切である。中学校程度の理科の知識を確実に身につけ，それに高校の地学基礎の大切な内容を肉付けしていくような勉強がよいであろう。全般的には，天文や地震に関する出題が最も多く，それに気象の分野が続く。また，地震や火山噴火などの災害や地球環境問題などの時事的な話題が出題されるケースもあるので，新聞などに目を通しておくことも，よい試験対策になる。

なお，国家一般職では，平成24年度以降地学分野からの出題はない。一方で，東京都のように，以前は地学分野からの出題がなかったが平成20年度から出題されるようになったケースもある。判断は難しいが，地学分野の勉強にどの程度時間をかけるか，しっかり考えてみる必要がある。

●国家総合職

試験制度が変更されて以降，地学からの出題は少ない。それ以前の出題傾向は，天文宇宙や気象分野からの出題が多かった。一方，火山や岩石・鉱物からの出題はほとんどなかった。図表やデータから考えさせる問題や，長文の問題が出題されることもあった。基礎知識をもとに，筋道立てて考えれば解けるもので難問ではないので，落ち着いて考えるようにしよう。

●国家一般職

平成24年度以降は地学からの出題はない。

	地方上級（全国型）					地方上級（東京都）					地方上級（特別区）					市役所（C日程）				
	21–23	24–26	27–29	30–2	3–5	21–23	24–26	27–29	30–2	3–5	21–23	24–26	27–29	30–2	3–5	21–23	24–26	27–29	30–2	3–4
	3	3	4	3	3	3	3	3	3	3	6	6	6	6	6	3	3	2	3	2
テーマ1	1	1	1	2	1	3	1	2			1	2	3	3		1	1	1		1
テーマ2							1			1	2	1			3					
テーマ3		1		1	1						1	1	1	2	1		1		1	
テーマ4			1							1					1	1				
テーマ5	1	1			1						2	1	1	1		1	1		1	1
テーマ6			1				1		3	1		1	1		1			1		
テーマ7	1		1					1											1	

●国家専門職

気象の分野の出題が少なめだが，満遍なくどの分野から出題されている。出題形式は，ある地学現象に対する説明として正しいものを選択するものがほとんどで，正確な幅広い基礎知識が要求される。

●地方上級

全般的に見ると天文や地震に関する問題が頻出の傾向がある。いずれも基礎知識を問う問題がほとんどなので，重要用語を中心に整理しておこう。

全国型は，天文，地震が頻出だが他の分野からの出題もあるので満遍なく学習することが大切である。

東京都は，天文分野からの出題が多く，気象からの出題は見られない。基礎知識をしっかり身につけておくこと。

特別区は，全分野から出題が見られるので，苦手分野を作らず全分野にわたって基礎知識を身につけておくこと。

●市役所

C日程においては，全分野から基礎知識が偏りなく出題されているので，苦手分野を作らない学習を心がけよう。

地球の運動と太陽系

必修問題

太陽系の惑星に関する記述として最も妥当なのはどれか。

【国家総合職・平成29年度】

1 **水星**は，直径が月の半分程度であり，表面は岩石や砂礫からなる砂漠で覆われている。太陽に近いため，表面温度は太陽に面した側で約1000℃に達し，反対側でも約500℃になる。惑星の中で地球に次いで平均密度の大きい惑星であり，内部に巨大なニッケルの核を持つ。

2 **金星**は，地球よりも大きく，メタンを主成分とする厚い大気に覆われており，大気や雲による温室効果のため，表面温度は約460℃である。公転の向きが惑星の中で唯一逆回りであり，また，公転面に対してほぼ横倒しになって自転している。

3 **火星**は，地球より小さく，表面は鉄が酸化して赤く見える。自転周期や自転軸の傾きが地球と似ており，季節の変化がある。二酸化炭素を主成分とする大気があるが，大気の濃さは地球に比べ希薄であり，温室効果が弱く，表面温度は低い。

4 **木星**は，太陽系最大の惑星であり，質量のほとんどを二酸化炭素と窒素が占めている。太陽から遠いため表面温度は約－150℃と低く，大赤斑はドライアイスの渦である。また，木星にはコペルニクスが発見した4つの衛星があるが，いずれも月より小さい。

5 **土星**は，アンモニアと氷から構成されており，惑星の中で木星に次いで平均密度が小さく，小さな岩石や氷の粒からなるリングを唯一持っている。土星の軌道は，太陽から遠いため，木星の重力の影響を強く受け，ゆがんだ楕円形となっている。

難易度 ＊＊

必修問題の解説

太陽系の各惑星の特徴に関する問題である。太陽系の惑星の特徴は頻出分野なので，きちんと整理しておこう。本問では，細部の特徴まで問われているが，誤った選択肢には明らかに誤った記述が含まれているので，そこを見抜くようにしよう。

1 × 水星は太陽系最小の惑星で，大気がないため昼夜の温度差が大きい。

水星は，太陽系で**最も直径が小さい惑星**であるが，月よりは直径は大きい（水星の直径約4900km，月の直径約3500km）。**大気がほとんどない**ため，昼の表面温度は約400℃，夜の表面温度は約－200℃と**温度差は約600℃**にも及ぶ。平均密度は，太陽系の惑星の中では地球に次いで２番目であり，惑星の中心部には鉄とニッケルからなる核を持つ。

2 × **金星は二酸化炭素中心の濃い大気の温室効果により，表面温度が高温。**

金星は，直径が地球とほぼ等しい（正確には600kmほど小さい）惑星で，**二酸化炭素を主成分とする濃い大気**に覆われており，その**温室効果**のために，**表面温度は高温**で，昼夜を問わず約460℃に達する。自転の向きが，太陽系の他の惑星と逆方向である。惑星の公転の方向はすべての惑星で同一方向である。また，自転軸がほぼ横倒しになっている惑星は天王星である。

3 ◎ **火星は四季の変化があるが，大気は希薄で表面温度は低い。**

正しい。**火星**は，**直径が地球の約半分**の惑星で，表面は酸化鉄を含むために赤茶けた色になった砂や塵で覆われている。自転周期や地軸の傾きは地球によく似ており，四季の変化もあるが，**大気は二酸化炭素**が主成分で，地球に比べて**希薄**（地球の約100分の１）である。表面温度は低く－125℃～20℃程度である。

4 × **木星は太陽系最大の惑星で，主に水素とヘリウムから構成されている。**

木星は，質量も直径も**太陽系最大**の惑星である。その**主成分は水素とヘリウム**である。太陽から遠いため表面温度は約－150℃である。表面には赤い楕円状の**大赤斑**が見られるが，大気（水素やヘリウム）の渦と考えられている。木星には多数の衛星があるが，そのうちの大きな４つはガリレオ・ガリレイが発見したため，**ガリレオ衛星**と呼ばれる。最大のガニメデの直径は5200kmあり，月のみならず水星よりも大きい。

5 × **土星は主に水素とヘリウムから構成され，密度は太陽系の惑星で最小。**

土星は，木星に次いで大きい惑星で，主成分は水素とヘリウムである。**密度は太陽系最小**で１g/cm^{3}を下回る。**環（リング）**は木星型惑星すべてに存在するが，木星のリングが最も規模が大きい。リングは，最大で直径数mの岩石や氷の破片の集合体である。土星本体が回転楕円体（楕円形）をしているのは，自転による遠心力の影響である。

正答 3

FOCUS

天体分野の中でも，「太陽と太陽系の惑星」に関する出題は大変多い。天体の運動なども含め，苦手な人が多い分野でもあるので，しっかり対策を立てておこう。

また，太陽系の天体探査も盛んに行われ，新発見も多く，トピックス的に取り上げられることもあるので，新聞やテレビの科学番組に目を通しておくのも，よい試験対策となるであろう。

POINT

重要ポイント 1 地球の運動

(1) 地球の自転と天体の日周運動

地球が西から東に自転しているので，太陽や星は東から昇って西に沈む。これを天体の**日周運動**という。日周運動の周期は約23時間56分で，これは地球の自転周期に等しい。

(2) 太陽の日周運動

地球の自転に伴って，太陽は天球上を東の地平線から昇って，南を通り，西の地平線に沈むように見える（日本の場合)。右図のように，地球の地軸の傾きの影響で，季節により太陽の高度は変化し，夏至の日が一番高く，冬至の日が一番低い。春分・秋分の日は，真東から昇り真西に沈む。

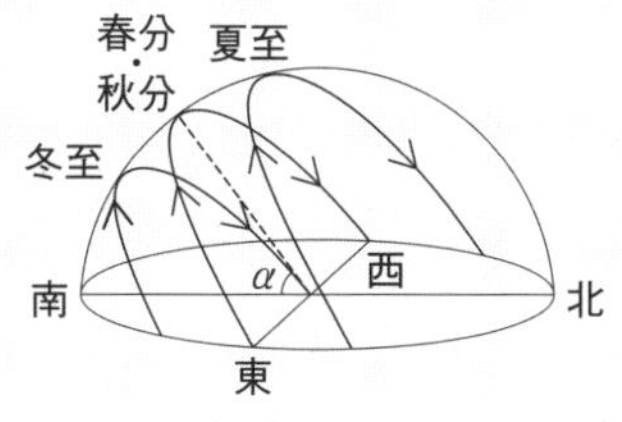

αが南中高度（春分・秋分のとき）

(3) 地球自転の証拠…フーコーの振り子の実験

北半球上で振り子を振らせると，振り子の振動面は地面に対して時計回りに変化する。振り子には重力が働いて同一振動面内で振れ続ける性質があるので地面が反時計回りに回っていることになる。振り子の振動面が1日に回転する角度は極で360°，赤道ではまったく回転しない。

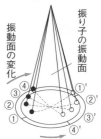

(4) 地球の公転と年周運動

天球：日周運動や年周運動は地球が自転や公転をしているために起こる現象であるが，便宜的に地球を固定して，他の天体が動くとして考えることがある。**天球**とは，プラネタリウムのドームのような仮想的な球面に天体が張りついていると考え，その天球が地球の周りを回転しているとみなして天体の動きを説明する。

太陽の年周運動：太陽は，天球上を1年に1回転運行する。天球上の太陽の通り道を**黄道**という。太陽は黄道上を1日に約1°西から東へ動き，これを太陽の年周運動という。天の赤道（地球の赤道を天球上に投影したもの）と黄道の交わる点が，**春分点と秋分点**である。

地球の公転にともなって，太陽の天球上に見える位置も移動していく。

(5) 地軸の傾きと季節変化

地球の自転軸は，公転軌道面に対して垂直ではなく，公転軌道面に下ろした垂線に対して23.4°傾いている。そのため，太陽高度や昼夜の長さの割合が変化し，季節変化が生じている。例えば日本のような中緯度地域では，夏ほど太陽高度が高く昼が長いため，太陽から受け取るエネルギーが多く気温が高くなる。

(6) 太陽の南中高度

太陽などの天体が**子午線**（天球上で南から天頂を通り北に至る線）上にくることを**南中**という。地軸の傾きのために太陽の南中高度は変化をする。太陽の南中高度は，ϕをその地点の緯度とすると，春分・秋分の日では$90°-\phi$，夏至の日では$90°-\phi+23.4°$，冬至の日では$90°-\phi-23.4°$，となる。

重要ポイント2 惑星の運動

(1) ケプラーの法則：惑星の公転運動に関する法則

第1法則：惑星は太陽を1つの焦点とする楕円軌道上を公転する。

第2法則：惑星と太陽を結ぶ線分が一定時間に描く面積は一定である。

第3法則：太陽と惑星との間の平均距離（軌道長半径）aの3乗と公転周期Pの2乗との比はどの惑星でも等しい。

$$\frac{a^3}{P^2}=\text{一定}$$

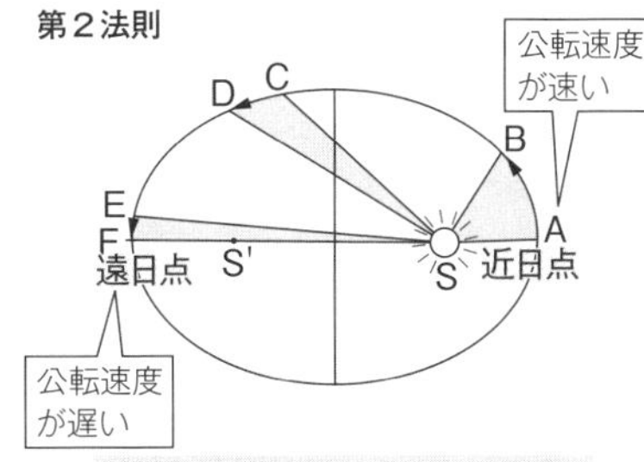

扇形の面積SAB=SCD=SEF

(2) 惑星現象：地球の内側にある惑星を**内惑星**，外側にある惑星を**外惑星**という。惑星が地球と特別な位置関係に来ることを**惑星現象**といい，惑星が太陽と同じ方向になる**合**と，太陽と反対の方向になる**衝**がある。内惑星には合の位置が2つあり**内合**と**外合**という。

(3) 会合周期：衝から次の衝，合から次の合になるまでの時間を**会合周期**という。会合周期を求める公式は，内惑星と外惑星では異なるが，次のようにまとめた形で覚えておくと簡単である。

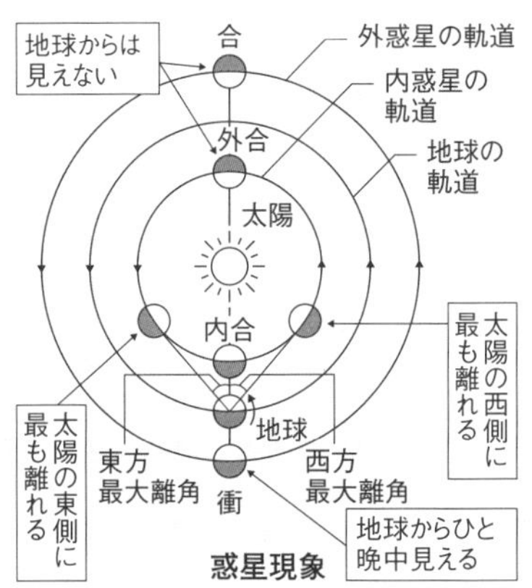

惑星現象

$$\frac{1}{\text{会合周期}}=\frac{1}{\text{短いほうの公転周期}}-\frac{1}{\text{長いほうの公転周期}}$$

内惑星の場合なら長いほうに地球を当てはめ，外惑星なら短いほうに地球を当てはめる。

重要ポイント3 太陽系の天体

(1) 太陽系の天体：太陽系は，**太陽**を中心として，その周囲を公転する**惑星**，**彗星**，**小惑星**，惑星の周りを公転する**衛星**などからなる。

(2) 地球型惑星と木星型惑星：惑星はその特徴から地球型と木星型に分類される。

①**地球型惑星**：水星，金星，地球，火星

半径・質量が小さく，密度が大きい。自転周期は長い。衛星数が少ない。表面は酸素とケイ素を主成分とする岩石からなり，中心部には鉄やニッケルからなる核がある。

②**木星型惑星**：木星，土星，天王星，海王星

半径・質量が大きく，密度が小さい。自転周期は短い。**多くの衛星や環**を持つ。表面は**水素やヘリウムを主成分とする厚い大気層**に覆われている。中心部には岩石や氷からなる核があると推定されている。

(3) 各惑星の特徴

①**水星**：太陽に最も近く，**大気がほとんど存在しない**ため，表面温度は昼間で約400℃，夜間は約－200℃になる。地表には多数のクレーターが見られる。

②**金星**：半径・質量がほぼ地球に等しい。**二酸化炭素を主成分とする高圧の厚い大気**に覆われ，その**温室効果**により，表面温度は約460℃にもなる。火山活動があり，表面は起伏に富む。

③**地球**：液体の水が大量に存在し，現在のところ，太陽系で生命が存在することが確実な唯一の天体である。

④**火星**：半径が地球の約半分。自転軸の傾きが地球と似ているため四季の変化がある。**二酸化炭素を主成分とする薄い大気**が存在する。過去に液体の水が大量に存在した証拠が見つかっている。

⑤**木星**：**太陽系最大**の惑星。表面には，大気の運動による**大赤斑**や赤道に平行な縞模様が見られる。

⑥**土星**：多数の小さな氷や岩石からなる大きな環を持つ。**密度は太陽系最小**で，水よりも小さい。

⑦**天王星・海王星**：半径は地球の４倍程度。天王星は自転軸が公転面に対してほぼ横倒しになっている。大気にヘリウムを多く含む。

(4) 太陽系のその他の天体

①**衛星**：惑星の周りを公転する天体。地球型惑星に少なく（水星と金星には衛星が存在しない），木星型に多い。

特徴的な衛星：木星の特に大きな衛星は，ガリレオが発見したことからガリレオ衛星と呼ばれる。**イオ**は火山活動が火山活動が活発であり，**エウロパ**は表面を覆う氷の下に液体の水が存在すること考えられている。

土星の**タイタン**は，探査機が着陸し，河川や海のような地形が見つかった。液体のメタンの循環が考えられている。

②**彗星**（すいせい）：その多くは楕円軌道をとる。岩石や有機質のちりを多く含む氷の塊。太陽に近づくと太陽の反対側に尾ができる。

③**小惑星**：火星と木星の間の**小惑星帯**に多く存在する小さな天体で，大きさや形はさまざま。現在40万個以上発見されている。

④**太陽系外縁天体**：海王星の外側には，多くの小天体が存在することが近年知られてきた。**冥王星**はその仲間の一つとみなされて惑星の分類から外された。

重要ポイント4 太陽の活動

(1) 太陽の概観：太陽は，半径が地球の約109倍の恒星で，その**表面温度はおよそ5800K**である。太陽の元素組成は，**水素**がその大部分を占め，次いで**ヘリウム**が多く含まれる（水素の約15分の1）。その他の元素はごくわずかしか含まれていない。太陽の元素組成は，**太陽スペクトル**に見られる暗線（**フラウンホーファー線**）の分析から知ることができる。

(2) 太陽表面：太陽グラス（太陽を肉眼で見てはいけない）などで太陽を観測したとき，白く見える円盤状の部分を**光球**という。特殊な望遠鏡などで観測すると光球の表面やその周辺には，右図のようなものが見られる。彩層やプロミネンス，コロナは**皆既日食**のときにも観測できる。

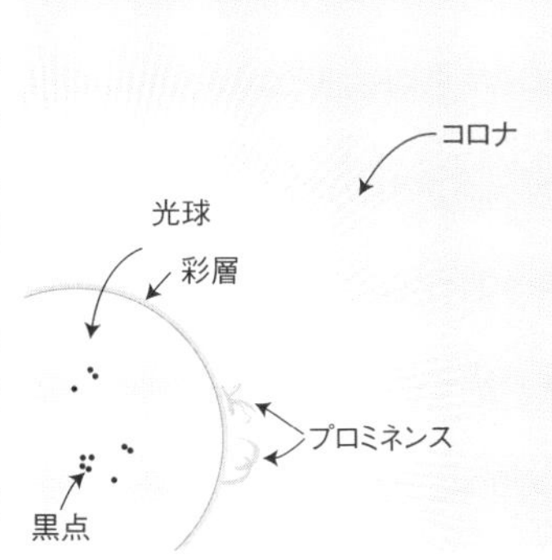

・**黒点**：光球面に見られる，黒いしみ状の部分。光球面より温度が1500～2000Kほど低いので黒く見える。

・**彩層**：光球の外側にある，ピンク色の薄い層。

・**プロミネンス（紅炎）**：光球面から吹き出す，柱状の炎。コロナの中に浮かぶガス雲である。

・**コロナ**：彩層の外側に広がる真珠色の太陽大気。約200万Kの高温で，プラズマ状態（原子が電離して高速で飛び回る）である。プラズマ粒子はコロナから宇宙空間へと流れ出しており，これを**太陽風**という。

(3) 太陽の活動とエネルギー源

①**黒点と太陽活動**：太陽表面の黒点は，約11年周期で増減することが観測されている。それに伴い，**黒点が多いときほど太陽の活動が活発**になることが知られている。

②**太陽活動と地球への影響**：太陽の活動は地球にも影響を及ぼす。太陽表面の激しい爆発現象である**フレア**が発生すると，強烈なX線が放射され地球の電離層が乱されて短波通信障害を起こす**デリンジャー現象**や，太陽風が強まって地球の地磁気を乱す**磁気嵐**が起こり大規模停電を引き起こすこともある。

③**太陽のエネルギー源**：太陽の中心部で，水素原子が4個結合してヘリウム原子1つができる水素**核融合反応**が起こっている。この際に生まれる膨大なエネルギーが太陽のエネルギー源である。

実戦問題❶ 地球の運動

No.1 ＊＊ **図は，夏至のときの北緯60度の地点A，北緯30度の地点B，赤道上の地点Cの位置関係を示している。次のア，イに当てはまる地点をA～Cの中から組み合わせたものとして，妥当なものはどれか。**

【地方上級（全国型）・令和４年度】

ア：夏至の日の昼間の時間が一番長い地点

イ：夏至の日の正午における太陽の高度が一番高い地点

	ア	イ
1	A	A
2	A	B
3	A	C
4	C	B
5	C	C

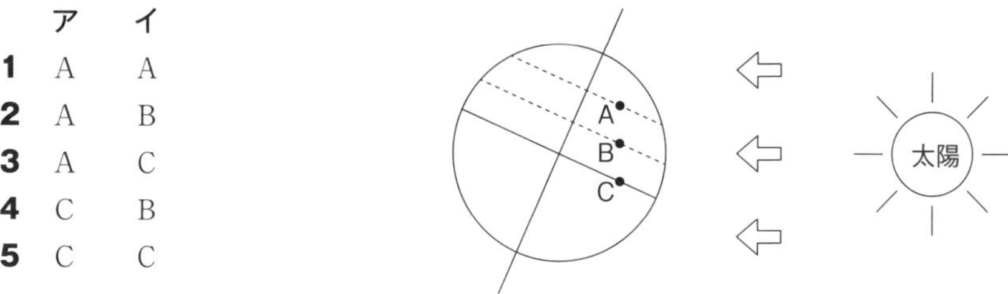

No.2 ＊ **太陽の日周運動に関する次の文中の空欄A～Cに当てはまる語句や記号の組合せとして，妥当なのはどれか。**

【市役所・令和２年度】

図Ⅰ～図Ⅲは，地表から見た太陽の日周運動を示したものである。東京の場合，図Ⅰにおける a は［　A　］のときの太陽の動きを示している。また，東京の場合，春分または秋分のときの太陽の動きは図Ⅱにおける破線のようになるが，東京より緯度の低い那覇では［　B　］のようになる。一方，南半球のシドニーでは，春分または秋分のときの太陽の動きは図Ⅲにおけるの［　C　］ようになる。

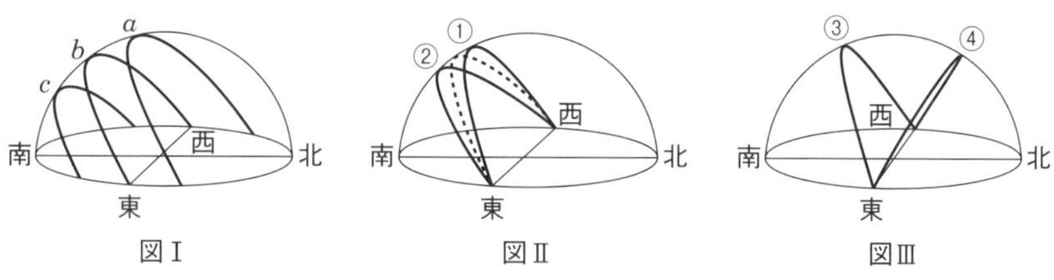

図Ⅰ　図Ⅱ　図Ⅲ

	A	B	C
1	夏至	①	③
2	夏至	①	④
3	冬至	②	③
4	冬至	①	④
5	夏至	②	③

実戦問題1の解説

No.1 の解説　昼の長さと太陽高度

→ 問題はP.346　正答2

ア：図Ⅰのように，夜の部分に影をつけてみる。24時間で地球が自転するので，図では12時間分が見えていることになる。したがってAの地点が，昼間の割合が最も長い事がわかる。**ア**の解答はAとなる夏至の日は高緯度地域ほど昼間が長くなり北極圏では白夜となることを考えても，Aが正当と判断できる。

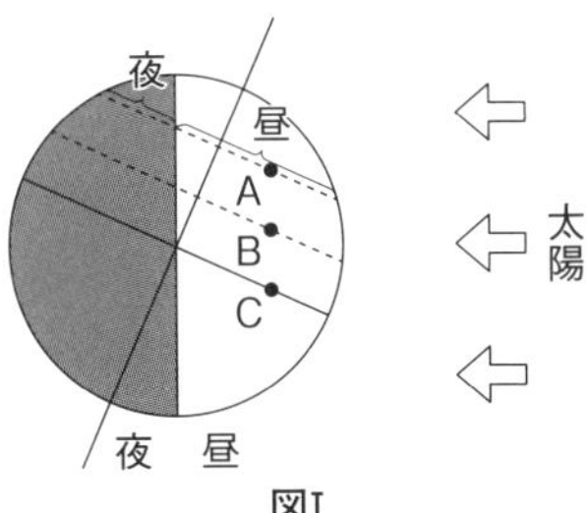

図Ⅰ

イ：夏至の日の太陽の**南中高度**は（90°－［緯度］＋23.4°）で求められる。よって地点Aでは（90－60＋23.4＝53.4°），Bでは（90－30＋23.4＝83.4°），Cでは（90－0＋23.4°＝113.4°，これは南から測った高度であるので，180－113.4＝66.6°が北から測定した太陽高度となる。したがって，B地点が太陽高度が一番高くなる。
また，図からみても，Bの南中高度が90°となることがわかるので，南中高度が一番高いと判断できる。

よって正答は**2**である。

No.2 の解説　太陽の日周運動

→ 問題はP.346　正答2

A：東京では，夏至の日に太陽の南中高度が最も高くなるので，*a*は夏至の日とわかる。春分や秋分の日では太陽は真東から昇り真西へ沈む（b）。冬至の日が太陽の南中高度が最も低くなる（c）。

B：那覇は東京より緯度が低いので，春分または秋分の日の太陽の南中高度は東京より高くなる。よって，①が解答となる。

C：南半球のシドニーでは，太陽は東から昇り北を通って西へ沈む。したがって解答は④となる。

よって正答は**2**である。

実戦問題❷　太陽系

*No.3　太陽系の天体に関する記述として，妥当なのはどれか。

【地方上級（特別区）・令和２年度】

1　惑星は，太陽の周りを公転する天体であり，地球型惑星と木星型惑星に分類されるが，火星は地球型惑星である。

2　小惑星は，太陽の周りを公転する天体であり，その多くは，木星と土星の軌道の間の小惑星帯に存在する。

3　衛星は，惑星などの周りを回る天体であり，水星と金星には衛星はあるが，火星には衛星はない。

4　彗星は，太陽の周りを楕円軌道で公転する天体であり，氷と塵からなり，太陽側に尾を形成する。

5　太陽系外縁天体は，冥王星の軌道よりも外側を公転する天体であり，海王星は太陽系外縁天体である。

◆ *No.4　太陽の表面に関する記述として，妥当なのはどれか。

【地方上級（特別区）・令和４年度】

1　可視光線で見ることができる太陽の表面の層を光球といい，光球面の温度は約5800Kである。

2　光球面に見られる黒いしみのようなものを黒点といい，黒点は，周囲より温度が低く，太陽活動の極大期にはほとんど見られない。

3　光球の全面に見られる，太陽内部からのガスの対流による模様を白斑といい，白斑の大きさは約1000kmである。

4　光球の外側にある希薄な大気の層を彩層といい，彩層の一部が突然明るくなる現象をコロナという。

5　彩層の外側に広がる，非常に希薄で非常に高温の大気をプロミネンスといい，プロミネンスの中に浮かぶガスの雲をフレアという。

＊＊
No.5 **太陽に関する次の記述のうち，正しいものはどれか。**

【市役所・平成29年度】

1 太陽は太陽系において最大の天体であるが，ガスの塊である。その質量は，太陽系の全質量の10%程度である。

2 太陽の中心では水素がヘリウムになる核融合反応が起こり，これに伴って大きなエネルギーが生み出されている。

3 太陽の表面に観察される黒点は，周囲より温度が高いため黒く見える。黒点の数は一定であり，形や大きさもあまり変わらない。

4 地球から見て月は太陽とほぼ同じ大きさであり，月，地球，太陽の順で一直線に並んだ場合，地球では日食が起こる。

5 太陽には強い磁場があり，その影響で，各惑星の大気中で生じた荷電粒子が太陽へ向かう高速のプラズマ流となっている。これを太陽風と呼ぶ。

＊＊
No.6 **太陽を構成する元素に関する記述であるが，文中の空所A～Cに該当する語の組合せとして，妥当なのはどれか。**

【地方上級（特別区）・平成30年度】

太陽光をプリズムに通すと，光の帯の［ A ］が見られる。太陽光の［ A ］には，多くの吸収線（暗線）が見られ，［ B ］線と呼ばれている。［ B ］線によって，太陽の大部分を構成する［ C ］，ヘリウムなどの元素を知ることができる。

	A	B	C
1	オーロラ	アルベド	水素
2	オーロラ	フラウンホーファー	窒素
3	ケルビン	アルベド	窒素
4	スペクトル	フラウンホーファー	水素
5	スペクトル	アルベド	窒素

実戦問題2の解説

No.3 の解説　太陽系の天体

→問題はP.348　正答 1

1◎ 太陽の周りを公転し，十分大きな質量を持つ天体を惑星という。
正しい。**地球型惑星**（水星・金星・地球・火星，半径・質量が小さく密度が大きい）と**木星型惑星**（木星・土星・天王星・海王星，半径・質量が大きく密度は小さい）に分類される。

2× 小惑星多くは火星と木星の軌道の間に存在する。
太陽の周りを公転する小天体のうち，木星の軌道より内側にあるものを**小惑星**といい，その多くは火星と木星の軌道の間の**小惑星帯**に存在する。

3× 水星と金星には衛星はない。
惑星の周りを公転している天体を**衛星**という。地球型惑星では，地球と火星に衛星がある。木星型惑星には多数の衛星が存在している。

4× 彗星の尾は太陽の反対側にできる。
彗星は氷と塵からなる天体で，太陽の周りを楕円軌道で公転するものが多い（放物線や双曲線軌道ものもある）。太陽に近づくと，その熱により氷が解けて蒸発し尾を作る。尾は太陽の光の圧力（光圧）により太陽の反対側に細長く伸びる。

5× 海王星は惑星である。
太陽系外縁天体は，海王星よりも外側にある天体の総称である。そのうち大きなものを冥王星型天体と呼び，冥王星，エリスなどが含まれる。

No.4 の解説　太陽の活動

→問題はP.348　正答 1

1◎ 太陽の肉眼で見える円盤状の部分は光球。
正しい。太陽の肉眼で見える円盤状の部分を**光球**という。光球の表面の温度は約5800Kである。

2× 黒点が多いときは，太陽の活動は活発である。
光球面に見られる黒いしみ状の部分を**黒点**という。黒点の部分の温度は約4000Kで，周囲より温度が低いため黒く見えている。黒点の数は，約11年周期で増減することが知られており，黒点数が多いときは太陽の活動は極大期となる。

3× 太陽全面に見られる粒状の模様は粒状斑。
太陽望遠鏡などで観察すると，光球の全面に見られる粒状の模様を**粒状斑**という。太陽内部のガスが対流している様子が見られるもので，大きさは1000km程度である。**白斑**は太陽の縁の部分に見られる明るい斑点状のもので，周囲より温度が高い。

4× 彩層の外側に広がる極めて希薄な大気層がコロナ。
光球の外側にある希薄な大気層を**彩層**という。その彩層の外側に広がる極めて希薄な大気層を**コロナ**といい，100万Kを超える高温となっている。彩層やコロナの一部が突然明るくなる現象を**フレア**といい，太陽表面で起こる一種の爆発現象である。

5 × **プロミネンスはコロナ宙に浮かぶガスの雲。**
彩層の外側はコロナ（前述）である。コロナの中に，磁場の近くで浮かんでいる低温のガス雲を**プロミネンス（紅炎）**という。

No.5 の解説　太陽の構造と活動

→ 問題はP.349　正答2

1 × **太陽は，太陽系全体の質量のほとんどを占める。**
太陽は太陽系最大の天体で，質量は非常に大きく，太陽系全質量の99.9%以上を占めているので誤りである。太陽の質量は地球の約330万倍，木星の約1万倍以上ある。太陽の**主成分は水素とヘリウム**で，ガスの塊である。

2 ◎ **太陽のエネルギー源は，水素核融合反応。**
正しい。太陽のエネルギー源は**水素核融合反応**である。太陽中心部の高温高圧の条件の下で，水素原子核が融合しヘリウム原子核ができるときにわずかな質量が失われ，それがエネルギーに変わったものである。

3 × **太陽黒点は周囲より温度が低い。**
太陽表面に観察される黒い点である**黒点**は，周囲より温度が低いため黒く見えている。太陽表面の温度は約5800K，黒点の部分は約4000Kである。黒点の寿命は平均約10日で，大きさが変化することもある。太陽黒点の数は，ほぼ11年周期で増減していることが知られており，太陽黒点が多いときほど太陽活動が活発である。ただ，近年，太陽の周期的な黒点の増減が乱れていることが観測され話題になった。

4 × **日食が起こる可能性があるのは，太陽―月―地球の順に並んだとき。**
太陽の見た目の半径である視半径は，月の視半径とほぼ等しい。そのため，太陽・月・地球の順に一直線に並んだ場合に，**日食**が起こることがある。ただし，月の公転軌道は楕円のため，月の視半径は変化しており，月の視半径が比較的大きいときは**皆既日食**，小さいときは**金環日食**が見られることがある。ちなみに最近話題になるスーパームーンは，月と地球の距離が近いときに，月の視半径が大きく見えることを表現している。

5 × **太陽風は，太陽のコロナから流れ出す荷電粒子の流れである。**
太陽のコロナは，水素やヘリウムの原子が電子とイオンに電離した荷電粒子からなっている。その荷電粒子が宇宙へ流れ出しており，その流れを**太陽風**という。太陽風は地球にも影響を及ぼしており，**オーロラ**の原因となったり，**地磁気の乱れ（磁気嵐）**を引き起こすこともある。

No.6 の解説　太陽を構成する元素

→ 問題はP.349 **正答4**

A：**太陽光をプリズムに通すとスペクトルが観察できる。**
太陽光は白色光であるが，白色光にはさまざまな波長の光が含まれており，人間の目には光の波長の違いは色の違いとして認識される。太陽光をプリズムに通すと，波長の違いにより分光され，虹のような色の**スペクトル**が観察できる。オーロラは極地方の空に現れる発光現象，ケルビンは絶対温度の単位である。

B：**太陽スペクトルに含まれる吸収線をフラウンホーファー線という。**
その太陽光のスペクトルにはいくつもの**暗線（吸収線）**が見られる。これはその波長の光の成分が含まれないことを意味する。この暗線を**フラウンホーファー線**という。アルベドとは，地表面が太陽放射を反射する割合のことである。

C：**太陽は大部分が水素から構成される。**
フラウンホーファー線は太陽の大気を光線が通り抜けるときに，太陽大気を構成する原子が特定の波長の光を吸収したため生じる。フラウンホーファー線の波長を調べることで，太陽の構成原子を知ることができる。太陽は，大部分が水素からなり，次いで多いのはヘリウムである。

よって正答は**4**である。

実戦問題❸　応用レベル

＊
No.7　太陽系の惑星に関する記述として，妥当なのはどれか。

【地方上級（特別区）・令和元年度】

1　金星は，地球と同じような自転軸の傾きと自転周期を持ち，極地方はドライアイスや氷で覆われている。

2　火星は，地球とほぼ同じ大きさであるが，自転速度は遅く，自転と公転の向きが逆である。

3　木星は，太陽系最大の惑星であり，60個以上の衛星が確認されているが，環（リング）を持っていない。

4　土星は，平均密度が太陽系の惑星の中で最も小さく，小さな岩石や氷の粒からなる大きな環（リング）を持っている。

5　天王星は，大気に含まれるメタンにより青い光が吸収されるため，赤く見える。

＊＊＊
No.8　表は，平成19年における，青森，千葉，金沢，津の４都市の日出・日入の時刻を各月ごとに示したものである。A～Dに該当する都市名の組合せとして最も妥当なのはどれか。

【国家一般職・平成20年度】

〔時：分〕

都市 / 月/日	A		B		C		D	
	日出	日入	日出	日入	日出	日入	日出	日入
1/21	6:59	17:11	7:03	17:07	6:47	16:55	6:57	16:40
2/20	6:35	17:41	6:37	17:38	6:22	17:26	6:26	17:17
3/22	5:56	18:07	5:55	18:06	5:42	17:52	5:39	17:50
4/21	5:16	18:30	5:13	18:32	5:00	18:17	4:50	18:22
5/21	4:47	18:54	4:42	18:58	4:31	18:42	4:15	18:53
6/20	4:41	19:10	4:35	19:15	4:24	18:58	4:05	19:12
7/20	4:55	19:06	4:50	19:10	4:38	18:53	4:22	19:05
8/19	5:17	18:38	5:13	18:40	5:01	18:25	4:50	18:31
9/18	5:38	17:58	5:37	17:58	5:24	17:44	5:20	17:43
10/18	6:01	17:17	6:02	17:14	5:48	17:01	5:51	16:54
11/17	6:29	16:48	6:32	16:44	6:16	16:32	6:25	16:18
12/17	6:54	16:45	6:59	16:39	6:42	16:28	6:55	16:11

出典：『2007年理科年表』より引用・加工

	A	B	C	D
1	千　葉	金　沢	青　森	津
2	金　沢	津	千　葉	青　森
3	金　沢	津	青　森	千　葉
4	津	青　森	金　沢	千　葉
5	津	金　沢	千　葉	青　森

＊＊
No.9 **火星を地球の観測者から見たときの見え方についての次の文中の｛　｝から，正しいものを組み合わせたものとして，妥当なのはどれか。**

【地方上級（全国型）・平成30年度】

次の図Ⅰは太陽と地球と火星の位置関係を模式的に表したものである。火星が①の位置にあるとき，地球上の観測者が夕方に火星を観測する場合，つまり，図Ⅱのような太陽，観測者，火星の位置関係になったとき，観測者から火星は

ア｛a　満月のように欠けることなく／b　半月のように半分が欠けて｝見える。またこの日，火星は観測者からは

イ｛a　一晩中／b　夕方のみ｝見える。

次に，火星が②の位置にあるときは，火星は明け方に**ウ**｛a　東の空／b　西の空｝に見える。

	ア	イ	ウ
1	a	a	a
2	a	a	b
3	a	b	b
4	b	a	a
5	b	b	a

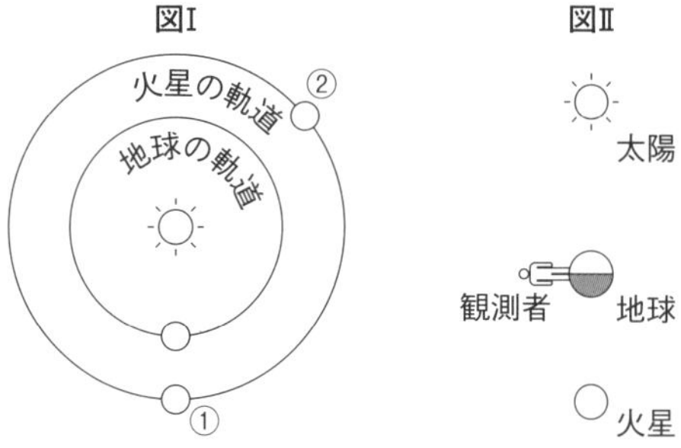

図Ⅰ

火星の軌道
地球の軌道
②
①

図Ⅱ

太陽
観測者
地球
火星

＊＊
No.10 **太陽系に関する記述として最も妥当なのはどれか。**

【国家総合職・令和２年度】

1　地球から見ると，惑星は天球上で恒星の間を移動しているように見える。惑星が天球上で星座に対して東から西へ移動することを順行といい，その逆を逆行という。また，地球の公転軌道よりも内側の軌道を公転する火星などの内惑星が，地球から見て太陽の方向にあるときを内合といい，その逆を外合という。外合付近では地球と惑星との距離が遠いため，逆行が起こる。

2　太陽系の惑星は，地球型惑星と木星型惑星に分けられる。地球型惑星は，半径と平均密度がともに小さく，質量も小さい。一方，木星型惑星は，半径と平均密度がともに大きく，質量も大きい。また，木星型惑星には環（リング）を有するものがあるが，木星型惑星で環を有するのは木星と土星のみである。

3　太陽は，太陽系の中心となる恒星であり，太陽系の質量の大半を占める。太陽の表面に現れる暗い部分は黒点と呼ばれ，周囲より温度が低いため暗く見えている。黒点の数は周期的に増減を繰り返しており，黒点の多い時期には太陽活動が

活発であり，地球では通信障害や磁気嵐，オーロラといった現象が発生しやすい。

4 太陽などの恒星は，その表面温度によって色が異なる。物体の温度が高いほど物体が最も強く放射する光の波長は長くなるため，恒星は，表面温度が高いほど赤みを帯び，低いほど青みを帯びて見える。また，一般に恒星の寿命は，質量が大きいほど燃料となる水素の量が多いため長く，質量が小さいほど短い。

5 惑星や衛星以外の太陽系の天体として，小惑星や太陽系外縁天体がある。小惑星は，水星軌道と金星軌道の間に多く存在しており，そのほとんどは隕石が惑星に衝突した際の破片であると考えられている。また，太陽系外縁天体は，太陽系で最も外側にある惑星である冥王星の軌道より外側に存在しており，その大きさは，現在発見されている最大のものでも冥王星より小さい。

＊＊
No.11 太陽系の惑星に関する次の記述A～Eに入るものの組合せとして最も妥当なのはどれか。 【国家総合職・平成18年度】

太陽系の惑星は，その特徴によって地球型惑星と木星型惑星の２つに大別することができる。

地球型惑星は，木星型惑星に比べて質量は［ A ］，平均密度は［ B ］。また，地球型惑星は，木星型惑星に比べて自転周期が［ C ］。

地球型惑星と木星型惑星で平均密度が異なるのは，それぞれの化学組成と内部構造の違いによる。地球型惑星は，鉄などの金属や岩石が主成分となっているのに対し，木星型惑星では，大気と惑星本体との間のはっきりした境界がないが，その大気には［ D ］などの物質からなる厚い層があり，表面から中に入るにつれて［ E ］へと移り変わっている。

	A	B	C	D	E
1	大きく	小さい	短い	水素や硫黄	気体から固体
2	大きく	小さい	長い	水素や硫黄	気体から液体そして固体
3	小さく	大きい	長い	水素や硫黄	気体から固体
4	小さく	大きい	長い	水素やヘリウム	気体から液体そして固体
5	小さく	大きい	短い	水素やヘリウム	気体から固体

＊＊＊
No.12　衛星に関する記述として最も妥当なのはどれか。

【国家総合職・令和３年度】

1　衛星は，惑星または小天体の周りを公転している天体である。小惑星や太陽系外縁天体は衛星を持たないが，太陽系のすべての惑星は衛星を持っており，そのうち最も衛星の数が多いのは水星である。衛星のうち，惑星の自転と同じ方向に公転しているものを順行衛星，反対方向に公転しているものを逆行衛星と呼び，また衛星の表面はクレーターに覆われているものが多い。

2　月は，地球の衛星で，直径は地球の約４分の１であるが，地球から約38万kmの距離に位置し，天球上では太陽とほぼ同じ大きさに見えるため，皆既日食や金環日食が起こる。月が満ち欠けをするのは，月が地球の周りを公転することによって，太陽・地球・月の位置関係が変わるためである。

3　エウロパは，核が厚さ100kmの鉄層で覆われているような内部構造と推定されている。表面には，木星の潮汐力でひび割れ，地下からマグマが噴出して形成されたと考えられる地形がいくつも見られることから，鉄の地殻の下にマグマの内部海がある可能性が高いと見られている。エウロパは，フォボス・ガニメデ・トリトンと合わせてガリレオ衛星と呼ばれる。

4　イオは，惑星探査機ボイジャーによって，地球以外で初めて活火山が発見された天体である。イオは，太陽系天体の中で最も激しい火山活動を見せる土星の衛星であり，月よりもはるかに大きい。火山は，イオ表面に規則的に分布しており，高温の水蒸気を大量に噴出し，それがイオ表面に堆積して部分的に海を形成し，独特の色の成因となっている。

5　タイタンは，濃い大気を持つ海王星の衛星であり，地表の大気圧は1.5気圧と地球よりも高く，太陽系で最も大きい衛星である。惑星探査機ホイヘンスと突入機カッシーニはタイタンの大気と地表の状態を観測し，地表に液体が流れたような河川状の地形を発見した。タイタンの表面温度は，平均180℃と高温であるため，ベンゼンなどの炭化水素が液体の状態で地表に安定的に存在している。

実戦問題3の解説

No.7の解説　太陽系の惑星の特徴

→問題はP.353　正答4

1× 火星は地球に似た自転軸の傾きを持ち，四季の変化がある。
火星に関する記述になっている。火星は地軸が傾いており，季節の変化が見られる。冬の極地方には，ドライアイスと氷からなる白く見える**極冠**が出現する。

2× 金星は地球とほぼ同じ大きさで，自転の向きが逆である。
金星に関する記述になっている。金星は，半径が地球とほぼ等しい。**自転の向きが地球と逆**で，北極点の上から見ると時計回りになっている。公転の向きは，太陽系の惑星はすべて同一方向である。

3× 木星型惑星にはすべてリング（環）が確認されている。
木星は太陽系最大の惑星で，60個以上の衛星が確認されている。木星型惑星にはすべて**リング（環）**が確認されている。リングは，10m以下の氷や岩石の破片が集まったものである。

4◎ 太陽系の惑星の中で密度が最小なのは土星。
正しい。土星は，太陽系の惑星で**密度が最小**で1.0g/cm^{3}を下回る。すべての木星型惑星はリングを持つが，地球から通常の望遠鏡で観測できるのは土星だけである。

5× 天王星は大気に含まれるメタンのため青く見える。
天王星は，大気中の**メタン**が赤い光を吸収するため，青白い色をしている。

No.8の解説　都市の日出と日入の時間

→問題はP.353　正答5

日出の時刻と日入の時刻は，一般的に考えるとより東にある都市のほうが早く，西にある都市のほうが遅くなる。これは，地球の自転の方向（北極上空から見て反時計回り）を考えてみるとわかる。さらに，経度がほぼ同じ都市でも緯度が違う場合を考慮すると，春分の日や秋分の日の周辺では，日出・日入ともほぼ同じ時刻になるが，冬の時期ではより北にある都市ほど日出時刻が遅く日入時刻が早くなり，太陽の出ている時間が短くなる。また，夏の時期では，北にある都市ほど日出時刻が早く日入時刻は遅くなり，太陽の出ている時間が長くなる。

問題に与えられた都市を見ると，千葉と青森，金沢と津がほぼ同じ経度の組合せである。また表より春分近く（3／22）と秋分近く（9／18）の日出・日入時刻を見ると，**A**と**B**，**C**と**D**はほぼ同じとなっている。この組合せのうち**C**と**D**のほうが日出・日入とも早いので，より東にある千葉と青森であることがわかる。

さらに，**C**と**D**を比べると，**D**のほうが冬は日が短く夏は日が長いので，より北にある青森であるとわかる。同様に，**A**と**B**を比べると，**B**のほうが冬は日が短く夏は日が長いので，より北にある金沢であることがわかる。

よって，**A**が津，**B**が金沢，**C**が千葉，**D**が青森で，**5**が正答である。

No.9 の解説　地球と太陽の位置関係

→ 問題はP.354　正答 1

ア： 地球の外側に公転軌道がある惑星を**外惑星**という。惑星は，太陽の光が当たっている部分が明るく光って見えるため，外惑星はほとんど満ち欠けは見られない。問題の図Ⅱのような位置関係の場合では，地球からは火星の太陽に当たっている部分しか見えないため，満月のように欠けることなく見えることになる（図1）。したがってaが正しい。

イ： このような位置関係のときには，火星は夕方には東の地平線近くに見え，真夜中に真南に見え（南中），明け方に西の空に見える。（図2）。よって，火星はほぼ一晩中見ることができる。したがってaが正しい。

ウ： 地球に対して，火星が②のような位置関係にあるときには，図3のように，地球の明け方の地点では，火星はおよそ東の方向に見えるので，aが正しい。

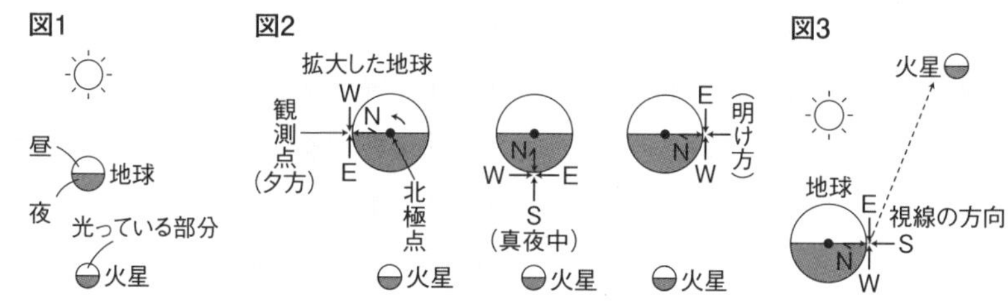

よって正答は**1**である。

No.10 の解説　太陽系の天体

→ 問題はP.354　正答 3

1 ×　惑星が西から東に運行することが順行，その逆が逆行である。

逆行は，公転軌道上で地球が惑星を追い抜いたり，惑星に追い抜かれたりするときに見られる。内惑星で，惑星が太陽と地球の間に来たときを**内合**，地球から見て太陽の向こう側に位置するときを**外合**という。

2 ×　地球型惑星は平均密度が大きく，木星型惑星は小さい。

地球型惑星は半径や質量が小さく平均密度が大きい。木星型惑星は半径や質量が大きく平均密度は小さい。すべての木星型惑星は環（リング）を持つ。

3 ◎　太陽は，太陽系の中心にある恒星で，太陽系の質量のほとんどを占める。

正しい。表面に現れる黒点は周囲より温度が低く，黒点の多い時期ほど太陽活動は活発である。

4 ×　表面温度の高い恒星は青っぽく，低い星は赤っぽく見える。

質量の大きい恒星ほど燃料となる水素の量が多いが，それ以上に一度に多くのエネルギーを放出し明るく光るため，質量の大きい恒星ほど寿命は短い。

5 ×　小惑星の多くは，火星と木星の軌道の間の小惑星帯を公転している。

小惑星は，太陽系の惑星が形成されたときに，惑星に集積できなかった微惑星であると考えられている。また，**太陽系外縁天体**は，海王星以遠にある小天体のことをいい，冥王星はその一つであり惑星ではない。また，冥王星よりも大きい天体（エリス）も発見されている。

No.11 の解説　太陽系の惑星

→ 問題はP.355　**正答4**

A・B・C：**地球型惑星**は木星型惑星に比べて**質量は小さく**，**密度は大きい**。また**自転周期は地球型のほうが長い**。

D・E：密度の違いは惑星の構成物質に由来する。地球型惑星は鉄などの金属核の周りを岩石が囲む構造なのに対し，木星型惑星は主に**水素やヘリウム**からなる大気が周りを取り囲み，内部に行くと密度や圧力が増えるため水素ガスが圧縮されて液体水素となり，次いで電気をよく通す金属水素（液状）の層があり，中心には岩石や氷（固体）からなる核があると考えられている。

よって，正答は**4**である。

No.12 の解説　太陽系の衛星

→ 問題はP.356　**正答2**

1×　衛星を持たない惑星もある。
惑星や太陽系小天体の周りを公転する天体を**衛星**という。水星と金星以外の惑星は衛星を持つ。最も多くの衛星を持つ天体は2023年６月現在土星である（現在も新たな衛星が発見されつつあるので変動する可能性がある）。公転方向が惑星の公転と同方向のものを順行衛星，逆方向なものを逆行衛星という。衛星の表面はさまざまで厚い大気に覆われるもの（タイタン等）もある。

2◎　月は地球の衛星で，見かけの大きさが太陽とほぼ同じ。
正しい。太陽と月の地球から見たときの見かけの大きさがほぼ同じであるため，皆既日食や金環日食が見られる。

3×　ガリレオ衛星はイオ・エウロパ・ガニメデ・カリスト。
木星の最も大きな４つの衛星を**ガリレオ衛星**といい，イオ・エウロパ・ガニメデ・カリストがそれである。エウロパの表面は水の氷に覆われており，地下には大規模な液体の海が存在すると考えられている。

4×　イオは木星の衛星である。
イオは木星の衛星であり，惑星探査機ボイジャーにより地球以外の天体で初めて火山活動が発見された天体である。太陽系で最も活発な火山活動をしていると考えられている。大きさは月よりわずかに大きい程度である。

5×　タイタンは土星の衛星である。
タイタンは土星の衛星で，厚い大気を持ち地上気圧は1.5気圧である。惑星探査機カッシーニに搭載された突入機ホイヘンスが着陸し，河川様の地形を確認している。表面温度は－180℃と低温で，メタンが地球の水のように循環している。なお，太陽系最大の衛星は木星の衛星のガニメデである。

恒星と宇宙

必修問題

恒星に関する記述として最も妥当なのはどれか。

【国家総合職・平成25年度】

1 恒星は地球からはるか遠方にあり，地球で得られる情報は，恒星が発する可視光領域の電磁波に限られている。恒星の明るさを表す単位には**等級**が用いられており，これは，肉眼で判別できる限界の明るさのものを6等級とし，明るさが10倍になるごとに1等級下げるものである。

2 恒星の色の違いは，表面温度が異なることによって生じる。恒星が発する光はさまざまな波長のものが混ざったものであるが，表面温度が高い恒星ほど波長の短い光を強く出している。波長が短い光は紫から青，長い光は赤であるため，表面温度が高い恒星は青白く輝いて見える。

3 地球が公転運動をしているため，恒星は天球上を公転の半分の周期で楕円運動しているように見える。その長軸の角距離を**年周視差**といい，地球から恒星までの距離はこれに比例するため，年周視差で恒星までの距離を表すことができる。年周視差〔秒〕を3.26で割った値を光年としている。

4 すべての恒星は地球から遠ざかっている。遠ざかる物体が発する波は，**ドップラー効果**によって波長が短くなることから，恒星の観測光は本来のものより青色側にシフトしている。青色側への偏移の比率による計算から，恒星は一律に約100km/sの後退速度を持っていることがわかっている。

5 光の明るさは距離に反比例するので，本来は同じ明るさの恒星でも，恒星までの距離が2倍になると，半分の明るさに見えてしまう。それを補正するため，見かけの等級から距離の対数の値を引いたものを**絶対等級**という。太陽の絶対等級は4.9等で，他の恒星と比べ非常に明るい。

難易度 ＊＊＊

必修問題の解説

恒星に関する問題である。恒星の明るさの表し方や恒星までの距離，また恒星の表面温度と色の関係などは重要事項であるので，きちんと整理しておこう。また，銀河の観測の結果から得られた宇宙の仕組みも重要事項である。

1 × **恒星の明るさを表す等級は，1等級違うと明るさが約2.5倍になる。**
恒星からは，さまざまな波長の電磁波が発せられていて，それらはその波長にかかわらず地球まで届いている。実際，電波望遠鏡や紫外線観測衛星などにより，さまざまな波長の電磁波を観測している。ただし，赤外線や紫外線などは，大気等に吸収されるため，地表まではわずかしか届かない。また，恒星の明るさを示す**等級**は，1等星が6等星（肉眼でかろうじて見える）の100倍になるように決められているため，1等級違うごとに明るさは約2.5倍($=\sqrt[5]{100}$)となる。

2 ◎ 恒星の色は，表面温度が高いほど青っぽく，低いほど赤っぽく見える。
正しい。恒星の表面温度が高いほど波長の短い光が強く放出されるため青っぽく見え，表面温度が低いほど波長の長い光が強く放出されるために赤っぽく見える。

3 × 年周視差1″になる距離が1パーセク＝3.26光年。
地球が公転しているため，地球の位置により恒星の見える方向が異なって見える視差が生じるはずである。この視差を**年周視差**といい，地球の公転周期である1年を周期として，恒星が天球上を楕円状に運動しているように見えるものである。ただしその動きは非常に小さく，精密な測定をしないとわからない程度である。この年周視差は，恒星までの距離に反比例するため，このことを利用して恒星までの距離を測定するのに用いられている。年周視差が1″になる距離を**1パーセク**といい，3.26光年に相当する。（1″=1/3600°）

4 × 地球から遠ざかる天体からの光は，波長が長くなって見える。
ドップラー効果では，遠ざかる物体から発せられる波の波長は，本来の波長より長くなる。したがって，遠ざかる天体から発せられる光の波長は長いほうへシフトしており，これを**赤方偏移**という。実際にこの赤方偏移が観測されているのは個々の恒星ではなく銀河である。ごく近くの銀河を除く，ほとんどの銀河には赤方偏移が観測されており，遠い銀河ほど赤方偏移が大きいことから，銀河の後退速度は遠い銀河ほど大きいことがわかる（後退速度は一律ではない)。地球から観測できる恒星は銀河系内のごく近傍の恒星のみであり，それらの恒星に関しては赤方偏移は観測されない。

5 × 絶対等級は，恒星を10パーセクの距離から見た明るさ。
光の明るさは距離の2乗に反比例して暗くなっていくので，本来は同じ明るさの恒星でも距離が2倍になると明るさは4分の1になってしまう。そこで，本来の星の明るさを比較するために**絶対等級**が用いられている。絶対等級は，恒星を10パーセク（＝32.6光年）の距離から見た明るさで表す。太陽の絶対等級は約4.8等で，これは特に明るいというわけではない。

正答 2

FOCUS

恒星と宇宙では，まずHR図を中心にして，恒星の分類と進化について整理しておこう。加えて，銀河の赤方偏移の観測からわかる膨張宇宙論やビッグバン宇宙論についてもまとめておきたい。ここは，細部にこだわるより，大きな流れを重視して理解することが大切だ。また，銀河系の構造についても最近よく出題されているので要注意である。

POINT

重要ポイント 1 恒星の明るさとスペクトル型

(1) 恒星の明るさ

①**見かけの等級**：恒星の明るさは等級で表すが，地球から見た恒星の明るさを見かけの等級という。**1等星は6等星の100倍明るい。** 1等級差は $\sqrt[5]{100} \fallingdotseq 2.5$倍で，等級の数字が小さいほど明るい恒星である。肉眼で見える最も暗い星が6等星となっている。

②**絶対等級**：地球から見た恒星の明るさは，地球からの距離の2乗に反比例して暗くなる。そこで，恒星の真の明るさを比べるために，**恒星を10パーセクの距離**に置いたときの明るさを恒星の**絶対等級**として，絶対的な恒星の明るさを表す数値として用いている。**10パーセクは，32.6光年に当たる。**

(2) 恒星のスペクトル型と表面温度

恒星の色は恒星の**表面温度**で決まる。表面度が高いほど青白く，低いほど赤く見える。恒星から来る光を波長ごとに分けたスペクトルに見られる暗線（吸収線）から恒星を分類したものを**スペクトル型**という。スペクトル型は，恒星の表面温度の順に表のようになっている。太陽のスペクトル型はG型である。

表面温度	5万　2.5万	1.1万	7500	6000	5000	3600	2500K
色	青	青白	白	淡黄	黄	橙	赤
スペクトル型	O	B	A	F	G	K	M

重要ポイント 2 恒星のHR図による分類と進化

(1) HR図（ヘルツシュプルング・ラッセル図）

恒星の絶対等級（光度）を縦軸に，スペクトル型を横軸にとって，多くの恒星をプロットした図を**HR図**という。HR図を用いると恒星を分類することができる。

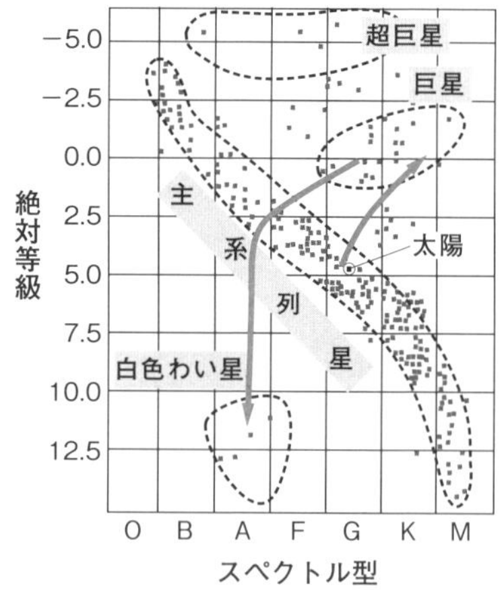

(2) HR図による恒星の分類

①**主系列星**：HR図の左上から右下にかけて，帯状に分布する恒星を**主系列星**という。HR図上でどの位置の主系列星になるかは恒星の質量で決まり，質量が大きい恒星ほど左上（明るく表面温度が高い）に位置し，主系列星としての寿命も短い。**太陽は，絶対等級4.8等，スペクトル型G型**で，標準的な主系列

星に属する。

②**巨星**：HR図上で右上に位置する恒星を**巨星**といい，特に上のほうにあって明るい巨星を**超巨星**という。比較的低温であるため，単位面積当たりの表面が放出するエネルギーは小さいが，半径が非常に大きいために明るい。

③**白色わい星**：HR図の左下に位置する恒星を**白色わい星**という。表面温度は高いが，半径が非常に小さいので暗い。平均密度が非常に大きく，10^6g/cm^{3}程度もある。

(3) 恒星の進化（恒星の一生）

星間物質が濃集している星雲の中でも特に密度が高い部分が収縮していき，やがて重力エネルギーで赤外線を放出する**原始星**ができる。中心部の温度が1000万K程度を超えると，水素の核融合反応が始まり**主系列星**が誕生する。

恒星は，一生の大半を主系列星として過ごした後，中心部の水素が枯渇してくると膨張し**巨星**となる。その後，太陽程度の質量の恒星は，外層を**惑星状星雲**として放出し，中心部に**白色わい星**が残る。大質量の恒星は**超新星爆発**を起こし，中心部に**中性子星**や**ブラックホール**が残される。中性子星は，非常に高密度で，原子が崩壊し中性子のみからなる星である。さらに高密度になると，星自らが形を保てないほど重力が強くなり，永遠に収縮していくブラックホールとなる。

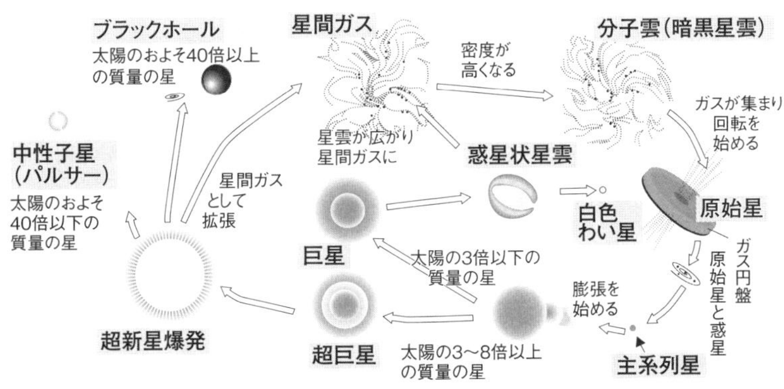

重要ポイント 3 宇宙の構造

無数の恒星が集まり**銀河**を作っている。太陽や地球のある銀河は**銀河系**といわれている。ハッブルは，多くの銀河の観測から，ほとんどの銀河が地球から遠ざかり，その遠ざかる速度は地球からの距離に比例することを発見した（**ハッブルの法則**）。これから，宇宙は膨張していることがわかる。また，過去にさかのぼると宇宙はひとつの点から大爆発（**ビッグバン**）によって始まったと考えられるようになった。

実戦問題

No.1 ＊＊ **恒星に関する記述として最も妥当なものはどれか。**

【国家専門職・平成20年度】

1 星の明るさは一般に等級で表す。等級は，6等級から1等級までの5等級分の光度差が1,000倍になるように定義されている。この等級は実際に地球から見える星の明るさで，見かけの等級という。一方，星を10光年離れた場所から見たと仮定したときの等級を絶対等級という。

2 恒星の中には，2個の星が接近して見えるものがあり，二重星と呼ばれる。二重星の多くは実際に距離が近く，互いの自転力で共通重心の周りを回っている。これを連星といい，自転力の大きいほうを主星，小さいほうを伴星という。

3 恒星の中には，明るさが変わるので変光星と呼ばれる星がある。変光星には，連星どうしが互いにほかの星を隠し合って変光する脈動変光星と，星自身が膨張収縮を繰り返して変光する食変光星とがある。

4 太陽の数倍程度以下の質量の星では，中心部からのエネルギー放出が止まると重力のほうが勝って，星全体が地球くらいの大きさまで縮み，白色わい星となる。白色わい星は，表面温度は高いが，表面積が小さいために光度は小さい。

5 おうし座のかに星雲の中心部には，不規則に明るさの変化するパルス状の可視光線を放つ星が見つかっている。これをパルサーという。パルサーは，爆発後に残された超新星の中心部で，周期1秒以下の速い自転をしている原始星である。

No.2 ＊ **恒星の進化に関する次の図の空欄A～Dに当てはまる語句の組合せとして，妥当なのはどれか。**

【地方上級（東京都）・平成26年度】

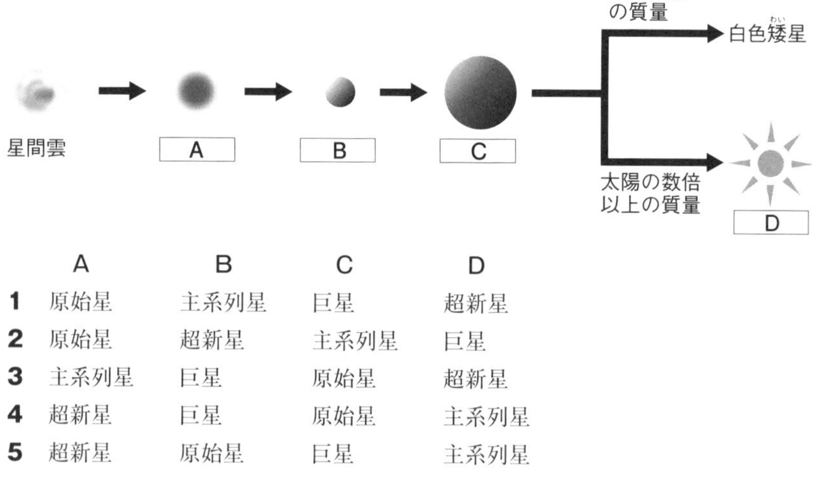

	A	B	C	D
1	原始星	主系列星	巨星	超新星
2	原始星	超新星	主系列星	巨星
3	主系列星	巨星	原始星	超新星
4	超新星	巨星	原始星	主系列星
5	超新星	原始星	巨星	主系列星

No.3 恒星の進化に関する記述として妥当なのはどれか。なお，図は，スペクトル型を横軸にとり，絶対等級を縦軸にとったものであり，ここに恒星を分布させたものはヘルツシュプルング・ラッセル図（HR図）と呼ばれている。

【国家総合職・平成13年度】

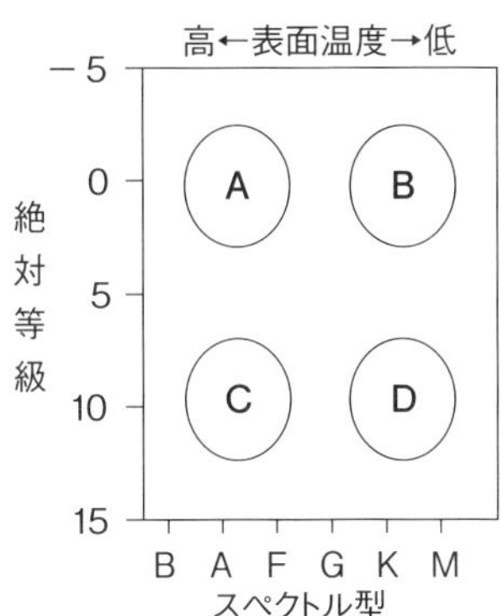

1 HR図上の恒星は主に３つに分類され，ＢからＣへ連なっている恒星のグループを主系列星といい，主系列星に属さない恒星に白色わい星や巨星などがある。恒星の色は横軸の左に行くほど橙または赤くなり，右に行くほど白または青白くなっている。恒星の進化についてもこのHR図上で表すことができる。

2 星間雲が収縮を繰り返すと分子雲が形成され，その中心のガスの濃いところでは，自己の重力により密度が大きくなり原始星が生まれる。原始星がさらに収縮し，紫外線を放出し始めると，中心部のベリリウムの核融合反応により核エネルギーが発生し，収縮が止まり主系列の恒星が誕生する。原始星が主系列星になるまでの時間は，その質量に比例する。

3 質量が太陽程度の恒星は，ヘリウム中心核が収縮することによりヘリウムが炭素や酸素に変わる核融合反応を起こし，多量のエネルギーを放出して膨張し，主系列星から離れて巨星化する。このとき恒星の光度は減少するが，表面温度は上がり，赤色巨星になっていく。赤色巨星はHR図上ではＤに位置し，シリウスの主星がこれに属している。

4 質量が太陽程度の恒星が赤色巨星になると，その巨大な外層大気は，重力でとどめておくことができなくなり，ゆっくりと放出され，星は全体として収縮を始める。光度をほぼ一定に保ちながら，表面温度は上昇し，炭素や酸素を多く含む白色わい星になっていく。白色わい星はその半径に比して質量が大きく平均密度が非常に大きい星で，シリウスの伴星がこれに属している。

5 質量が太陽程度の恒星は，進化が進むとそれ自身の重力で収縮して温度が上昇し，中心部のマグネシウムは酸素と炭素に分解される。そしてエネルギー吸収が始まり，温度と圧力が急激に下がり，星が中心に押しつぶされ外層部が吹き飛ばされる超新星爆発が起こる。ブラックホールはこのときに形成されるもので，HR図上ではＡに位置する。

No.4 * 次の文は，銀河系の構造に関する記述であるが，文中の空所A～Cに該当する語の組合せとして，妥当なのはどれか。

【地方上級（特別区）・平成25年度】

銀河系の中央部には，［ A ］と呼ばれる膨らみがあり，それを取り巻く直径約10万光年の［ B ］がある。さらに［ A ］と［ B ］を立体的に大きく包み込む形で，球状星団が分布し，この直径約15万光年の領域は［ C ］と呼ばれている。

	A	B	C
1	ハロー	円盤部	バルジ
2	ハロー	クェーサー	円盤部
3	バルジ	円盤部	ハロー
4	バルジ	クェーサー	円盤部
5	バルジ	クェーサー	ハロー

No.5 * 銀河に関する記述として，最も妥当なのはどれか。

【警視庁・令和３年度】

1 銀河系（天の川銀河）に含まれる恒星は太陽１つのみである。

2 銀河系（天の川銀河）の中心には，可視光線で観測可能なブラックホールがある。

3 ブラックホールとは，重力が極めて強く，その内部からはどんな物体も電磁波も放出されない天体である。

4 アンドロメダ銀河の中心には，巨大楕円銀河M87がある。

5 ハッブルの法則は，一定速度で宇宙が収縮していることを示す法則である。

実戦問題の解説

No.1 の解説　さまざまな恒星　→問題はP.364　正答4

1 × 1等星は6等星の100倍の明るさである。
恒星の等級は，**5等級分の光度差が100倍**になるように定義され，1等級分の光度差は，$\sqrt[5]{100} \fallingdotseq 2.5$倍になる。また，**絶対等級**は，恒星を10パーセク（＝32.6光年）の距離から見たときの星の光度を等級で示したものである。

2 × 連星では明るい方が主星，暗い方が伴星。
2つの星が接近して見えるものを二重星と呼び，そのうちの多くは，実際に2つの恒星が近接して存在し，互いの重力に引かれて共通重心の周りを回っている**連星**である。自転力という力は存在しないので誤りである。また，連星では明るいほうの恒星を**主星**，暗いほうの恒星を**伴星**という。二重星には，たまたま地球から同じ方向に近接して星が見えるだけで，実際には重力の影響をお互いに及ぼしていない見かけの二重星も存在する。

3 × 食変光星は，互いに隠し合う食によって明るさが変化する。
連星どうしが互いにほかの星を隠し合って（このようなことを食という。月が太陽を隠せば日食である）明るさが変わる場合が**食変光星**，恒星自体が膨張収縮を繰り返して明るさを変えるものが**脈動変光星**である。

4 ◎ 太陽程度の質量の恒星は，最後は白色わい星となる。
正しい。太陽の数倍程度以下の質量の恒星は，寿命が来て核融合反応が停止してエネルギーの放出が止まると，恒星の中心部が収縮して，大きさが地球程度の**白色わい星**ができる。白色わい星は表面温度は高いが，半径が小さく表面積が小さいために絶対等級は暗い。

5 × パルサーは高速回転する中性子星である。
かに星雲の中心には，毎秒約30回の非常に規則正しいパルス状の電波やX線を放射している**パルサー**がある。パルサーは，非常に強い磁場を持った高速回転をする中性子星と考えられている。**中性子星**は，超新星爆発後の中心部に残される極めて高密度の天体である。**原始星**とは，星間分子雲の中でガスが収縮し，次第に内部の温度が上昇しつつある段階の星で，いわば恒星の卵である。

No.2 の解説　恒星の一生　→問題はP.364　正答1

恒星は**星間雲**で誕生する。星間雲を構成する物質が自らの重力で周囲の物質を集め収縮していくと恒星の卵ともいえる「**原始星（A）**」が誕生する。原始星は重量のエネルギーが熱に変換されて温度が上昇しているが核融合反応はしておらず，可視光線では観測されずに赤外線星として観測されることがある。

原始星がさらに周囲の物質を集めて収縮が進み，中心部の温度が1000万Kを超えると核融合反応が始まる。これが「**主系列星（B）**」の誕生である。その後中心部の水素が枯渇して中心部にヘリウム中心核がつくられると水素の核融合はその周囲へ移動し，中心部のヘリウムも核融合を起こすようになる。

この段階で恒星は膨張し「**巨星（C）**」となる。恒星の寿命の大半は主系列星の時代であり，赤色巨星の段階は恒星の進化の末期である。

その後，太陽程度の質量の恒星は，恒星外層の物質を周囲へ放出し惑星状星雲をつくるとともに，中心部には**白色わい星**が残され恒星の進化を終え，太陽の数倍以上の質量を持つ恒星は，「**超新星爆発（D）**」を起こして恒星の進化を終えるとともに，**中性子星**ないしは**ブラックホール**が残される。

よって，正答は**1**である。

No.3 の解説　HR図と恒星の進化

→ 問題はP.365　正答4

1 ×　主系列星はHR図上で左上から右下へ連なる。

主系列星は図の**A**から**D**へ連なっている。また恒星の色は，表面温度が高いほど青白く，低いほど赤っぽく見える。スペクトル型と表面温度は関係が深く，横軸の左側ほど表面温度は高い。

2 ×　主系列星は水素の核融合により主に可視光線を放出する。

原始星が収縮し，温度圧力が上昇し，中心部で水素の核融合反応が始まると核エネルギーが発生し，可視光線を放出し主系列星として輝き始める。

3 ×　赤みを帯びた星ほど表面温度は低い。

質量が太陽程度の恒星は，水素が消費されヘリウムの中心核ができた段階で膨張し，**赤色巨星**となる。赤色巨星になると，光度は増加するが，表面温度は低下する。赤色巨星は，HR図上では**B**に位置する。なお，シリウスの主星は主系列星である。

4 ◎　質量が太陽程度の恒星は，最後に白色わい星となる。

正しい。質量が太陽程度の恒星は，赤色巨星になった後，水素の外層大気を放出し，全体として収縮して**白色わい星**となり一生を終える。

5 ×　大質量の恒星は最後に超新星爆発を起こす。

超新星爆発を起こすのは，質量が太陽の10倍程度以上ある恒星である。超新星爆発は，鉄が光子（γ線）を吸収してヘリウムと中性子に分解し，重力崩壊をすることによって発生する。超新星爆発の後には，**中性子星**や**ブラックホール**が残ると考えられているが，ブラックホールそのものは光を放出しないため，HR図上には表現できない。

No.4 の解説　銀河系の構造

→ 問題はP.366　正答3

銀河系の断面を模式図で示すと，次ページの図のような構造をしている。

銀河系中央部の膨らんだ部分は**バルジ**と呼ばれ，恒星や星間物質が密集している。バルジを取り巻く部分は**円盤部**（**ディスク**）と呼ばれている。

銀河系にある約2000億個の恒星の多くはこのバルジと円盤部を合わせた部分に存在している。さらに，バルジと円盤部をほぼ球状に包み込むように**ハロー**

という部分が存在し，100個あまりの球状星団が散在している。ハローには球状星団以外に恒星や星間物質はほぼ存在しない。

よって，**A**：バルジ，**B**：円盤部，**C**：ハローと入るので，正答は**3**である。

なお，**クェーサー**とは準恒星状天体，準星とも呼ばれ，恒星状の小さな光源のように観測されるが，遠方にある活動銀河の一種で，非常に強い光を放っている天体である。

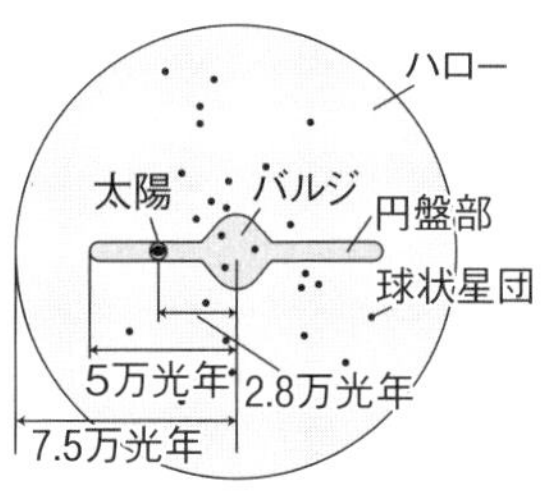

銀河系の構造

No.5 の解説　銀河系と銀河

→ 問題はP.366　**正答3**

1 × 銀河系は多数の恒星の集団である。

宇宙に恒星は満遍なく存在するのではなく，集団を作って存在している。そのような恒星の集団を**銀河**といい，太陽が所属している銀河を**銀河系（天の川銀河）**と呼ぶ。したがって，銀河には多数の恒星（約1000億個の恒星があるといわれている）が存在しているので，誤り。

2 × ブラックホールは可視光線では観測できない。

銀河系の中心には，巨大ブラックホールが存在すると考えられているが，直接観測されているわけではない。一般的に**ブラックホール**は可視光線を放出しない（ブラックホールからは光速でも脱出できない）ので，ブラックホールを可視光線で観測することはできない。

3 ◎ ブラックホール周辺では巨大な重量が働く。

正しい。ブラックホールへはどのような物質も電磁波も吸い込まれてしまう。ブラックホール周囲の物質は強力に吸い込いこまれ，その物質は渦巻き状に高速で回転し高温になりX線を放出する。そのX線で間接的にブラックホールを観測することができる。

4 × 銀河の中にさらに銀河が存在することはない。

アンドロメダ銀河も，巨大楕円銀河M87もいずれも銀河系外の銀河である。銀河の中に他の銀河が存在することはないので誤りである。アンドロメダ銀河の中心にも巨大ブラックホールが存在すると考えられている。

5 × ハッブルの法則は宇宙の膨張を示している。

ハッブルが多くの銀河を観測したところ，ほとんどが地球から遠ざかり，遠い銀河ほど速い速度で遠ざかっていることを発見し，それを**ハッブルの法則**として表した。ハッブルの法則は宇宙が膨張していることを示している。

大気と海洋

必修問題

大気の構造と運動に関する記述として最も妥当なのはどれか。

【国家総合職・令和４年度】

1 地球の大気は，下層から上層に向かって，対流圏，中間圏，熱圏，成層圏の４つの層に分けられる。対流圏と中間圏では気温は上空ほど低く，自然環境を左右するさまざまな天気現象が生じている。熱圏には**オゾン層**があり，生物に有害な紫外線を吸収している。高緯度地域の成層圏では，オーロラ（極光）や流星といった発光現象が見られる。

2 地球表層では，水は気体（水蒸気），液体（水），固体（氷）と状態を変える。海や陸の表面から水が蒸発する際，熱を吸収し，また，水蒸気が大気中で凝結（凝縮）して雲粒になる際，熱を放出する。このような物質の状態が変化するときに吸収または放出する熱を**潜熱**という。

3 地球は，太陽放射エネルギーを受け取っているが，地球全体で平均した地表温度は約25℃に保たれている。これは，地球が吸収する太陽放射とほぼ同量のエネルギーが，紫外線として宇宙空間に放出されるからである。この現象をアルベドと呼ぶ。一方，地表から放出される紫外線の約半分は大気中の水蒸気などに吸収されるが，近年その割合が高まりつつある。

4 地球には大規模な大気の循環が見られる。中緯度地域の上空では，１年を通して**貿易風**と呼ばれる西風が吹いており，この中でも特に風の強い帯状の部分を**ジェット気流**と呼ぶ。ジェット気流は，季節による移動はなく緯度35度付近で常に一定方向に吹いている。極付近では，上昇気流により低気圧帯が形成され，地上付近は低緯度側から東風が吹き込んでいる。

5 **温帯低気圧**は，寒気と暖気が接するところで発生し，一般に**前線**を伴う。北半球において，低気圧の東側では南からの暖気が寒気の上にはい上がり，**寒冷前線**が形成される。一方，低気圧の西側では北からの寒気が暖気の下にもぐり込み，**温暖前線**が形成される。また，北西太平洋海域で発生した温帯低気圧のうち，中心気圧が980hPa以下になったものを**台風**と呼ぶ。

難易度 ＊＊＊

必修問題の解説

地球の大気の構造と運動に関する総合問題である。

1 × **日常的な天気の変化は対流圏で発生している。**
地球の大気は，高度による温度変化の様子をもとに，下層より**対流圏・成層圏・中間圏・熱圏**に区分されている。対流圏と中間圏は，上空ほど気温が低い。雲が発生して雨が降るなどの日常的な天気の変化が起こっているのは，対流圏内である。また，成層圏にはオゾン濃度が高い**オゾン層**が存在し，生物に有害な紫外線を吸収している。オーロラや流星といった発光現象が発生しているのは，熱圏である。

2 ◎ **物質（水）の状態変化により放出・吸収される熱が潜熱。**
正しい。水は地球表層で，気体（水蒸気），液体（水），固体（氷）と状態を変えている。水が蒸発して水蒸気になるときに熱を吸収し，水蒸気が凝結して水になる（たとえば雲ができる）ときにその熱が放出される。このように，物質の状態変化によってできるする熱を**潜熱**という。

3 × **地球は赤外線の形で宇宙に熱を放出している。**
地球は，主に可視光線の形で太陽からエネルギーを受け取っており，一方で同量のエネルギーを赤外線で宇宙に放出している（これを**地球放射**という）。エネルギーの収支がつり合っているため，地球は平均約15℃の気温に保たれている。地表から放出される赤外線は大気中の二酸化炭素や水蒸気などの**温室効果ガス**に吸収され大気が温まり，その暖まった大気が宇宙に赤外線を放出している（**温室効果**）。温室効果ガスの人為的な増加により，地球の気温が上昇しているのが**地球温暖化**問題である。なお**アルベド**とは，大気の上端に入射する太陽放射エネルギーのうち，大気・雲や地表で反射される割合のことである。

4 × **中緯度の上空に吹く風は偏西風。**
中緯度の地域の上空に1年を通して卓越して吹く風を**偏西風**といい，その特に強い部分を**ジェット気流**という。偏西風やジェット気流の緯度は季節により変動し，冬に南下し夏に北上する。極付近では下降気流が生じており，地上付近では南西の方向に風が吹き出す（極偏東風）。

5 × **北半球の温帯低気圧の東側には温暖前線，西側には寒冷前線ができる。**
温帯低気圧は，寒気と暖気が接するところに発生して，前線を伴うことが多い。低気圧の東側（前方）では暖気が寒気の上に這い上がる温暖前線が，西側（後方）では，寒気が暖気の下にもぐり込み暖気を押し上げる寒冷前線ができる。北太平洋で発生した熱帯低気圧のうち，最大風速が17.2m/sを超えるものを台風といい，中心気圧は台風の定義には関係はない。

正答 2

FOCUS

幅広い内容を含み，頻出分野でもあるので，ポイントを整理しておく必要がある。また，地球温暖化問題や環境変動，フロンガスの放出によるオゾン層の破壊の問題など，地球環境問題と絡めて出題されることもあるので，日頃から関心を持ち，新聞などで情報を収集しておくとよいであろう。

POINT

重要ポイント 1 地球の大気

(1) 大気の構造

地球を取り巻く大気の層を**大気圏**といい，その大気圏は，気温の垂直分布によって，地表に近いほうから，**対流圏・成層圏・中間圏・熱圏**に区分されている。

①**対流圏**：大気の盛んな運動により，さまざまな**気象現象が発生**。対流圏内では100m上昇すると気温が約0.65℃低下し，これを**気温減率**という。対流圏と成層圏の境界を**圏界面**と呼ぶ。

②**成層圏**：**オゾン層**による紫外線の吸収のため上層ほど高温になっている。

③**中間圏**：上層ほど低温になっている。

④**熱圏**：**電離層**があり，地表からの電波を反射する。**オーロラ**が発生する。

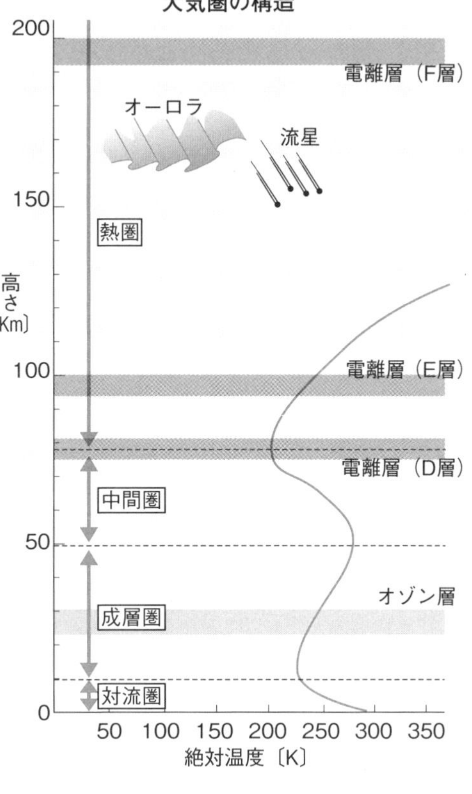

(2) 大気の成分

窒素 N_2 78%，**酸素** O_2 21%，アルゴン Ar など１%で，この成分比は中間圏付近までほぼ一定。水蒸気 H_2O は地域や季節によって変動する。二酸化炭素 CO_2 は0.04% 程度だが，近年化石燃料の燃焼などによって増加の傾向がある。

(3) 太陽放射と地球放射

①**太陽定数**：地球の大気圏外で太陽光線に垂直な面 1 cm^2 が受ける太陽熱は１分間に約 8.2 J（約 2 cal/cm^2・分）であり，これを**太陽定数**という。

②**太陽放射の内容**：太陽放射のうちエネルギー最強の部分は**可視光線**である。紫外線の大部分はオゾン層などの上層大気で吸収され，**赤外線**は対流圏の水蒸気や二酸化炭素などによって一部が吸収される。

③**地球放射**：地球からの放射はすべて，可視光線より波長の長い**赤外線**である。これを**地球放射**という。

(4) 地球の熱収支

地球はいつも太陽からの熱を受け続けているが，同じ量の熱を地球放射として放出し，熱平衡が保たれている。地球全体，大気，地表のどの部分を取っても**熱収支はゼロ**で熱平衡が保たれている。

(5) 温室効果

大気中の二酸化炭素CO_2や水蒸気H_2Oは，可視光線はあまり吸収せずに通過させるが，赤外線は吸収する性質を持っている。そのため，これらの気体には，地表から放出される赤外線を吸収し，地表に送り返す働きがある。そのため地球が大気圏外へ放出する熱を抑制し，地球の温度を保っている。これを大気の**温室効果**という。

近年，石油や石炭などの**化石燃料の消費**により大気中の二酸化炭素が増加し，過剰な温室効果により気温が上昇し，気候変動や異常気象などを引き起こす可能性が高まる**地球温暖化**が問題になっている。

重要ポイント2 大気中の水

(1) 湿度

一定気温の一定量の大気に入ることのできる水蒸気の量には限界があり，それを**飽和水蒸気圧(量)**で表す。気温が高いほど飽和水蒸気圧(量)も上昇する。**湿度**は，飽和水蒸気圧(量)に対して，実際に含まれている水蒸気圧(量)の割合〔%〕で示す。

(2) 露点温度

気温が下がると飽和水蒸気量が減るので湿度が増加する。湿度が100%に達し，水蒸気が凝結して水滴が生じるときの温度を**露点温度**という。

(3) 大気の断熱変化

空気が上昇すると，気圧が低下するため膨張する。このとき，大気は外部に仕事をするため，気温が低下する。湿度が100%未満のときは1℃/100m（**乾燥断熱減率**）の割合で，湿度が100%のときは水蒸気が水になるときに潜熱を放出するため，0.5℃/100m（**湿潤断熱減率**）の割合で気温が低下する。

(4) 雲の発生

雲は上昇気流のあるところで発生する。具体的には，低気圧の中心付近，前線の付近，風が山を越えるときなどに雲が発生する。

(5) フェーン現象

風が山にぶつかり，山を越える際に雲が発生し雨を降らせ，乾燥し高温になって反対側の山麓に吹き下ろす現象を**フェーン現象**という。日本では，太平洋側からの湿った空気が日本海上にある低気圧に吹き込むときなどによく発生する。

重要ポイント 3 空気に加わる力と風

(1) 風を起こす力

①**気圧傾度力**：気圧の高いほうから低いほうに向かって，等圧線に垂直方向に働く力で，風の原動力となる。

②**転向力**：地球の自転のために物体に働いているように見える見かけの力を**転向力（コリオリの力）**という。運動している物体のみに働く。大きさは**物体の速度に比例**し，また，**極で最大，赤道上ではゼロ**になる。向きは，**北半球では進行方向右向き**，南半球では左向きとなる。転向力の影響で，低気圧の周辺では北半球では反時計回りの，南半球では時計回りの渦ができる。

(2) 風の種類

①**地衡風**：上空の摩擦力の働かないところでは気圧傾度力と転向力とがつりあって，北半球では風は低圧部を左に見て等圧線に沿って平行に吹く。この風を**地衡風**という。

②**地表の風**：地表付近では摩擦力が働くため，気圧傾度力，転向力，摩擦力の３つの力がつりあって等圧線に対して25°～35°くらいの角度をなして吹く。

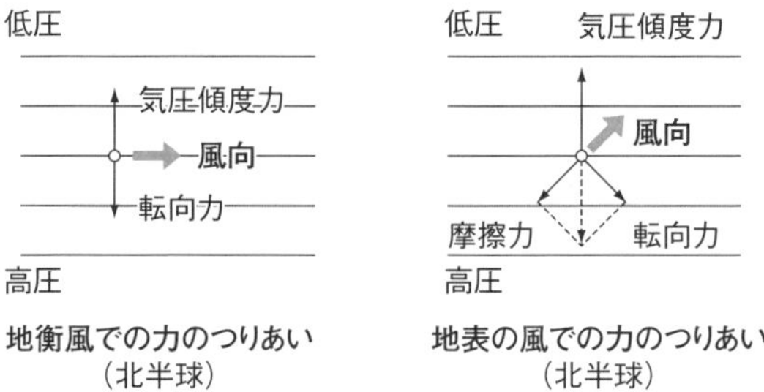

地衡風での力のつりあい（北半球）　　地表の風での力のつりあい（北半球）

③**海陸風**：海岸付近では海と陸の比熱の違いにより昼は陸上が低圧，夜は海上が低圧になるため昼は海から陸に向かう**海風**，夜は陸から海に向かう**陸風**が吹く。これは１日周期で変化する局地風である。

(3) 大気の大循環

緯度によるエネルギー収支の不均衡を解消するため，全地球的規模の大気の流れが生じる。これを**大気の大循環**という。赤道と緯度60°付近が低圧帯，緯度30°付近と極に高圧帯ができる。風は高圧帯から低圧帯に向かうが，転向力を受けて偏西風や偏東風となる。

日本は偏西風帯に位置している。**偏西風**の特に強い部分を**ジェット気流**という。偏西風は南北に蛇行して日本上空を吹いており，日本の天気の変化に大きな影響を与えている。

重要ポイント 4 海洋

（1）海水の性質

海水に含まれる塩分の濃度を**塩分**といい，**35‰**（1kgの海水に35g）である。塩類の組成は世界中どこでも一定であるが，塩分は海域や深さなどで変化する。

海水中の主な塩類の組成

塩類	質量%
塩化ナトリウム　Nacl	77.9
塩化マグネシウム　$MgCl_2$	9.6
硫酸マグネシウム　$MgSO_4$	6.1
硫酸カルシウム　$CaSO_4$	4.0

（2）海水温の鉛直分布

海面に近いところは，波や海流で海水がよく混合されており水温がほぼ一定な層があり**表層混合層**という。その下には水温が急激に下がる**水温躍層**があり，さらに深くなると世界中でほぼ水温が一様な**深層**となる。

（3）海水の循環

①**表層の循環**：海洋表層でのほぼ一定の海水の流れを**海流**といい，海上を吹く風の影響で生じている。

②**深層循環**：北大西洋や南極海で沈み込んだ海水が，海洋の深層を循環しており，**深層循環**と呼ばれる。ゆっくりとした流れで，1周に1000～2000年程度かかる。水が冷却されたり，海氷の形成により塩分濃度が上昇したりして密度の大きい海水ができ，沈み込むことにより生じるので，**熱塩循環**とも呼ばれる。

（4）潮汐

①**潮汐**：海水面は，およそ半日の周期で干満を繰り返しており，**潮汐**という。

②**起潮力**：潮汐を起こす力を**起潮力**といい，主に月が地球に及ぼす引力と，地球が月との共通重心を好転することで生じる遠心力（慣性力）を合わせたものである。太陽と地球の間にも同様に弱い起潮力が生じている。

③**大潮・小潮**：地球と月・太陽の位置関係により潮位差に大小が現れる。地球に対して月と太陽が一直線上に重なると，起潮力を強めあい潮位差が大きくなる**大潮**となる。

重要ポイント 5 地球環境問題

（1）気候変動：地球の長い歴史の中で，地球の気温は大きな変動しているが，近年，人為的な**地球温暖化**（373ページ参照）により，急速な気温上昇が見られ異常気象のとの関連も塩適されている。

（2）オゾン層の破壊：人工的に製造された**フロンガス**が大気中に放出され，そのフロンに含まれる塩素が大気中のオゾンを破壊し，地表に達する**紫外線**が強まっている。皮膚癌の増加や生物への影響が危惧されている。

（3）酸性雨：雨水は通常弱酸性だが，大気中に放出された**酸性物質（二酸化硫黄や窒素酸化物）**が溶け込むことで強い酸性を示すようになる。生態系への悪影響やコンクリートや金属の腐食などが指摘されている。

（4）砂漠化：過剰な灌漑，森林伐採，過放牧等により植生が失われること。中国やモンゴルの砂漠化の進行により多くの砂塵が発生し，**黄砂**として日本にも影響する。

実戦問題1　基本レベル

＊＊
No.1 図のように，風上側山麓のA点（高度0m）で，気温22.0℃の飽和していない空気塊が山の斜面を上昇し，B点（高度1300m）で飽和状態に達し，空気塊中の過剰な水蒸気が凝結して雲を発生させ，その後，山頂のC点（高度2500m）に達するまで雲を生じさせ続け，C点に達したときまでに凝結した水分をすべて雨として降らせた。そして，C点を越えてからの空気塊は飽和していない状態に戻り，下降気流となって山の斜面を降下し，風下側山麓のD点（高度0m）に到達した。この空気塊が断熱的に変化したとき，D点での温度として最も妥当なのはどれか。

ただし，乾燥断熱減率は100mについて 1.0℃，湿潤断熱減率は100mについて0.5℃とする。

【国家一般職・平成20年度】

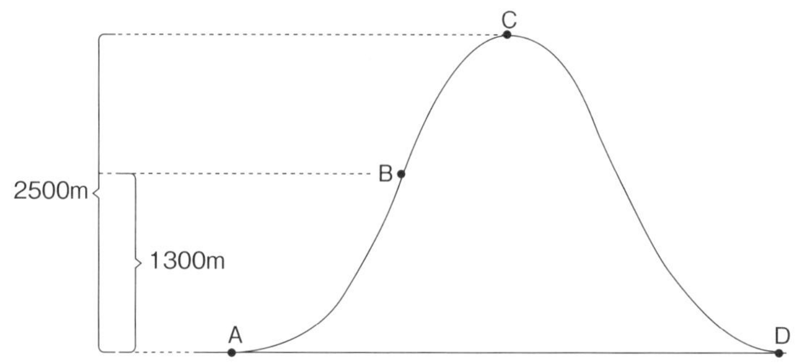

1　15.5℃
2　22.0℃
3　25.5℃
4　28.0℃
5　34.5℃

No.2 地球のエネルギー収支に関する記述として最も妥当なのはどれか。

【国家一般職・平成19年度】

1 緯度が高い地域では，太陽放射の入射量のほうが地球放射の放射量より大きく，緯度が低い地域ではその反対に地球放射の放射量のほうが大きい。

2 経度が大きい地域では，太陽放射の入射量のほうが地球放射の放射量より大きく，経度が小さい地域ではその反対に地球放射の放射量のほうが大きい。

3 太陽放射は主に地球の昼の面に入射するが，地球放射も地球の昼の部分からのものがそのほとんどを占め，波長が短い可視光線から波長の長い赤外線まで幅広い波長に及んでいる。

4 太陽放射は主に地球の昼の面に入射するが，地球放射は地球の昼の部分からも夜の部分からも放射されており，地球放射で主に放射されるのは赤外線である。

5 太陽放射は主に地球の昼の面に入射するが，地球放射はそのほとんどが昼の大陸の部分から放射され，地球放射で主に放射されるのは赤外線である。

No.3 海洋に関する記述として，妥当なのはどれか。

【地方上級（特別区）・令和３年度】

1 海水の塩類の組成比は，塩化ナトリウム77.9％，硫酸マグネシウム9.6％，塩化マグネシウム6.1％などで，ほぼ一定である。

2 海水温は，鉛直方向で異なり，地域や季節により水温が変化する表層混合層と水温が一定の深層に分けられ，その間には，水温が急激に低下する水温躍層が存在する。

3 一定の向きに流れる水平方向の海水の流れを海流といい，貿易風や偏西風，地球の自転の影響により形成される大きな海流の循環を熱塩循環という。

4 北大西洋のグリーンランド沖と南極海では，水温が低いため，密度の大きい海水が生成され，この海水が海洋の深層にまで沈み込み，表層と深層での大循環を形成することを表層循環という。

5 数年に一度，赤道太平洋のペルー沖で貿易風が弱まって，赤道太平洋西部の表層の暖水が平年よりも東に広がり，海面水温が高くなる現象をラニーニャ現象という。

実戦問題1の解説

No.1 の解説　地球の大気

→ 問題はP.376　正答4

フェーン現象に関する計算問題である。**乾燥断熱減率**と**湿潤断熱減率**の違いを理解しておくことがポイントとなる。

空気塊が上昇すると，周囲の気圧が低下するため，空気塊は膨張し気温が低下する（断熱膨張）。その際の気温の低下する割合が断熱減率である。通常は，**100m空気塊が上昇すると約1℃気温は低下する（乾燥断熱減率）**。しかし，水蒸気で飽和している（湿度が100%の）空気塊が上昇すると，水蒸気が水滴に凝結しその際に潜熱が放出され空気を暖めるため，気温の低下の割合は小さくなり，**100mにつき約0.5℃の割合となる（湿潤断熱減率）**。なお，空気が下降する場合は，空気は圧縮され気温が上昇するが，その割合はどのような場合にも，100m下降するにつき1℃気温が上昇すると考えてよい。

STEP❶　B点での気温を求める。

A点の気温は22℃。また，A点では水蒸気で未飽和な空気がB点で飽和に達していることから，A点からB点は**乾燥断熱減率**で気温が低下している。

よってB点の気温は，$22.0-\left(1300\times\frac{1.0}{100}\right)=9.0$〔℃〕

STEP❷　C点での気温を求める。

B点からC点までは雲が生じていることから，**湿潤断熱減率**で気温が低下している。よってC点の気温は，$9.0-\left\{(2500-1300)\times\frac{0.5}{100}\right\}=3.0$〔℃〕

STEP❸　D点での気温を求める。

C点からD点までは，100mにつき1℃で気温が上昇する。

よってD点の気温は，$3.0+\left(2500\times\frac{1.0}{100}\right)=28.0$〔℃〕

以上より，正答は**4**である。

No.2 の解説　地球のエネルギー収支

→ 問題はP.377　正答4

1×　太陽放射が地球放射より大きいのは低緯度地域（赤道地域）である。

高緯度地域（北極や南極近辺）では，地球放射の放射量が太陽放射の入射量より大きい。低緯度地域では，太陽放射の入射量が地球放射の放射量より大きくなっていることから，低緯度地域から高緯度地域への熱の移動が発生し，地球規模の天気の変化が発生する原因になっている。

高緯度の地域では，太陽光線がより斜めから入射するため，単位面積当たりに入射する太陽放射量が小さくなる。一方，低緯度の地域では，真上に近いところから太陽光線が入射するため，単位面積当たりに入射する太陽放射量は大きくなる。それに対して，地球放射量は地球の表面温度に依存し，実際に低緯度地域は高緯度地域より地球放射量が大きいが，その違いは太陽放射の入射量に対してとても小さくなっている。

2 × **経度は太陽放射の入射量や地球放射の大小とは関係がない。**
なお，経度とは，地球の東西方向の位置関係を示すものである。

3 × **地球放射は主に赤外線の形で地球全体から放射されている。**
太陽放射は主に可視光線という形で太陽表面から直線的に地球に差し込んでくるので，太陽光が地球を照らしている地球の昼の面に入射する。ところが，**地球放射は，主に赤外線の形で地球全体から常に放射されている。**

4 ◎ **地球放射は昼の部分からも夜の部分からも常に放射されている。**
正しい。地球放射は主に赤外線として，常に地球全体から放射されている。

5 × **地球放射は大陸からも海からも放射されている。**
地球放射のほとんどが大陸の部分から放射されるということはなく，海の部分からも放射されている。また昼夜を問わず放射されている。

No.3 の解説　海洋の特徴

→ 問題はP.377　**正答 2**

1 × **塩類は多い順に塩化ナトリウム，塩化マグネシウム，硫酸マグネシウム。**
海水中の塩類の組成比は，約78％が**塩化ナトリウム**，約10％が**塩化マグネシウム**，約６％が硫酸マグネシウム，約４％が硫酸カルシウムである。この組成比は，世界中どこの海でもほぼ一定で，海水が長い間によく混合されているためである。一方，塩分の濃度は，場所や時間によって異なる。

2 ◎ **海洋は表面から表層混合層，水温躍層，深層に区分されている。**
正しい。海水温を元に，海洋は３つの層に区分されており，海面近くは場所や時間によって水温が異なる**表層混合層**で，風や波でよく混合されている。海洋の深い部分は水の動きが小さく世界中ほぼ一定の水温で**深層**と呼ばれ，表層混合層と深層を結ぶ部分は水温が急激に変化し，**水温躍層**と呼ばれる。

3 × **海流の輪状の循環は環流と呼ばれる。**
海洋の表層を一定の向きで流れる水平の流れを**海流**といい，偏西風や貿易風などの風の流れによって生じ，地球の自転による転向力の影響を受けている。陸の分布とも合わせて，環流という輪状の流れを形成している。

4 × **深層を含む海水の流れを深層循環という。**
北大西洋のグリーンランド沖や南極海で，水温の低下と海氷の形成により塩分濃度が上がるために密度の大きな海水ができ，それが沈み込んでいくことにより，深層を含んだ非常にゆっくりとした海水の循環が形成されている。これを**深層循環**または**熱塩循環**と呼んでいる。

5 × **ペルー沖の海面水温が上昇するのはエルニーニョ現象。**
数年に一度，赤道太平洋東部ペルー沖の海面水温が数℃上昇するエルニーニョ現象が見られる。東からの貿易風が弱まることで，暖水域が東へ広がり，深海からの湧昇流が弱まることで生じる。一方で，貿易風が強まり，赤道太平洋東部の海面水温が低くなる現象がラニーニャ現象である。

実戦問題2　応用レベル

＊＊＊
No.4　大気や海洋に関する記述として最も妥当なのはどれか。

【国家総合職・令和元年度】

1　地球の大気は，温度の構造により，対流圏，成層圏，熱圏の３つの層に分けられる。対流圏では，気温は，通常，地表付近で高く，高度とともに低下して圏界面で最も低くなる。成層圏には，オゾン層が存在し，オゾン分子が太陽からの赤外線を吸収するため，成層圏の気温は上空ほど低くなる。熱圏では，高度とともに気温が上昇する。

2　地球の自転の効果は，地球に相対的に運動する流体や物体に対し，その運動に直交して働く力として現れ，この力はコリオリの力と呼ばれる。コリオリの力は，北半球では物体の水平運動に対し左向きに，南半球では右向きに働く。このため，赤道域から高緯度側に向かって吹く風である貿易風は，東寄りの風となる。

3　海洋の水温は鉛直方向に層構造を示す。海洋の表層には，上下の温度差が小さい表層混合層が存在する。表層混合層の下で水温が深さとともに緩やかに低下する層は水温躍層と呼ばれ，水温躍層より深部では水温が深さとともに急速に低下する。中緯度では，表層混合層は，水温が高い夏季に深まり，水温の低い冬季に浅くなるという明瞭な季節変化を示す。

4　海洋には，主に水温差によって駆動される海洋表層の水平方向の循環のほかに，海洋表層から深層に達する大規模な鉛直方向の循環が存在する。赤道域では，海面からの蒸発量が多いため，塩分濃度が高く，密度が大きな海水が生じ，海洋の深部へ沈み込む。このようにして沈み込んだ海水は，世界の海洋の深層を循環している。

5　海面では大気との間で二酸化炭素が交換される。産業革命以降の産業活動の拡大による大気中の二酸化炭素濃度の増加に伴い，海水に取り込まれる二酸化炭素の量が増加している。その結果，海洋表層の酸性度が高まる傾向にあり，こうした海水の酸性化によるサンゴ，貝類，甲殻類などの海洋生物への影響が懸念されている。

No.5 雨やその作用に関する記述として最も妥当なのはどれか。

【国家一般職・平成21年度】

1 雨にはさまざまな物質が溶けているが，大気中の酸素が溶けて飽和した水のpHは約2.3と酸性を示すことから，それよりもpHの小さい雨を酸性雨と呼ぶ。

2 雨粒が重力だけを受けて落下するなら雨粒の速さは落下した距離に比例して速くなるはずであるが，雨粒には大気圧による力も働くことにより，ある速さに達すると速さが一定の運動になる。

3 平野部から湿った空気が上昇し雨を降らせながら山を越えると，「赤城おろし」にみられるように乾いた冷たい風が吹くが，一般に山を越えた平野部のほうが山を越える前の平野部より気温が低くなる。

4 ドリーネや鍾乳洞を特徴とするカルスト地形は石灰岩でできた地域でみられるが，これは二酸化炭素を含む雨水により，石灰岩の主成分の炭酸カルシウムが溶かされてできたものである。

5 積乱雲など，大雨をもたらす雲は大気圏の下層である対流圏にできるが，すじ雲，うろこ雲など晴れた日に見える高層雲は対流圏の上の成層圏にできる。

No.6 次の文中のA～Cの｛　　｝内のa，bについて，妥当なものの組合せはどれか。

【地方上級（全国型）・平成24年度】

海岸での潮の干満を引き起こす力を起潮力という。図Ⅰにおいて，月による引力は常に地球から月に向かう向きに働き，その大きさはA｛a．アの位置で最大　b．イの位置で最大｝となっている。一方，月による起潮力はアとイの位置でB｛a．反対向きに　b．同じ向きに｝働き，最も大きくなる。次に，太陽による起潮力も考慮すると，地表における潮の干満の差は，図Ⅱにおいて月がC｛a．イとエの位置にある　b．アとウの位置にある｝ときに最大となる。これが大潮である。

	A	B	C
1	a	a	b
2	a	b	a
3	b	a	a
4	b	b	a
5	b	b	b

図Ⅰ

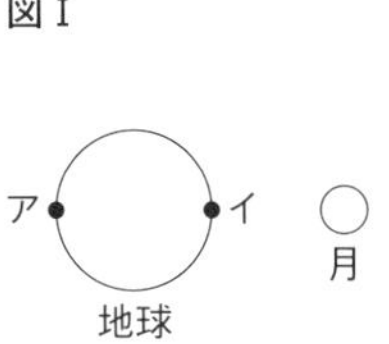

図Ⅱ

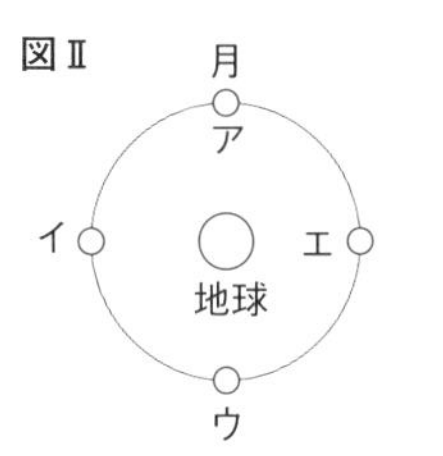

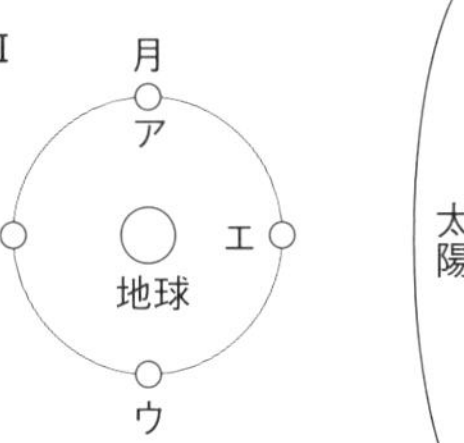

＊＊
No.7 海流等に関する記述として最も妥当なのはどれか。

【国家総合職・平成20年度】

1 海流の原動力となっている主な風系は，低緯度帯の偏西風と中緯度帯の貿易風である。地球の自転による転向力のため，海水はこれらの風と同じ方向には動かず，北半球では風の左側に，南半球では風の右側にそれて流れていく。

2 アジア大陸の東岸の黒潮，北米大陸東岸のメキシコ湾流など大陸の東岸には，とりわけ強い流れが存在する。これは，海洋から見ると西側にあるので西岸強化という。西岸強化は地球の自転にともなう転向力によってもたらされる現象である。

3 日本の南方には，北東に向かって流れる暖流の親潮がある。親潮は，東方で北太平洋海流，カリフォルニア海流，北赤道海流へとつながり，太平洋を一周する大きな環状の流れの一部である。このような流れは，大洋の緯度30°付近を中心にみられ，熱塩循環と呼ばれる。

4 エルニーニョ現象は，貿易風が何らかの原因で強まることによって，赤道付近の東太平洋の暖水層が薄くなり，冷水の湧昇も強くなることで発生する。エルニーニョ現象は，世界の気候にさまざまな影響を及ぼし，日本では，猛暑や台風発生の増加などが起こるといわれている。

5 潮汐は，月や太陽の引力によって海水が動くために起こる。潮汐を起こす力を起潮力という。太陽による起潮力は月の約２倍である。月が太陽と同じ方向にある新月のとき，あるいは月が太陽と正反対の方向にある満月のときには，干満の差の小さい小潮となる。

No.8 ＊＊ **地球環境に関する記述として最も妥当なのはどれか。**

【国家総合職・平成29年度】

1 1950年代以降，南極上空にオゾンの濃度が極端に低いオゾンホールが現れるようになった。その原因は，冷蔵庫の冷却剤やスプレーの噴射剤などに大量に使用されるようになったフロンが，中間圏で太陽の紫外線によって分解され，フロンから分離したフッ素原子がオゾン分子を分解してオゾン層を破壊することであると明らかにされた。1950年代後半から，フロンの生産規制が国際的に進められてきたことにより，大気中のフロン濃度の増加は止まっている。

2 人間活動による石油や石炭などの化石燃料の消費量の増加に伴い，大気中の二酸化炭素濃度は産業革命以降上昇し続け，現在の二酸化炭素濃度は，地球の歴史上で最も高いレベルにある。二酸化炭素は，太陽からの紫外線を吸収し，その熱を対流圏界面にとどめて地球全体を暖める温室効果をもたらす。過去100年間にわたる全地球平均気温の上昇は，二酸化炭素に代表される温室効果ガスの影響が大きいと考えられている。

3 近年世界各地で起きている砂漠化は，過剰な灌漑や放牧，森林伐採などの人間活動が原因の一つとなっており，大量の砂塵を発生させる。東アジアの砂漠域や黄土地帯から強風により細かい黄砂粒子が大気中に舞い上がり，それが浮遊しつつ降下する現象は，黄砂現象と呼ばれる。この現象は，わが国でも観測されており，春には空が黄褐色に煙ることもある。黄砂は，偏西風に乗って太平洋を越え，アメリカ大陸でも観測されている。

4 降水は通常中性または弱アルカリ性であるが，化石燃料の燃焼や，自動車の排ガスなどにより大気中に放出された二酸化硫黄や窒素酸化物が大気中で化学変化を起こし，炭酸となって降水に溶け込む。これは酸性雨と呼ばれ，雨や雪などとして降ることによって環境に影響を及ぼしている。酸性雨は大気汚染の発生源周辺の比較的狭い範囲で発生するため，各国がそれぞれ脱硫装置の設置や硫黄酸化物の規制などの対策をとり，一定の効果を上げている。

5 都市部では，周辺の郊外と比較して温度が上昇するヒートアイランド現象が発生し，東京では，平均気温が100年前と比べて５度以上上昇している。この原因やメカニズムは地球温暖化と同様であるが，ヒートアイランド現象は影響の範囲が都市部を中心とした限定的なものである点で地球温暖化とは異なっている。都市部は，ヒートアイランド現象により下降気流が発生しやすく，特に夏季には高積雲が成長して激しく雨が降ることが多いと考えられている。

実戦問題2の解説

No.4 の解説　地球の大気と海洋

→ 問題はP.380　正答5

気象と海洋に関する総合問題である。頻出分野なので，項目をしっかり整理しておこう。地球大気や海洋の温度変化による層区分は，特に重要な分野である。

1 × **地球の大気は，対流圏，成層圏，中間圏，熱圏に区分されている。**
地球の大気は，その高度による気温変化をもとにして，下層から**対流圏**，**成層圏**，**中間圏**，**熱圏**に区分されている。対流圏では上層ほど気温は低下し，成層圏との境界である圏界面付近で最低となる。成層圏に**オゾン層**が存在し，太陽からの**紫外線を吸収**するために，上層ほど気温が高くなっている。中間圏では，気温は上層ほど低下し，熱圏では上層ほど上昇する。

2 × **コリオリの力は，北半球では進行方向右向きに働く。**
地球上にいる人は地球の自転とともに回転しながら物体の運動を見ているため，物体の進行方向を曲げようとするような力が働いているように見える。この見かけの力を**コリオリの力（転向力）**といいい，**北半球では進行方向右向き**，南半球では左向きに働く。貿易風は，高緯度域（亜熱帯高圧帯）から赤道域（熱帯収束帯）に向かって吹く風であり，北半球では右向き，南半球では左向きに曲げられ，両者とも東寄りの風（**北東貿易風**，**南東貿易風**）となる。

3 × **水温躍層では海水温が深度とともに急に低下する。**
海洋の表層付近は，風や波によって海水がよく混合されるため，上下の温度差が少なく，**（表層）混合層**と呼ばれる。その下部では水温が深度とともに急速に低下していく**水温躍層**が存在する。水温躍層の下部は水温低下が緩やかとなり，水温がほぼ一様で低温な**深層**へとつながっている。中緯度では，表層混合層は，水温が低い冬季ほど深まり，水温の高い夏季ほど浅くなる。

4 × **海水が冷やされることで密度が上昇して深部に沈み込む循環が作られる。**
北大西洋北部や南極沿岸では，冬季に海水が冷やされ水温が低下するとともに，海氷の生成により塩分濃度が上がり海水の密度が大きくなり，海洋の深層に向かってゆっくりと沈み込む。このような海水が，世界の海洋の深層を1000～2000年かけて循環していると考えられている（**熱塩循環**）。

5 ◎ **海水に溶け込む二酸化炭素が増加することで海洋環境に影響を及ぼしている。**
正しい。海水は二酸化炭素をよく溶かし，海洋は大気中の二酸化炭素の量を調節する働きも持つ。大気中の二酸化炭素濃度の上昇とともに，海水に取り込まれる二酸化炭素量も増加し海洋表層の**酸性度**が高まっており，海洋生態系への影響が懸念されている。

No.5 の解説　雨とその作用

→ 問題はP.381　**正答4**

1 ×　pH5.6以下の雨を酸性雨という。

酸性雨は，pHの値が5.6以下の雨をいう（pH７が中性）。酸性雨の原因は，化石燃料の燃焼や火山活動などによって放出された，**硫黄酸化物（SO*x*）や窒素酸化物（NO*x*）**，塩化水素（HCl）などが大気中の水や酸素と反応することで，硫酸，硝酸，塩酸などの強酸ができるためである。

2 ×　雨滴は，空気抵抗のため，自由落下にならない。

雨粒（雨滴）は重力で落下をするが，空気抵抗力も受けるため，自由落下運動にはならない。また，大気圧による力でもない。空気抵抗力は落下速度に比例するが，粒の大きさや形などにも影響を受ける。重力と空気抵抗がつりあうと，雨粒は一定の速さで落下するようになり，このような速さを終端速度という。

3 ×　山を越えた風は，風下ほど気温は高くなる。

「赤城おろし」とは，冬季に北関東に北西から吹く冷たく乾燥した風のことをいう。西高東低の冬型の気圧配置のときに北西の季節風が，日本の中央の脊梁山地を越えるときに雪や雨として水分を落とし，乾燥した風として太平洋側に吹き下ろすものである。この際，**フェーン現象**と同様に，吹き下ろす風は，風上側の平野での気温よりも上がっているはずであるが，もともとの北西季節風の気温がとても低いため，吹き下ろしてくる風も高温にはならず低温であるため，この場合はフェーン現象とはいわない。

4 ◎　カルスト地形は，石灰岩が雨水に溶けてできる。

正しい。雨水は，大気中の二酸化炭素が溶けるため（炭酸），やや酸性なのが普通である。石灰石を構成する方解石は，酸に溶けやすい。

5 ×　雲ができるのは対流圏内がほとんどである。

すじ雲やうろこ雲などの高層雲ができるのも対流圏内である。積乱雲は対流圏の下層から上層まで垂直に発達する雲である。中間圏にできる夜行雲や成層圏にできる真珠母雲は極めて特殊な例である。

No.6 の解説　潮汐

→ 問題はP.381　**正答3**

A：引力は距離の２乗に反比例する。

月による引力（万有引力）は，常に地球から月に向かう方向に働き，その大きさは，距離の２乗に反比例するので，図のＩにおいて地球と月の距離が最も短いイで最大，最も長いアで最小となる。したがって**b**の記述が正しい。

B：月に面した側では月の引力が勝り，反対側では遠心力が勝る。

月による**起潮力（潮汐力）**は，月による引力と，月と地球がその共通重心の周りを公転することによって生じる遠心力の合力である。公転によって生じる遠心力は，地球上どこでも向きと大きさは等しい。一方月の引力は月に近いところで最大になる。よってその合力の起潮力は，月に面した側では月の引力が遠心力に勝って海面を上昇させようとするし，裏側の地表では遠心力が月の引力より勝ってやはり海面を上昇させようとする。よって，アとイの位置では，起潮力は逆向きとなるので，**a**の記述が正しい。

C：**満月と新月の頃に干満の差が最大の大潮となる。**

月による起潮力に加えて太陽の引力によっても起潮力が生じる。したがって，太陽と月が一直線に並ぶ満月（イの位置）と新月（エの位置）の頃には，月の起潮力と太陽の起潮力が強め合って，干満の差（潮位差）が最大となる**大潮**となる。よって，**a**の記述が正しい。

したがって，正答は**3**である。

No.7 の解説　海洋の運動　→ 問題はP.382　正答2

1 × **転向力(コリオリの力)は，北半球では右向きに働く。**

転向力（コリオリの力）の働く向きは，空気（風）の場合と同様で，北半球では進行方向右向き，南半球では進行方向左向きである。

2 ◎ **西岸強化は地球の自転に伴う転向力によってもたらされる。**

正しい。**西岸強化**は，転向力とその緯度による変化が大きく影響している。

3 × **日本の南方から北東に向かって流れる暖流は黒潮である。**

親潮は，日本の北方のベーリング海とオホーツク海に起源を持ち，北海道から東北地方の太平洋岸を南下する寒流である。また，熱塩循環とは，主に水深数百m以深の中深層で起こる地球規模での海洋循環で，水温と塩分濃度により決まる海水の密度の違いにより発生する。この熱塩循環と海洋の表層で起こる風成循環により，海洋の大循環が形成されていると考えられている。

4 × **エルニーニョ現象は貿易風の弱まりで発生する。**

エルニーニョ現象は，貿易風の弱まりによって，東太平洋の暖水層が厚くなり，冷水の湧昇が弱くなることで発生する現象であるので誤り。それにより，赤道付近の東太平洋（ペルー沖）の海面水温が上昇する。エルニーニョ現象が発生しているとき，日本は，長梅雨，冷夏，暖冬，となる確率が高くなる。

5 × **新月や満月の頃には大潮となる。**

起潮力は，太陽より月の影響が大きく，太陽による起潮力は月の約半分であるので誤り。また，新月や満月の頃には，月と太陽の起潮力が強め合うので潮の干満の差が最も大きい大潮となる。

No.8 の解説　地球環境問題

→ 問題はP.383 正答3

1 ×　成層圏内部でフロンから分離した塩素がオゾンを破壊する。

南半球の高緯度地域で，春先にオゾンが急減する減少を**オゾンホール**といい，1982年に初めて観測されている。これは，大気中に放出されたフロンが成層圏で分解され生成した**塩素**が，**オゾン**を破壊するために生じると考えられている。また，フロンの生産規制が始まったのは1989年（モントリオール議定書の発効）以降である。

2 ×　二酸化炭素は地表からの赤外線を吸収して温室効果をもたらす。

産業革命以降，大気中の二酸化炭素濃度は上昇しており，有史以来最高水準であることは確かである。しかし，地球の歴史上で考えると，地球誕生直後（約46億年前）の地球大気は二酸化炭素と水蒸気が主成分であり，二酸化炭素が約90%を占めていたと考えられている。また，二酸化炭素をはじめとする**温室効果ガス**が吸収するのは**赤外線**であり，地表から宇宙に出て行く地球放射（赤外線中心）を抑制して**温室効果**をもたらす。

3 ◎　砂漠化は，気候変動に加え，人為的で過剰な開発の影響が強い。

正しい。**砂漠化**とは，本来植生のあった土地が，砂漠や荒れ地等の植物が育たない土地になることをいう。その原因は，気候変動も考えられるが，**人為的で過剰で灌漑や放牧**，**森林伐採**などの影響が大きいと考えられている。**黄砂**は，その結果の一つということができる。

4 ×　降雨は通常弱酸性だが，強酸性を示すものを酸性雨という。

大気中の二酸化炭素が溶け込むため，降水はもともと弱い酸性を示す。ところが，化石燃料の燃焼や自動車の排ガスなどに含まれる**二酸化硫黄や窒素酸化物**が硫酸や硝酸となり雨に溶け込み，**pHが5.6以下**の強い酸性を示すようになったものを**酸性雨**という。酸性雨の原因物質の発生源は大都市圏や工業地帯などの狭い範囲のことが多いが，汚染物質は風などで広範囲に広がるため，酸性雨の影響は広範囲になる。脱硫装置の設置や排ガス規制などにより，酸性雨の防止に一定の成果が上がっている地域もある。

5 ×　ヒートアイランド現象の主な原因は都市化である。

主に都市部で局所的に気温が高くなる現象を**ヒートアイランド現象**という。実際に東京の平均気温は上昇しているが100年間におよそ3.1℃であり，5℃には及ばない。ヒートアイランド現象に地球温暖化も関係しているといえるが，主な原因は，人口の集中による大量の熱の放出，コンクリート建造物やアスファルトによる蓄熱，植物の減少による蒸発量の低下などである。気温が高いと上昇気流が発生しやすく，特に夏季は積乱雲が突然発達し，局所的な豪雨をもたらすことがある。

天気の変化

必修問題

わが国の季節の天候に関する次のA～Eの記述のうち，妥当なもののみをすべて挙げているのはどれか。

【市役所・平成29年度】

A：**春**は，太平洋から高気圧と低気圧が交互に日本海に向けて通過するため，天気が安定しない。

B：**梅雨**は，南からの温かい気団と北からの冷たい気団が拮抗して停滞前線を形成するため，曇りや雨の日が続く。南からの温かい気団が徐々に勢力を増すと，冷たい気団が北に追いやられ，梅雨が明ける。

C：**夏**は，ユーラシア大陸が暖められてシベリア気団が形成され，高温で乾燥した風が日本海の水蒸気を吸収し，日本列島を太平洋に向けて通過する。

D：**夏から秋**にかけては，低緯度で発達した台風が日本列島を通過するため，暴風雨や高潮をもたらす。

E：**冬**は，南高北低の気圧配置となり，太平洋から湿った冷たい風が吹き荒れる。

1 A，C
2 A，E
3 B，D
4 B，E
5 C，D

難易度 ＊

必修問題の解説

日本の天気の特徴に関する出題である。天気の変化は日常生活ともかかわりがあるので，テレビや新聞の気象情報に意識を持って目を向けておくだけでもとてもよい試験対策になる。各季節の天気の特徴を典型的な天気図の気圧配置とともにしっかり整理しておこう。

A × 春は，移動性高気圧と低気圧が交互に西から東へ日本上空を通過する。
春は，大陸付近で**移動性高気圧**や低気圧が発生し，それらが偏西風の影響で東へ進み，日本付近を交互に通過していく。そのため，周期的に好天と悪天が変化する天候となる。なお，移動性高気圧や低気圧は，北寄りのルートをたどると，日本海を通り太平洋へ抜けるが，南寄りのルートをたどると，日本の太平洋沿岸を通過していくことになる。なお，秋の天気も同様の特徴を持つ。

B ◎ 梅雨は，南の暖かい気団と北の冷たい気団の境界に停滞前線ができる。
正しい。梅雨の季節は，日本の南にできた暖かい気団（**小笠原気団**）と日本の北のオホーツク海付近にできた冷たい気団（**オホーツク海気団**）の勢力が拮抗して，その境界に**停滞前線**（**梅雨前線**）ができる。その停滞前線が日本付近にあると長雨の梅雨になる。夏になると，南の気団が勢力を増し，停滞前線が北上し，北の気団も消滅し，梅雨明けとなる。

C × 夏は，日本の南方に高温多湿の小笠原気団ができる。
夏は，日本の南の太平洋上に，気温の高い湿った空気からなる小笠原気団が形成され，日本はその気団に覆われるため，高温多湿の天候となる。日本の北方には低気圧があることが多く，**南高北低型**の気圧配置と呼ばれることもある。

D ◎ 夏から秋にかけて，日本付近を台風が通過し災害をもたらすことがある。
正しい。夏から秋にかけては，赤道付近の低緯度の海上で発生した**熱帯低気圧**が発達し**台風**となり，日本付近を通過し暴風雨，水害や高潮等の災害をもたらすことがある。台風とは，北太平洋西部で発生した熱帯低気圧のうち，最大風速が約17m/sを超えるものをいう。

E × 冬の典型的な気圧配置は西高東低型である。
冬の典型的な気圧配置は，**西高東低型**と呼ばれている。日本の西の大陸上に冷たく乾燥した気団（**シベリア気団**）ができ，日本の東海上にある低気圧にむかって**北西の季節風**が吹く。この風が日本海上で水蒸気を含み，日本にぶつかって日本海側に雪や雨をもたらす。水蒸気を失った風は太平洋側に乾燥した晴天をもたらす。

よってBとDが正しい記述であるので，正答は**3**である。

正答 3

FOCUS

日本の四季の変化に関する出題が非常に多い。各季節の天気に影響を及ぼす気団を軸にして，典型的な気圧配置，天気の特徴をしっかり整理しておこう。そのほかにも，低気圧と前線，各前線の種類とその特徴も基礎知識として重要である。

POINT

重要ポイント 1 気団

　気温や湿度などの性質が広い範囲にわたって一様な大気の塊を**気団**という。気団は高気圧として天気に影響を及ぼす。大陸で発生すると乾燥，大洋上で発生すると湿った空気となる。また，低緯度地方では高温，高緯度地方では低温の気団が発生する。日本列島に影響を及ぼす主な気団を右図に示す（ただし，揚子江気団を気団として扱わない考え方もある）。

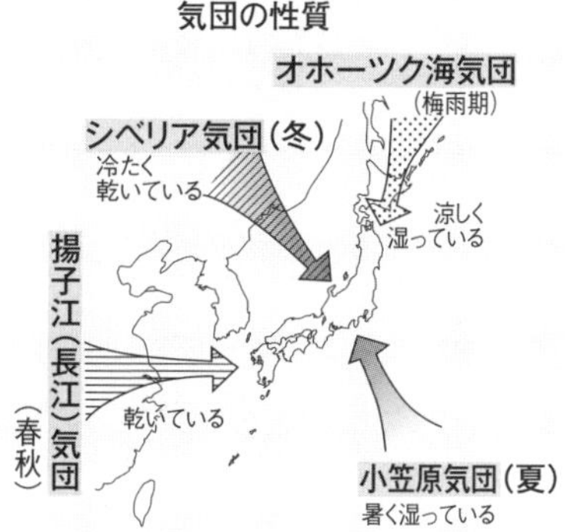

重要ポイント 2 前線の種類と特徴

　異なる気団の境目を前線面といい，その地表との交線が前線である。

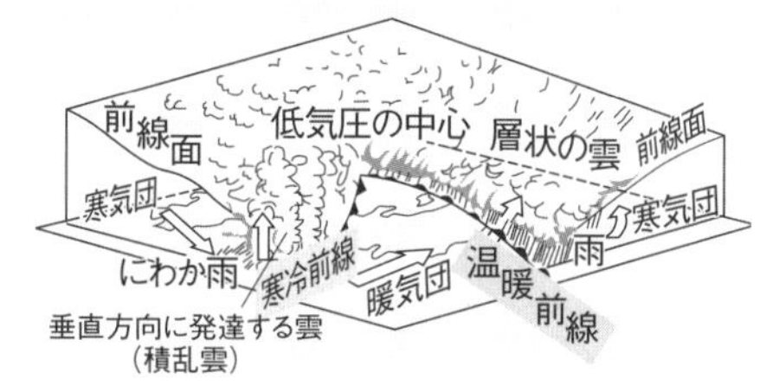

(1) 寒冷前線 ▼▼ 寒気の勢力が強く暖気の下に潜り込む。積乱雲が発生し，にわか雨が降る。

(2) 温暖前線 ●● 暖気が寒気の上を滑昇する。層状の雲が発生し，長時間雨が続く。

(3) 閉塞前線 ▲●▲● 寒冷前線が温暖前線に追いついてできる。

(4) 停滞前線 ●▼●▼ 寒気と暖気の勢力がつりあい，同じ場所に長時間停滞する。前線の北側では長期間雨が降ったりやんだりする。**梅雨**(つゆ)時や**秋霖**(しゅうりん)の頃に現れる。

重要ポイント 3 低気圧

(1) 温帯低気圧：主に温帯で発生し，前線を伴う場合が多い。低気圧の中心付近は上昇気流が発生し，雨が降ることが多い。

(2) 熱帯低気圧：熱帯地方の海域で発生する低気圧で，前線を伴わず，円型の等圧線を持つ。最大風速が約17m/sを超えると**台風**と呼ぶ。

重要ポイント 4 天気図と日本の天気

　各地で観測した気圧，風向，風力，気温，天気などを１枚の地図に記入し，低気圧・高気圧・前線の位置と等圧線を記入した図を天気図という。

(1) 西高東低型（冬型）：**シベリアに高気圧**が発達し，日本の東海上に発達した低気圧がある。等圧線は日本付近で南北に走り間隔が狭い。全国的に北～北西の強い季節風が吹き，**日本海側は雨か雪，太平洋側は晴天で乾燥**した日が続く。

(2) 南高北低型（夏型）：**北太平洋高気圧**（太平洋高気圧，小笠原高気圧ともいう）が発達し日本全域を覆う。大陸方面には低気圧ができる。南寄りの弱い風が吹き晴天が続く。蒸し暑く，局地的に雷雨が起こりやすい。

(3) 梅雨型：**オホーツク海高気圧**と**北太平洋高気圧**の境に**停滞前線**ができ長期間ぐずついた天気が続く。北海道では梅雨がほとんどない。

(4) 移動性高気圧型：春や秋に現れやすい。高気圧と低気圧が交互にやってきて**天気は周期的に変化**する。移動性高気圧の中心付近が夜間に通ると，**放射冷却**によって晩霜の被害が発生することがある。

(5) 台風型：９月～10月に日本に上陸することが多い。台風の進行方向右半円は特に風雨が強く被害が大きくなる。

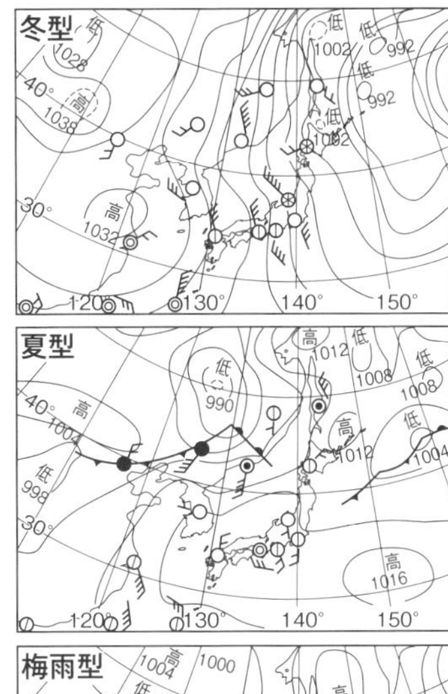

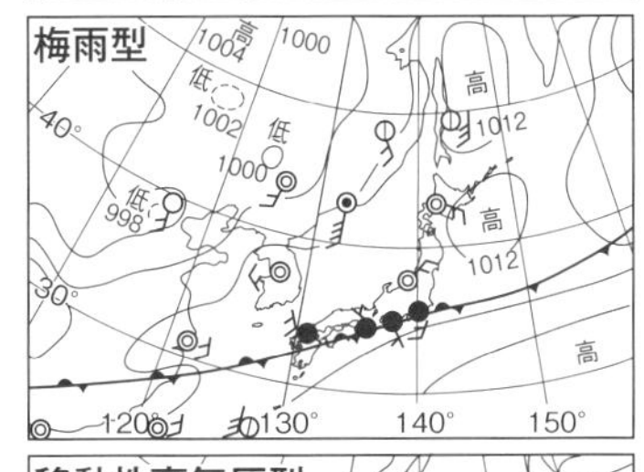

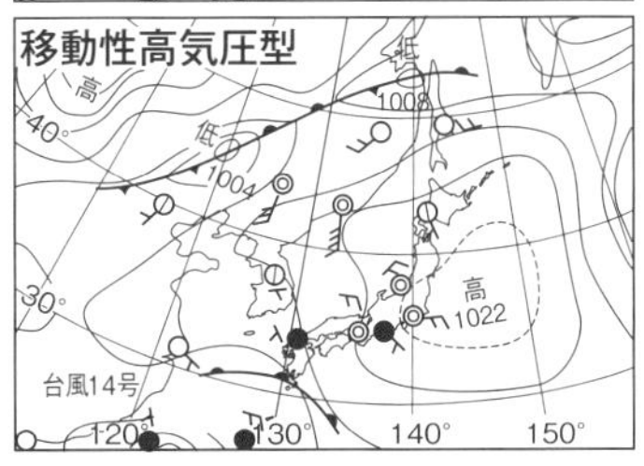

重要ポイント5 異常気象

(1) エルニーニョ現象：赤道太平洋ペルー沖の海面水温が平年より数度上がる現象。赤道付近を吹く貿易風の弱まりによって起こる。エルニーニョが発生しているときは，日本は暖冬冷夏の確率が高まるといわれている。まったく逆の現象をラニーニャ現象という。

(2) 火山灰による遮へい効果：大規模な火山活動の後では火山灰が長期間大気中にとどまり，太陽放射を遮るため全地球的に気温が低下し，農作物が不作となることがある。

(3) 人為的な気候変動（地球温暖化）：近年，石炭，石油などの化石燃料の消費が激増し，大気中のCO_2の量が増え続けている。CO_2は**温室効果ガス**の一種で，地表からの赤外線を吸収し，地表へ送り返す働きがあるので気温上昇の原因となる。このほか，森林の減少，砂漠化の進行など，秩序なき開発による自然環境の破壊が気候変動の一要因となっている。

実戦問題❶　基本レベル

No.1 ＊＊ **図は，日本付近で発達中の温帯低気圧周辺の模式図であり，実線は等圧線を示している。次の温帯低気圧に関する説明文A，Bとそれぞれが示している地点㋐，㋑，㋒の組合せとして最も妥当なのはどれか。**

【国家総合職・平成21年度】

A：暖かい空気の下に冷たい空気が潜り込んで前線ができる。

B：冷たい空気の上に暖かい空気が乗り上げて前線ができる。

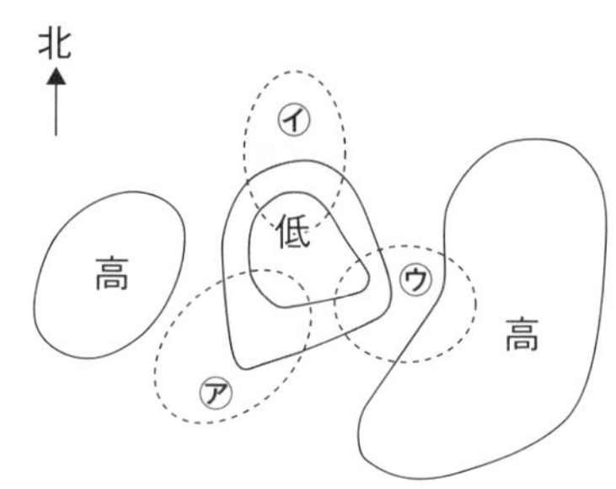

	A	B
1	㋐	㋑
2	㋐	㋒
3	㋑	㋐
4	㋒	㋐
5	㋒	㋑

No.2 ＊ **日本付近の天気に関する次の記述のうち，妥当なのはどれか。**

【市役所・平成29年度】

1　冬になるとシベリア低気圧が発達し，南西から北へ冷たい風が吹く。そのため日本海側に大雪が降る。

2　春になるとオホーツク海高気圧が日本を覆うため，晴れた乾燥した日が数週間も続くことがある。

3　6～7月には温暖前線と寒冷前線が交互に現れ，それらが梅雨前線となる。雨の多い日が続くが，梅雨前線が南下することによって梅雨が明けて夏になる。

4　夏には北太平洋高気圧が日本付近に張り出し，南高北低型の気圧配置になる。北太平洋高気圧は気温も湿度も高いため蒸し暑い気候となる。

5　夏から秋にかけて，熱帯地方で発生した大型の台風が日本を縦断する。台風は前線を伴っており，中心からは外側に向かって風や雨が吹き出ている。

No.3* **日本の四季の天気に関する記述として，妥当なのはどれか。**

【地方上級（特別区）・令和４年度】

1　冬は，西高東低の気圧配置が現れ，冷たく湿ったオホーツク海高気圧から吹き出す北西の季節風により，日本海側に大雪を降らせる。

2　春は，貿易風の影響を受け，移動性高気圧と熱帯低気圧が日本付近を交互に通過するため，天気が周期的に変化する。

3　梅雨は，北の海上にある冷たく乾燥したシベリア高気圧と，南の海上にある暖かく湿った太平洋高気圧との境界にできる停滞前線により，長期間ぐずついた天気が続く。

4　夏は，南高北低の気圧配置が現れ，日本付近が太平洋高気圧に覆われると，南寄りの季節風が吹き，蒸し暑い晴天が続く。

5　台風は，北太平洋西部の海上で発生した温帯低気圧のうち，最大風速が17.2m/s以上のものをいい，暖かい海から供給された大量の水蒸気をエネルギー源として発達し，等圧線は同心円状で，前線を伴い北上する。

実戦問題 1 の解説

No.1 の解説　温帯低気圧

→ 問題はP.392　正答2

A：暖気の下に寒気が潜り込んでできるのは寒冷前線。

暖かい空気の下に冷たい空気が潜り込み，暖かい空気を持ち上げて上昇気流を発生させるのは**寒冷前線**である。寒冷前線は，低気圧の西側（後方）に生じる。したがって図では㋐の領域ということになる。寒冷前線では**積乱雲**が発生し，通過に伴い短時間，激しい雨が降るとともに，雷や突風を伴うこともある。通過後は寒気の領域に入るため，急激に気温が下がることが多い。

B：寒気の上に暖気が乗り上げてできるのは温暖前線。

冷たい空気の上に，暖かい空気が乗り上げて上昇気流となるのが**温暖前線**である。温暖前線は低気圧の東側（前方）に生じる。したがって図では㋒の領域ということになる。温暖前線では主に**乱層雲**ができて雨を降らせる。雨はさほど激しくないことが多いが，寒冷前線に比べ降っている時間は長い。通過後気温は上昇するが，あまりはっきりとしないことも多い。

したがって，正答は**2**である。

なお，右図は，問題の図に前線と低気圧周辺の風向きを矢印で示したものである。低気圧周辺の風向きから，低気圧の東側では南寄りの風，西側では北寄りの風が卓越しており，東側に温暖前線，西側に寒冷前線ができることがわかるだろう。また，低気圧が発生して時間がたつにつれて，寒冷前線のほうが進行速度が速いため，温暖前線に追いついて，その部分は**閉塞前線**となっていく。

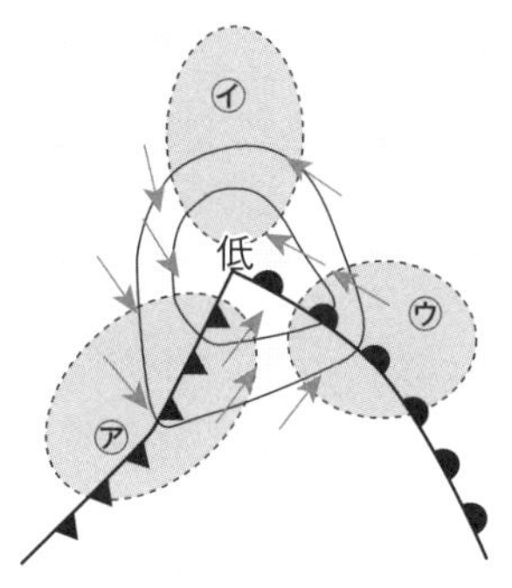

No.2 の解説　日本の四季の天気の特徴

→ 問題はP.392　正答4

1 × 冬は大陸のシベリア高気圧から北西の季節風が吹く。

冬には，大陸上空に乾燥した寒冷な空気がたまり，シベリア気団が形成される。気団は高気圧に対応しているので，**シベリア高気圧**とも呼ばれる。一方で，日本の東の海上には発達した低気圧が存在することが多く，このような気圧配置を**西高東低型**と呼ぶ。西高東低型の気圧配置のときには，シベリア高気圧から低気圧に向けて，北西から南東方向への季節風が強く吹き，日本海側では雪や雨，太平洋側では乾燥した晴天となることが多い。

2 × 春は周期的に天気が変化する。

春は，偏西風が日本の上空周辺を吹き，低気圧と**移動性高気圧**が交互に日本上空を西から東へ移動していく。そのため，天気は３～５日で周期的に変化することが多い。オホーツク海高気圧は，梅雨にできる高気圧である。

3 × オホーツク海気団と小笠原気団の境界にできる停滞前線が梅雨前線である。

6月頃になると，日本の北にオホーツク海気団（高気圧）ができ，日本の南では小笠原気団（北太平洋高気圧）が勢力を増してくる。この2つの気団が日本の周辺でぶつかり，その境界に停滞前線（**梅雨前線**）ができ，これが日本に長雨をもたらす。夏になると，小笠原気団の勢力が強まり，オホーツク海気団が弱まるので，梅雨前線は次第に北上し，梅雨明けとなる。

4 ◎ 夏は北太平洋高気圧（小笠原気団）に覆われる。
正しい。夏になると，日本の南海上に中心を持つ小笠原気団（北太平洋高気圧）が日本を覆う。一方，日本の北方には低気圧があることが多いので，このような気圧配置を**南高北低型**と呼ぶ。日本列島は，小笠原気団に覆われるため，南寄りの風が吹き蒸し暑い晴天となることが多い。

5 × 台風は前線を伴わない。
夏から秋にかけて多く発生する台風は，北大西洋西部の熱帯の海上で発生する熱帯低気圧のうち，中心付近の最大風速が17.2m/sを超えるもののことをいう。**台風を含む熱帯低気圧は前線は伴わず**，等圧線は同心円状でその間隔が狭い。また，台風に限らず北半球の低気圧では，その中心に向かい反時計回りの渦を作るように風が吹き込み，中心付近で上昇気流が発生している。

No.3 の解説　日本の四季の天気の特徴

→ 問題はP.393　正答4

1 × 冬は，シベリア高気圧から北西の季節風が吹き出す。
冬は，シベリア上空にシベリア高気圧，日本の東海上に低気圧ができる**西高東低型**の気圧配置となる。シベリア高気圧から低気圧に向けて北西の季節風が吹き，日本海側に大雪をもたらすことがある。オホーツク海高気圧は梅雨期にオホーツク海上空にできる高気圧である。

2 × 春や秋は日本の上空を偏西風が吹く。
春や秋は，日本の上空を**偏西風**が南北に大きく蛇行しながら吹き，それに伴って移動性高気圧と（温帯）低気圧が交互に日本上空を通過していく。そのため周期的に天気が変化する。

3 × 梅雨前線はオホーツク海高気圧と太平洋高気圧の境界にできる。
オホーツク海上空にできる冷たく湿ったオホーツク海高気圧と，南の海上にできる暖かく湿った太平洋高気圧の境界に**停滞前線（梅雨前線）**ができ，東アジアに長雨をもたらすのが梅雨である。

4 ◎ 夏は太平洋高気圧に覆われる。
正しい。夏は日本の南海上に**太平洋高気圧**，北方に低気圧がある南高北低の気圧配置となり，日本列島は高温多湿の晴天となることが多い。

5 × 熱帯低気圧のうち最大風速が17.2m/sを超えるものが台風。
北太平洋にある**熱帯低気圧**のうち最大風速が17.2m/sを超えるものを**台風**という。熱帯低気圧は前線を伴わず，そのエネルギー源は海面水温の高い海から供給された水蒸気の持つ**潜熱**である。

実戦問題❷ 応用レベル

* **No.4** **日本の気象に影響を及ぼす現象についての記述A〜Dの正誤の組合せとして最も妥当なのはどれか。**

【国家一般職・平成18年度】

A：中緯度地帯の高層大気の動きとしては，ジェット気流があり，地表付近の偏西風とは異なり常に一定の幅で赤道に平行して一定の速度で吹いている。この気流の影響により，高気圧や低気圧は西から東へ移動する。

B：南米ペルー沖の海面の水温は，平年値よりも２〜５℃低下することがあり，エルニーニョ現象と呼ばれている。これは，暖流の流れが通常よりも弱まることが原因で発生すると考えられており，この現象が発生した年には日本では，空梅雨などの異常気象になるといわれている。

C：北西太平洋の熱帯海域で発生した熱帯低気圧のうち，最大風速が17.2m/秒以上になったものを台風という。台風は，水温の高い海域を通過する間に多量の水蒸気の供給を受け，その水蒸気が凝結するときに放出するエネルギーで発達しながら北上する。

D：温帯低気圧は，暖気が寒気の上をはい上がる寒冷前線と寒気が暖気の下に潜り込む温暖前線，または，温暖前線が寒冷前線に追いついて重なった閉塞前線を伴っている。寒冷前線が通過するときは，広範囲に長い時間雨が降るのが特徴である。

	A	B	C	D
1	正	正	正	誤
2	正	正	誤	誤
3	正	誤	誤	正
4	誤	誤	正	正
5	誤	誤	正	誤

** **No.5** **気象に関する記述として最も妥当なのはどれか。**

【国家専門職・令和５年度】

1 我が国では，梅雨の末期に大雨や集中豪雨が発生する場合がある。これは，オホーツク海高気圧と北太平洋高気圧（太平洋高気圧）の間に発生している梅雨前線に向けて，北太平洋高気圧側からの暖かく湿潤な空気が吹き込むことが原因である。

2 エルニーニョ現象とは，平年よりも強い偏西風によって赤道太平洋の暖水層が西部に偏り，赤道太平洋中・東部の海面水温が低くなる現象である。エルニーニョ現象が発生すると，北太平洋高気圧が強くなるため，我が国では，梅雨明けの早期化や夏の平均気温の上昇がみられる。

3 我が国において，台風とは，北太平洋西部で発生した熱帯高気圧のうち，平均風速が一定以上になったものをさす。台風の内部では，対流圏下層の空気が時計回りに中心に吹き込み，対流圏上層から反時計回りに吹き出すため，台風の中心部は最も風が強い。

4 フェーン現象とは，水分を含んだ空気塊が山にぶつかり，山頂付近で雲を形成し，山を下った先で雨を降らせる現象である。我が国では，日本海側から山脈を越えて太平洋側に吹き込むフェーン現象が多く発生し，その際は，太平洋側で雨が降る。

5 我が国の冬は，日本列島の北部で温度が下がり低気圧が発達することによって南高北低型の気圧配置となり，北西の季節風が吹く。南高北低型の気圧配置では，大陸側からの湿潤な空気が吹き込むことにより日本海側で大雪を降らす一方で，太平洋側では晴れた天気が続く。

＊＊
No.6 低気圧に関する記述として，妥当なのはどれか。

【地方上級（東京都）・令和３年度】

1 低気圧は，中心付近に比べて周囲が低圧であり，北半球では時計回りに回転する渦であるという性質を持つ。

2 低気圧は温帯低気圧と熱帯低気圧とに大きく分けられ，温帯低気圧は前線を伴うことが多いが，熱帯低気圧は前線を伴わないなどの違いがある。

3 熱帯低気圧のうち，北太平洋西部で発達し，最大風速が33m/s以上に達したものを台風といい，北大西洋で発達したものをサイクロンという。

4 台風のエネルギー源は，暖かい海から蒸発した大量の水蒸気が融解して雲となるときに放出される顕熱である。

5 発達した台風の目の中では，強い上昇気流と，積乱雲群による激しい雨が観測される。

実戦問題❷の解説

No.4 の解説　地球の大気と天気の変化

→ 問題はP.396　**正答5**

A ×　ジェット気流は南北に蛇行し場所によって風速も変化している。
中緯度地帯では，ほぼ西寄りの風が吹いており，**偏西風**という。偏西風は，圏界面（対流圏と成層圏の境界）付近で特に強くこの部分を**ジェット気流**という。偏西風やジェット気流は南北に蛇行しながら西から東へ吹いていて，赤道と平行に吹くことはまれである。

B ×　エルニーニョ現象はペルー沖の海面水温が上昇する現象をいう。
エルニーニョ現象は南米ペルー沖の海面水温が，**通常より2～5℃上昇**する現象のことをいう。これは，この地域に吹く**貿易風（東風）が弱まる**ため，通常は貿易風で西方へ運ばれていく表層の暖かい海水が滞留し，下層からの冷たい海水の湧流が弱まるために発生する。エルニーニョ現象が発生した年は，**日本では長梅雨，冷夏，暖冬になる傾向**がある。

C ○　台風のエネルギー源は水蒸気の潜熱である。
正しい。台風は，水温の高い海面からの水蒸気の**潜熱**がエネルギー源であり，そのため上陸したり海面水温が低い地域に来ると勢力が弱まる。

D ×　暖気が寒気にはい上がる＝温暖前線，寒気が暖気に潜り込む＝寒冷前線。
温暖前線と**寒冷前線**の記述が逆になっている。温帯低気圧は，前方（東側）に温暖前線，後方（西側）に寒冷前線を伴う。寒冷前線は温暖前線より進行速度が速く，寒冷前線が温暖前線に追いつくとその部分に**閉塞前線**ができる。また，広範囲に長い雨が降るのは温暖前線の特徴で，寒冷前線では短い時間に激しい雨が降るという特徴がある。

　よって，正答は**5**となる。

No.5 の解説　日本の天気の特徴

→ 問題はP.396　**正答1**

1 ◎　梅雨末期の豪雨は湿った空気の流入による。
オホーツク海高気圧と北太平洋高気圧の境界にできる**梅雨前線**により，ぐずついた天気が続くのが梅雨の天気の特徴である。梅雨の末期の7月初旬から中旬頃には，主に西日本で集中豪雨となることがあり，災害をもたらす可能性がある。これは，梅雨前線に北太平洋高気圧から，暖かく湿った空気が流れこみ，前線付近に積乱雲が発達しやすくなるからである。

2 ×　エルニーニョ現象は赤道太平洋東部の海面水温が上がる。
エルニーニョ現象は貿易風が弱まることにより，赤道付近の西へ向かう海流が弱まり，赤道太平洋東部ペルー沖の海面水温が数℃上がる現象のことである。エルニーニョの発生時は，日本では暖冬や冷夏，梅雨明けの遅れなどが生じる確率が高くなるといわれている。

3 ×　台風の目では風が弱く雲も少ない。
台風は北太平洋で発生した熱帯低気圧のうち，最大風速が約17m/sを超えるものをいう。台風は，地表近くでは空気が反時計回りに中心付近に吹き込み，激しい上昇気流が発生するため，中心付近ほど風雨とも強いが，中心には風にはたらく遠心力のため風が吹き込めない領域が生じ，風も弱く雲もない**台風の目**ができることがある。

4 × **フェーン現象では風下側がで高温，乾燥となる。**
湿った空気が山を越えて反対側に吹きおりたときに，風下側で乾燥した高温の風となって吹くことを**フェーン**といい，そのために付近の気温が上昇することを**フェーン現象**という。湿った空気が山にぶつかり上昇気流となり雨を降らせて乾燥し，山を吹きおりる時に断熱圧縮され気温が上昇することによって起きる。

5 × **冬の気圧配置は西高東低型。**
冬の気圧配置は，日本の西（大陸上）にシベリア高気圧ができ，日本の東海上に低気圧がある**西高東低型**である。高気圧から低気圧に向け北西の季節風が吹き，その風が日本海から水蒸気を得ることによって日本海側に雨や雪をもたらす。

No.6 の解説　低気圧の特徴

→ 問題はP.397　正答2

1 × **北半球の低気圧は反時計回りの渦となる。**
閉じた等圧線で囲まれ，周囲より気圧の低い部分を低気圧といい，北半球では，反時計回りに回転する渦となる。（南半球は時計回り）この違いは，**転向力（コリオリの力）**の働く向きが北半球と南半球では逆になっていることによる。

2 ◎ **熱帯低気圧は前線を伴わない。**
正しい。低気圧はその発生する場所により，温帯低気圧（通常「低気圧」と呼ぶことが多い）と熱帯低気圧に分類できる温帯低気圧は前線を伴うことが多く，熱帯低気圧は前線を伴わない。

3 × **熱帯低気圧のうち最大風速が17.2m/s以上のものが台風。**
熱帯低気圧のうち北太平洋西部で発達し風速が17.2m/sとなったものが**台風**である。北大西洋のカリブ海周辺ではハリケーン，インド洋や南太平洋西部ではサイクロンと呼ばれる。

4 × **台風のエネルギー源は水蒸気の潜熱。**
台風のエネルギー源は，暖かい海から蒸発した水蒸気が凝結して雲粒となるときに放出される**潜熱**である。

5 ◎ **台風の目では風が弱く雲もない。**
発達した台風の中心付近では弱い下降気流が生じて，風も弱く雲もない部分ができることがあり，これが**台風の目**である。

地球の内部構造と地震

必修問題

地震や火山に関する記述として最も妥当なのはどれか。

【国家総合職・平成30年度】

1 **地震**は，プレート境界で起こる海溝型地震とプレート内部で起こる深発地震の２つに大別できる。地震の震源では，地球表面を伝わって観測地点に到着する**P波**と，遅れて発生し地球内部を伝わって観測地点に到着する**S波**が発生するが，一般にＰ波とＳ波の到着時刻の差である**初期微動継続時間**を２つの観測地点で調べることで，震源の位置が決定される。

2 **震度**は地震の揺れの大きさを表しており，震源の浅い地震の場合，震央を中心にほぼ同心円状に分布することがある。わが国で用いられる震度は，５強・５弱・６強・６弱を含め，０～７の10階級に分けられている。一方，**マグニチュード**は地震の規模を表しており，地震のエネルギーと一定の関係がある。マグニチュードが１大きくなると地震のエネルギーは約32倍となる。

3 地殻変動によって岩石や地層に強い力が加わると，山状に盛り上がったり，谷状にくぼんだりして折り曲げられた**褶曲**を生じ，さらに強い力が加わると**断層**を生じる。断層は，地層累重の法則が成り立つ**正断層**と，地層が逆転し不整合面が見られる**逆断層**の２つに大別できるが，逆断層は**活断層**とも呼ばれ，一般に規模の大きい地震が発生するおそれがある。

4 **外核**を構成する物質は，高温で液状になるとマグマと呼ばれ，地殻の岩石より密度が大きいため，地殻と外殻の境界にある**マグマだまり**に蓄えられる。その後，マグマだまりの中で周囲から揮発性の気体を取り込んで**火山ガス**となり，圧力が上昇すると地表に噴出する。火山ガスは乾燥した高温な気体であり，有毒な一酸化炭素，二酸化硫黄，一酸化二窒素からなる。

5 **火山**は，太平洋を取り巻いて分布する**環太平洋火山帯**のように，いずれかのプレートの境界に位置し移動している。マグマの粘性によって火山の形が異なり，粘性の小さいマグマは噴出の際に上昇する時間が短く，揮発性成分が抜けないため，激しい噴火を起こして**盾状火山**を作るが，粘性の大きいマグマは揮発性成分が抜けていくため，溶岩流を発生して**溶岩円頂丘**を作る。

難易度 ＊＊

必修問題の解説

地震と火山に関する問題である。特に地震に関しては，いろいろな形で繰り返し出題されている内容である。選択肢の誤りを指摘するだけでなく，正しい記述にも注目して整理しておくことが大切。選択肢には細かい知識も含まれているが，誤答にはいくつもの誤りが含まれているので，明らかに間違いといえるものを１つ見抜くようにしよう。なお火山に関しては，テーマ６を参照。

1 × **P波とS波は同時に発生するが，P波のほうが進行速度が速いため先に到達。**
日本付近で発生する地震はその発生のメカニズムから，プレートの境界で発生する**海溝型（プレート境界型）地震**と，プレートの内部で発生する**プレート内地震**に分類することができる。**深発地震**とは，震源の深さが100kmより深いものをいう。地震波はＰ波とＳ波があるが，それらは同時に震源で発生する。しかし，**P波**のほうが**S波**に比べてが進行速度が速いため，観測点にはＰ波のほうが先に到達する。Ｐ波が到達してからＳ波が到達するまでの時間を**初期微動継続時間（PS時間）**といい，震源からの距離に比例するため，震源距離を求めることができる。３か所以上の観測点からの震源距離が求まると，震源位置を決定できる。

2 ◎ **震度は観測点での揺れの程度，マグニチュードは地震の規模を示す。**
正しい。**震度**は各観測点での揺れの程度を示す数値で,０～７（５と６は弱と強の２段階に細分）の10段階に分けられている。震源が比較的浅い地震の場合，震央に近いほど揺れは大きいため，震度は震央を中心に同心円状の分布になる。一方，**マグニチュード**は地震の規模，地震で放出された全エネルギー量を示す。マグニチュードが２増えるとエネルギーは1000倍，１増えると約32倍となる。

3 × **活断層は，比較的最近活動し，今後も地震を引き起こす可能性の高い断層。**
地殻変動によって岩石や地層に力が加わると，**褶曲**や**断層**ができるが，どちらになるかは加わった力の大きさだけではなく，堅さや力の向きなどさまざまな要素がかかわるため一概にはいえない。断層は，引っ張りの力が加わると**正断層**，圧縮の力が加わると**逆断層**ができる。**地層累重の法則**は，地層の逆転がない場合は下位の地層の方が古いということを示し，**不整合面**は，上下の地層の堆積に時間間隙がある面のことをいい，いずれも地震と無関係。**活断層**は，最近数十万年の間に繰り返し活動した証拠があり，今後も活動する可能性がある断層のことで，活断層だから規模の大きい地震が発生するわけではない。

4 × **マグマは上部マントルでかんらん岩の部分溶融で作られる。**
地球の**外核**を構成する物質は主に鉄である。マグマは，岩石が高温のため液体状になったもので，マントル上部でかんらん岩が部分溶融して発生する。発生したマグマは，周囲の岩石より密度が小さいため浮力で上昇し，地下数

kmにあるマグマだまりに蓄えられる。マグマ中には多量の水を始め，二酸化炭素や二酸化硫黄などのガス成分を含むため，それらがマグマから分離すると圧力が上がり，浮力も増すために上昇し噴火する。従って**火山ガス**の主成分は水蒸気であり，そのほかに二酸化硫黄，二酸化炭素，硫化水素などを含む。

5 × **地球上の火山は，プレート境界，中央海嶺，ホットスポットに分布する。**
地球上で火山が分布しているのは，太平洋を取り巻く**環太平洋火山帯**のようなプレート境界の他に，中央海嶺，ハワイ島のような**ホットスポット**がある。また，プレート境界の火山も，プレートの動きに合わせて移動することはない（火山のもとであるマグマは，プレートよりも下部で発生しているため）。噴出するマグマの粘性により火山の形状が異なり，粘性の低い（流れやすい）マグマは大量の溶岩が溶岩流として流れ，傾斜の緩やかで大きな山体が特徴の**盾状火山**を作り，粘性が大きな（流れにくい）マグマは，揮発成分が抜けにくいため爆発的噴火をすることも多く，溶岩が流れず盛り上がったような**溶岩円頂丘（溶岩ドーム）**を作る。

正答 2

F O C U S

地球の内部構造と地震の分野では，近年地球の内部構造に関する出題が増える傾向にある。地殻，マントル，アセノスフェア，リソスフェア，プレートといったキーワードを中心に整理しておこう。地震に関しては，以前より頻出で，繰り返し問われている。地震波の性質，震度とマグニチュードの違い，地震の原因と断層，地震災害といったテーマがよく出題されている。日本は地震が多い場所でもあり，防災意識を高めることが，公務員には求められているといえよう。

POINT

重要ポイント 1 地震波の種類

(1) 地震波の種類

P波（**縦波**，粗密波）：伝わる速度が比較的速く（岩石中で約5～7 km/s），固体中でも液体中でも伝わる。

S波（**横波**，弾性波）：伝わる速度が比較的遅く（岩石中で約3～4 km/s），固体中のみ伝わる。

表面波：地殻の表面を伝わってくる地震波で，伝わる速度は約3 km/s。S波に続いてやってくる周期が長く振幅が大きい揺れである。

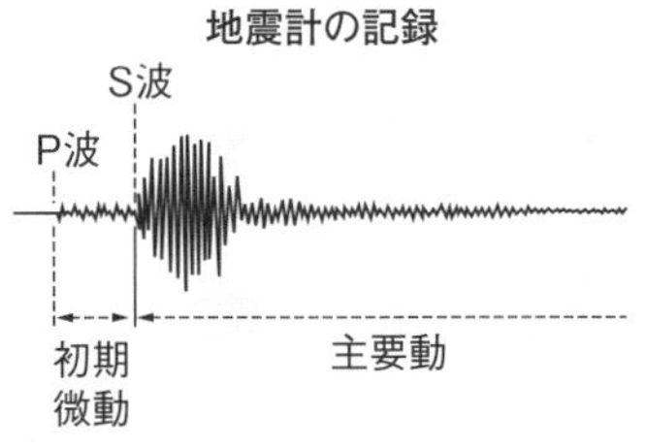

(2) 初期微動継続時間：P波のほうが伝わる速度が速いため，観測点に早く到達する。早く到達したP波による揺れを初期微動といい，S波が到達するまでの時間を初期微動継続時間（P－S時間）という。初期微動継続時間の長さは**震源までの距離に比例**している。

重要ポイント 2 地震の大きさの表し方と地震帯

(1) 震度：各観測点における揺れの程度を表す数値。気象庁により震度0～7（震度5と震度6は強と弱に細分）の10段階に定められている。震源から遠ざかるほど震度は小さくなるのが一般的である。

(2) マグニチュード：地震そのものの規模，地震によって放出されたエネルギーの大きさを表す。マグニチュードが2増えるとエネルギーは1000倍，1増えるとエネルギーは約32（$=\sqrt{1000}$）倍になる。

(3) 地震帯：地球上で地震の多発する場所は，帯状に広がる地震帯に限られる。最も地震が多いのは，太平洋を取り巻く**環太平洋地震帯**で，日本も属している。地中海からヒマラヤ山脈を経てマレー半島に続く**アルプス－ヒマラヤ地震帯**や**中央海嶺**（震源の浅い地震が発生）に沿った地域でも地震が多い。

重要ポイント 3 地震の原因

(1) プレート境界型：海洋プレートが大陸プレートの下に潜り込む際，大陸プレートを少しずつ引きずり込んでいく。このひずみが蓄積され，限界に達すると，大陸プレートが跳ね上がり地震が発生する。この地震タイプの地震は規模が大きく，**津波**を伴うことも多い。同じ場所で繰り返し，比較的等期間を置いて起こる傾向がある。

プレート境界型地震の発生する仕組み

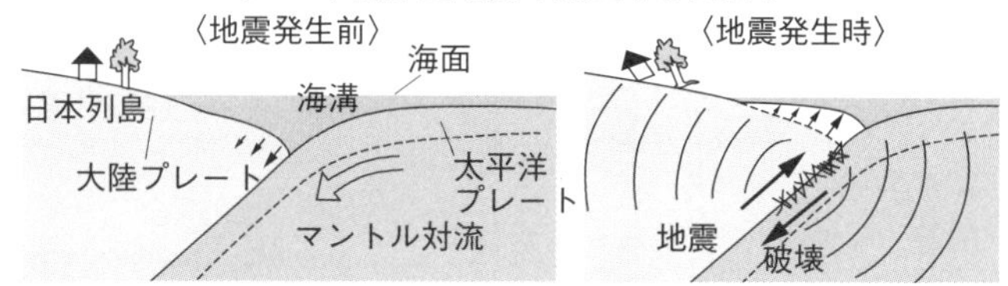

(2) 活断層型（直下型）：プレート運動によりプレート内部でひずみが蓄積され，そのひずみが断層のずれにより解放される際に発生する。新生代第四紀以降に活動し，今後も活動して地震の原因となることが予想される断層を**活断層**という。人の住む地域の近くで断層が活動すると，規模の割には大きな被害をもたらすことがある（直下型地震）。

(3) 火山性地震：火山に伴うマグマの活動により地震が発生することがある。地震の規模は小さい。火山性地震により，火山の噴火予知ができる場合がある。

重要ポイント4 地震による災害

地震が発生すると，激しい地震動による建物の崩壊とそれに伴う火災，山崩れなどの土砂災害，津波，液状化による被害などが発生する。

(1) 地盤と地震災害：新しい堆積物が厚く分布する軟らかい地盤では，地震動が増幅され，大きな揺れとなることがある。都市はそのような場所にあることが多く，深刻な被害をもたらすことがある。埋め立て地などでは，**液状化現象**が発生し，地盤が強度を失い，特に大きな被害となることもある。

(2) 津波：海底の隆起や沈降などの地殻変動などにより発生する波長の長い波を津波という。津波は，水深が浅くなると高くなるため，海岸に大きな被害をもたらす。特に狭い湾に入ると，奥のほうほど波が高くなる。

重要ポイント5 地球の内部構造

(1) 地球の内部構造：地球の内部は層構造をしており，外側から地殻，マントル，外核，内核と呼ばれている。

①**地殻とマントル**：モホロビチッチ（クロアチア）はP波の観測から，地下数十kmに，P波の速度が急に増加する不連続面があることを発見した。この不連続面を**モホロビチッチ不連続面（モホ面）**といい，これより上層を**地殻**，下層を**マントル**という。その後の詳しい調査により，地殻の構造が明らかにされた。大陸地殻は，花こう岩質の岩石からなる上層と玄武岩質の岩石

地殻の構造

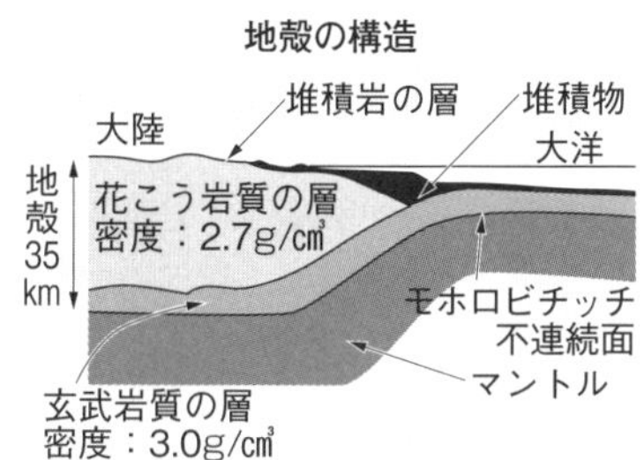

からなる下層に分かれ，全体の厚さは平均で20～60km程度である。海洋地殻は玄武岩質の岩石からなり，厚さは5～10kmである。**マントルは，主にかんらん岩からなる**。

②**核**：震源からの角距離が103°～143°の間に，P波の到達しない影の部分（シャドーゾーン）が存在することから，約2900kmの深さにマントルと**核**の境界（グーテンベルク不連続面）があることが明らかになった。**核は主に鉄からなり**，深さ約5100kmまでの外核の部分は，S波がまったく伝わらないことから液体の状態である。5100kmより内部を**内核**といい，固体の状態である。

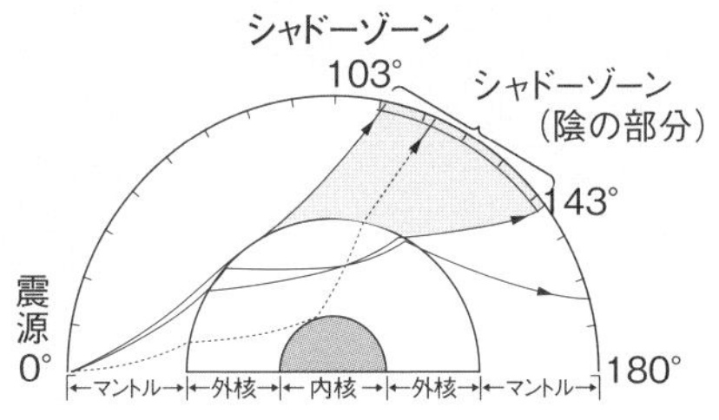

重要ポイント6 プレートテクトニクス

(1) プレート：地球内部は温度が高いため，深さ100km程度のマントル上部に，岩石が軟らかく流動性を持つようになっている部分が存在し，これを**アセノスフェア**という。それより上部の地殻とマントル最上部は硬い岩石からなり，これを**リソスフェア**という。リソスフェアは，地球の表面を何枚にも分かれて覆っており，この1枚1枚を**プレート**という。

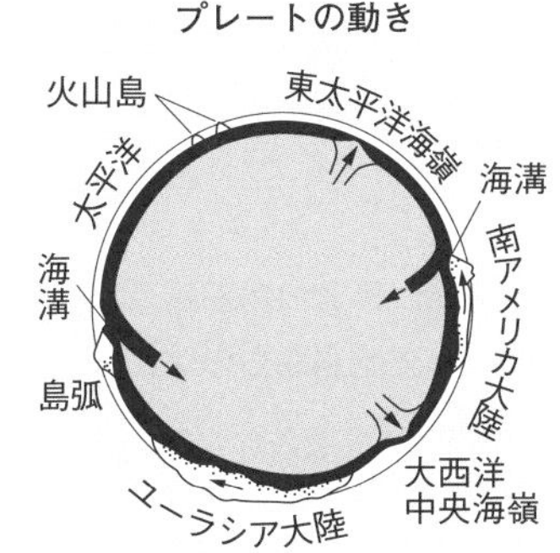

(2) プレートテクトニクス：地球の表面は数十枚のプレートに分かれ，プレートは互いに衝突したり，離れていったり，水平方向にずれたりしている。このようなプレートの運動により，地球で起こるさまざまな現象を説明する考え方を**プレートテクトニクス**という。プレートが衝突するところでは，ヒマラヤのような大山脈ができたり，日本のような**弧状列島（島弧）**が形成されたりする。また，この地域では，地震活動や火山活動が活発である。プレートが離れていく場所は**海嶺（中央海嶺）**と呼ばれ，火山活動により新しい海洋プレートが作られている。プレートの運動の原動力はマントル対流だと考えられており，その速度は年間数cmである。

実戦問題❶　基本レベル

*
No.1　地球の物理的性質に関する記述A，B，Cの正誤の組合せとして，最も妥当なのはどれか。

【国家一般職・平成21年度】

A：重力は，地上の物体と地球自身との間に働く引力と，地球の自転によって生じる遠心力とが合成された力であり，高緯度地方ほどその値は大きくなる。

B：重力によって地上付近の物体に生じる重力加速度は，重力の大きさが質量に比例することから，質量が大きくなるとともに重力加速度の値も大きくなる。

C：上空約１km以上では地表と大気との間に摩擦力がほとんど働かず，気圧差により生じる気圧傾度力と地球の自転により生じるコリオリの力（転向力）がつり合って，等圧線と平行に地衡風と呼ばれる風が吹く。

	A	B	C
1	正	正	正
2	正	正	誤
3	正	誤	正
4	誤	正	誤
5	誤	誤	正

*
No.2　地球の内部構造に関する次の文章中の空欄ア～エに当てはまる語句の組合せとして妥当なものはどれか。

【地方上級（全国型）・令和３年度】

地球の内部は，地殻，マントル，核の３層に分けられる。地殻は地球の表面の部分で，大陸と海洋で性質が異なる。［　ア　］は，厚さが30～50kmで上部は花こう岩，下部は玄武岩が中心となってできているが，［　イ　］は厚さが５～10kmでほぼ玄武岩である。マントルもほとんどが岩石でできている。火山の噴出で出てくるマグマは地殻やマントルの岩石が溶融してできたものである。核は［　ウ　］を主成分としている。３層の中で［　エ　］が容積の80％を占め，地球の内部の大部分を占めている。

	ア	イ	ウ	エ
1	大陸	海洋	鉄	マントル
2	大陸	海洋	ヘリウム	マントル
3	大陸	海洋	ヘリウム	核
4	海洋	大陸	鉄	核
5	海洋	大陸	ヘリウム	マントル

＊
No.3 地球表面のプレートに関する記述として，妥当なのはどれか。

【地方上級（特別区）・平成22年度】

1 プレートの生まれるところには大規模な地形ができ，大西洋の中央部や東太平洋の海底には，トラフと呼ばれる大山脈がある。

2 ２つのプレートが近づく境界の海底に，一方のプレートが他方のプレートの下に沈み込んでできた大きなくぼんだ地形をフォッサマグナという。

3 太平洋プレートとフィリピン海プレートが沈み込む境界に平行に火山列が走っており，火山列の後面に作られた境界を活断層という。

4 ヒマラヤ山脈は，インド・オーストラリアプレートとユーラシアプレートのトランスフォーム断層によってできたものである。

5 日本列島は，ユーラシアプレート，北アメリカプレート，太平洋プレートおよびフィリピン海プレートの４つのプレートの境界付近に位置している。

＊
No.4 地震に関する記述として，妥当なのはどれか。

【地方上級（特別区）・平成26年度】

1 地震が発生した場所を震央，震央の真上の地表点を震源，震央から震源までの距離を震源距離という。

2 Ｓ波による地震の最初の揺れを初期微動といい，最初の揺れから少し遅れて始まるＰ波による大きな揺れを主要動という。

3 地震による揺れの強さを総合的に表す指標を震度といい，気象庁の震度階数は，震度０から震度７までの10階級となっている。

4 地震の規模を表すマグニチュードは，１増すごとに地震のエネルギーが10倍になる。

5 海洋プレートが大陸プレートの下に沈み込む境界面をホットスポットといい，その付近では巨大地震が繰り返し発生する。

実戦問題1の解説

No.1 の解説　地球の物理的性質

→ 問題はP.406　**正答3**

A○ 重力は，高緯度ほど大きい。

正しい。遠心力は高緯度ほど小さくなるので，高緯度ほど重力は大きい。

B× 重力加速度は，物体の質量によらず一定。

重力加速度の大きさは物体の質量に依存しない。

C○ 上空で等圧線に平行に吹く風を地衡風という。

正しい（テーマ3を参照）。摩擦力の働かない上空では，気圧傾度力とコリオリの力がつり合うように空気は動き，これを地衡風という。北半球では，低圧部を進行方向右向きにみるような向きで，等圧線に平行に吹く。

よって，正答は**3**である。

No.2 の解説　地球の内部構造

→ 問題はP.406　**正答1**

地球の内部構造は，表面から**地殻**，**マントル**，**核**に区分できる。地殻は，大陸部分と海洋部分で異なっており，大陸地殻は，上部は主に花こう岩質，下部は玄武岩質の岩石からなり，厚さは30～50kmである。海洋地殻はほとんど玄武岩質の岩石からなり，厚さは５～10kmである（厚さは多少異なる見解もある）。したがって**ア**には「大陸」，**イ**には「海洋」が入る。マントルは，上部は主に**かんらん岩**からなり，下部に行くと圧力が上昇するため，異なる鉱物からなると考えられている。マグマは，主にマントルの岩石が部分的に溶融してできると考えられている。核は主に金属の鉄からなる。地球の体積の83％はマントルが占めている。よって**ウ**には「鉄」，**エ**には「マントル」が入る。

よって正答は**1**である。

No.3 の解説　プレートとその運動

→ 問題はP.407　**正答5**

1× プレートが生成される（中央）海嶺と呼ばれる大山脈がある。

プレートが生まれるところには，**海嶺（中央海嶺）**と呼ばれる海洋底の大山脈が存在する。海嶺では，活発な火山活動によって噴出した玄武岩質マグマにより新しい海洋プレートがつくられている。

2× プレートが他のプレートの下に沈み込むところには海溝ができる。

２つのプレートが近づく境界で，一方のプレートが他方のプレートの下に沈み込んでいくところには，大きなくぼんだ地形ができる。一般にこのくぼんだ地形のうち6000m以上の深さがあるものを**海溝**，浅いものを**トラフ**という。なお，**フォッサマグナ**とは，本州中央部を南北に縦断する地溝帯のことで，その西縁に糸魚川－静岡構造線がある。

3× 海溝と平行にできる火山の列を火山フロント（火山前線）という。

日本列島で，太平洋プレートとフィリピン海プレートが沈み込む境界に平行に走る火山列の東側の境界（火山分布の海洋側の境界）を**火山フロント（火山前線）**という。**活断層**とは，第四紀に活動し，今後も活動する可能性のある断層のことである。

4 × 海嶺付近でプレートが平行にすれ違う部分がトランフォーム断層である。
ヒマラヤ山脈はインド・オーストラリアプレートとユーラシアプレートという２つの大陸プレートが衝突する境界にできた山脈である。**トランスフォーム断層**とは，海嶺の軸がずれたところで，プレートがすれ違うようにして生じる横ずれ断層のことで，ヒマラヤ山脈とは無関係なので誤り。

5 ◎ 日本は４つのプレートの境界に位置し，地殻変動が活発である。
正しい。日本列島は，ユーラシアプレート(西日本)と北米プレート(東日本)の上に乗り，その下にフィリピン海プレートと太平洋プレートが沈み込んでいる。

No.4 の解説　地震

→ 問題はP.407 **正答３**

1 × 地震の発生した場所を震源という。
地震が発生した場所が**震源**であり，その真上の地表の地点が**震央**である。**震源距離**とは，それぞれの観測地点から震源までの距離のことをいう。

2 × P波による最初の揺れが初期微動である。
Ｐ波による地震の最初の揺れが**初期微動**，Ｓ波による揺れを**主要動**というので誤りである。Ｐ波は縦波であり，Ｓ波は横波である。地殻中を伝播する速度がＰ波のほうが速いために，Ｐ波のほうが先に到着する。Ｐ波が到達してからＳ波が到達するまでの時間をP-S時間（初期微動継続時間）といい，この長さは震源距離と比例している。

3 ◎ 地震の揺れの程度は震度で表す。
正しい。各観測地点での地震の揺れの強さは**震度**で表される。日本では気象庁の定めた震度階が用いられ，震度０から震度７までの（震度５と６は弱と強に細分される）10段階となっている。

4 × マグニチュードが１大きいとエネルギーは約32倍。
地震の規模（地震によって放出されるエネルギーの総量）は**マグニチュード**によって表される，マグニチュードが２増すごとに地震のエネルギーは1000倍になる。マグニチュードが１増すと地震のエネルギーは約32倍になる。

5 × ホットスポットは，プレート境界とは無関係に火山活動が発生。
海洋プレートが大陸プレートの下に沈み込んでいる場所には，海底に深い溝のような地形が見られ，**海溝**（深さが6000ｍより浅い場合は**トラフ**）と呼ばれており，海溝に沿った大陸側で巨大地震が繰り返し発生している。**ホットスポット**とは，ハワイのような，プレート境界から離れたところにありながら火山活動が活発な場所のことである。

実戦問題❷　応用レベル

＊＊
No.5　地球を構成する物質に関する記述として最も妥当なのはどれか。

【国家専門職・平成22年度】

1　原始地球の大気は，主に酸素，メタン，アンモニアから成っていたが，長い年月をかけて化学反応が進み，現在の大気の組成（H_2Oを除いた体積比）は，窒素が７割，酸素が２割，二酸化炭素が１割程度となっている。

2　地表から高度10km付近までは対流圏と呼ばれ，そこから高度50km付近までは，窒素，酸素等の大気成分が分子量の大きさ順におおむね独立した層を成して存在しており，成層圏と呼ばれている。成層圏より上空は大気成分が希薄なため，極めて低温になっている。

3　地殻中に存在する金属元素を質量パーセントで比較すると，最も多いのはカルシウム，次いでアルミニウムとなっている。天然では，カルシウムは主に炭酸塩となり石灰石として存在し，アルミニウムはイオン化傾向が極めて小さいため主に単体で存在する。

4　地殻中に存在する非金属元素を質量パーセントで比較すると，最も多いのは酸素，次いでケイ素となっている。天然では，ケイ素は酸素と共有結合して二酸化ケイ素として存在し，これが石英をはじめ多くの鉱物の主成分となっている。

5　海水１kgには約３gの塩分が溶けており，その大部分は塩化カリウムである。塩分濃度は一般に水深が深いほど低くなるが，これは水深が深くなるほど海面からの水分の蒸発による影響を受けにくくなるからである。

＊
No.6　地球の内部構造に関する記述として，妥当なのはどれか。

【地方上級（特別区）・令和２年度】

1　地球の内部構造は，地殻・マントル・核の3つの層に分かれており，表層ほど密度が大きい物質で構成されている。

2　マントルと核の境界は，モホロビチッチ不連続面と呼ばれ，地震学者であるモホロビチッチが地震波の速度が急に変化することから発見した。

3　地殻とマントル最上部は，アセノスフェアという低温でかたい層であり，その下には，リソスフェアという高温でやわらかく流動性の高い層がある。

4　地球の表面を覆うプレートの境界には，拡大する境界，収束する境界，すれ違う境界の３種類があり，拡大する境界はトランスフォーム断層と呼ばれる。

5　地殻は，大陸地殻と海洋地殻に分けられ，大陸地殻の上部は花こう岩質岩石からできており，海洋地殻は玄武岩質岩石からできている。

＊＊
No.7　地球を取り巻く環境についての以下の記述のうち，正しいのはどれか。

【地方上級（全国型）・平成21年度】

1　地球は北極をＳ極，南極をＮ極とする巨大な磁石であり，これが地球外からの荷電粒子の侵入を防いでいる。

2　地球の大気には，太陽放射の大部分を遮り，地表からの地球放射（赤外線）を通す働きがある。このため，地表の温度は低温に保たれている。

3　海の表層は風があるため循環しているが，深層は循環しない。このため，深層水に含まれる成分は地域によって大きく異なる。

4　プレートテクトニクスの理論によれば，プレートが生まれるところではヒマラヤのような大山脈が，プレートが地下に沈み込むところでは海嶺や海溝ができる。

5　地球の核は，マントルの下に位置し主に炭素によって構成されているが，常に高温であるため内核，外核ともに液体である。

＊＊
No.8　地震に関する記述として最も妥当なのはどれか。

【国家専門職・平成27年度】

1　地震発生と同時に，地震波であるＰ波とＳ波は震源から同時に伝わり始めるが，縦波であるＰ波のほうが横波であるＳ波より速く伝わる。両者の波の観測点への到達時刻の差を初期微動継続時間といい，震源から観測点までの距離に比例してこの時間は長くなる。

2　地球内部は地殻，マントル，核の３つに分けられる。マントルは，地震が発生した際にＳ波が伝わらないことから固体であると推定され，核は，Ｐ波の伝わる速度がマントルに比べて速いことから液体であると推定されている。

3　世界で起きる地震は，プレート内部の地殻深部で起きるものが多い。わが国で地震の発生が多いのは，日本列島全体が太平洋プレートの上にあるからであり，アルプス－ヒマラヤ地域で比較的発生が多いのも，この地域がユーラシアプレートの中央に位置しているからである。

4　地震の大きさは，通常，マグニチュードと震度で表される。マグニチュードは地震の規模を示し，地震波のエネルギーは，マグニチュードが１大きくなると約２倍になる。一方，震度は地震の強さを示し，震度が１大きくなると，地震の伝達範囲は４倍に広がる。

5　断層は地震による地層のずれで発生し，ずれ方によって正断層と逆断層の２つのいずれかに分類される。逆断層は，断層面が滑りやすく地震が発生するたびにずれる断層で活断層とも呼ばれる。一方，正断層は一度ずれると断層面が固着するので，再び地層がずれることはない。

実戦問題❷の解説

No.5 の解説　地球の構成

→ 問題はP.410　正答４

1 × 酸素はもともとの地球大気には含まれず，生物の光合成で作られた。

地球が誕生した頃の原始大気は主にヘリウムと水素からなっていたが，その大半は太陽風に吹き飛ばされ失われてしまったと考えられている。その後，火山活動などによってもたらされた新たな原始大気が形成され，その主成分は二酸化炭素で，微量の窒素･水蒸気･一酸化炭素を含んでいたと考えられている。酸素は大気中にはほとんど存在していなかった。その後，海洋が形成されると二酸化炭素が海洋に吸収され，また光合成をする生物が出現すると，二酸化炭素が消費され酸素が放出されるなどして大気の組成が変化し，現在に至っている。現在の地球大気の組成は，窒素が約８割，酸素が約２割で，二酸化炭素は約0.04％にすぎない。

2 × 地球の大気層はその温度変化の構造により分類されている。

地球の大気層はその気温変化により区分されていて地表から10kmほどまでを**対流圏**，その上約50kmまでを**成層圏**という。地表から約80kmまでの大気はよく混合されており，成分比はほぼ一定である。また，成層圏より上部の**中間圏**では大気は低温であるが，その上の**熱圏**では再び上昇を始め，200km以上では600℃を超える高温となる。

3 × 地殻中の金属元素で最も多いのはアルミニウム，鉄の順である。

地殻に存在する元素を多い順位に並べると，O，Si，Al，Fe，Ca，Na，Mgとなる。酸素Oとケイ素Siは金属ではないので，地殻中で最も多い金属元素はアルミニウムAlである。アルミニウムは，長石や雲母といった鉱物に含まれ，イオン化傾向が大きいため単体では存在しない。カルシウムCaは主に炭酸塩となり石灰岩に含まれる。

4 ◎ 地殻中の非金属元素で最も多いのは酸素，ケイ素の順である。

正しい。岩石を構成する鉱物の多くは**ケイ酸塩鉱物**であり，その主成分は二酸化ケイ素である。

5 × 海水中の塩分の大部分は塩化ナトリウムである。

海水１kg中には，およそ35gの塩分が溶けている。その大部分（約78％）は塩化ナトリウム（NaCl）である。塩分濃度は，海の表層では降雨や蒸発などの影響を受けるために変動が大きいが，水深が深くなると変化は少なくなる。ただし，深層の塩分濃度が低いとはいえない。

No.6 の解説　地球の内部構造

→ 問題はP.410 **正答5**

1 × **地球内部は深部ほど密度の高い物質からなる。**
地球の内部は，表面から**地殻・マントル・核**に区分されている。地殻とマントルは岩石，核は金属鉄からできており，深部ほど，圧力も高まるため，密度の高い物質から構成されている。

2 × **地殻とマントルの境界をモホロビチッチ不連続面という。**
地殻とマントルの境界面を**モホロビチッチ不連続面（モホ面）**と呼ぶ。これは，ユーゴスラビアの地震学者のモホロビチッチが，地震波の速さが急に速くなることから発見した。マントルと核の境界は，グーテンベルク不連続面と呼ばれる。

3 × **リソスフェアは固い岩盤からなる。**
地表近くの岩石は大気や海洋により冷却されるため，深部に比べて硬く，地殻とマントルの最上部を合わせて**リソスフェア**と呼ぶ。リソスフェアは十数枚のプレートに分かれている。リソスフェアの下部は高温のため岩石がやわらかくなっており，流動性を持っており，**アセノスフェア**と呼ぶ。

4 × **プレートがすれ違う境界はトランスフォーム断層である。**
地球上のプレートは，それぞれ異なる方向へ運動しており，その境界は**拡大する境界**，**収束する境界**，**すれ違う境界**の３種類がある。プレートは拡大する境界で作られ，移動し，収束する境界で地球内部に沈み込んでいる。すれ違う境界は**トランスフォーム断層**と呼ばれ，横ずれ断層の一種である。アメリカ西海岸にあるサンアンドレアス断層はその代表例である。

5 ◎ **大陸地殻上部は花こう岩質岩石，海洋地殻は玄武岩質岩石からなる。**
正しい。大陸地殻は厚く，上部は花こう岩質の岩石，下部は玄武岩質の岩石からなる。海洋近くは薄く，玄武岩質の岩石からなる。

No.7 の解説　地球を取り巻く環境

→ 問題はP.411　**正答 1**

1 ◎ 地球の磁場は，太陽からの荷電粒子を遮っている。

正しい。地球の磁場は，地球の中心に北極側がＳ極，南極側がＮ極となるような巨大な棒磁石があるのと同じようなものとなっている。したがって，方位磁針のN極は北を，S極は南をさすのである。この磁場が，主に太陽からやってくる電気を持った粒子（放射線の一種なので，生物にとって有害）が地表に到達するのを防いでいる。

2 × 地球の大気は太陽放射を通し，地球放射を吸収する。

地球の大気は可視光線（太陽放射の多くを占める）は比較的よく通すが，赤外線（地球放射の大部分を占める）は吸収する性質があり，これにより地球表層の気温は高めに保たれている。これを地球大気の**温室効果**という。

3 × 海水は深層にもゆっくりとした循環がある。

海水の循環は深層にも存在するので誤り。しかし，深層の循環は非常にゆっくりしたものであり，海水の密度差によって生じると考えられている。海水は，このようによく混合されているため，含まれる塩分の濃度は場所によって異なるものの，イオンの含有比率はどこでもほぼ一定となっている。

4 × プレートは海嶺で作られ，海溝で沈み込む。

海嶺は火山活動によって新しい海洋プレートが生まれるところであり，ヒマラヤのような大山脈は，大陸プレートどうしが衝突することによって形成されるので誤り。**海溝**は，海洋プレートが大陸プレートの下に沈み込むところにできる。

5 × 地球の核は主に鉄からなる。

地球の核は主に鉄によって構成されニッケルも含まれていると考えられており，外核は液体，内核は固体であるので誤り。

No.8 の解説　地震の性質

→ 問題はP.411　**正答 1**

1 ◎ P波到達からS波到達までの時間を初期微動継続時間と呼ぶ。

正しい。地震波には**P波**（Primary Wave）と**S波**（Secondary Wave）があり，地震発生と同時に両方の波が放出される。P波の速度はS波の速度より速いので観測点にはP波が先に到達し，その揺れを**初期微動**という。後に到達するS波による揺れが**主要動**で，P波が到達してからS波が到達するまでの時間を**初期微動継続時間（P-S時間）**という。

2 × 横波であるS波は固体中は伝わるが液体中は伝わらない。

地球の内部は，表面から地殻・マントル・外核・内核に区分されている。地震のうち，縦波であるP波は固体中も液体中も通過するが，横波であるS波は固体中しか通過できない。このことから，地球内部のうち外核のみが液体であることが推定された。

3 × 太平洋プレートは日本列島の下に潜り込むプレートである。

地震のうち震源の深さが60km程度より浅いものを浅発地震と呼ぶことが多いが（明確な定義はない），**世界で起こる地震のうち80%以上が浅発地震**といわれている。日本列島は北アメリカプレートやユーラシアプレート上に位置し，その下に太平洋プレートやフィリピン海プレートが沈み込んでいる。そのため，プレートの沈み込みに沿って，浅発地震も深発地震も発生するのが特徴である。また，アルプス－ヒマラヤ地域で地震の発生が多いのは，大陸プレートどうしが衝突している造山帯であるためである。

4 × マグニチュードが２増えると地震のエネルギーは1000倍になる。

マグニチュードは地震の規模を示す数値で，**マグニチュードが２増えるとエネルギーは1000倍**，１増えると約32倍となる。震度は，各観測地点における地震の揺れの程度を震度０～７の10段階（５と６は弱と強に細分）で示すもので，地震の伝達範囲とは無関係である。一般的には，マグニチュードが大きい地震ほど，遠くまで揺れが伝わる傾向がある。

5 × 断層が活動することによって地震が発生する。

地殻に力が加わることによりずれが生じるのが断層で，断層がずれることにより地震が発生する。断層は，そのずれ方により**正断層**，**逆断層**，**横ずれ断層**に分類される。活断層とは，過去数十万年前以降に繰り返し活動し，これからも活動すると予想される断層のことである。活断層には正断層も逆断層も含まれる。

地球の構成物質と火山

必修問題

火山活動に関する記述A～Dのうち，妥当なもののみを挙げているのはどれか。

【国家専門職・平成25年度】

A：マントルの一部が溶けて発生したマグマは，周りの岩石より密度が小さく，液体であるため移動しやすいので，上昇する。マグマは，一時，火山の下の**マグマだまり**に蓄えられる。マグマにはH_2OやCO_2などの揮発性成分も含まれており，マグマだまりの中でその圧力が高まると，岩石を打ち破ってマグマが地表に噴出する。

B：火山の噴火のしかたや形状はさまざまであり，マグマの粘性やその成分の量と関係が深い。マグマの粘性は，一般にSiO_2成分が多くなるほど小さくなる。粘性の小さな溶岩が流出してできるのが**溶岩円頂丘（溶岩ドーム）**であり，わが国では阿蘇山のものが有名である。一方，粘性の大きな溶岩が噴出して形成された火山を**盾状火山**といい，わが国では有珠山が有名である。

C：火山は世界各地に存在するが，ハワイのようにプレートの境界に存在する火山島を除き，その多くはプレート内部に分布するものである。わが国の火山は主に太平洋プレート内部に位置するが，活火山は桜島や雲仙岳，三原山など少数であり，大多数は100年以上噴火記録のない富士山や浅間山など活火山には分類されない火山である。

D：マグマが固まってできた岩石が**火成岩**であり，その固まり方によって多様な岩石ができる。**深成岩**はマグマが深いところでゆっくり固まったものであり，同じような粒度を持つ鉱物からなる**等粒状組織**を示すことが多い。一方，**火山岩**は，地表や地表近くでマグマが急速に冷えて固まってできたものであり，**斑晶**と**石基**からなる**斑状組織**を示す。

1 A, B　　**2** A, C
3 A, D　　**4** B, C
5 C, D

難易度 ＊＊

必修問題の解説

火山活動の仕組みに関する問題である。火山に関してはよく出題されている分野である。その中でも特に，溶岩の粘性と火山噴火の様式や火山の形との関係，火成岩の分類，火山の分布の分野は頻出分野なのでしっかり整理して覚えておこう。

A○ マグマはマグマだまり中に蓄えられ，圧力が上昇すると火山噴火になる。
岩石が高温で液体状になったものを**マグマ**という。マントル（かんらん岩質）が部分溶融することによって発生する。マグマは周囲の岩石より密度が小さいため，浮力が生じて上昇し，火山の地下数kmにある**マグマだまり**に一時蓄えられる。マグマ中には水H_2Oをはじめとする揮発性成分（二酸化硫黄SO_2，二酸化炭素CO_2など）が溶け込んでいるが，それらの成分が分離して圧力が高まり，マグマや火山ガスが地表に噴出すると噴火となる。

B× 粘性の大きな溶岩からは溶岩ドームが，小さい溶岩からは盾状火山ができる。
マグマの粘性は，一般に二酸化ケイ素（SiO_2）成分が多くなるほど粘性が大きくなる。マグマの粘性と火山の噴火のしかたや形状とは関係が深い。粘性が低い玄武岩質マグマでは，噴水のように溶岩を噴出する比較的穏やかな噴火をすることが多く，多量の溶岩を噴出し緩やかな裾野の**盾状火山**をつくる。日本には純粋な盾状火山は存在しないが，伊豆大島三原山がそれに近い。一方，粘性の大きい流紋岩質マグマでは爆発的な噴火を起こし，昭和新山や雲仙普賢岳のような**溶岩円頂丘（溶岩ドーム）**をつくる。

C× 火山が多く分布するのはプレート境界である。
地球上には約1500もの火山が存在するが，その多くは特定の地域に集中している。最も火山が多く存在するのは，プレートの収束境界である**島弧ー海溝系**で，日本列島は典型的な例である。そのほか，プレートの発散境界である**海嶺**にも火山が存在する。またハワイ列島はプレートの内部に存在する火山列島で，**ホットスポット**上に存在する火山である。現在日本では，「おおむね過去１万年以内に噴火した火山および現在活発な噴気活動のある火山」を活火山と定義しているが，現在日本にはおよそ110の活火山があり，世界でも有数の火山国である。富士山や浅間山も活火山に分類される。

D○ マグマが固まってできた火成岩には深成岩と火山岩がある。
正しい。マグマが固まってできた岩石を**火成岩**といい，その固まり方の違いで**深成岩**と**火山岩**に分類される。マグマが地下深くでゆっくり固まると**等粒状組織**を示す**深成岩**となる。マグマが地表や地表近くで急冷されて固まると**斑晶**と**石基**からなる**斑状組織**を示す火山岩となる。火成岩の分類は頻出事項なので，しっかり覚えておこう（重要ポイント２参照）。

よって，AとDが正しいので，正答は**3**である。

正答 3

FOCUS

火山活動と，それに伴う火山地形に関する出題が増加傾向にあるので，しっかりまとめておくことが必要である。また併せて，火成岩を中心にして，岩石の分類もしっかり覚えておこう。岩石の分類は覚えているかどうかが勝負なので，確実に覚えておかないと正答にたどりつけないからである。

POINT

重要ポイント 1　鉱物の性質

(1) 鉱物：岩石は鉱物の集合体であり，岩石を作っている鉱物を**造岩鉱物**という。その多くは酸素Oとケイ素Siを主成分とすることから**ケイ酸塩鉱物**と呼ばれている。

火成岩を構成する主な造岩鉱物は，石英，斜長石，カリ長石（正長石）の**無色鉱物**と，黒雲母，角閃石，輝石，かんらん石の**有色鉱物**がある。無色鉱物はナトリウムNaやアルミニウムAlを比較的多く含み，有色鉱物は鉄FeやマグネシウムMgを多く含み，密度が大きい。

(2) 固溶体：ケイ酸塩鉱物は，４個の酸素と１個のケイ素が結びついたSiO_4四面体が配列してその骨格を作り，その骨格のすき間にFeやMg，Caなどの金属イオンが入り込んだ構造をしている。大きさの似ている金属イオンは比較的自由に置き換わることができるため，造岩鉱物の多くは化学組成が連続的に変化する。このようなものを**固溶体**といい，石英以外のケイ酸塩鉱物の大半は固溶体である。

重要ポイント 2　火成岩の分類と特徴

マグマが冷却され固まってできた岩石を**火成岩**という。

(1) 火山岩：マグマが地表もしくは地表近くで冷却固結した岩石を火山岩という。マグマが急冷すると非晶質や細粒の結晶が多くなり，これを**石基**という。一方，マグマが噴出する前から結晶していた一部の鉱物は大粒な**斑晶**となる。石基と斑晶からなる組織を**斑状組織**という。

(2) 深成岩：マグマが地下の深い所でゆっくり冷え固まると，すべて大粒の結晶だけからなる**等粒状組織**の岩石ができる。これを深成岩という。

(3) 鉱物組成の違い：無色鉱物の割合が多いと色調の白い岩石となり，有色鉱物の割合が多いと黒っぽい岩石となる。主な火成岩は表に示したとおりである。

二酸化ケイ素の含有量〔%〕		多 い ← 63%	52%	→ 45%	少ない
		（酸性岩）	（中性岩）	（塩基性岩）	（超塩基性岩）
斑状↑（組織）↓等粒状	火 山 岩	流紋岩	安山岩	玄武岩	
	深 成 岩	花こう岩	閃緑岩	斑れい岩	かんらん岩
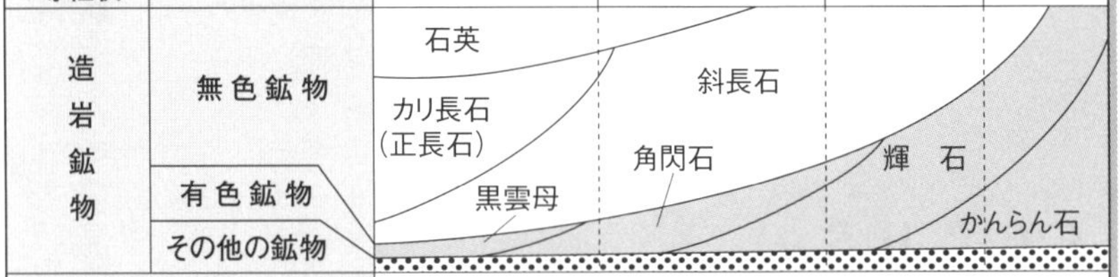 造岩鉱物	無 色 鉱 物	石英 カリ長石（正長石）	斜長石		
	有 色 鉱 物	黒雲母	角閃石	輝 石	かんらん石
	その他の鉱物				
		白っぽい ←	（色）	→ 黒っぽい	
		約2.6 ←	（比重）	→ 約3.2	

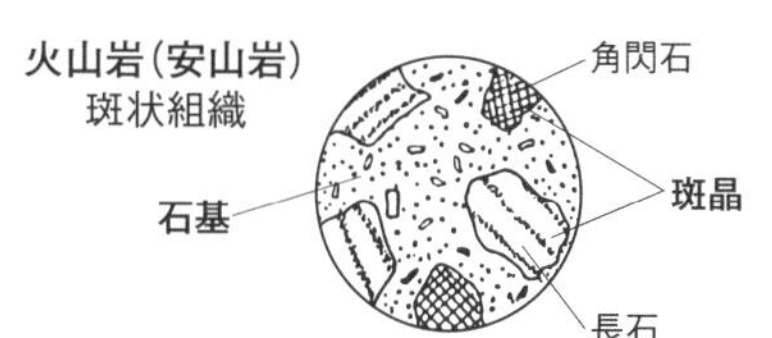

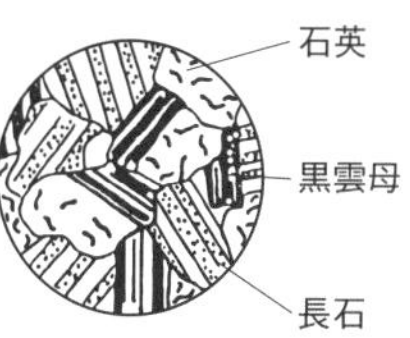

重要ポイント3 火山活動

(1) マグマと火山活動

マグマはマントル上部で発生すると考えられている。マントルを構成するかんらん岩が一部溶融し，玄武岩質のマグマが発生する。発生したマグマは地下数kmまで上昇し**マグマだまり**を作る。マグマだまりの圧力が上昇し，地表に通じる通路（火道）が開くと火山噴火が発生する。

(2) 噴火の形式と火山の形

①**溶岩の性質と火山噴火**：火山の噴火のしかたは，主にマグマの**粘性**と含まれる**ガス成分の量**によって決まる。

溶岩の性質				噴火の激しさ	火山の形	火山の例
温度	粘性	SiO_2の含有量	溶岩の種類			
高い（1200℃）	低い（流動しやすい）	少ない	玄武岩	穏やか	（アスピーテ）盾状火山	マウナロア山（ハワイ）など
↕	↕	↕	玄武岩 安山岩	小爆発の連続	（コニーデ）成層火山	富士山・浅間山 岩木山など
低い（800℃～1000℃）	高い（粘り強い）	多い	流紋岩	粘りの強い溶岩を押し出すときに大爆発	溶岩ドーム（溶岩円頂丘）	箱根二子山 昭和新山など

②**火山噴火の様式**：極めて激しく爆発し，大量の火山灰や軽石を降らせる噴火を**プリニー式**といい，カルデラが形成されることもある。溶岩を爆発的に噴出する噴火を**ブルカノ式**，溶岩やスコリアを間欠的に噴出する噴火を**ストロンボリ式**，溶岩を山頂や山腹の割れ目から噴水のように噴出する噴火を**ハワイ式**という。

③**噴火に伴うさまざまな現象**

火砕流：熱い火山灰や軽石などの火砕物が，高温の火山ガスや空気と混じり，斜面を高速で流れ下る現象。発生予測が困難で非常に危険な現象で，大規模な災害を引き起こすこともある。

土石流・泥流：山腹に積もった火山灰などが，雨などにより流れ出て濁流となり，災害をもたらすことがある。特に泥の成分が多いときを泥流という。

④**カルデラ**：火山体の中心近くにできた円形のくぼ地で直径が2km以上のもの。本来のカルデラは地形をさすもので成因は関係ないが，カルデラの大半は，マグマを大量に噴出する噴火の後に，マグマだまりに大きな空隙ができ，その上の岩盤が陥没してできたものである。

重要ポイント 4 堆積岩のでき方と分類

堆積物が固結してできた岩石を**堆積岩**といい，堆積物が固結していく過程を**続成作用**という。堆積岩の分類は，次の表のようになる。

分類	成因	堆積物	岩石名
砕せつ岩	風化・侵食によってできた岩石の破片（砕せつ物）が堆積	（粒径で分類） 細　泥（$\frac{1}{16}$mm以下） ↕　砂（$\frac{1}{16}$～2mm） 粗れき（2mm以上）	泥岩，頁岩（板状のもの） 砂岩 れき岩
火山砕せつ岩	火山灰や軽石などの火山噴出物が堆積	火山灰 火山灰と火山岩片	凝灰岩 凝灰角れき岩
生物岩	生物の遺骸（殻など）が堆積	フズリナ・サンゴ・貝殻など（$CaCO_3$成分） 放散虫・珪藻（SiO_2成分）	石灰岩 チャート
化学岩	水中の溶解成分が沈殿し堆積	$CaCO_3$ SiO_2 NaCl	石灰岩 チャート 岩塩

重要ポイント 5 変成岩の特徴と分類

(1) 接触変成岩：マグマの貫入などによる熱で変成を受けてできた岩石。砂岩や泥岩からは**ホルンフェルス**と呼ばれる硬くて角ばって割れる岩石ができ，石灰岩からは**結晶質石灰岩**（大理石）ができる。

(2) 広域変成岩：主として圧力による変成を受けてできた岩石で，造山帯の中心付近に広く帯状に分布する。広域変成岩は主として圧力による変成を受けた岩石であるが，その中でも比較的，高温・低圧型の変成の場合は結晶粒が大きくなり，しま状構造の見える**片麻岩**となる。一方，比較的低温・高圧型の変成の場合は結晶粒が小さく，薄く平らに割れやすい**結晶片岩**ができる。

実戦問題　基本レベル

＊
No.1　火山に関する記述として，妥当なのはどれか。

【地方上級（東京都）・令和２年度】

1　火砕流は，噴火によって解けた雪など多量の水が火山砕せつ物と混ざって流れ下る現象である。

2　大量の火山灰や軽石が一度に大量に噴出すると，インドのデカン高原のような大規模な溶岩台地が形成される。

3　ハワイ式噴火は，粘性の高いマグマが間欠的に爆発的噴火を引き起こすものであり，例としてハワイ島のマウナロア火山の噴火がある。

4　粘性が低い玄武岩質のマグマが繰り返し噴出すると，富士山のような円錐形の成層火山が形成される。

5　ホットスポットは，アセノスフェア内の特に温度の高い狭い部分から高温のプルームが上昇して火山活動を行う地点である。

＊＊
No.2　火山活動と災害に関する記述として，最も妥当なのはどれか。

【地方上級（東京都）・令和５年度】

1　火山がある場所はプレート運動に関係し，海嶺・沈み込み帯といった境界部に多いが，ハワイ諸島のようなプレート内部でも火山活動が活発なアスペリティと呼ばれる場所があり，その場所はプレートの動きにあわせて移動する。

2　水蒸気噴火は，マグマからの熱により熱せられた地下水が高温高圧の水蒸気となって噴出する小規模な噴火で，日本では人的被害が発生したことはない。

3　粘性が低い玄武岩質マグマの噴火では，山頂の火口や山腹の割れ目から溶岩が噴出し溶岩流となり，時速100km以上の高速で流れることもあるため，逃げることは難しい。

4　高温の火砕物が火山ガスとともに山体を流れる火砕流は，流れる速度が遅いため，逃げ場さえあれば歩いて逃げることもできることが多い。

5　都の区域内で住民が居住している火山島のうち，特に活発に活動している伊豆大島と三宅島では，過去の噴火で住民が避難する事態が発生したことがある。

* **No.3 地球の岩石に関する記述として，妥当なのはどれか。**

【地方上級（東京都）・令和元年度】

1 深成岩は，斑晶と細粒の石基からなる斑状組織を示し，代表的なものとして玄武岩や花こう岩がある。

2 火山岩の等粒状組織は，地表付近でマグマが急速に冷却され，鉱物が十分に成長することができる。

3 火成岩は，二酸化ケイ素（SiO_2）の量によって，その多いものから順に酸性岩，中性岩，塩基性岩，超塩基性岩に区分されている。

4 火成岩の中で造岩鉱物の占める体積パーセントを色指数といい，色指数の高い岩石ほど白っぽい色調をしている。

5 続成作用は，堆積岩や火成岩が高い湿度や圧力に長く置かれることで，鉱物の化学組成や結晶構造が変わり，別の鉱物に変化することである。

** **No.4 岩石や鉱物に関する記述として最も妥当なのはどれか。**

【国家専門職・平成26年度】

1 ダイヤモンドや黒鉛（石墨）は，ともに炭素からなる鉱物であるが，まったく異なる結晶構造を持つ。ダイヤモンドの結晶は硬度が高いのに対し，黒鉛の結晶は硬度が低い。このように化学組成が同じでも結晶構造が異なると別の鉱物として扱われる。

2 堆積岩のうち，流紋岩は貝殻などが集積してできたものであり，これが海底などの圧力により変成したものが大理石である。また，凝灰岩はプランクトンなどが集積してできたものであり，これが変成したものがチャートである。

3 玄武岩は，黒雲母が広範囲で同じ温度，同じ圧力を長時間受けて生じた変成岩の一種であり，岩石の組織が粒状で緻密な結晶の集合体である。長石とは外観が似ているが，玄武岩は縦や横に割れる性質を持たないので，この性質で両者を判別できる。

4 水晶はかんらん石が結晶化したものであり，ミョウバンは石英が結晶化したものである。これらの結晶は，一般に硬度や透明度が高いため宝石の原料となり，時計の軸受け（ベアリング）など工業用にも利用されている。

5 火成岩のうち，安山岩は，地下でマグマがゆっくり冷えて固まった深成岩に属し，ガラス質の物質が多く含まれている。一方，花こう岩は，地表またはその近くでマグマが急速に冷えて固まった火山岩に属し，石材としては御影石と呼ばれる。

実戦問題の解説

No.1 の解説　火山　→ 問題はP.421　正答5

1 ×　火砕流は火山砕せつ物と火山ガスが混合したもの。
火山砕せつ物（軽石や溶岩，火山灰など）が高温の火山ガスと混ざり合いながら高速で斜面を流れ下る現象が**火砕流**である。噴火によって解けた雪と火山砕せつ物が混ざり合って流れ下る現象は（融雪型）**火山泥流**と呼ばれる。

2 ×　溶岩台地は粘性の低い溶岩からできる。
粘性の低い流れやすい溶岩が繰り返し大量に噴出し，広い範囲に広がってできた台地状の地形が**溶岩台地**である。

3 ×　粘性の低い溶岩が噴き出す噴火をハワイ式という。
ハワイ式噴火は粘性の低い流れやすいマグマが，中心火口や割れ目火口から噴水のように噴出する噴火のことをいい，ハワイのマウナロアやマウナケアがその代表例である。粘性の高いマグマが間欠的に爆発的な噴火を引き起こすのは**ブルカノ式噴火**と呼ばれ，ブルカノ山（イタリア）や桜島などに見られる。

4 ×　成層火山は溶岩と火山砕せつ物が交互に堆積してできる。
富士山のような円錐形の**成層火山**は，溶岩と火山砕せつ物が繰り返し交互に噴出して重なってできる。玄武岩や安山岩からなっている。粘性の低い玄武岩質の溶岩が繰り返し噴出すると**盾状火山**となる。

5 ◎　ホットスポットはホットプルームでできる。
プレートの分布に関係なく火山活動が活発な場所を**ホットスポット**という。高温の上昇流（ホットプルーム）がマントル内を上昇してくることによってできると考えられている。

よって正答は**5**である。

No.2 の解説　火山噴火と災害　→ 問題はP.421　正答5

1 ×　ハワイはホットスポット上の火山。
火山が存在する主な場所はプレートの発散境界と収束境界であるが，それ以外には**ホットスポット**があり，ハワイやイエローストーン，アイスランド等が相当する。これはマントル中を熱いものが上昇（プルーム）している場所で，プレートの下でマグマが作られるためプレートが運動しても動かない。**アスペリティ**は地震に関係する用語で，プレートの固着域のことである。

2 ×　御嶽山では水蒸気噴火により大きな被害が出た。
水蒸気噴火は地下水などがマグマに間接的に熱せられて起こる爆発的噴火で，比較的小規模であるが，2014年の御嶽山の水蒸気噴火では，多くの死傷者を出した。地下水などがマグマと直接接して起こる噴火は**マグマ水蒸気爆発**といい，大爆発となる。

3 ×　溶岩流の流下速度は通常人の歩く速さ程度。

粘性が比較的低い玄武岩質溶岩は，山頂噴火や割れ目噴火で噴出すると**溶岩流**となるが，流下速度は通常は人の歩く速さ程度である。急斜面の場合でも時速10km程度である。時速100kmにも達する流れは**火砕流**である。

4 × **火砕流は高温高速なため危険な現象。**
高温の火山ガスと火山砕屑物が混合して斜面を流れ下る**火砕流**は，時速100km以上の速さになることがあり，非常に危険な噴火現象である。

5 ◎ **大島や三宅島の噴火では全島避難が行われた。**
1986年の伊豆大島三原山の噴火，2000年の三宅島雄山の噴火では，全島民が島外へ避難した。特に三宅島の噴火の避難は４年５か月に及んだ。2000年の有珠山噴火のように，噴火前の緊急火山情報（噴火予知）により住民が避難し，人的被害が抑えられたこともある。

No.3 の解説　地球の岩石

→ 問題はP.422　**正答３**

1 × **深成岩は等粒状組織を示し，花こう岩，斑れい岩，閃緑岩がある。**
深成岩は，マグマが地下深くでゆっくり固まったもので，大きな結晶が組み合わさった**等粒状組織**を示す。**斑状組織**は大きな結晶の**斑晶**と細粒の結晶やガラスの**石基**からなり，**火山岩**に見られる。

2 × **火山岩は斑状組織を示し，マグマが急冷されてできた部分は石基である。**
火山岩は，マグマが地表や地表近くで急冷されてでき，**斑状組織**を示す。**斑晶**の大きい結晶は，マグマだまり中でマグマがゆっくり冷えて成長した部分で，**石基**の部分が急冷されて結晶が大きく成長できずに固まった部分である。

3 ◎ **火成岩は，含まれる二酸化ケイ素の量により分類されている。**
二酸化ケイ素が多いものから順に**酸性岩（ケイ長質岩）**，**中性岩（中間質岩）**，**塩基性岩（苦鉄質岩）**，**超塩基性岩（超苦鉄質岩）**に分類されている。

4 × **色指数は，火成岩の構成鉱物のうち，有色鉱物が占める割合である。**
岩石を構成する鉱物を**造岩鉱物**といい，白色や透明のものを無色鉱物（FeOを含まない），色が付いている鉱物（FeOやMgOを多く含む）を有色鉱物といい，火成岩中の有色鉱物の割合が**色指数**である。

5 × **続成作用は堆積物が固まって堆積岩になる作用のことである。**
砂や泥などさまざまな堆積物が，長い年月の間に，上に重なっていく堆積物の重荷によって圧縮され，脱水し粒子間の隙間が狭まり，さらに粒子間に新しい鉱物ができて固結して堆積岩となる作用が**続成作用**である。高温高圧で火成岩や堆積岩が変質し別の岩石になるのは**変成作用**で，変成岩ができる。

No.4 の解説　火山岩の性質

→ 問題はP.422　**正答 1**

1 ◎　ダイヤモンドと黒鉛は，成分は同じだが構造が違う。
正しい。ダイヤモンドと黒鉛（石墨）はいずれも炭素からなる鉱物であるが，見た目や硬度などのさまざまな性質が異なるのは，結晶構造（炭素原子の配列のしかた）が異なるためである。このように，化学組成は同じで，結晶構造が異なる鉱物を**多形**（同質異像）の関係という。

2 ×　流紋岩が火成岩の一種。
流紋岩は，堆積岩ではなく火成岩の一種（SiO_2に富む火山岩）である。貝殻やサンゴ，フズリナが集積してできた岩石は**石灰岩**であり，これがマグマの貫入による熱で変成したものが**大理石（結晶質石灰岩）**である。また，**凝灰岩**は火山灰が堆積し固結してできた堆積岩の一種，**チャート**は放散中などのプランクトンが堆積して固結した堆積岩の一種である。

3 ×　玄武岩は火成岩の一種。
玄武岩は火成岩の一種（SiO_2に乏しい火山岩）である。**黒雲母**，**長石**はいずれも，岩石を構成する鉱物の一種である。黒雲母は薄くはがれる性質を持っているが，そのように特定の方向に割れやすい鉱物の性質を**へき開**という。長石は斜長石とカリ長石に細分でき，１～２方向のへき開を持つ。

4 ×　水晶は石英が六角柱状に結晶したものである。
石英のうち形が六角柱状に結晶したものを**水晶**といい，微量成分により着色したものなどは宝石として扱われる。ミョウバンは化学物質の名称であり，鉱物ではない。また，宝石は希少性があり美しい外観を持つ鉱物のことで，科学的な呼び方ではない。

5 ×　安山岩は，マグマが急冷されてできた火山岩の一種。
安山岩は，マグマが地表ないしは地表近くで急冷され固結した火山岩の一種，**花こう岩**は，マグマが地下深くでゆっくり冷えて固結した深成岩の一種である。花こう岩は**御影石**とも呼ばれ，建築などの石材として利用される。

地球の歴史

必修問題

次は地質時代に関する記述であるが，A～Dに当てはまるものの組合せとして最も妥当なのはどれか。

【国家専門職・平成23年度】

地質学においては，地層や化石をもとに，地球の歴史を解き明かす試みがなされている。

進化の速度が速く，種類としての存続期間が限定されていて，しかも地理的分布が広い生物の化石は，その地層ができた時代を決めるのに有効である。このような化石を［ A ］といい，紡錘虫（フズリナ）は［ B ］後期を特徴づける［ A ］として知られている。

また，その生物が生息していた当時の自然環境を知る手がかりとなる化石を［ C ］と呼び，その例として，温暖で浅い海にしか繁殖しない造礁サンゴなどがある。ただし，［ C ］となりうるには，それらの化石がもとの生息地に近いところで化石となることが必要である。

岩石や鉱物に含まれる［ D ］元素は，一定の割合で崩壊して他の元素に変わっていくが，その速度は，それぞれ元素によって決まっている。これを利用することで，岩石や鉱物ができてから何年経過したかを測定できるようになり，地質時代の相対的な新旧関係を示す相対年代を，絶対年代（数値年代）で表現することが可能となった。

	A	B	C	D
1	示準化石	古生代	示相化石	放射性
2	示準化石	中生代	示相化石	揮発性
3	示準化石	中生代	示相化石	放射性
4	示相化石	古生代	示準化石	放射性
5	示相化石	中生代	示準化石	揮発性

難易度 ＊

必修問題の解説

地質時代に関する問題である。地球の歴史の時代区分は生息した生物の特徴をもとにして決められている。過去に生息した生物を知るには化石を調べる方法が有効である。示準化石や示相化石といった化石の分類は大変重要なので，その具体的な例とともにきちんと整理しておこう。

A：時代を決めるのに役立つ化石は「示準化石」である。

地層の年代を決める手がかりになる化石を**示準化石**という。示準化石は，その生物が地理的に広い範囲に多く分布していて，進化の速度が速く種として生息していた時間が短いほどより精確に時代を決めることができる。

B：紡錘虫（フズリナ）は「古生代」の示準化石である。

紡錘虫は古生代の石炭紀からペルム紀に繁栄した生物である。紡錘虫の中にもさまざまな種類があり，時代ごとに生息していた種類が細かく研究されており，古生代の末に突然絶滅しているので，古生代の示準化石として有用である。石灰質の殻を持つので，石灰岩中によく見つかる。そのほかの古生代の示準化石としては，**三葉虫，クサリサンゴ，ハチノスサンゴ，リンボク，ロボク**などがある。中生代の代表的な示準化石としては，**アンモナイト，恐竜，イノセラムスやトリゴニアなどの二枚貝**など，新生代の代表的な示準化石としては，**カヘイ石（ヌンムリテス），デスモスチルス，ビカリア，マンモス**などがある。

C：地層ができた環境を知る手がかりとなるのは「示相化石」である。

地層が堆積した環境を推定するための手がかりとなる化石を**示相化石**という。示相化石としての条件は，特定の環境でのみ生息する生物であることである。具体的には，造礁サンゴのほか，河口や湖などの淡水域にすむシジミ，熱帯から亜熱帯のマングローブ海岸であったことを示すビカリア（新生代新第三紀の示準化石でもある），などがある。

D：絶対年代は「放射性」同位体の半減期から決められる。

今からおよそ何年前といった年数で示した年代を**絶対年代**または放射年代という。絶対年代は**放射性同位体**の**半減期**を用いて決めることができる。放射性同位体は，一定の速さで崩壊して安定な同位体に変化していく。放射性同位体の原子の数がもとの半分になるまでの時間が半減期である。半減期は放射性同位体の種類ごとに決まっており，圧力や温度などの環境によって変化することがない。そこで，岩石中に残された放射性同位体と，それが崩壊して生じた安定同位体の数の比から，岩石のできた絶対年代を知ることができる。

よって，正答は**1**である。

正答 1

FOCUS

幅の広い知識が要求される分野なので，重要用語を核にして知識を整理しておこう。また，各地質時代の名称や代表的な示準化石はしっかり覚えておくことが必要である。なお，2009年に地質時代区分の見直しと変更が行われているので，それ以前に出た教科書等で勉強する際は注意が必要である。

POINT

重要ポイント 1 地層構造

(1) 断層：地層や岩石がある面を境にして，その両側が相対的に食い違った構造を**断層**という。水平方向に引き離すような力がかかると**正断層**，押し縮める力がかかると**逆断層**ができる（右図参照）。活断層は地震の原因にもなる。

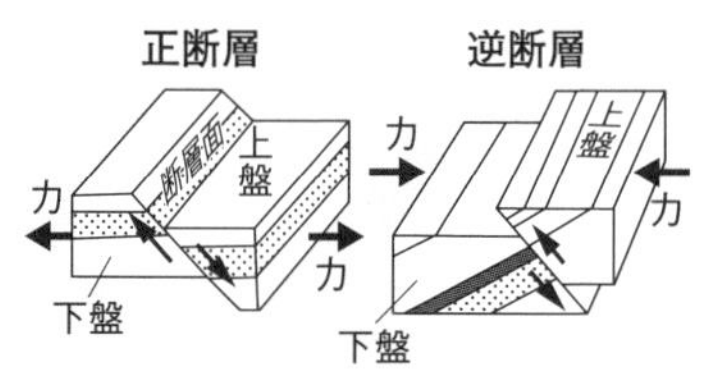

(2) 褶曲：岩石や地層に水平方向の力が働き，折れ曲がり波形に変形した構造を**褶曲**という。造山帯では，褶曲構造が発達している。

(3) 不整合：地層は，普通連続的に下から上へ堆積していく。この重なりの関係を**整合**という。一方，上下に重なる２つの地層の間に，長期間にわたる堆積の中断がある場合を**不整合**といい，その境界面を不整合面という。不整合は，激しい地殻変動や大規模な海水準面の変動があったことを示している。

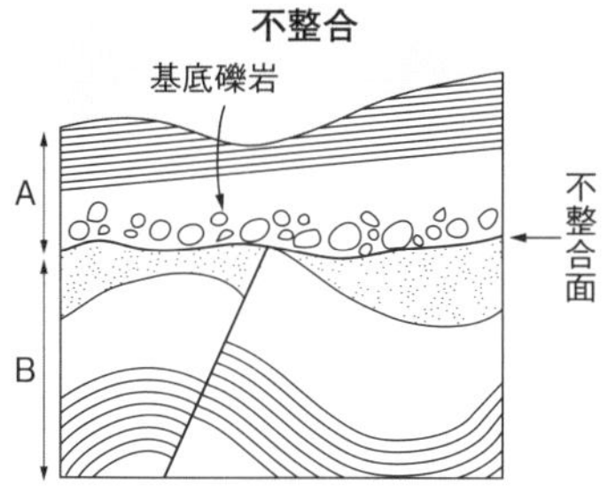

Bの地層が堆積し,褶曲断層の形成後,侵食を受け,その後,Aが堆積した

(4) 地層の新旧判定：①褶曲などによる地層の上下の逆転がなければ「上位の地層は下位の地層より新しい」（**地層累重の法則**）②断層や火成岩の貫入，不整合面はそれにより切られている地層よりも後にできた。③接触変成作用を与えている火成岩体は，変成を受けた岩石より新しい。これらの諸点に注意して，地層や地質構造の順序を決める。

岩石の新旧関係の例

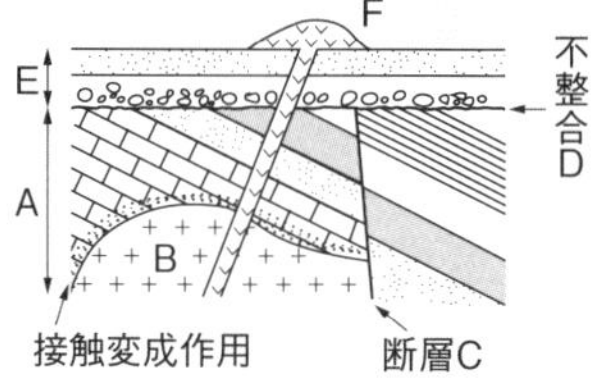

A層の形成→深成岩Bの貫入→断層Cの形成→不整合Dの形成→E層堆積→火山岩Fの噴出

重要ポイント 2 化石の役割

(1) 示準化石：**地層の年代を知る手がかり**になる化石で，種としての生存期間が短く，多量に産出し，広く分布する化石が有効である。示準化石によって地質時代を区分している。

(2) 示相化石：**地層が堆積した当時の気候や古地理を推定するのに役立つ**化石を示相化石という。特定の環境に生息する生物の化石が有効で，たとえば，温暖な浅い海に住む造礁性サンゴなどがある。

重要ポイント 3 地質時代の区分と生物の変遷

地質時代の区分は，生物の変遷や，地質や岩石の特徴をもとに行う。地質時代の区分と生物の変遷，主な出来事を下の表に示した。

		先カンブリア時代			古生代						中生代			新生代		
地質時代		冥王代	始生代（太古代）	原生代	カンブリア紀	オルドビス紀	シルル紀	デボン紀	石炭紀	ペルム紀（二畳紀）	トリアス紀（三畳紀）	ジュラ紀	白亜紀	古第三紀	新第三紀	第四紀
絶対年代〔単位100万年〕		4600	4000	2500	541						252			66		2.6
生物界	植物	（無生物時代）	（原核生物時代）	（真核生物時代）	藻類・菌類時代			シダ植物時代		裸子植物時代				被子植物時代		
	動物				無脊椎動物時代		魚類時代		両生類時代		ハ虫類時代			ホ乳類時代		
主な出来事		地球の誕生	生物の誕生？ 最古の化石	光合成生物の出現	バージェス動物群		植物の上陸	最古の森林 両生類の出現	裸子植物の出現 ハ虫類の出現	生物の大量絶滅	ホ乳類の出現	鳥類の出現	被子植物の出現 生物の大量絶滅		猿人の出現	人類の発達
主な示準化石					三葉虫 クサリサンゴ・ハチノスサンゴ リンボク・ロボク 紡錘虫（フズリナ）						アンモナイト・恐竜 トリゴニア イノセラムス			カヘイ石 デスモスチルス ビカリア マンモス		

重要ポイント 4 絶対年代とその求め方

地質時代は，化石や地層などにより相対的に決められているので**相対年代**ともいう。一方，今から約何年前というように年数で示したものを**絶対年代**という。

岩石や地層の絶対年代は，その中に含まれる**放射性同位体の壊変**を利用して求められることから，放射年代とも呼ばれる。放射性同位体は，一定の早さで崩壊して安定な同位体に変わってく性質を持っており，放射性同位体の総数が初めの半分になるまでに要する時間を**半減期**という。半減期はそれぞれの同位体について固有のもので，温度や圧力により変化しない。したがって，岩石に含まれる放射性同位体とその壊変によってできた安定同位体の原子数を比較することで，その岩石のできた絶対年代を推定することができる。

ウラン^{238}Uは半減期が長いため（約45億年）古い岩石の年代測定に，炭素^{14}Cは半減期が短いため（約5700年）第四紀の測定に利用される。カリウム^{40}K（半減期約13億年）は多くの岩石に含まれるため，利用範囲が広い。

実戦問題❶　基本レベル

＊
No.1　地質時代に関する記述として，妥当なのはどれか。

【地方上級（東京都）・平成28年度】

1　三畳紀は，新生代の時代区分の一つであり，紡錘虫（フズリナ）が繁栄し，ハ虫類が出現した時代である。

2　ジュラ紀は，中生代の時代区分の一つであり，アンモナイトおよび恐竜が繁栄していた時代である。

3　第四紀は，新生代の時代区分の一つであり，頭足類および始祖鳥が出現した時代である。

4　デボン紀は，中生代の時代区分の一つであり，三葉虫および多くの種類の両生類が繁栄していた時代である。

5　白亜紀は，新生代の時代区分の一つであり，無脊椎動物が繁栄し，魚類の先祖が出現した時代である。

＊＊
No.2　次の文は，光合成生物に関する記述であるが，文中の空所A～Cに該当する語の組合せとして，妥当なのはどれか。

【地方上級（特別区）・平成19年度】

先カンブリア時代，海中に出現した［　A　］は，太陽の［　B　］の光エネルギーを利用して光合成を行い，海水中に酸素を放出した。この時代の地層からは，［　A　］などが作った［　C　］と呼ばれる層状の構造を持つ堆積岩が多く見つかっている。

	A	B	C
1	ラン藻類（シアノバクテリア）	可視光線	ホルンフェルス
2	ラン藻類（シアノバクテリア）	可視光線	ストロマトライト
3	ラン藻類（シアノバクテリア）	赤外線	ホルンフェルス
4	コアセルベート	可視光線	ストロマトライト
5	コアセルベート	赤外線	ホルンフェルス

* **No.3** **地球の歴史は，主に動物界の変遷を基準にして先カンブリア時代，古生代，中生代，新生代に区分されている。これらの年代区分に関する次の記述のうち，正しいものはどれか。**

【地方上級（全国型）・平成22年度】

1 先カンブリア時代は地球の歴史の約９割を占め，この時代の化石として有名なものにストロマトライトがある。これはラン藻類（シアノバクテリア）が形成した堆積構造の石灰岩である。

2 古生代のカンブリア紀とオルドビス紀の地層から発見される化石は，すべて無脊椎動物や藻類のもので，三葉虫やアンモナイトがこの時期に出現して栄えた無脊椎動物の代表である。

3 古生代の石炭紀にはリンボクなどシダ植物の大森林が形成され，フデイシが栄える一方で三葉虫は衰微していった。また，ハ虫類が出現したのもこの時期である。

4 中生代はハ虫類の時代であり，特にジュラ紀や白亜紀には大型恐竜が栄えた。しかし，中生代末期になると気候が次第に温暖化し，その影響を受けて恐竜は絶滅した。

5 新生代の古第三紀にはホ乳類や鳥類が出現し，またカヘイ石などの高等な有孔虫類が栄えた。新生代の第四紀にはナウマンゾウやマンモスが出現した。

** **No.4** **地層の形成に関する次のA～Dの記述のうち，妥当なもののみすべて挙げているものはどれか。**

【裁判所・令和３年度】

A：変成作用とは，堆積物が上に堆積した地層の重みで次第に水が絞り出され，固結していく際に粒子間に新しく沈殿した鉱物によって接着され，硬い堆積岩に変わっていくことである。

B：級化層理とは，混濁流が堆積してできた地層でよく見られる，下から上に向かって粒子が次第に小さくなっていく構造のことである。

C：不整合とは，岩石に力が加わって生じた割れ目に沿って，その両側が移動し，ずれを生じることである。

D：地層累重の法則とは，上にある地層ほど新しく堆積したものになることをいう。

1 A，B
2 A，C
3 B，C
4 B，D
5 C，D

実戦問題1の解説

No.1 の解説　地質時代

→問題はP.430　**正答2**

1 × **三畳紀**（最近はトリアス紀と呼ばれることも多い）は中生代の初めの時代区分であり，**紡錘虫（フズリナ）**が最も繁栄したのは古生代のペルム紀であるので誤り。また，ハ虫類は古生代にはすでに誕生して繁栄しており，その中から中生代三畳紀に恐竜が出現した。

2 ◎ 正しい。

3 × **第四紀**は新生代の時代区分の一つであるが，**始祖鳥**が出現したのは中生代ジュラ紀の終わりであり，頭足類が出現したのは古生代の初期と考えられている。オウムガイやアンモナイト，現生のタコやイカが頭足類の仲間である。

4 × デボン紀は古生代の時代区分の一つであるので誤り。

5 × 白亜紀は中生代の末期の時代区分であるので誤り。また，無脊椎動物が繁栄し魚類の祖先が出現したのは，古生代のカンブリア紀と考えられている。

No.2 の解説　生物の進化

→問題はP.430　**正答2**

先カンブリア時代に海中に出現し，光合成を行ったのは，**ラン藻類（A）（シアノバクテリア）**である。ラン藻類は，太陽の可視光線（**B**）のエネルギーを用いて光合成を行い，二酸化炭素を消費し，海洋中に酸素を放出した。ラン藻類は**ストロマトライト**（**C**）と呼ばれるラン藻類の死骸と泥の粒からなる層状の構造を持つ岩石を作った。このラン藻類により地球大気に酸素がもたらされ，酸素呼吸生物の誕生という生物の進化につながっていく。

なお，**コアセルベート**とは，これを生物や細胞の起源とする説もあるコロイドからなる液胞のこと，**ホルンフェルス**は接触変成岩の一つである。

よって，正答は**2**である。

No.3 の解説　地球の歴史

→問題はP.431　正答 1

1 ◎ 先カンブリア時代にはシアノバクテリア（ラン藻類）が繁栄した。
正しい。地球の歴史約46億年のうち，**先カンブリア時代**は40億５千万年以上を占めている。**シアノバクテリア（ラン藻類）**は先カンブリア時代に出現した地球最初の光合成生物である。

2 × 三葉虫は古生代，アンモナイトは中生代の示準化石である。
アンモナイトが栄えたのは中生代であるので誤りである。アンモナイトは古生代の末期に出現している。また，最初の脊椎動物はカンブリア紀後期に出現した魚類と考えられている。

3 × フデイシは古生代前期の示準化石である。
フデイシが栄えたのは古生代の前期（オルドビス紀）であるので誤りである。石炭紀には，**リンボク**，**ロボク**，**フウインボク**といったシダ植物が大森林をつくっていた。またフズリナ（紡錘虫）が繁栄したのものこの時代である。

4 × 巨大隕石の衝突による気候の大変動が恐竜絶滅の原因である。
恐竜の絶滅の原因は，巨大隕石の衝突による地球環境の大変動と考えられているので誤りである。なお，中生代を通じて，地球は非常に温暖な環境にあったことがわかっている。

5 × 鳥類・ホ乳類が出現したのは中生代である。
ホ乳類（中生代トリアス紀に出現），鳥類（中生代ジュラ紀に出現）とも中生代に出現していたので誤りである。古第三紀の温暖な海には大型有孔虫の**カヘイ石（ヌンムリテス）**が繁栄した。

No.4 の解説　地層と地質構造

→問題はP.431　**正答4**

A ×　堆積物が堆積岩となるのは続成作用。

砂や泥などが堆積した堆積物が，上に堆積した地層の重みで水が絞り出され（脱水），粒子間に新しい鉱物ができて粒子どうしがくっつき，固結して堆積岩になっていくことは**続成作用**と呼ばれる。**変成作用**は，一度できた岩石が，高温や高圧の状態に置かれ，固体のまま鉱物の種類や組織などが変化し他の岩石に変化することをいう。

B ○　粒子が下から上へ細かくなっていく構造は級化層理。

正しい。地層を構成する粒子が，下から上へ連続的に小さくなっていくような構造を**級化層理（級化成層，級化構造）**という。級化層理は混濁流によって堆積した地層（**タービダイト**）中によく見られる。

C ×　地層の堆積が不連続な関係が不整合。

不整合とは，地層が連続して堆積せずに，地層の堆積が中断して，長い時間を隔ててから次の地層が堆積するような関係を**不整合**という。岩石に力が加わり，割れ目に沿って両側が移動し，ずれを生じたものは，**断層**である。

D ○　上位ほど新しい地層であることを示すのが地層累重の法則。

正しい。地層は下から上に堆積していくため，上位の地層ほど新しい地層になる。これを**地層累重の法則**という。ただし，**褶曲**などの地殻変動で地層が逆転したり，断層で地層が上下に大きくずれていたりすると，この法則は当てはまらない。

よって正答は**4**である。

実戦問題❷　応用レベル

＊＊
No.5　変動地形に関する記述中の空欄A～Eに当てはまる語句の組合せとして，最も妥当なのはどれか。

【警視庁・令和３年度】

日本列島は沈み込むプレートの力によって押され，絶えずひずんでいる。内陸地震はこうした力によって地殻上部が破壊され，断層が形成される際に起こる。圧縮力が働いている場合には，断層を境にして上側にある地盤がずり上がる［　A　］や，断層を境にして水平方向にずれる［　B　］が形成される。一方，引っ張りの力が働いている場合には，断層を境にして上側にある地盤がずり落ちる［　C　］が形成される。また，褶曲には，上に向かって凸に曲がった［　D　］と下に向かって凸に曲がった［　E　］がある。

	A	B	C	D	E
1	正断層	横ずれ断層	逆断層	背斜構造	向斜構造
2	正断層	縦ずれ断層	逆断層	向斜構造	背斜構造
3	逆断層	横ずれ断層	正断層	背斜構造	向斜構造
4	逆断層	横ずれ断層	正断層	向斜構造	背斜構造
5	逆断層	縦ずれ断層	正断層	向斜構造	背斜構造

＊＊＊
No.6　岩石は大気や水に長い間さらされていると，変質したり細かく砕かれたりする。これを風化作用というが，風化作用には機械的風化作用と化学的風化作用がある。これらに関する次の記述のうち，正しいものはどれか。

【地方上級（全国型）・平成18年度】

1　花こう岩の主成分である石英は雨水に溶けやすい性質があるため，花こう岩が長い間風雨にさらされると機械的風化作用によって泥岩ができる。

2　石灰岩地域では雨水に溶けているO_2の作用で岩石の主成分である$CaCO_3$が溶かされ，化学的風化作用によってカルスト地形や鍾乳洞などの特異な地形が形成される。

3　熱帯多雨地方では機械的風化作用が著しく，風化されにくい部分が地表に残ってボーキサイトなどの残留鉱床をつくることが多い。

4　黒雲母を多く含んだ岩石では，CO_2を含んだ水によって黒雲母が変質し，化学的風化作用によってカオリンなどの粘土鉱物に変わる。

5　岩石を構成するさまざまな鉱物の熱膨張率は種類ごとに異なるため，気温の変化を繰り返すうちに岩石内部に透き間を生じ，機械的風化作用によって岩石は崩壊していく。

＊＊
No.7 **表は，地質時代と絶対年代を示したものであるが，この地質時代と古生物に関する記述として最も妥当なのはどれか。**

【国家総合職・平成16年度改題】

先カンブリア時代	古生代						中生代			新生代		
	カンブリア紀	オルドビス紀	シルル紀	デボン紀	石炭紀	ペルム紀（二畳紀）	トリアス紀（三畳紀）	ジュラ紀	白亜紀	古第三紀	新第三紀	第四紀

4600　541　252　66　2.6　〔×100万年前〕

1　先カンブリア時代は，無生物時代から単細胞生物が現れた時代の総称である。無生物の期間はこの時代の大部分の約40億年を占めていると考えられている。先カンブリア時代末には細菌などの生物が出現したが，緑藻類やクラゲ類などの多細胞生物は，カンブリア紀まで出現しなかった。

2　古生代には多くの生物が出現し，最初は三葉虫が繁栄した。その後，魚類が繁栄する一方，陸上ではシダ植物，両生類およびハ虫類が出現した。しかし，ペルム紀（二畳紀）末には，三葉虫をはじめとする多くの生物の種類が絶滅した。

3　中生代は，ハ虫類やアンモナイト類が栄えた。特に白亜紀は，陸上では恐竜のほか，マンモスなどの巨大なホ乳類が，また，海中ではアンモナイト類とヌンムリテス（カヘイ石）などが共存するなど，豊かな生物相を形成していた。しかし，白亜紀末には恐竜をはじめとする多くの生物の種類が絶滅した。

4　新生代は，鳥類が栄えた古第三紀と，ホ乳類が栄えた新第三紀と，第四紀に分けられるが，古第三紀の初期には鳥類の祖先である始祖鳥が出現し，飛行により急速に世界各地に分布を広げた。また，新第三紀に入ると主に裸子植物を摂食するゾウ類やウマ類などのホ乳類が出現した。

5　新生代第四紀は，人類の時代とも呼ばれ，類人猿から人類が進化した。第四紀の始まりは，猿人が出現した時期と定義されており，以前は10万年前からとされていたが，最近，南アフリカや東アフリカからネアンデルタール人などの猿人の化石が相次いで発見されたことにより約165万年前までさかのぼることとなった。

実戦問題2の解説

No.5の解説　断層の種類と褶曲

→問題はP.435　正答3

岩盤にプレート運動などにより力が加わると，岩盤が破壊されずれが生じることがあり，これが**断層**である。断層はそのずれの向きにより区分される。圧縮される力により生じ，上側の岩盤（上盤）がのし上がるものを**逆断層**，引き延ばされる力によって生じ，上盤がずり落ちるものを**正断層**という。また，岩盤が水平方向にずれるものを**横ずれ断層**という。したがってAには「逆断層」，Bには「横ずれ断層」，Cには「正断層」が入る。

また，圧縮される力によって地層や岩石が折れ曲がった構造を**褶曲**といい，上に向かって凸に曲がった部分を**背斜（構造）**，下に向かって凸に曲がった部分を**向斜（構造）**という。したがってDには「背斜構造」，Eには「向斜構造」が入る。

よって正答は**3**となる。

No.6の解説　風化作用

→問題はP.435　正答5

1× 石英は比較的風化を受けにくい鉱物である。

石英は非常に風化を受けにくい鉱物である。**花こう岩**中では，石英や黒雲母が風化を受けやすい。また，花こう岩は結晶の粒子が大きく，鉱物の熱膨張率が違うので，温度差の大きい地域ではぼろぼろに風化しやすい。花こう岩が風化して崩れてできた粗い砂を真砂土と呼ぶ。

2× 雨水にとけたCO_2と石灰岩が反応する。

石灰岩の主成分である$CaCO_3$（炭酸カルシウム）は，雨水に溶けたCO_2と反応し，$Ca(HCO_3)_2$（炭酸水素カルシウム）となって水に溶け，**カルスト地形**や鍾乳洞などを形成する。

3× 熱帯の多雨地方では，雨による科学的風化作用が著しい。

熱帯雨林地方では，雨が多いため化学的風化作用が著しい。酸化アルミニウムは非常に風化されにくいため，その部分のみが残り，**ボーキサイト**というアルミニウムの鉱石ができたと考えられている。

4× 斜長石が分解してカオリンとなる。

カオリン（カオリナイト）は粘土鉱物の一種で，主に斜長石が分解してできる。良質なカオリンは陶芸用の土などに用いられる。

5◎ 熱による膨張率の違いで機械的風化が発生する。

正しい。花こう岩のような粗粒の岩石は特にこのような風化作用を受けやすい。

No.7 の解説　地質時代

→ 問題はP.436 正答2

1 × **先カンブリア時代末期には多細胞生物が出現。**

先カンブリア時代は，地球が約46億年前に誕生してから約５億７千万年前までの時代で，地球の歴史の90％近くの時間を占めている。現在発見されている最古の化石は約35億年前の細菌の化石であり，その頃には地球上に生命が誕生していたことがわかる。その後，生命はゆっくりと進化を続け，光合成生物や真核生物が出現し，先カンブリア時代の末期には（約６億年前）大型多細胞生物が出現していたことがわかっている。

2 ◎ **中生代には，三葉虫やシダ植物が繁栄した。**

正しい。**古生代**になると，地球表層の環境や生物相は現在の姿に近いものに急速に変化していった。古生代の初期には，固い殻や骨を持つ多様な動物が現れ，**三葉虫**はその代表例である。その後，デボン紀になると魚類が繁栄を始める。また，紫外線を吸収するオゾン層の形成に伴って，シルル紀には植物や無脊椎動物が陸上に進出し，石炭紀には**ロボク**などのシダ植物が大森林を形成した。デボン紀になると，魚類から進化した両生類が脊椎動物として初めて陸上に進出し，石炭紀になるとハ虫類が出現している。しかし，古生代末には，それまで繁栄していた生物の多くが絶滅する。

3 × **マンモスやヌンムリテスは新生代の生物。**

中生代に入ると，海中では，**モノチス**や**トリゴニア**などの二枚貝類，**アンモナイト**が繁栄し，陸上ではハ虫類に属する**恐竜**が，次第に多様化・大型化していく。さらには，ハ虫類から鳥類が分化，原始的なホ乳類も出現している。しかし，白亜紀末には，恐竜やアンモナイトなどの多くの生物種が絶滅している。マンモスは新生代に出現したホ乳類であり，ヌンムリテス（カヘイ石）も新生代に生息した大型の有孔虫類であるので，誤りである。

4 × **始祖鳥は中世代に出現した。**

新生代は，**古第三紀**，**新第三紀**，**第四紀**に区分されている。古第三紀は温暖な気候の時代であり，新第三紀は地球が寒冷化した時代である。鳥類，ホ乳類とも新生代を通して栄えた生物ということができる。鳥類の祖先の始祖鳥が出現したのは中生代ジュラ紀，ゾウ類や馬類が出現したのは古第三紀である。植物では，裸子植物に代わって被子植物が繁栄した。

5 × **新生代は，氷期と間氷期をくり返したのが特徴。**

新生代第四紀は新生代の最後の約260万年間で，寒冷な氷期と温暖な間氷期を繰り返した時代である。最も古い人類の化石は，アフリカで発見された約700万年前（新第三紀）のサヘラントロプスという初期の猿人のものである。第四紀は，新第三紀に出現した人類が進化・発展を遂げた時代ということから，人類の時代ともいわれる。

第5章

試験別出題傾向と対策

頻出度	試験名	国家総合職					国家一般職					国家専門職				
	年度	21-23	24-26	27-29	30-2	3-5	21-23	24-26	27-29	30-2	3-5	21-23	24-26	27-29	30-2	3-5
	テーマ ＼ 出題数	6	0	0	0	0	4	0	0	0	0	6	0	0	0	0
C	1 数と式															
B	2 方程式と不等式	1										1				
A	3 関数とグラフ						1									
A	4 最大値と最小値	1										1				
	その他	4					3					4				

数学の出題形式は，計算や推論によって正答を見つけさせるものが中心であるが，なかには記述内容の正誤を判定させたり，正しい図形やグラフを選ばせる形式の問題もある。内容は，中学・高校での学習事項にほぼ限られ，特に高校１年時の学習内容（数学Ⅰ・数学Ａ）に関する出題が半数近くを占める。試験によっては，「数学」としてではなく「一般知能（特に数的推理）」として出題されている。

問題のタイプとしては，大まかに次の３通りに分けることができる。

①基本的な公式・定理を用いて，主に**計算**によって答えを導く問題。

②論理的な思考力・判断力・推理力を必要とする問題。

③図形に関する知識や，図形的な直観力・判断力を必要とする問題。

なお，**平成24年度以降の国家公務員試験で数学は出題されていない**から，旧試験制度下の内容を表示しておいた。各テーマにおける頻出度を示す★★★についても，旧試験制度下における実績の記録であるから，参考程度に見ておけばよい。

● 国家総合職

問題のタイプとしては，②が中心だが，③(特に立体図形)も頻出だった。

● 国家一般職

高校１・２年レベルの内容が中心で，３つのタイプすべてが出題された。

● 国家専門職

国家一般職とほぼ同レベルかやや高水準で，①のタイプが多く見られた。

[注] 表中にある「その他」には，図形と座標，数列，対数，積分の応用などが含まれるが，近年は出題数が減少傾向にあることから，本書では取り上げていない。

地方上級（全国型）					地方上級（特別区）					市役所（B日程）					市役所（C日程）					
21～23	24～26	27～29	30～2	3～5	21～23	24～26	27～29	30～2	3～5	21～23	24～26	27～29	30～2	3～4	21～23	24～26	27～29	30～2	3～4	
3	3	4	3	3	6	4	0	0	0	3	3	3	2	2	3	3	2	2	2	
			1		1											1				テーマ1
		1			2	1				1		1			2	1				テーマ2
1	2	2	2	2						1		2	1	1			1	1	1	テーマ3
1		1				1					1				1		1		1	テーマ4
1	1			1	3	2				1	2		1	1				1		

● 地方上級

全国型では，毎年1問ずつ出されている。**関東型**ではこれまで一部の自治体でのみ出題されていたが，平成10年度から各県で出題されるようになった。また，**中部・北陸型**では以前は出題されなかったが，平成14年度以降出題されるようになった。どの型も「関数とグラフ」が頻出テーマであり，「方程式と不等式」「最大値と最小値」もよく出題されている。レベルとしては，教科書の例題程度の基礎的な内容のものが中心である。

なお，表には記載されていないが，関東型と中部・北陸型では，全国型との共通問題が課せられている。

特別区では，平成21年度より数学が出題されるようになったが，26年度より再び出題されなくなっている。レベルおよびタイプとしては，どちらも全国型とほぼ同程度であるが，計算は質・量ともに全国型よりもシンプルなものが多い。なお，**東京都**では，数学としての出題はない。

● 市役所

毎年1～2題のペースで出題されている。レベル，タイプともにほぼ地方上級全国型に準じてはいるが，難易度としては，やや手ごわいものからごく基礎的なものまで，かなりのばらつきがある。全体として，B日程とC日程に大きな内容の差はない。テーマとしては「関数とグラフ」が多く出題され，「方程式と不等式」がこれに次ぐ。

数と式

必修問題

$\sqrt{2}$ の小数部分を a と置くとき，$\dfrac{1}{a}$ の値は次のうちどれか。

【地方上級・平成17年度】

1 $\sqrt{2}$　**2** $\sqrt{3}$　**3** $2\sqrt{2}-1$

4 $\sqrt{2}+1$　**5** $\sqrt{2}+\dfrac{2}{3}$

難易度　＊

必修問題の解説

平方根の計算（重要ポイント2(5)）を主題とする，典型的で重要な問題である。結論を先に言ってしまうと，分母に無理数を含む数を扱うことによって，分母の有理化を実行させようというねらいが見て取れる。まずは「$\sqrt{2}$ の小数部分」と書かれていることの意味を，しっかりと確認しておこう。

STEP❶　$\sqrt{2}$ を整数部分と小数部分に分けてみる。

$\sqrt{2}$ に限らず，どんな実数でも小数の形に表すことができる。すなわち x がある実数を表すとき，x よりも小さい最大の整数を n と置くと，

$x=n+a$（ただし，a は0以上1未満の数）　…(＊)

の形に表すことができる。ただし，x が整数のときは $a=0$ となり，x は n そのものに等しくなる。本問の記述にある「$\sqrt{2}$ の小数部分」という意味は，「$\sqrt{2}$ を小数で表したときの小数点第1位以下の部分」のことである。

そこで，まず $\sqrt{2}$ の整数部分，つまり（＊）式の n がいくらになるかを求めておく。$\sqrt{2}$ の近似値を小数で示すと，

$\sqrt{2}=1.414\cdots=1+0.414\cdots$

と表されるから，$x=\sqrt{2}$ のとき，（＊）の n は $n=1$ に，a は0.414…に相当する。したがって，$\sqrt{2}$ を（＊）と同じ形に表すと，小数部分を $0.414\cdots=a$ と置いて，

$\sqrt{2}=1+a$　…①

と表される。これが「$\sqrt{2}$ の小数部分を a と置く」ことの意味である。

また，$\sqrt{2}$ の近似値を使わなくても，整数部分が1であることは次のように推定できる。そもそも $\sqrt{2}$ とは「2乗すれば2になる数」のことであるから，2に近い整数で，しかも整数の2乗の形をしているものを探すと，$1=1^2$，$4=2^2$ が見つけ

られる。ここで，

$1<2<4$ より，$1^2<(\sqrt{2})^2<2^2$　よって，$\sqrt{2}$ は1と2の間にある。

STEP❷　小数部分 a を $\sqrt{2}$ で表す。

$\sqrt{2}$ の値を①式のように，1＋(小数部分）の形に表すことができたから，次に小数部分 a を $\sqrt{2}$ を含む式で表してみると，①式より，

$a=\sqrt{2}-1$　…②

STEP❸　$\dfrac{1}{a}$ の値を求める。

②式より，$\dfrac{1}{a}=\dfrac{1}{\sqrt{2}-1}$　…③

となる。しかし，ここで選択肢を見ても，分母に $\sqrt{2}$ が入っているような数値は1つもない。そこで，③の右辺の**分母を有理化**しなくてはならないことに気が付く。分母に無理数 $\sqrt{2}$ が残らないように変形することが必要となるが，ここでも，

「$\sqrt{2}$ は2乗すれば2になる数」

という平方根のそもそもの意味に立ち返ってみると，解決の糸口が見えてくる。2乗すれば $\sqrt{\ }$ は消えるのである。③の右辺の分母をみると，$\sqrt{2}-1$ という形，すなわち $a-b$ という形をしている。これを $\sqrt{2}$ が分母に残らないようにするには，$a+b$ の形を分母と分子の両方にかけて，**和と差の積の展開公式**

$(\boldsymbol{a}+\boldsymbol{b})(\boldsymbol{a}-\boldsymbol{b})=\boldsymbol{a}^2-\boldsymbol{b}^2$

を利用すればよい（重要ポイント2⑸の発展参照）。

したがって，③の右辺において，分母と分子のそれぞれに $\sqrt{2}+1$ をかけ，

$(\sqrt{2}-1)(\sqrt{2}+1)=(\sqrt{2})^2-1^2=2-1$

となることを用いると，分母は直ちに有理化される。すなわち，

$$\frac{1}{a}=\frac{\sqrt{2}+1}{(\sqrt{2}-1)(\sqrt{2}+1)}$$　分子にも $\sqrt{2}+1$ をかけるのを忘れないで！

$$=\frac{\sqrt{2}+1}{(\sqrt{2})^2-1^2}$$　$(a-b)(a+b)=a^2-b^2$

$$=\frac{\sqrt{2}+1}{2-1}=\sqrt{2}+1$$

となり，正答は**4**と求められる。

正答 4

FOCUS

数と式は，数学全体の土台となる重要なテーマであり，多項式の展開と因数分解，平方根の計算などは，テーマ2以降でも頻繁に登場する。このテーマの出題内容としては，文字式の値を求めさせる「求値問題」が多いが，分数式や無理式の変形も頻出である。数学に強くなるための秘策などはない。基本に忠実にコツコツと，焦らずにじっくりと取り組みたい。

POINT

重要ポイント 1 計算の基本法則と重要公式

テーマ1では，特に断らない限り，a，b などの文字は実数を表すものとする。

(1) 加法と乗法の基本法則

	加 法	乗 法
交換法則 結合法則	$a+b=b+a$ $(a+b)+c=a+(b+c)$	$ab=ba$ $(ab)c=a(bc)$
分配法則	$a(b+c)=ab+ac$ $(a+b)c=ac+bc$	

交換法則と結合法則によって，足し算とかけ算の順序は自由に変えられる。

分配法則は，加法と乗法を結びつける役割を担っている。

・式の**展開**・**因数分解**は，どちらも分配法則を利用する。

［例1］ **(式の展開)** $(a+b)(x+y)=(a+b)x+(a+b)y$

$=ax+bx+ay+by$

分配法則を繰り返し使う。

［例2］ **(因数分解)** $ax-by+bx-ay$

$=ax+bx-ay-by$

$=(a+b)x-(a+b)y$

$=(a+b)(x-y)$

同じ文字について整理

分配法則を逆に使う

$ma+mb=m(a+b)$

$ma-mb=m(a-b)$

↑ 共通因数をくくる。

［注］ $a-b=a+(-b)$ であるから，減法は加法の一種とみなせる。

$a\div b=a\times\dfrac{1}{b}$ であるから，除法は乗法の一種とみなせる。 ただし，$b\neq 0$

(2) 指数法則 m，n を整数とすると，次の①～⑤が成り立つ。

① $a^m\times a^n=a^{m+n}$ ② $a^m\div a^n=a^{m-n}$

③ $(a^m)^n=a^{mn}$ ④ $(ab)^m=a^m b^m$

⑤ $\left(\dfrac{a}{b}\right)^m=\dfrac{a^m}{b^m}$ (ただし，$b\neq 0$ とする)

［注］ $a^0=1$，$a^{-1}=\dfrac{1}{a}$

$a^{-n}=\dfrac{1}{a^n}$

(3) 展開公式と因数分解 因数分解をする場合には，次の展開公式を逆に使う。

① $(a+b)^2=a^2+2ab+b^2$ ← 和の平方

② $(a-b)^2=a^2-2ab+b^2$ ← 差の平方

③ $(a+b)(a-b)=a^2-b^2$ ← 和と差の積は，平方の差

④ $(x+a)(x+b)=x^2+(a+b)x+ab$

⑤ $(ax+b)(cx+d)=acx^2+(ad+bc)x+bd$

(④⑤) ← 1次式の積

⑥ $(a+b+c)^2=a^2+b^2+c^2+2ab+2bc+2ca$ ← ①の発展形

⑦ $(a+b)^3=a^3+3a^2b+3ab^2+b^3$

⑧ $(a-b)^3=a^3-3a^2b+3ab^2-b^3$

⑨ $(a+b)(a^2-ab+b^2)=a^3+b^3$

⑩ $(a-b)(a^2+ab+b^2)=a^3-b^3$

重要ポイント2 実数のいろいろな性質

(1) 絶対値　実数 a に対して，その絶対値 $|a|$ を，次のように定義する。

$$|\boldsymbol{a}| = \begin{cases} \boldsymbol{a} & \cdots\cdots \boldsymbol{a} \geqq \boldsymbol{0}\text{のとき} \\ -\boldsymbol{a} & \cdots\cdots \boldsymbol{a} < \boldsymbol{0}\text{のとき} \end{cases}$$

数直線上において，
絶対値＝原点からの距離

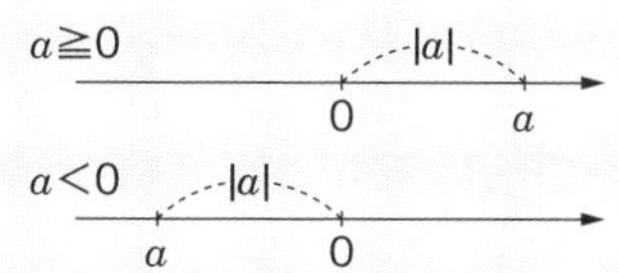

・**絶対値の性質**：$|-a| = |a|$，$|a|^2 = a^2 = (-a)^2$

$$|ab| = |a||b|,\quad \left|\frac{a}{b}\right| = \frac{|a|}{|b|}$$（ただし，$b \neq 0$ とする。）

［注］$|a+b|$ と $|a|+|b|$ は等しいとは限らない！（一般に，$|a+b| \leqq |a|+|b|$）

(2) 実数の大小関係　2つの実数 a と b の大小関係は，2数の差の符号で決まる。

$$\boldsymbol{a > b \Longleftrightarrow a - b > 0}$$
$$\boldsymbol{a = b \Longleftrightarrow a - b = 0}$$
$$\boldsymbol{a < b \Longleftrightarrow a - b < 0}$$

2数の差の絶対値は，

$$|\boldsymbol{a - b}| = \begin{cases} \boldsymbol{a - b} \cdots\cdots \boldsymbol{a \geqq b}\text{のとき} \\ \boldsymbol{b - a} \cdots\cdots \boldsymbol{a < b}\text{のとき} \end{cases}$$

(3) 実数の積の符号　2つの実数 a と b の積の符号から，次のことがわかる。

$ab > 0 \Longleftrightarrow$「$a > 0$ かつ $b > 0$」または「$a < 0$ かつ $b < 0$」

$ab = 0 \Longleftrightarrow$「$a = 0$」または「$b = 0$」（$a = b = 0$ の場合も含む）

$ab < 0 \Longleftrightarrow$「$a > 0$ かつ $b < 0$」または「$a < 0$ かつ $b > 0$」

(4) 実数の不等式　すべての実数 a に対し，$\boldsymbol{a^2 \geqq 0}$（等号は $a = 0$ の場合に限る。）

［発展］　任意の2つの実数 a，b に対し，$\boldsymbol{a^2 + b^2 \geqq 0}$

$a^2 + b^2 = 0$ となるのは，$a = b = 0$ の場合に限る。

(5) 平方根　正の数 a の平方根は $\sqrt{a}$，$-\sqrt{a}$ の2つがある。

・**根号の規約**：$\sqrt{a} \geqq 0$と約束する。（$-\sqrt{a} \leqq 0$）

・**平方根と絶対値**：　$\sqrt{\boldsymbol{a}^2} = |\boldsymbol{a}|$

・**平方根の性質**：$a > 0$，$b > 0$ のとき，

$$\sqrt{a}\sqrt{b} = \sqrt{ab},\quad \frac{\sqrt{a}}{\sqrt{b}} = \sqrt{\frac{a}{b}},\quad \sqrt{a^2 b} = a\sqrt{b}$$

2次方程式 $\boldsymbol{x}^2 = \boldsymbol{a}$ の解

$\boldsymbol{x}$ は2乗すると $\boldsymbol{a}$ になる数

$-\sqrt{a}$　0　$\sqrt{a}$　x

・**分母の有理化**：$a > 0$ のとき，$\dfrac{b}{\sqrt{a}} = \dfrac{b\sqrt{a}}{\sqrt{a}\sqrt{a}} = \dfrac{b\sqrt{a}}{(\sqrt{a})^2} = \dfrac{b\sqrt{a}}{a}$

［発展］　分母が $\sqrt{a} \pm \sqrt{b}$ のとき（$a > 0$，$b > 0$）$\Longrightarrow$ **和と差の積**を利用

$$\frac{1}{\sqrt{a}+\sqrt{b}} = \frac{\sqrt{a}-\sqrt{b}}{(\sqrt{a}+\sqrt{b})(\sqrt{a}-\sqrt{b})} = \frac{\sqrt{a}-\sqrt{b}}{(\sqrt{a})^2-(\sqrt{b})^2} = \frac{\sqrt{a}-\sqrt{b}}{a-b}$$

$$\frac{1}{\sqrt{a}-\sqrt{b}} = \frac{\sqrt{a}+\sqrt{b}}{(\sqrt{a}-\sqrt{b})(\sqrt{a}+\sqrt{b})} = \frac{\sqrt{a}+\sqrt{b}}{(\sqrt{a})^2-(\sqrt{b})^2} = \frac{\sqrt{a}+\sqrt{b}}{a-b}$$

重要ポイント 3 よく用いられる式の変形

一般に数式を変形する際には，展開と因数分解が基本となるが，さらに以下のような方法もマスターしておきたい。

(1) 平方完成 ☞ テーマ2・テーマ3

与えられた式を，$\boxed{}^2+\bigcirc$ の形に変形することを**平方完成**という。

・2次方程式の「解の公式」（テーマ2）はこの方法で導くことができる。また，2次関数のグラフ（テーマ3）を描くときにもこの方法が必要となる。

・**2次式の平方完成**：ax^2+bx+c $(a \neq 0)$ を，$\boldsymbol{a(x-p)^2+q}$ **の形に**直す。

$$
\begin{aligned}
&ax^2+bx+c \\
&=a\left(x^2+\frac{b}{a}x\right)+c \\
&=a\left(x^2+2\times\frac{b}{2a}x\right)+c \\
&=a\left\{x^2+2\times\frac{b}{2a}x+\left(\frac{b}{2a}\right)^2-\left(\frac{b}{2a}\right)^2\right\}+c \\
&=a\left(x+\frac{b}{2a}\right)^2-\frac{b^2-4ac}{4a}
\end{aligned}
$$

x を含む項を a でくくる。

$x^2+2\square x$ の形をつくる。

$x^2+2\square x+\square^2$ の形をつくる。

$x^2+2\square x+\square^2=(x+\square)^2$ を使う。

できあがり！

［例1］ $x^2+x+1=x^2+2\cdot\frac{1}{2}x+\left(\frac{1}{2}\right)^2-\left(\frac{1}{2}\right)^2+1=\left(x+\frac{1}{2}\right)^2+\frac{3}{4}$

［例2］ $2x^2-x=2\left(x^2-\frac{1}{2}x\right)=2\left\{x^2-2\cdot\frac{1}{4}x+\left(\frac{1}{4}\right)^2-\left(\frac{1}{4}\right)^2\right\}$

$=2\left(x-\frac{1}{4}\right)^2-\frac{1}{8}$

(2) 分数式の計算 以下，A，B，C，D は数式を表すものとする。

① **分母が共通である場合**：$\frac{A}{C}+\frac{B}{C}=\frac{A+B}{C}$，$\frac{A}{C}-\frac{B}{C}=\frac{A-B}{C}$

② **分母が共通でない場合：通分** $\frac{B}{A}+\frac{D}{C}=\frac{BC}{AC}+\frac{AD}{AC}=\frac{BC+AD}{AC}$

分母をそろえる。

③ **分母と分子に共通因数がある場合：約分** $\frac{AC}{AB}=\frac{C}{B}$ 同じもので割る。

④ **乗法と除法**：$\frac{B}{A}\times\frac{D}{C}=\frac{BD}{AC}$，$\frac{B}{A}\div\frac{D}{C}=\frac{B}{A}\times\frac{C}{D}=\frac{BC}{AD}$ $\div a$ は $\times\frac{1}{a}$

［例3］ $\frac{1}{a+b}+\frac{1}{a-b}=\frac{a-b+a+b}{(a+b)(a-b)}=\frac{2a}{a^2-b^2}$

［例4］ $\frac{1}{a^3+b^3}\div\frac{1}{a+b}=\frac{1}{(a+b)(a^2-ab+b^2)}\times(a+b)=\frac{1}{a^2-ab+b^2}$

重要ポイント 4 恒等式と係数の比較

(1) 恒等式の定義 文字 x を含む等式があり，$\boldsymbol{x}$ **にどのような値を代入しても**左辺と右辺の値が等しくなるとき，この等式を x に関する**恒等式**という。

［注］恒等式は1つの文字だけとは限らず，2つ以上の文字を含む場合もある。

［例1］ $(x+1)^2=x^2+2x+1 \longleftarrow$ x の恒等式

［例2］ $(x+y)^2=x^2+2xy+y^2 \longleftarrow$ x と y の恒等式

(2) 恒等式の相等 x に関する2つの整式 $f(x)$ と $g(x)$ があるとき，

$f(x)=g(x)$ が x の恒等式 $\Longleftrightarrow$ 同じ次数の項の係数は，互いに相等しい。

① **1次式の場合**：$ax+b=a'x+b'$ が x の恒等式 $\Longleftrightarrow$ $a=a'$ かつ $b=b'$

特に，$ax+b=0$ が x の恒等式である条件は，$a=b=0$

② **2次式の場合**：$ax^2+bx+c=a'x^2+b'x+c'$ が x の恒等式

$\Longleftrightarrow$ $a=a'$ かつ $b=b'$ かつ $c=c'$

特に，$ax^2+bx+c=0$ が x の恒等式である条件は，$a=b=c=0$

・以下，3次式，4次式，…，一般に n 次式の場合も同様である。

［例3］ $(x-1)^3=ax^3+bx^2+cx+d$ が x の恒等式である条件は，

左辺 $=x^3-3x^2+3x-1$ であるから，$a=1$，$b=-3$，$c=3$，$d=-1$

［例4］ **2次方程式の解と係数の関係**（テーマ2）

x の2次方程式 $ax^2+bx+c=0$（$a\neq 0$）の2つの解を α，β とすると，$x=\alpha$ または $x=\beta$ であるから，$(x-\alpha)(x-\beta)=0$ が成り立つ。ゆえに，

$$ax^2+bx+c=a(x-\alpha)(x-\beta) \longleftarrow \boldsymbol{x}\text{ の恒等式}$$
$$=a\{x^2-(\alpha+\beta)x+\alpha\beta\}$$

各項の係数を比べて，$b=-a(\alpha+\beta)$，$c=a\alpha\beta$

よって，α，β の和と積はそれぞれ，$\alpha+\beta=-\dfrac{b}{a}$，$\alpha\beta=\dfrac{c}{a}$ を満たす。

重要ポイント 5 整式の割り算

x の整式 $f(x)$，$p(x)$（ただし，$p(x)\neq 0$）が与えられたとき，

$f(x)=p(x)q(x)+r(x)$，ただし，$r(x)$ の次数 $<$ $p(x)$ の次数

を満たす整式 $q(x)$，$r(x)$ がただ1組存在する。この $q(x)$ を，$f(x)$ を $p(x)$ で割ったときの**商**といい，$r(x)$ を $f(x)$ を $p(x)$ で割ったときの**余り**（**剰余**）という。

(1) 剰余定理（余りの定理） **整式 $\boldsymbol{f(x)}$ を $\boldsymbol{x-\alpha}$ で割ったときの余りは，$\boldsymbol{r=f(\alpha)}$**

［例1］ x^3+1 を $x-1$ で割った余りは，$1^3+1=2$

(2) 因数定理 **整式 $\boldsymbol{f(x)}$ が $\boldsymbol{x-\alpha}$ で割り切れるとき，$\boldsymbol{f(\alpha)=0}$** 重要！

［例2］ $f(x)=x^3+1$ と置くと，$f(-1)=-1+1=0$ となるから，x^3+1 は $x-(-1)=x+1$ で割り切れる。ゆえに，x^3+1 は $x+1$ を因数に持つ。

実戦問題

◆ **No.1** (＊＊) $a=\dfrac{2+\sqrt{3}}{2-\sqrt{3}}$ のとき，$\left(a^4-\dfrac{1}{a^4}\right)\div 14\sqrt{3}$ の値を求めよ。

【市役所・平成16年度】

1 1551　**2** 1552　**3** 1553
4 1554　**5** 1555

◆ **No.2** (＊＊) $x-\dfrac{1}{x}=1$ のとき，$x^3-\dfrac{1}{x^3}$ の値はいくらか。

【国家一般職・平成17年度】

1 2　**2** 4　**3** 6
4 8　**5** 10

No.3 (＊＊) ある素数 A は，自然数 m，n を用いて $A=m^3-n^3$ と表すことができる。このとき，A は m のみを用いて表すこともできるが，その式は次のうちどれか。

【地方上級（全国型）・平成17年度】

1 m^2-3m+1　**2** m^2-3m-1　**3** $3m^2+3m+1$
4 $3m^2-3m+1$　**5** $3m^2-3m-1$

No.4 (＊＊) $-1<a<\dfrac{1}{3}$ のとき，$\sqrt{(3a-1)^2}-\sqrt{(a+1)^2}$ を簡単にしたものとして正しいのはどれか。

【市役所・平成24年度】

1 $2a-2$　**2** $-4a$　**3** $4a$
4 $2a+1$　**5** $-4a-2$

No.5 (＊) $x^3=a(x-1)^3+b(x-1)^2+c(x-1)+d$ が恒等式のとき，$a+b+c+d$ の値はいくらか。

【市役所・平成17年度】

1 -8　**2** -4　**3** 0
4 4　**5** 8

実戦問題の解説

No.1 の解説　式の値――因数分解と展開公式の利用（1）　→問題はP.448　正答2

求値問題の典型的な実例である。与式は4次式であるから，これにいきなり a の値を代入するのは得策ではない。「$\div 14\sqrt{3}$」の部分は最後に実行することにして，まず，$a^4-\dfrac{1}{a^4}$ を，簡単な形に書き直すことを考えよう。

そこで，$\boldsymbol{\dfrac{1}{a}=b}$ **と置いてみる**と，$a^4-\dfrac{1}{a^4}=a^4-b^4=(a^2)^2-(b^2)^2$

と変形できるから，$\boldsymbol{a^2}$ **と** $\boldsymbol{b^2}$ **をそれぞれ「ひとかたまり」とみる**と，これは

$\bigcirc^2-\square^2$

の形をしている。この形は**和と差の積に因数分解できる**から，与式よりも次数の低い式の積に変形できそうである。この変形を繰り返し行うと，a^4-b^4 は次のように因数分解できる。

$a^2=A,\ b^2=B$ と置くと，
$$a^4-b^4=A^2-B^2=(A+B)(A-B)$$

$$a^4-b^4=(a^2+b^2)(a^2-b^2)=(a^2+b^2)(a+b)(a-b)$$

さらに，a^2+b^2 を変形するには，**展開公式を利用**して，

$$(a+b)^2=a^2+2ab+b^2 \text{ より，} a^2+b^2=(a+b)^2-2ab$$

$$\text{または，}(a-b)^2=a^2-2ab+b^2 \text{ より，} a^2+b^2=(a-b)^2+2ab$$

を用いる。このような変形をすれば，「$b=\dfrac{1}{a}$ のとき，$ab=1$」となることが利用できそうである。

STEP❶　$a^4-\dfrac{1}{a^4}$ を因数分解して，次数の低い式で表す。

上に示した a^4-b^4 の因数分解にならって

$$a^4-\frac{1}{a^4}=\left(a^2+\frac{1}{a^2}\right)\left(a^2-\frac{1}{a^2}\right)=\left(a^2+\frac{1}{a^2}\right)\left(a+\frac{1}{a}\right)\left(a-\frac{1}{a}\right)$$

さらに，$\boldsymbol{a^2+b^2=(a+b)^2-2ab}$ を用いて，

$$a^2+\frac{1}{a^2}=\left(a+\frac{1}{a}\right)^2-2\cdot a\cdot\frac{1}{a}=\left(a+\frac{1}{a}\right)^2-2$$

$$\text{よって，}a^4-\frac{1}{a^4}=\left\{\left(a+\frac{1}{a}\right)^2-2\right\}\left(a+\frac{1}{a}\right)\left(a-\frac{1}{a}\right)\quad\cdots①$$

［注］あるいは，$\boldsymbol{a^2+b^2=(a-b)^2+2ab}$ を用いて，

$$a^2+\frac{1}{a^2}=\left(a-\frac{1}{a}\right)^2+2\cdot a\cdot\frac{1}{a}=\left(a-\frac{1}{a}\right)^2+2$$

となるから，①式の代わりに，次式を導いてもよい。

$$a^4-\frac{1}{a^4}=\left\{\left(a-\frac{1}{a}\right)^2+2\right\}\left(a+\frac{1}{a}\right)\left(a-\frac{1}{a}\right)$$

STEP❷　$a+\dfrac{1}{a}$ と $a-\dfrac{1}{a}$ の値をそれぞれ求める。

$a=\dfrac{2+\sqrt{3}}{2-\sqrt{3}}$，$\dfrac{1}{a}=\dfrac{2-\sqrt{3}}{2+\sqrt{3}}$ であるから，**分母の有理化**を行うと，

$$a=\frac{2+\sqrt{3}}{2-\sqrt{3}}=\frac{(2+\sqrt{3})^2}{(2-\sqrt{3})(2+\sqrt{3})}=\frac{2^2+2\cdot2\sqrt{3}+(\sqrt{3})^2}{2^2-(\sqrt{3})^2}$$

$$=7+4\sqrt{3}\quad\cdots②$$

$$\frac{1}{a}=\frac{2-\sqrt{3}}{2+\sqrt{3}}=\frac{(2-\sqrt{3})^2}{(2+\sqrt{3})(2-\sqrt{3})}=\frac{2^2-2\cdot2\sqrt{3}+(\sqrt{3})^2}{2^2-(\sqrt{3})^2}$$

$$=7-4\sqrt{3}\quad\cdots③$$

が得られる（ここでも「**和と差の積**」$(\boldsymbol{a}+\boldsymbol{b})(\boldsymbol{a}-\boldsymbol{b})=\boldsymbol{a}^2-\boldsymbol{b}^2$ を利用している）。

よって，②＋③より，$a+\dfrac{1}{a}=14\quad\cdots④$

②－③より，$a-\dfrac{1}{a}=8\sqrt{3}\quad\cdots⑤$

STEP❸　$a^4-\dfrac{1}{a^4}$ の値を求め，最後に $14\sqrt{3}$ で割る。

④と⑤の値を①に代入して，

$$a^4-\frac{1}{a^4}=(14^2-2)\times14\times8\sqrt{3}$$

よって，与式$=\left(a^4-\dfrac{1}{a^4}\right)\div14\sqrt{3}=\dfrac{(196-2)\times14\times8\sqrt{3}}{14\sqrt{3}}$

$$=194\times8$$

$$=1552$$

以上より，正答は**2**である。

［注］STEP❷で $a+\dfrac{1}{a}$ と $a-\dfrac{1}{a}$ の値を求めるとき，分数式の計算の**例3**（**重要ポイント3**(2)）にならって，通分する方法もある。このとき，分子の計算を行う際に，２乗の展開公式

$$(a+b)^2=a^2+2ab+b^2\quad\cdots(1)$$

$$(a-b)^2=a^2-2ab+b^2\quad\cdots(2)$$

を変形して，次の形にしておくと計算が簡単になる。

$$\boldsymbol{(a+b)^2+(a-b)^2=2(a^2+b^2)}\quad\cdots(3)\quad\longleftarrow (1)+(2)より$$

$$\boldsymbol{(a+b)^2-(a-b)=4ab}\quad\cdots(4)\quad\longleftarrow (1)-(2)より$$

与えられた a の値を代入して，(3)，(4)を用いると，

$$a+\frac{1}{a}=\frac{2+\sqrt{3}}{2-\sqrt{3}}+\frac{2-\sqrt{3}}{2+\sqrt{3}}=\frac{(2+\sqrt{3})^2+(2-\sqrt{3})^2}{(2-\sqrt{3})(2+\sqrt{3})}$$

(3)を使う。

$$=\frac{2(4+3)}{4-3}=14$$

$$a-\frac{1}{a}=\frac{2+\sqrt{3}}{2-\sqrt{3}}-\frac{2-\sqrt{3}}{2+\sqrt{3}}=\frac{(2+\sqrt{3})^2-(2-\sqrt{3})^2}{(2-\sqrt{3})(2+\sqrt{3})}$$ (4)を使う。

$$=\frac{4\cdot 2\cdot \sqrt{3}}{4-3}=8\sqrt{3}$$

(3)と(4)は，**公式に準ずるもの**として記憶しておくとよい。

No.2 の解説　式の値――因数分解と展開公式の利用（2）　→ 問題はP.448　正答2

与えられた条件式 $x-\frac{1}{x}=1$ の分母を払って整理すると，x の2次方程式 $x^2-x-1=0$ が導かれるから，**x の値は2つある**ことがわかる。したがって，x の値を求めてから与式に代入しようとすると，2通りの場合について非常に面倒な計算を実行しなくてはならなくなるから，これは得策ではない。

そこで，**x の値を求めなくても済むように**，条件式をうまく利用することを考える。

ここで，前問No.1と同様に，**x を a，$\frac{1}{x}$ を b と置き換えてみると**，

$x-\frac{1}{x}$ は $a-b$ の形，$x^3-\frac{1}{x^3}$ は a^3-b^3 の形

になるから，**因数分解の公式　$a^3-b^3=(a-b)(a^2+ab+b^2)$**

が使えそうである。

STEP❶　$x^3-\frac{1}{x^3}$ を因数分解する。

$$x^3-\frac{1}{x^3}=\left(x-\frac{1}{x}\right)\left(x^2+x\cdot\frac{1}{x}+\frac{1}{x^2}\right)=\left(x-\frac{1}{x}\right)\left(x^2+\frac{1}{x^2}+1\right)\quad\cdots①$$

STEP❷　$x^2+\frac{1}{x^2}$ を $x-\frac{1}{x}$ で表す。

$(a-b)^2=a^2-2ab+b^2$ より
$a^2+b^2=(a-b)^2+2ab$

$$x^2+\frac{1}{x^2}=\left(x-\frac{1}{x}\right)^2+2x\cdot\frac{1}{2}=\left(x-\frac{1}{x}\right)^2+2\quad\cdots②$$

STEP❸　$x^3-\frac{1}{x^3}$ を $x-\frac{1}{x}$ で表し，与えられた数値を代入する。

①，②式より，$x^3-\frac{1}{x^3}=\left(x-\frac{1}{x}\right)\left\{\left(x-\frac{1}{x}\right)^2+3\right\}\quad\cdots③$

③式に $x-\frac{1}{x}=1$ を代入して，$x^3-\frac{1}{x^3}=1\times(1+3)=4$

以上より，正答は**2**である。

［別解］値を求めたい式が3次式であることに着目し，与えられた $x-\frac{1}{x}=1$ の両辺を**とりあえず3乗してみる**。ここで，次の公式を用いる。

展開公式　$(a-b)^3=a^3-3a^2b+3ab^2-b^3$

$x-\frac{1}{x}=1$ の両辺を3乗して，$\left(x-\frac{1}{x}\right)^3=1$ …④

④式の左辺 $=x^3-3x^2\cdot\frac{1}{x}+3x\cdot\frac{1}{x^2}-\frac{1}{x^3}=x^3-\frac{1}{x^3}-3\left(x-\frac{1}{x}\right)$

再び $\boldsymbol{x-\frac{1}{x}=1}$ を使うと… $=x^3-\frac{1}{x^3}-3$

よって，④式より，$x^3-\frac{1}{x^3}=3+1=4$

No.3 の解説　整数の性質――因数分解の応用

→ 問題はP.448 **正答4**

整数問題の解法にも，因数分解や展開公式がよく用いられる。まず，与えられている A が**素数**であることに注意する。ここで，素数とはどのような数であるか，定義を思い出そう。さらに，

$A=m^3-n^3$

の右辺の形に注目する。右辺が「3乗の差」の形であることから，**因数分解の公式が利用できるのでは**，と考えてみる。

STEP❶ $A=m^3-n^3$ の右辺に注目して，因数分解を実行する。

因数分解の公式　$\boldsymbol{a^3-b^3=(a-b)(a^2+ab+b^2)}$

において，a を m，b を n で置き換えればよいから，

$A=m^3-n^3=(m-n)(m^2+mn+n^2)$ …①

と表すことができる。

STEP❷ 素数の定義を思い出し，A が素数であることを利用する。

素数とは，それ自身と1以外では割り切れない自然数のことである。ただし，**1は素数に含まれない**。ここで，①式の右辺に注目すると，A は2つの整数の積で表されている。しかし A は素数だから，$\boldsymbol{A=1\times(A}$ **自身）** と表すよりほかに方法がない。よって，①式より，$m-n$ と m^2+mn+n^2 のどちらかが1になるはずである。そこで，$\boldsymbol{m-n}$，$\boldsymbol{m^2+mn+n^2}$ **のうち，どちらが1になるか**を検討する。

ここで題意より，$\boldsymbol{m}$，$\boldsymbol{n}$ **は自然数であるから，** $\boldsymbol{m\geqq 1}$，$\boldsymbol{n\geqq 1}$　ゆえに，

$m^2+mn+n^2\geqq 1+1+1=3$

よって，m^2+mn+n^2 は，決して1にはなりえない。したがって，

$m-n=1$ …②

でなくてはならない。このような**論理的な考察**をきちんと行うところが，本問に限らず，整数問題を解く最大のポイントである。

STEP❸ ①，②式をもとに A を書き直し，m だけで表してみる。

②式を①式に代入して，$A=1\times(m^2+mn+n^2)$

$=m^2+mn+n^2$ …③

さらに，再び②式を用いてn**を消去**する。②より，$n=m-1$であるから，これを③式に代入して，

$$A=m^2+m(m-1)+(m-1)^2$$

右辺を展開して整理すると，

$$A=m^2+m^2-m+m^2-2m+1$$
$$=3m^2-3m+1$$

よって，正答は**4**である。

［参考］$A=m^3-n^3=m^3-(m-1)^3$の形の素数としては，$m=2$，3，4，5に対応してそれぞれ，$A=7$，19，37，61と求められるが，$m=6$のときは$A=91=13\times7$となり，もはや素数ではない。すなわち，m^3-n^3の形の自然数がすべて素数になるというわけではない。

No.4 の解説　無理式の計算──ルートのはずし方　→問題はP.448　正答2

平方根で表されている数は，平方根の中が（実数）^{2} の形になっていれば，2乗を外して$\sqrt{\ }$の外に出すことができる。ただし，この場合に，

$\sqrt{\ }$は正の平方根，$-\sqrt{\ }$は負の平方根

をそれぞれ表すこと（これを**根号の規約**という）に注意する。要するに，

$\sqrt{a^2}=a$　**ではない！**

仮に$\sqrt{a^2}=a$と書くと，$a<0$の場合に正の平方根$\sqrt{a^2}$が負の値をとることになってしまい，根号の規約に反することになる。本問の場合も，慌てて

$\sqrt{(3a-1)^2}=3a-1$　　$3a-1<0$のとき成り立たない。

などとやってはいけない！

そこで，$\sqrt{a^2}$と書かれた数があるとき，これが正の根号を表すように，$\boldsymbol{a}$**の符号によって場合分け**すると，次のようになる。

$$\sqrt{a^2}=\begin{cases} a & \cdots a\geqq 0\text{のとき} \\ -a & \cdots a<0\text{のとき}\end{cases}$$ **まとめると，**$\sqrt{a^2}=|a|$　　$\sqrt{a^2}$は$|a|$と同じ

本問の場合にも，

$$\sqrt{(3a-1)^2}=\begin{cases} 3a-1 & \cdots a\geqq\frac{1}{3}\text{のとき} \\ -(3a-1) & \cdots a<\frac{1}{3}\text{のとき}\end{cases}$$

$$\sqrt{(a+1)^2}=\begin{cases} a+1 & \cdots a\geqq -1\text{のとき} \\ -(a+1) & \cdots a<-1\text{のとき}\end{cases}$$

のように分類しておいて，与えられたaの値の範囲と照らし合わせてみる。このような作業を行う場合には，右図のように**数直線**を用いるとよい。

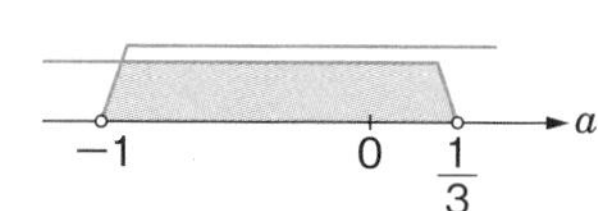

STEP❶ $3a-1$ と $a+1$ の符号を確かめる。

与えられた a の範囲は，$-1<a<\dfrac{1}{3}$ である。$a<\dfrac{1}{3}$ より，$3a<1$，すなわち，$\boldsymbol{3a-1<0}$ である。また，$-1<a$ より，$\boldsymbol{a+1>0}$ となる。

STEP❷ $\sqrt{a^2}=|a|$ に注意して，それぞれの根号をはずす。

$-1<a<\dfrac{1}{3}$ において，

$3a-1<0$ であるから，$\sqrt{(3a-1)^2}=-(3a-1)$ …①

$a+1>0$ であるから，$\sqrt{(a+1)^2}=a+1$ …②

STEP❸ ①式－②式を実行し，与式を簡単にする。

ゆえに，与式は，次のように変形できる。

$$\begin{aligned}\sqrt{(3a-1)^2}-\sqrt{(a+1)^2}&=-(3a-1)-(a+1)\\&=-3a+1-a-1\\&=-4a\end{aligned}$$

以上より，正答は**2**である。

No.5 の解説　恒等式の性質――係数の比較

→ 問題はP.448　正答 5

恒等式に関する基本的かつ典型的な問題である。本問に限って言えば，下記の**別解**に見るように，直ちに $a+b+c+d$ を求める方法もあるが，一般的には a，b，c，d に関する連立方程式を立てて，これらの値を求める方法をとる。ここでも，まずは練習のつもりで，a，b，c，d の値を１つずつ求めていこう。そのためには，与えられた恒等式において，**x の同じ次数の項の係数は互いに相等しい**（重要ポイント4(2)）ことに注目する。本問は３次式であるから，

$$\boldsymbol{ax^3+bx^2+cx+d=a'x^3+b'x^2+c'x+d'} \text{ が } \boldsymbol{x} \text{ の恒等式}$$
$$\boldsymbol{\iff a=a'} \text{ かつ } \boldsymbol{b=b'} \text{ かつ } \boldsymbol{c=c'} \text{ かつ } \boldsymbol{d=d'}$$

となることを利用する。

STEP❶ 与式の右辺を展開し，x について整理する。

展開公式を用いて，$(x-1)^3=x^3-3x^2+3x-1$，$(x-1)^2=x^2-2x+1$ となるから，与式の右辺を変形すると，

$$\begin{aligned}&a(x-1)^3+b(x-1)^2+c(x-1)+d\\&=a(x^3-3x^2+3x-1)\\&\qquad+b(x^2-2x+1)\\&\qquad\qquad+c(x-1)\\&\qquad\qquad\qquad+d\\&=ax^3+(-3a+b)x^2+(3a-2b+c)x+(-a+b-c+d)\quad\cdots①\end{aligned}$$

同じ次数の項を，タテにそろえると整理しやすい。

STEP❷ 左辺の x^3 と①式を等しいと置き，各項の係数を比較する。

$$x^3=ax^3+(-3a+b)x^2+(3a-2b+c)x+(-a+b-c+d)$$

$$\Longleftrightarrow \begin{cases} a=1 & \cdots② \\ -3a+b=0 & \cdots③ \\ 3a-2b+c=0 & \cdots④ \\ -a+b-c+d=0 & \cdots⑤ \end{cases}$$

STEP❸ a，b，c，d の値を求め，$a+b+c+d$ を計算する。

②，③式より，$b=3a=3\times1=3$ …⑥

④，②，⑥式より，$c=-3a+2b=-3\times1+2\times3=3$ …⑦

⑤，②，⑥，⑦式より，$d=a-b+c=1-3+3=1$ …⑧

②，⑥，⑦，⑧式より，$a=1$，$b=3$，$c=3$，$d=1$ であるから，

$a+b+c+d=1+3+3+1=8$

よって，正答は**5**である。

[別解]「与式が x の恒等式である」ということは，**x にどのような値を代入しても与式が成り立つ**ことを意味する。そこで，求めたい値が $a+b+c+d$ であることに注目すると，$(x-1)^3$，$(x-1)^2$，$x-1$ のすべてが 1 になるような x を見つけてくれば直ちに解答できる。$x-1=1$ より，$x=2$ となるから，与式の両辺に $x=2$ を代入して，

$$2^3=a(2-1)^3+b(2-1)^2+c(2-1)+d=a+b+c+d$$

よって，$a+b+c+d=2^3=8$

ただし，いつもこのような方法が利用できるという訳ではない。

方程式と不等式

必修問題

x に関する3次方程式 $x^3+ax^2+bx+4=0$ は3つの異なる解を持つ。そのうち2つの解が2次方程式 $x^2-3x+2=0$ の解と一致するとき，a，bに該当する数の組合せとして正しいのは次のうちどれか。

【市役所・平成21年度】

	a	b
1	-1	-4
2	-1	-2
3	1	-4
4	1	2
5	1	4

難易度 ＊

必修問題の解説

一見すると，3次方程式の解法を要求しているように見えるが，

2次方程式 $x^2-3x+2=0$ …(1)

の2解と一致する，という条件が与えられている。したがって，この2次方程式がきちんと解ければあとは何とかなりそうである。そこで，

3次方程式 $x^3+ax^2+bx+4=0$ …(2)

の左辺を，$f(x)=x^3+ax^2+bx+4$ と置くと，(2)式は $f(x)=0$ と表される。したがって，(1)式の解に対して，重要ポイント1の（＊），すなわち，

$x=\alpha$ が方程式 $f(x)=0$ の解である。$\Longleftrightarrow$ $f(\alpha)=0$ が成り立つ。

を利用すればよい。再び(1)式に目を向けると，この2次方程式の2解 α，β が求められれば，$f(\alpha)=0$ と $f(\beta)=0$ という2つの条件式が作れるから，a と b に関する連立方程式ができそうである。与えられた3次方程式のもう一つの解を求める必要はないが，[別解] に示すように，これが自動的に求められるような解法もある。

STEP❶ 2次方程式 $x^2-3x+2=0$ の解を求める。

簡単に因数分解ができるような場合に「解の公式」を用いるのは，時間と労力のムダ以外の何物でもない。

与えられた**2次方程式の左辺を因数分解**すると，

$x^2-3x+2=(x-1)(x-2)$

となるから，$x^2-3x+2=0 \Longleftrightarrow (x-1)(x-2)=0 \Longleftrightarrow x=1$ または $x=2$

[注] 一般に，$ax^2+bx+c=0 \Longleftrightarrow a(x-\alpha)(x-\beta)=0 \Longleftrightarrow x=\alpha$ または $x=\beta$

STEP❷ a と b についての連立方程式を導く。

STEP❶で求めた $x=1$ と $x=2$ が，同時に3次方程式 $x^3+ax^2+bx+4=0$ の解でもあることから，左辺にそれぞれ $x=1$，$x=2$ を代入したときの値は0である。すなわち，$f(x)=x^3+ax^2+bx+4$ と置くと，$f(1)=0$ かつ $f(2)=0$

$x=1$ のとき……$f(1)=1^3+a\times1^2+b\times1+4=0$

ゆえに，$a+b=-5$ …①

$x=2$ のとき……$f(2)=2^3+a\times2^2+b\times2+4=0$ ゆえに，$4a+2b=-12$

両辺を2で割って，$2a+b=-6$ …② 係数はなるべく簡単に！

STEP❸ 連立方程式を解いて a，b の値を求める。

連立方程式の解法には，代入法と消去法の2通りがあるが，①，②式の場合にはどちらの方法を用いても，それほど手間は変わらない。そこで，①より，

$b=-a-5$ …③

として②に代入すると，$2a+(-a-5)=-6$ より，$a=-6+5=-1$

a の値を③に代入して，$b=-(-1)-5=1-5=-4$

以上より，$a=-1$，$b=-4$ となるから，正答は**1**である。

正答 1

［別解］**3次方程式の解と係数の関係**を用いる（重要ポイント3(2)）。ただし，STEP❶までは上の解説と同一である。一般に，3次方程式 $ax^3+bx^2+cx+d=0$（ただし $a\neq0$）の解が α，β，γ であるとき，次式が成り立つ。

$$\alpha+\beta+\gamma=-\frac{b}{a},\quad \alpha\beta+\beta\gamma+\gamma\alpha=\frac{c}{a},\quad \alpha\beta\gamma=-\frac{d}{a}$$

本問ではまず，2次方程式 $x^2-3x+2=0$ の解として，$\alpha=1$，$\beta=2$ が求められているから，残りのもう一つの解を γ と置き，係数を

$a\to1$，$b\to a$，$c\to b$，$d\to4$

のように置き換えると，$1+2+\gamma=-a$ より，$a=-\gamma-3$ …①′

$1\cdot2+2\gamma+\gamma\cdot1=b$ より，$b=3\gamma+2$ …②′

$1\cdot2\cdot\gamma=-4$ より，$2\gamma=-4$，ゆえに，$\gamma=-2$ …③′

③′を①′，②′に代入して，$a=-1$，$b=-4$ が得られる。

FOCUS

方程式と不等式に関しては，2次方程式に関する出題が圧倒的に多く，解の判別式や「解と係数の関係」を利用するものが目立つ。また，文章題として応用問題が出されることもある。数と式（テーマ1）と同様に，数学のあらゆる分野で登場する必須項目である。今後，問題を解いていく過程で，2次方程式や2次不等式を解かなくてはならない場面に頻繁に遭遇するだろう。教科書も併用しつつ，十分な練習を積み重ねておきたい。

POINT

重要ポイント 1 基本的な方程式とその解法

一般に，文字 x を含む等式 $f(x)=0$ が与えられたとき，これを「この等式を成立させるような x の値を求める」という観点でとらえる場合に，

「$f(x)=0$ は，x を未知数とする**方程式**である」

という。また，この方程式を満たす個々の x の値を，**方程式の解**という。すなわち，

$x=\alpha$ が方程式 $f(x)=0$ の解である。$\Longleftrightarrow$ $f(\alpha)=0$ が成り立つ。 …（＊）

・「方程式 $f(x)=0$ を解く」という表現は，「$f(x)=0$ を満たす x を求める」ことであり，「$f(x)=0$ と同値な条件を，x を主語として書き直す」ことである。

・特に $f(x)$ が x の n 次の整式であるとき，$f(x)=0$ を **n 次方程式**という。

(1) 1次方程式の解　$ax+b=0$

$a\neq 0$ のとき，唯一の解 $x=-\dfrac{b}{a}$ を持つ。

移行して $ax=-b$ とし，この両辺を a で割る。

$a=0$ のとき，$\begin{cases} b=0 \longrightarrow \text{すべての } x \text{ が解} \\ b\neq 0 \longrightarrow \text{解は存在しない} \end{cases}$

$a=0$ のとき，$0\cdot x=-b$

(2) 2次方程式　$ax^2+bx+c=0$（ただし，a，b，c は実数で，$a\neq 0$ とする）

①因数分解による解法←基本中の基本！

・$ax^2+bx+c=0$ の左辺が因数分解できれば，次のように解が求められる。

$$a(x-\alpha)(x-\beta)=0 \iff x-\alpha=0 \text{ または } x-\beta=0 \qquad a\neq 0$$
$$\iff x=\alpha \text{ または } x=\beta$$

2つの数 A，B に対し，$AB=0 \iff A=0$ または $B=0$ …（＊＊）

［例1］　$x^2-3x+2=0 \iff (x-1)(x-2)=0 \iff x=1$ または $x=2$

・左辺が $(kx+l)(mx+n)$ の形に因数分解できたとき（$km=a\neq 0$ とする），

$$(kx+l)(mx+n)=0 \iff kx+l=0 \text{ または } mx+n=0$$
$$\iff x=-\frac{l}{k} \text{ または } x=-\frac{n}{m}$$

1次方程式が2個ある。

［例2］　$6x^2-x-1=0 \iff (3x+1)(2x-1)=0$

$$\iff x=-\frac{1}{3} \text{ または } x=\frac{1}{2}$$

②基本型　$x^2=A$ の解…$x=\pm\sqrt{A}$（テーマ1重要ポイント2(5)）

・$A>0$ のとき $A=k^2$（$k>0$）と表されるから，$x^2=k^2 \iff x=\pm k$

・$A<0$ のとき $A=-k^2$（$k>0$）と表されるから，$x^2=-k^2 \iff x=\pm ki$

ただし，i は虚数単位で，$i^2=-1$ を満たす。（$x^2=-1$ の解は $\pm i$）

［例3］　$x^2-3=0 \iff x^2=3 \iff x^2=(\sqrt{3})^2 \iff x=\pm\sqrt{3}$

［例4］　$x^2+3=0 \iff x^2=-3 \iff x^2=-(\sqrt{3})^2 \iff x=\pm\sqrt{3}\,i$

［注］$x=\pm\sqrt{A}$ は，「$x=\sqrt{A}$ または $x=-\sqrt{A}$」をまとめて表したものである。

③ ②の発展型　$(x-B)^2=A$ の解…$x-B=\pm\sqrt{A}$ より，$x=B\pm\sqrt{A}$

特に x^2 の係数が1の場合に，**平方完成**（テーマ1重要ポイント3(1)）を実行して，この形に導くことができる。

［例5］ $x^2-x-1=0 \iff x^2-x+\left(\frac{1}{2}\right)^2-1-\left(\frac{1}{2}\right)^2=0$

$$\iff \left(x-\frac{1}{2}\right)^2=\frac{5}{4} \iff x=\frac{1}{2}\pm\frac{\sqrt{5}}{2}$$

④一般形 $ax^2+bx+c=0$ の解（解の公式）… $x=\dfrac{-b\pm\sqrt{b^2-4ac}}{2a}$ …(1)

左辺を平方完成すると，$ax^2+bx+c=a\left(x+\frac{b}{2a}\right)^2-\frac{b^2-4ac}{4a}$

となるから，$ax^2+bx+c=0 \iff \left(x+\frac{b}{2a}\right)^2=\frac{b^4-4ac}{4a^2}$ 　③と同じパターン

$$\iff x=-\frac{b}{2a}\pm\frac{\sqrt{b^2-4ac}}{2a}$$

・$D=b^2-4ac$ と置き，解の公式を書き直すと，$x=\dfrac{-b\pm\sqrt{D}}{2a}$ …(2)

$D=b^2-4ac$ を，2次方程式 $ax^2+bx+c=0$ の解の**判別式**という。

・2次方程式 $ax^2+bx+c=0$（ただし，a，b，c は実数で，$a\neq 0$）の解は，**判別式 D の符号**によって，次の3通りに分類できる。

$D=b^2-4ac$ の符号	$ax^2+bx+c=0$ の解
$D>0$	相異なる2つの実数解を持つ
$D=0$	重解を持つ
$D<0$	相異なる2つの虚数解を持つ（互いに共役な複素数）

・実際に解の公式を用いるとき，まず $D=b^2-4ac$ を求めておいて，$\sqrt{D}$ を計算してから，(2)に代入するという手順で実行するとよい。

［例6］ $3x^2-5x+1=0$ 　判別式は，$D=5^2-4\cdot 3\cdot 1=13$

よって，$x=\dfrac{-(-5)\pm\sqrt{13}}{2\cdot 3}=\dfrac{5\pm\sqrt{13}}{6}$

［注］2次方程式 $ax^2+bx+c=0$ において，

1）**$D=0$** のとき……解の公式より，$x=-\dfrac{b}{2a}$ **が重解**となる。

このとき，$ax^2+bx+c=a\left(x+\frac{b}{2a}\right)^2$ と表される。

右辺の $\square^2$ の形を完全平方式という。

2）**$D<0$** のとき……**2つの虚数解**は，$x=p+qi$ または $x=p-qi$ と表される $\left(p=-\frac{b}{2a},\ q=\frac{\sqrt{-D}}{2a}\right)$。

互いに共役な複素数と呼ぶ。

［例7］ $x^2+x+1=0$ 　判別式は，$D=1^2-4\cdot 1\cdot 1=-3$，$x=\dfrac{-1\pm\sqrt{3}\,i}{2}$

重要ポイント2 2次方程式の解と係数の関係

xの2次方程式　$ax^2+bx+c=0$（$a \neq 0$）の2解をα，βとすると，

$$ax^2+bx+c=a(x-\alpha)(x-\beta)$$

と因数分解できる。この式はxについての恒等式であるから，右辺を展開して係数を比較すると（テーマ1重要ポイント4(2)の［例4］），次式が得られる。

$$\boldsymbol{\alpha+\beta=-\frac{b}{a},\ \ \alpha\beta=\frac{c}{a}}$$

α，βが重解となる場合や，虚数解の場合にも成り立つ。

・解と係数の関係は，解α，βを直接求めることが困難な場合であっても，いろいろな問題に応用することができる。

［発展］　2つの未知数xとyの和がp，積がqであるとき，$x+y=p$，$xy=q$より，xとyは，2次方程式$t^2-pt+q=0$の2解である。

重要ポイント3 高次方程式

次数が3以上の方程式をまとめて**高次方程式**と呼ぶことがある。2次方程式と比べると出題頻度は少ないが，解法パターンは決まっているから，出題された場合には確実に得点源となる。ここでは主に3次方程式の解法を見ておこう。

(1) 3次方程式の解法

①**基本型　$\boldsymbol{x^3=A}$ の解**……実数の範囲では，Aの正負にかかわらずただ1つの実数解$x=\sqrt[3]{A}$（Aの**立方根**）を持つ。複素数の範囲では，3個の解を持つ。

［例1］　$x^3=1 \iff x^3-1=0 \iff (x-1)(x^2+x+1)=0$ より，

$$x=1 \text{ または } x^2+x+1=0 \iff x=1,\ x=\frac{-1\pm\sqrt{3}\,i}{2}$$

②**$\boldsymbol{ax^3+bx^2+cx+d=0}$（$\boldsymbol{a\neq 0}$）の解**……$f(x)=ax^3+bx^2+cx+d$と置き，$f(\alpha)=0$が成り立てば，**因数定理**より，$f(x)=(x-\alpha)g(x)$と書ける。このような$\alpha$を見つけて，あとは2次方程式$g(x)=0$を解けばよい。

［例2］　$x^3-2x^2+1=0$の解：$f(x)=x^3-2x^2+1$と置くと，$f(1)=1-2+1=0$
割り算を実行して，$f(x)=x^3-2x^2+1=(x-1)(x^2-x-1)$　ゆえに，

$$f(x)=0 \iff x=1 \text{ または } x^2-x-1=0 \iff x=1,\ x=\frac{1\pm\sqrt{5}}{2}$$

(2) 3次方程式の解と係数の関係　3次方程式$ax^3+bx^2+cx+d=0$（$a\neq 0$）の3つの解をα，β，γとすると，

$$ax^3+bx^2+cx+d=a(x-\alpha)(x-\beta)(x-\gamma)$$

と因数分解できる。2次方程式の場合と同様に，恒等式の性質を利用するために右辺を展開して，係数を比較すると，

$$\boldsymbol{\alpha+\beta+\gamma=-\frac{b}{a},\ \ \alpha\beta+\beta\gamma+\gamma\alpha=\frac{c}{a},\ \ \alpha\beta\gamma=-\frac{d}{a}}$$

重要ポイント 4 基本的な不等式とその解法

一般に，文字 x を含む式 $f(x)$ に対して，$f(x)>0$ または $f(x)<0$，もしくは，$f(x)\geqq 0$，$f(x)\leqq 0$ を満たす x の範囲を，**不等式の解**という。与えられた不等式を解くことは，これと同値で最も単純な不等式を，x を主語として表すことである。

(1) 1次不等式 $ax+b>0$ または $ax+b<0$ $(a \neq 0)$ の解

数直線を活用しよう！

まず，1次方程式 $ax+b=0$ を解くと，$x=-\dfrac{b}{a}$ が境目となる。

・**a の正負によって，不等号の向きが逆になる**ことに注意！

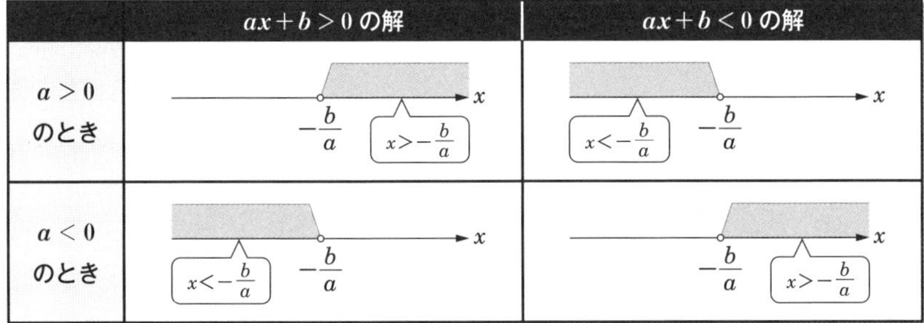

・あらかじめ **(x の係数)>0 となるように移行しておく**と，符号のミスが防げる。
・$ax+b\geqq 0$，$ax+b\leqq 0$ の解は，$ax+b>0$，$ax+b<0$ の解と $ax+b=0$ の解を合わせたものであるから，解の不等号を $>$，$<$ から $\geqq$，$\leqq$ に変えればよい。

(2) 2次不等式　$ax^2+bx+c>0$ または $ax^2+bx+c<0$ $(a \neq 0)$ の解

①$D=b^2-4ac>0$ のとき……まず，2次方程式 $ax^2+bx+c=0$ の2つの実数解 α，β を求める。ただし，$\alpha<\beta$ とする。$ax^2+bx+c=a(x-\alpha)(x-\beta)$ となるから，$(x-\alpha)(x-\beta)>0$ または $(x-\alpha)(x-\beta)<0$ の解を利用する。

x の範囲	$x<\alpha$	$x=\alpha$	$\alpha<x<\beta$	$x=\beta$	$\beta<x$
$x-\alpha$ の符号	$-$	0	$+$	$+$	$+$
$x-\beta$ の符号	$-$	$-$	$-$	0	$+$
$(x-\alpha)(x-\beta)$ の符号	$+$	0	$-$	0	$+$

↓ (x^2 の係数)=1 ときの不等式の解は…

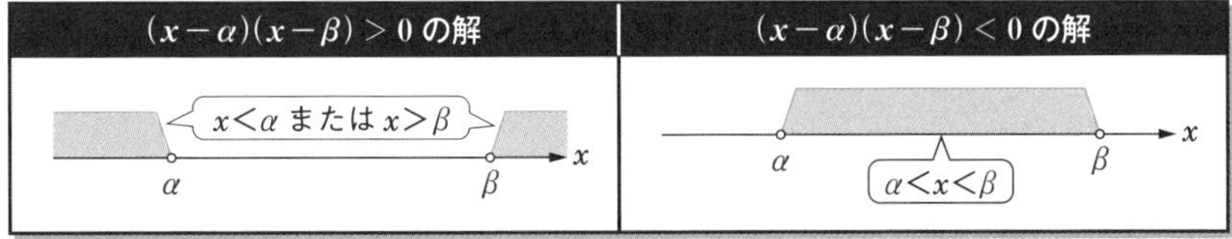

②$D=b^2-4ac=0$ のとき
③$D=b^2-4ac<0$ のとき
} ⇒ 2次関数のグラフを利用する（テーマ3）。

自然科学 第5章 数学

実戦問題

＊
No.1 **2次方程式 $x^2+(m+1)x-2m+3=0$ が重解を持つときの定数 m の値を m_1，m_2 とするとき，それぞれの重解 x_1，x_2 の組合せはどれか。**

【地方上級（特別区）・平成22年度】

	x_1	x_2
1	1	−11
2	1	3
3	0	1
4	−1	5
5	−1	11

＊＊
No.2 **2次方程式 $(x-1)(x-3)+(x-3)(x-5)+(x-5)(x-1)=0$ の2つの解を α，β とするとき，次の式の値として正しいのはどれか。**

$(\alpha-1)(\beta-1)+(\alpha-3)(\beta-3)+(\alpha-5)(\beta-5)$

【国家一般職・平成20年度】

1 $\frac{4}{3}$

2 $\frac{8}{3}$

3 4

4 8

5 12

＊＊
No.3 **2次方程式 $2x^2-3x+6=0$ の2つの解を α，β とするとき，$\alpha-\frac{1}{\beta}$，$\beta-\frac{1}{\alpha}$ を解に持つ2次方程式はどれか。**

【地方上級（特別区）・平成23年度】

1 $3x^2-3x+4=0$

2 $3x^2-6x+4=0$

3 $3x^2+6x+4=0$

4 $6x^2-5x+8=0$

5 $6x^2+5x+8=0$

No.4 南北７m，東西30mの敷地がある。この敷地を東西に横断する道を１本，南北に横断する道を２本つくる。道幅は同じである。道の面積が敷地から道の面積を引いた部分の $\frac{1}{4}$ に等しいとき，道幅は何mになるか。

【市役所・平成23年度】

1 0.6m
2 0.8m
3 1.0m
4 1.2m
5 1.4m

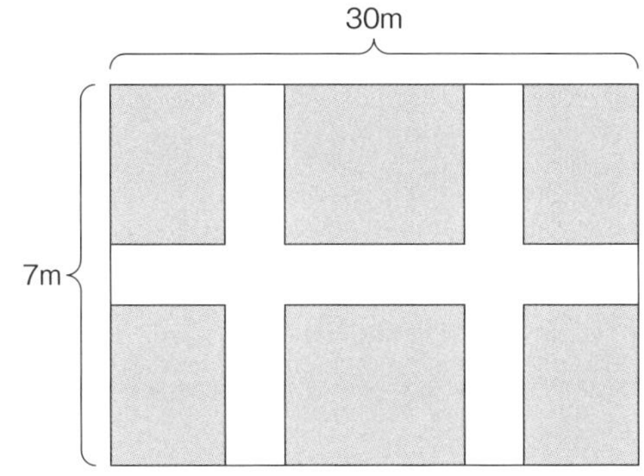

No.5 次の図のように，縦が３m，横が４mの長方形の池の周りに，幅が x で一定の花壇をつくる。今，花壇の面積を44m^{2}以上144m^{2}以下，かつ，花壇の外周の長さを54m以下とするとき，x の範囲はどれか。

【地方上級（特別区）・平成24年度】

1 $2\text{m} \leqq x \leqq 4.5\text{m}$
2 $2\text{m} \leqq x \leqq 5\text{m}$
3 $2.5\text{m} \leqq x \leqq 4.5\text{m}$
4 $5\text{m} \leqq x \leqq 5.5\text{m}$
5 $5.5\text{m} \leqq x \leqq 8\text{m}$

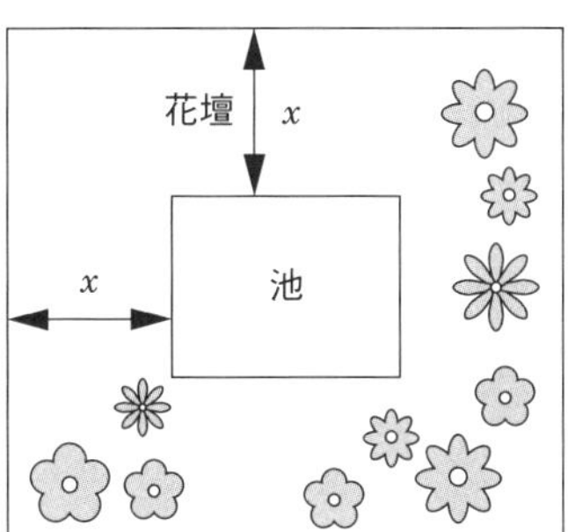

実戦問題の解説

No.1 の解説　2次方程式が重解を持つ条件――判別式の利用 → 問題はP.462 **正答4**

2次方程式の**判別式**を用いる典型的な問題である。x の2次方程式 $ax^2+bx+c=0$（$a \neq 0$）が**重解を持つ条件**は，判別式 $D=b^2-4ac=0$ が成り立つ場合に限られる（**重要ポイント1⑵④**）。与えられた2次方程式

$x^2+(m+1)x-2m+3=0$

を見ると，$a=1$，$b=m+1$，$c=-2m+3$ であるから，判別式 D は m の2次式になる。したがって，**$D=0$ という式は m の2次方程式になる**から，これを解けば条件を満たす2つの m の値が求められる。問題文ではこれら2つの m の値を m_1，m_2 と書いているが，これは単に2つの m の値を区別しているだけで，特に深い意味はない。求められた2つの m の値のうち，どちらが m_1 でも m_2 でもかまわないのである。x_1 と x_2 についても同様で，その組合せがわかればよい。

また，$D=0$ のとき2つの解は一致して，$x=-\dfrac{b}{2a}$ となるから，与えられた2次方程式も $a\left(x+\dfrac{b}{2a}\right)^2=0$ の形に変形できる。本問では $a=1$ であるから，それぞれ m_1，m_2 に対応して，$(x-x_1)^2=0$，$(x-x_2)^2=0$ の形に導くことができる。

STEP❶　判別式＝0の条件から，m が満たすべき方程式を導く。

与えられた2次方程式 $x^2+(m+1)x-2m+3=0$ …①

を，2次方程式の一般形 $ax^2+bx+c=0$ と比較して，

$a=1$，$b=m+1$，$c=-2m+3$

となるから，①の解の判別式 D は，

$$D=b^2-4ac=(m+1)^2-4\cdot1\cdot(-2m+3)$$
$$=m^2+2m+1+8m-12$$
$$=m^2+10m-11$$

よって，$D=0$ の条件は，　$m^2+10m-11=0$ …②

と書き直される。②は，**m が満たすべき2次方程式**である。

STEP❷　②式を解いて，条件を満たす m の値を求める。

②の左辺を**因数分解**して，

$(m-1)(m+11)=0$　　よって，$m=1$，-11

2次方程式は因数分解が基本！$(x-\alpha)(x-\beta)=0$ の解は $x=\alpha$，β

STEP❸　①式に m の値をそれぞれ代入し，重解を求める。

1）**$m=1$ のとき**…①式の右辺 $=x^2+2x+1=(x+1)^2$

　ゆえに，$(x+1)^2=0$　よって，求める重解は，$x=\mathbf{-1}$

2）**$m=-11$ のとき**…①式の右辺 $=x^2-10x+25=(x-5)^2$

　ゆえに，$(x-5)^2=0$　よって，求める重解は，$x=\mathbf{5}$

以上より，-1 と5の組合せが正しいから，正答は**4**である。

No.2の解説　対称式の値を求める——解と係数の関係(1)　→問題はP.462　正答3

本問で値を求めるように指示された式は，一見すると複雑であるが，

αとβを入れ替えても同じ式になる

という特徴を備えている。このような式を一般に，αとβの**対称式**という。αとβの対称式は，たとえどれほど複雑であろうとも，

基本対称式　$\alpha+\beta$，$\alpha\beta$

の式に変形することができる。この変形を実行するには，**$\alpha+\beta$と$\alpha\beta$のかたまりを，それぞれ新しい変数であるかのように考えて式を書き直せ**ばよい。ここでは，αとβは与えられた2次方程式の2解であるから，**解と係数の関係**（重要ポイント2）を使わせるねらいがあることに気が付く。すなわち，

$ax^2+bx+c=0$（$a\neq0$）の2解がα，βである。

$$\Longrightarrow \alpha+\beta=-\frac{b}{a},\ \alpha\beta=\frac{c}{a}$$

そこで，与えられた2次方程式を，一般的な形に直すことが出発点となる。

STEP❶　与えられた2次方程式の左辺を展開し，$ax^2+bx+c=0$の形に直す。

$$\begin{aligned}&(x-1)(x-3)+(x-3)(x-5)+(x-5)(x-1)\\=&\quad x^2-4x+3\\&+x^2-8x+15\\&+x^2-6x+5\\=&\ 3x^2-18x+23\end{aligned}$$

同じ次数の項をタテにそろえて書くと計算しやすくなり，ミスも減らせる！

よって，与えられた2次方程式は，$3x^2-18x+23=0$　…①

と変形できる。

STEP❷　解と係数の関係を用いて，$\alpha+\beta$と$\alpha\beta$の値を求める。

①式において，$a=3$，$b=-18$，$c=23$であるから，

$$\alpha+\beta=-\frac{b}{a}=-\left(-\frac{18}{3}\right)=6,\ \alpha\beta=\frac{23}{3}$$

－の符号に注意！

STEP❸　値を求める式を，$\alpha+\beta$と$\alpha\beta$の式に直し，それぞれの値を代入する。

与えられたα，βの式を展開すると，

$$(\alpha-1)(\beta-1)+(\alpha-3)(\beta-3)+(\alpha-5)(\beta-5)$$
$$=\alpha\beta-(\alpha+\beta)+1+\alpha\beta-3(\alpha+\beta)+9+\alpha\beta-5(\alpha+\beta)+25$$

$=3\alpha\beta-9(\alpha+\beta)+35$　この式に，STEP❷で求めた$\alpha\beta=\dfrac{23}{3}$と

$\alpha+\beta=6$を代入して，

$$与式=3\cdot\frac{23}{3}-9\cdot6+35=23-54+35=4$$

以上より，正答は**3**である。

No.3の解説　2次方程式をつくる――解と係数の関係(2)　→問題はP.462　正答1

与えられた2次方程式　$2x^2-3x+6=0$ …①

を解いてα, βを求めてから, $\alpha-\dfrac{1}{\beta}$と$\beta-\dfrac{1}{\alpha}$の値を求めることができればよいが, この方法では, 本問の場合には計算が非常に繁雑になり, 得策ではない。実際, ①の判別式は, $D=(-3)^2-4\cdot2\cdot6=9-48=-37<0$となるから, **①は虚数解を持つ**。したがって, 解を求めてから計算するという方法は, もはや絶望的である。

一般に, この種の問題では, 与えられた方程式の解を直接求めるのではなく, **解と係数の関係**が利用できるかどうか, と考えてみると解決できる場合が多い。問題文に「2つの解をα, βとするとき」と書かれているが, これは「解と係数の関係を使いなさい」というヒントが与えられているに等しい, ということに気付いてもらいたい。また, $\alpha-\dfrac{1}{\beta}$と$\beta-\dfrac{1}{\alpha}$を解とする方程式を求める場合にも, 要するに2次方程式の係数がわかればよいのであるから, **解と係数の関係を逆に使えばよい**。

一般に, **2つの解の和がp, 積がqであるような2次方程式**は,

$$\boldsymbol{x^2-px+q=0} \quad \cdots②$$

$-px$の符号に注意！

の形に書くことができる（**重要ポイント2の［発展］**）。また, ②式にどのような実数をかけてもやはり0になるから, すべての実数kに対し,

$$\boldsymbol{k(x^2-px+q)=0} \quad \cdots②'$$

もまた, 解の和がp, 積がqの2次方程式である。そこで, とりあえず②のように, x^2の係数が1になるものを求めておいて, 適当なkをかけて調整することによって, ②′の形に書き直し, 選択肢と見比べてみればよい。

STEP❶　①式に解と係数の関係を適用し, $\alpha+\beta$と$\alpha\beta$の値を求める。

①式より, $\boldsymbol{\alpha+\beta=\dfrac{3}{2}}$, $\boldsymbol{\alpha\beta=\dfrac{6}{2}}=3$　が得られる。

STEP❷　$\alpha-\dfrac{1}{\beta}$と$\beta-\dfrac{1}{\alpha}$の和と積を求める。

STEP❶で求めた$\alpha+\beta$と$\alpha\beta$を用いると,

$$\left(\alpha-\frac{1}{\beta}\right)+\left(\beta-\frac{1}{\alpha}\right)=\alpha+\beta-\left(\frac{1}{\beta}+\frac{1}{\alpha}\right)$$

②の$\boldsymbol{p}$を求める

$$=\alpha+\beta-\frac{\alpha+\beta}{\alpha\beta}=\frac{3}{2}-\frac{3}{2}\cdot\frac{1}{3}=\frac{3}{2}-\frac{1}{2}=1$$

$$\left(\alpha-\frac{1}{\beta}\right)\left(\beta-\frac{1}{\alpha}\right)=\alpha\beta-1-1+\frac{1}{\alpha\beta}$$

②の$\boldsymbol{q}$を求める

$$=\alpha\beta+\frac{1}{\alpha\beta}-2=3+\frac{1}{3}-2=\frac{4}{3}$$

STEP❸ 解の和と積が求められたところで，②の形を作ってみる。

よって，求める方程式は，

$$x^2 - x + \frac{4}{3} = 0 \quad \cdots ③ \qquad p = 1,\ q = \frac{4}{3}$$

③式の両辺を3倍して，**係数を整数にそろえる**と，$\boldsymbol{3x^2 - 3x + 4 = 0}$

よって，**1**が正答である。

No.4の解説　2次方程式の応用──文章題(1)

→問題はP.463　正答3

一般に，方程式や不等式の応用問題では，未知数 x としてどのような数量を選ぶかがポイントになる。本問の場合は，素直に道幅を x〔m〕とするのがよい。また，道の面積が，「敷地から道の面積を引いた部分の $\frac{1}{4}$ に等しい」という条件から，**x が満たすべき方程式**を導くことができそうである。ただし，**x の範囲（定義域）に注意**すること。

STEP❶ まず，道の面積を求めておく。

敷地の面積は全体で，$7 \times 30 = 210$〔m^2〕であるから，道の面積を y〔m^2〕とすると，与えられた条件を数式に直して，

$$y = \frac{1}{4} \times (210 - y)$$

これより，$4y = 210 - y$

よって，$5y = 210$ となるから，

$\boldsymbol{y = 42}$〔m^2〕 …①

と求められる。

STEP❷ 道幅を x〔m〕と置いて，道の面積 y を x で表してみる。

右の図1より，道の面積 y は，南北の道と東西の道が重なっている部分に注意すると，

$$y = 2 \times 7x + 30x - 2 \times x^2$$
$$= \boldsymbol{-2x^2 + 44x} \quad \cdots ②$$

と表される。あるいは，道をすべて隅に寄せても面積は変わらないことに注目して，右の図2より，

$$y = 2x \times 7 + (30 - 2x) \times x$$
$$= -2x^2 + 44x$$

という具合に②式を導くこともできる。

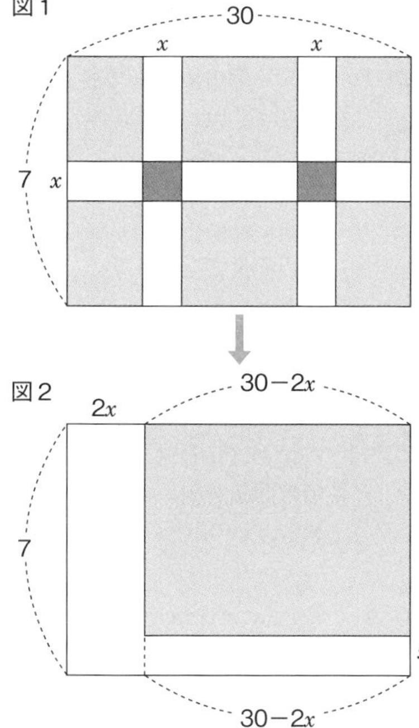

STEP❸　①，②式を用いて x の方程式を導く。

②式の y に①式を代入して，

$$\mathbf{42=-2x^2+44x}$$

よって，　$2x^2-44x+42=0$

両辺を２で割ると，

$$\mathbf{x^2-22x+21=0}\quad\cdots③$$

因数分解できる！

が得られる。ここで，x の範囲は，南北方向の７ｍよりも小さく，かつ道幅であるから正の値である。ゆえに　$\mathbf{0<x<7}$ …④　x の範囲に注意！

を満たさなくてはならない。　④が x の定義域である。

STEP❹　x の２次方程式③を解いて，条件④を満たす解を求める。

③式の左辺を**因数分解**して，$(x-1)(x-21)=0$

これより，$x=1$，または $x=21$ となるが，**④を満たすものは $x=1$ だけ**である。

以上より，道幅は1.0mとなるから，**3**が正答である。

No.5の解説　２次不等式の応用――文章題(2)

→ 問題はP.463　**正答 1**

本問では，花壇の幅を x とするよう指示されている。**No.4**と同様に考えて，花壇の面積を x で表してみよう。また，外周の長さにも54m以下という制限があることから，x の範囲（定義域）が定められそうである。

STEP❶　まず，図の中に与えられた長さを書き込んでみる。

池が3m×4m の長方形で，花壇の幅 x は一定であるから，右図のように花壇全体を，池の辺を延長して区切り，それぞれの小長方形（または正方形）の**辺の長さを記入**する。池も含めて花壇のサイズは，

縦…$2x+3$〔m〕

横…$2x+4$〔m〕

と表される。

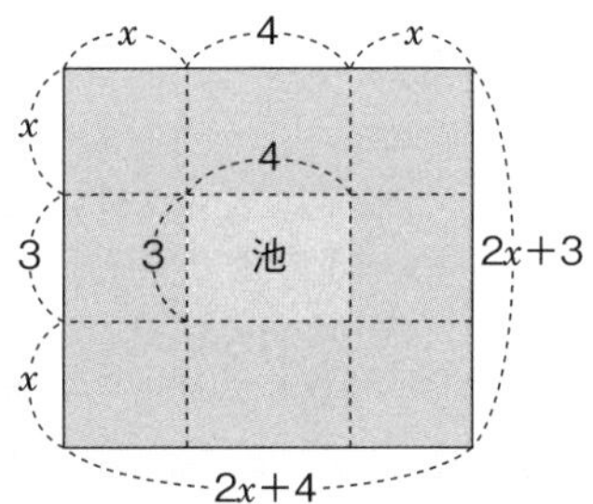

STEP❷　花壇の面積と外周を x で表す。

花壇の面積を y〔m²〕とすると，全体の面積から池の面積を引いて，

$$\mathbf{y}=(2x+3)(2x+4)-3\times4$$
$$=4x^2+14x+12-12$$
$$=\mathbf{4x^2+14x}\quad\cdots①$$

また，外周の長さは，(縦＋横)×２に等しいから，

外周$=\{(2x+3)+(2x+4)\}\times2=(4x+7)\times2=\mathbf{8x+14}$　…②

と表される。

STEP❸ 面積と外周の範囲から，x の不等式を導く。

面積には44m²以上144m²以下という制限があるから，y は，$44 \leqq y \leqq 144$ を満たさなくてはならない。

この不等式の y に①式を代入して，$44 \leqq 4x^2 + 14x \leqq 144$

両辺を２で割ると，$\boldsymbol{22 \leqq 2x^2 + 7x \leqq 72}$ …③

また，外周には54m以下という制限があることから，②式より x は，

$8x + 14 \leqq 54$

を満たさなくてはならない。

これより，$8x \leqq 40$　ゆえに，$x \leqq 5$ となる。さらに，x は花壇の幅を表しているから，$x > 0$ も満たさなくてはならない。

よって，$\boldsymbol{0 < x \leqq 5}$ …④

④が x の定義域である。

STEP❹ ２次不等式③を解いて，④との共通領域を求める。

x は③と④の，両方の不等式を同時に満たさなくてはならないから，これらの不等式の解すべてに**共通する x の範囲**を求めなくてはならない。すなわち，**連立不等式**を解くことが必要となる。これを実行する際には，**数直線の利用**が有効である。

③は，２つの２次不等式からできている。まず，左側について，

$22 \leqq 2x^2 + 7x$　より，$2x^2 + 7x - 22 \geqq 0$　　これも因数分解できる！

因数分解すると，$(2x + 11)(x - 2) \geqq 0$　よって，

$\boldsymbol{x \geqq 2}$　**または**　$\boldsymbol{x \leqq -\frac{11}{2}}$ …⑤

（本問では，$x > 0$ であるから，$x \leqq -\frac{11}{2}$ は不要である。）

次に，右側について，$2x^2 + 7x \leqq 72$　より，$2x^2 + 7x - 72 \leqq 0$

因数分解すると，$(2x - 9)(x + 8) \leqq 0$　よって，$\boldsymbol{-8 \leqq x \leqq \frac{9}{2}}$ …⑥

以上，不等式④，⑤，⑥を数直線上の領域として図示し，その共通部分を求めると，右図の斜線部のようになるから，これより，

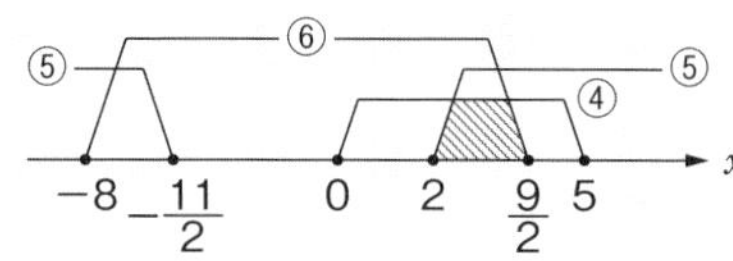

$\boldsymbol{2 \leqq x \leqq \frac{9}{2}}$

ゆえに，$2 \leqq x \leqq 4.5$　となる。よって，**1** が正答である。

自然科学 第5章 数学

テーマ **3** 第5章 数学

関数とグラフ

必修問題

2次関数 $y = x^2 + ax + b$ のグラフが x 軸上の異なる2点 $(a,\ 0)$, $(b,\ 0)$ で交わるとき，頂点の y 座標は次のうちどれか。

【市役所・平成18年度】

1 $-\frac{7}{4}$　　**2** $-\frac{9}{4}$　　**3** 0　　**4** $-\frac{11}{4}$　　**5** $-\frac{13}{4}$

難易度 ＊＊

必修問題の解説

２次関数のグラフと２次方程式の解に関する基本的な問題である（重要ポイント2）。一般に，関数 $y = f(x)$ と x 軸との交点の x 座標は，$y = 0$ と置くことにより，方程式 $f(x) = 0$ の解として求められる。特に，２次関数 $y = ax^2 + bx + c$ において，x 軸との交点が２個存在するのは，

２次方程式 $ax^2 + bx + c = 0$ が，異なる２つの実数解 α，β を持つ

という場合であり，このとき２つの交点の座標は，$(\alpha,\ 0)$，$(\beta,\ 0)$ となる。

したがって，係数 a，b，c が与えられていれば，$ax^2 + bx + c = 0$ を解いてこの２解を求めれば交点の座標がわかる。逆に，交点の座標 $(\alpha,\ 0)$，$(\beta,\ 0)$ がわかっている場合に係数 a，b，c の関係を求めるには，

解と係数の関係　$\alpha + \beta = -\dfrac{b}{a}$,　$\alpha\beta = \dfrac{c}{a}$　　…(＊)

を用いるのが直接的であり，効率がよい（テーマ２重要ポイント２）。

本問の場合，与えられた２次関数が

$y = x^2 + ax + b$　…①

であるから，(＊) において係数をそれぞれ，

$a \to 1$，$b \to a$，$c \to b$

と置き換えると，

２次方程式 $x^2 + ax + b = 0$

の２解 α，β は，解と係数の関係より，

$\alpha + \beta = -a$，$\alpha\beta = b$

を満たす。また題意より，α と β は，どちらか一方が a で他方が b となるから，「$\alpha = a$, $\beta = b$」の場合と，「$\alpha = b$，$\beta = a$」の場合がありうるが，解と係数の関係は α と β の対称式であるから，どちらの場合でも同じ２つの関係式が導かれる。

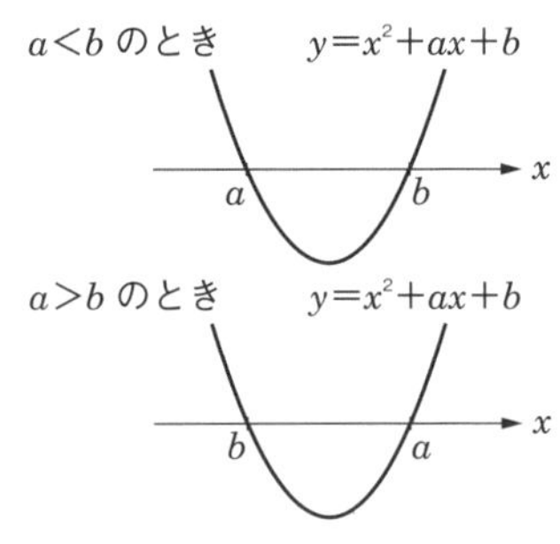

STEP❶ 交点の x 座標が満たすべき方程式を導く。

①式で $y=0$ と置いて，$x^2+ax+b=0$ …②

ここで，$(a,\ 0)$，$(b,\ 0)$ は異なる２点という条件から，$\boldsymbol{a \neq b}$ に注意しよう。

STEP❷ ２次方程式②の２解が a，b であることから，a と b の関係式を導く。

解と係数の関係より，$a+b=-a$ …③　　$ab=b$ …④

STEP❸ ③，④式を a と b の連立方程式として解き，a と b を求める。

まず，③より，$2a+b=0$　よって，$b=-2a$ …⑤

また，④は，慌てて両辺を b で割ってはいけない！　**$b=0$ となる場合もある**から，場合分けをして考察する必要がある。そのためには移項して因数分解し，

$$ab-b=0 \iff b(a-1)=0$$
$$\iff b=0 \text{ または } a-1=0$$

$$\boldsymbol{AB=0} \iff \boldsymbol{A=0} \text{ または } \boldsymbol{B=0}$$

とするのが安全である。したがって，次の２通りの場合がありうる。

1）$b=0$ のとき……⑤より $a=0$ となり，$a=b$ となってしまうから，$a \neq b$ という仮定に反する。よって，**不適**である。

2）$a=1$ のとき……⑤より $b=-2$ となり，$a \neq b$ を満たしている。

以上より，$\boldsymbol{a=1}$，$\boldsymbol{b=-2}$ と求められる。

STEP❹ ①式の右辺に a，b の値を代入して平方完成し，標準形に直す。

STEP❸より，①は $y=x^2+x-2$ と書ける。右辺を平方完成して，

$$y=x^2+2\cdot\frac{1}{2}x-2=x^2+2\cdot\frac{1}{2}x+\left(\frac{1}{2}\right)^2-\left(\frac{1}{2}\right)^2-2=\left(x+\frac{1}{2}\right)^2-\frac{9}{4}$$

ゆえに，求める頂点の y 座標は，$x=-\dfrac{1}{2}$ のときの y の値，すなわち，$y=-\dfrac{9}{4}$

よって，**2**が正答である。

正答 2

［注］$f(x)=x^2+ax+b$ と置くと，a，b が２次方程式 $f(x)=0$ の解であるから，

$$f(a)=0 \text{ より，} 2a^2+b=0,\quad f(b)=0 \text{ より，} b^2+ab+b=0$$

の２式が導かれる。この２式を a，b の連立方程式として解く方法もあるが，a，b の値にまったく意味のない無関係な（しかも $a \neq b$ に反する）ものが入り込んでしまい，非常に煩わしい。しかし，解と係数の関係を使えばスリムに解ける。

FOCUS

高等学校で学ぶ関数にはいろいろなものがあるが，やはり２次関数に関連する問題が圧倒的に多く出題され，１次関数がこれに次ぐ。なかでも２次方程式や２次不等式の問題を２次関数のグラフを利用して解かせるものや，グラフの交点の個数を問うものが目につくが，いずれも数学Ⅰの教科書にあるような基本的な内容にとどまっている。なお，２次関数の最大・最小問題は，公務員試験の頻出項目であるが，これはテーマ４で扱う。

POINT

重要ポイント 1 基本的な関数とそのグラフ

一般に，2つの変数xとyの間に対応関係が存在し，この関係に従ってxを定めたとき，対応するyの値が1つ定まる場合に，yはxの**関数**であるといい，$y=f(x)$と書く。関数$y=f(x)$において，xの変域をこの関数の**定義域**といい，yのとりうる値の範囲をこの関数の**値域**という。

特に，$f(x)$がxのn次の整式であるとき，$y=f(x)$をxの**n次関数**という。

(1) 1次関数 $y=ax+b$（ただし，$a \neq 0$）

グラフは傾きa，y切片bの直線。

$a>0$のときは右上がりの直線

$a<0$のときは右下がりの直線

特に$b=0$のとき，関数$y=ax$のグラフは**原点を通る直線**となり，yとxが**比例**していることを示す。

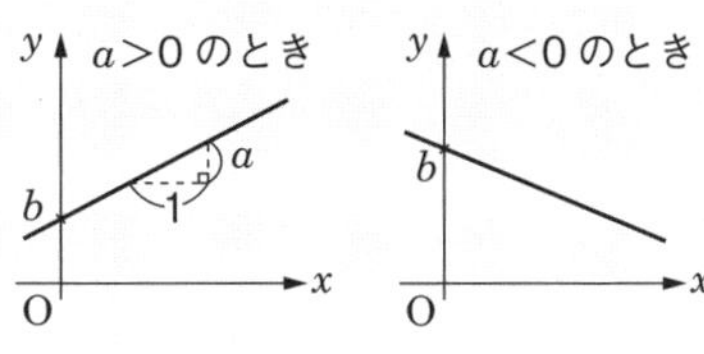

・$y=ax+b$とx軸との交点のx座標は，1次方程式$ax+b=0$の解である。

(2) 2次関数 $y=ax^2+bx+c$（ただし，$a \neq 0$）

$a>0$のときは下に凸な放物線

$a<0$のときは上に凸な放物線

グラフを描くには，まず平方完成を実行して，一般形 $y=ax^2+bx+c$ を，**標準形 $y=a(x-p)^2+q$** の形に直す。

（テーマ1　重要ポイント3(1)）

$$y=ax^2+bx+c$$

$$=a\left(x+\frac{b}{2a}\right)^2-\frac{b^2-4ac}{4a}$$

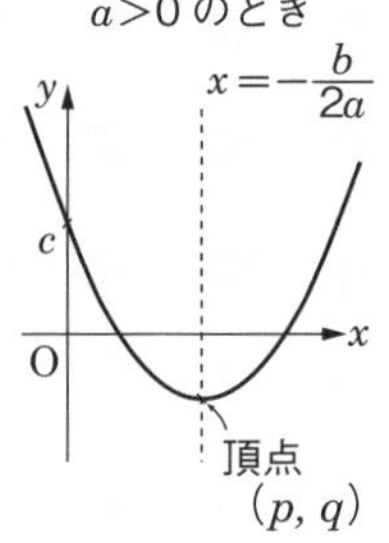

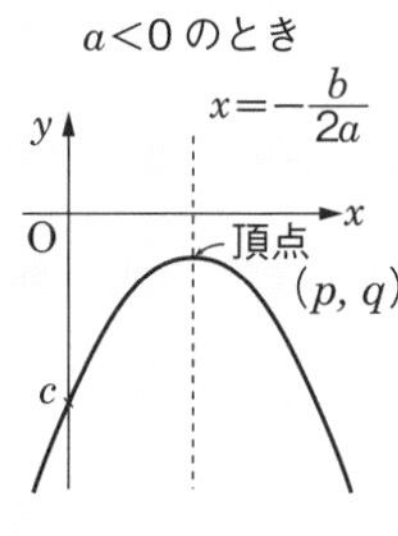

・**頂点**の座標（p，q）は，$p=-\dfrac{b}{2a}$，$q=-\dfrac{b^2-4ac}{4a}$，**対称軸**は，$x=-\dfrac{b}{2a}$

・**グラフの平行移動**：（p，q）を頂点とする2次関数の**標準形** $y=a(x-p)^2+q$ のグラフは，原点を頂点とする2次関数$y=ax^2$のグラフを，

x軸方向にp，y軸方向にq

だけ，それぞれ平行移動したものである。

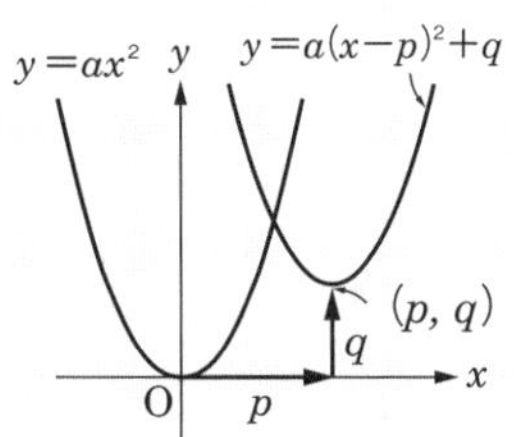

上図は$a>0$の場合

［注］一般に，関数$y=f(x)$のグラフを，x軸方向にp，y軸方向にqだけ平行移動して得られるグラフが表す関数は，次のようになる。

$y-q=f(x-p)$　あるいは　$y=f(x-p)+q$

・$y=ax^2+bx+c$とx軸との交点が存在する場合には，**交点のx座標は2次方程式 $ax^2+bx+c=0$ の実数解**として求められる。（重要ポイント2参照）

重要ポイント 2　2次関数のグラフと2次方程式・2次不等式

(1) 2次関数のグラフと x 軸との位置関係　a, b, c を実数とし, $a>0$ とする。

2次方程式 $ax^2+bx+c=0$ の解の判別式を $D=b^2-4ac$（テーマ2重要ポイント1(2)④）と置くと, 2次関数 $y=ax^2+bx+c$ のグラフは D の符号によって, 次図のように分類できる。

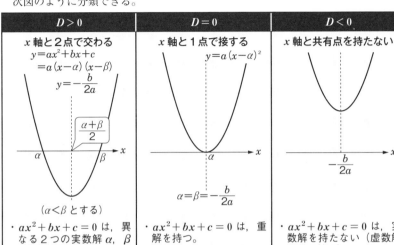

$D>0$	$D=0$	$D<0$
x 軸と2点で交わる	**x 軸と1点で接する**	**x 軸と共有点を持たない**
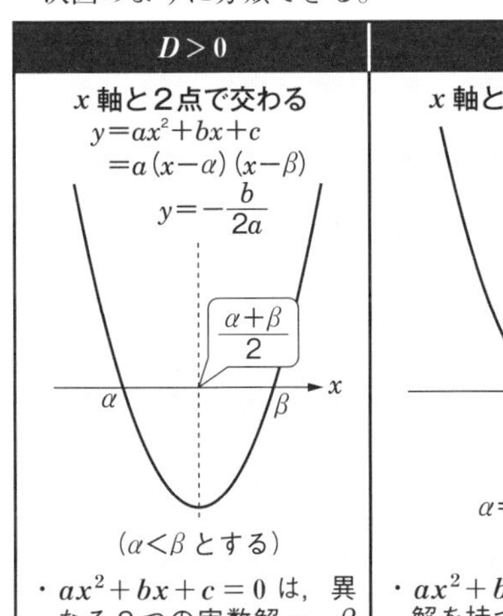		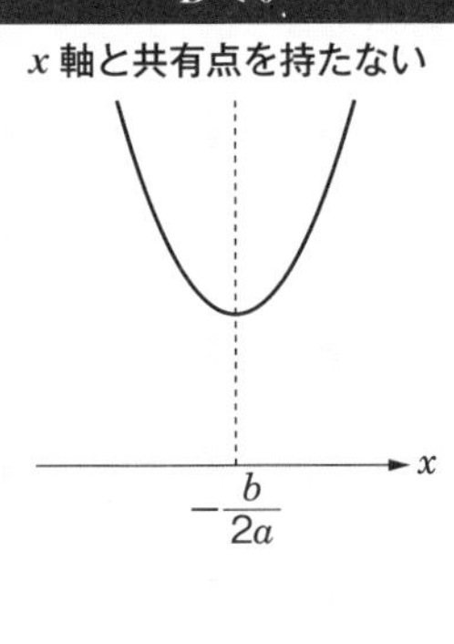
・$ax^2+bx+c=0$ は, 異なる2つの実数解 α, β を持つ。 ・$ax^2+bx+c>0$ の解は $x<\alpha$ または $\beta<x$ ・$ax^2+bx+c<0$ の解は $\alpha<x<\beta$	・$ax^2+bx+c=0$ は, 重解を持つ。 ・$ax^2+bx+c>0$ の解は α を除くすべての実数 ・$ax^2+bx+c<0$ の解は存在しない。	・$ax^2+bx+c=0$ は, 実数解を持たない（虚数解を2つ持つ）。 ・$ax^2+bx+c>0$ の解はすべての実数 ・$ax^2+bx+c<0$ の解は存在しない。

・$a<0$ の場合は, **移項して（x^2 の係数）**>0 の形にした後, 上の表を用いる。

(2) 放物線と直線の位置関係［発展］　a, b, c, m, n を実数とし, $a>0$ とする。

2次関数 $y=ax^2+bx+c$　…①　と**1次関数** $y=mx+n$　…②　の**グラフの交点の座標**は, **連立方程式①, ②の解**として求められる。①, ②より y を消去して, $ax^2+bx+c=mx+n$, 移項して, $ax^2+(b-m)x+(c-n)=0$　…③

となるから, 交点の x 座標は2次方程式③の解である。③の解の判別式を D とすると, D の符号により次表のように分類できる（$a<0$ の場合も同様）。

D の符号	$D>0$	$D=0$	$D<0$
放物線①と直線②の位置関係	2点で交わる	1点で接する	離れている
③の解	**異なる2つの実数解**	**重　解**	**2つの虚数解**

重要ポイント3　2次方程式の解の存在範囲（解の分離）

与えられた方程式の実数解の符号や，解がどのような範囲にあるかを調べたり，特定の x の範囲内に実数解を持つための条件を求めることを，**解の分離**という。

・**2次方程式の解の分離**　a，b，c を実数とし，$a \neq 0$ とする。

　2次方程式　$ax^2+bx+c=0$　…①

の解について調べるとき，①の左辺をそのまま y と置いて，$y=ax^2+bx+c$ のグラフを利用してもよいが，初めに①式の両辺を a で割って，

$x^2+px+q=0$　…②

のように，x^2 の係数を1にしておいて，

$y=f(x)=x^2+px+q$

のグラフを用いるほうが扱いやすい。

> 平方完成すると，$\left(x+\dfrac{p}{2}\right)^2-\dfrac{p^2-4q}{4}$
> 対称軸は $x=-\dfrac{p}{2}$

［例1］　2次方程式②が異なる2つの実数解 α，β（$\alpha<\beta$ とする）を持つとき，

(i) α と β がともに正　(ii) α と β がともに負　(iii) α と β が異符号

となる条件は，それぞれ次のように求められる。

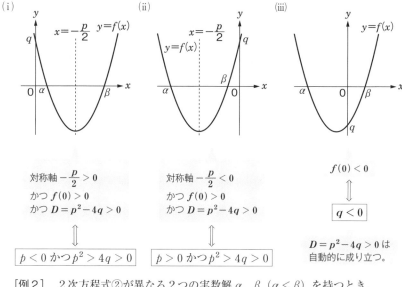

(i)

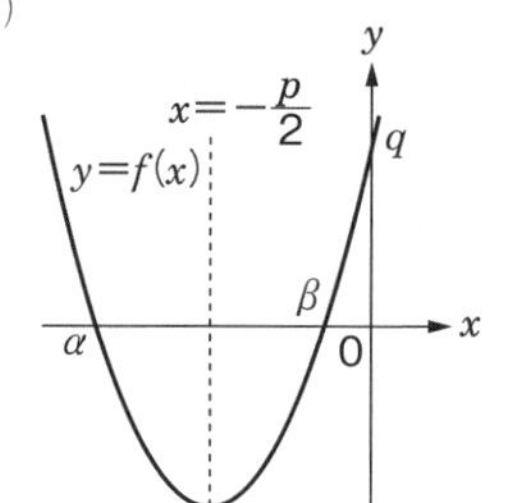

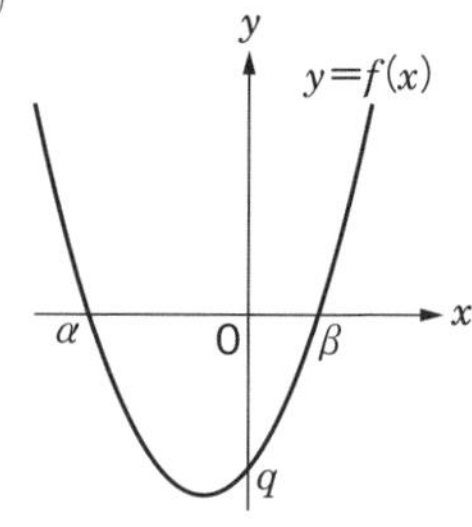

(i) 対称軸 $-\dfrac{p}{2}>0$
かつ $f(0)>0$
かつ $D=p^2-4q>0$
⇕
$p<0$ かつ $p^2>4q>0$

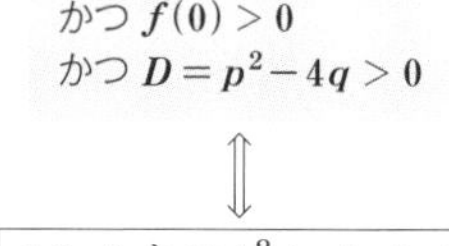

(ii) 対称軸 $-\dfrac{p}{2}<0$
かつ $f(0)>0$
かつ $D=p^2-4q>0$
⇕
$p>0$ かつ $p^2>4q>0$

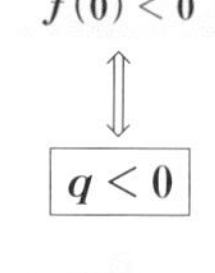

(iii) $f(0)<0$
⇕
$q<0$

$D=p^2-4q>0$ は自動的に成り立つ。

［例2］　2次方程式②が異なる2つの実数解 α，β（$\alpha<\beta$）を持つとき，

(i) $k<\alpha<\beta$　(ii) $\alpha<\beta<k$　(iii) $\alpha<k<\beta$

となる条件（k は定数とする）はそれぞれ，例1の $x=0$ を k に置き換えて，

(i) 対称軸 $-\dfrac{p}{2}>k$
かつ $f(k)>0$，
かつ $D=p^2-4q>0$

(ii) 対称軸 $-\dfrac{p}{2}<k$
かつ $f(k)>0$，
かつ $D=p^2-4q>0$

(iii) $f(k)<0$
$D=p^2-4q>0$ は自動的に成り立つ。

重要ポイント 4 絶対値記号を含む関数のグラフ

(1) $y=|f(x)|$ のグラフ……まず，$y=f(x)$ のグラフを求めてから，さらに，以下のように，$y=f(x)$ の $y<0$ の部分を，x 軸に関して対称に折り返せばよい。

まず，実数 a の絶対値 $|a|$ の定義を思い出そう（テーマ1重要ポイント2(1)）。

$$|a|=\begin{cases} a\cdots a\geqq 0 \\ -a\cdots a<0 \end{cases}$$

したがって，$y=|f(x)|$ の場合には，a を $f(x)$ で置き換えて，

$$|f(x)|=\begin{cases} f(x)\cdots f(x)\geqq 0 \text{ のとき} \\ -f(x)\cdots f(x)<0 \text{ のとき} \end{cases}$$

となるから，方程式 $f(x)=0$ を満たす x を境目として，$y=f(x)$ と $y=-f(x)$ が入れ替わる。実際には，**$|f(x)|$ は必ず0以上の値をとる**から，$y=|f(x)|$ のグラフは，$y\geqq 0$ の領域にあることに注目し，以下の手順で作図するとよい。

ⅰ）まず，$y=f(x)$ のグラフを描く。

ⅱ）次に，$f(x)<0$ の部分を，x 軸に関して対称に折り返す。

［例1］ ① $y=|x|$

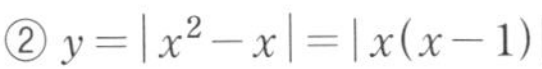

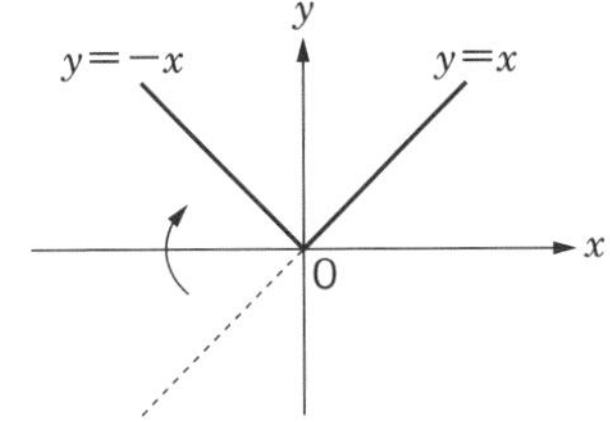

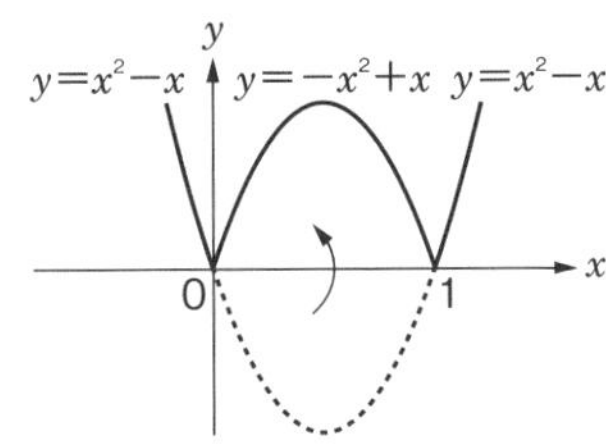

(2) ［発展］ $y=|f(x)|+|g(x)|$ のグラフ……まず，$f(x)=0$ および $g(x)=0$ を満たす x を求め，これらの x の値を境として，$|f(x)|$ と $|g(x)|$ をそれぞれ場合分けをしてから，和をとる。

［例2］ $y=|x-1|+|x-2|$

$$|x-1|=\begin{cases} x-1\cdots x\geqq 1 \text{ のとき} \\ -x+1\cdots x<1 \text{ のとき} \end{cases}$$

$$|x-2|=\begin{cases} x-2\cdots x\geqq 2 \text{ のとき} \\ -x+2\cdots x<2 \text{ のとき} \end{cases}$$

となるから，x 軸を3つの区間

$x<1$，$1\leqq x<2$，$2\leqq x$

に分けて，$|x-1|+|x-2|$ を求めると

$$y=|x-1|+|x-2|=\begin{cases} -2x+3\cdots x<1 \\ 1 \quad\cdots 1\leqq x<2 \\ 2x-3\cdots 2\leqq x \end{cases}$$

よって，グラフは右図の実線のようになる。

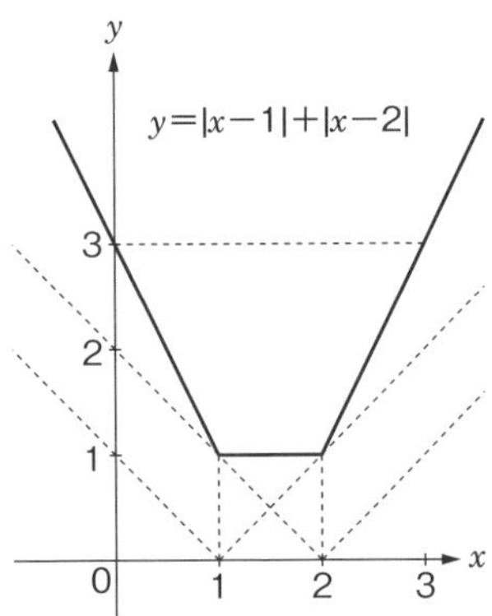

実戦問題

＊＊
No.1 2次関数 $y=ax^2+bx+c$ のグラフが次の図のようになっているとき，a，b，c の間の大小関係として正しいのはどれか。

【市役所・平成18年度】

1 $a>b>c$
2 $a>c>b$
3 $b>c>a$
4 $c>a>b$
5 $c>b>a$

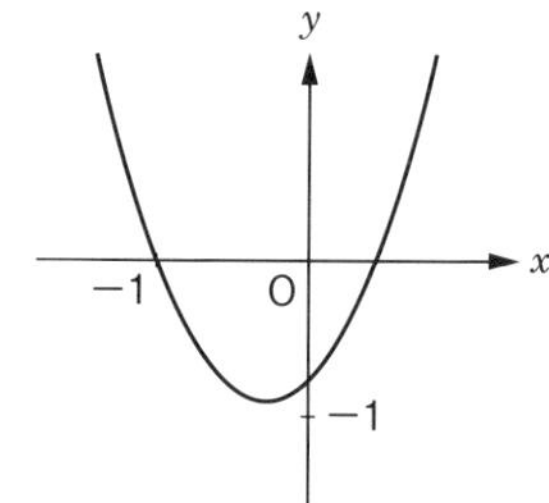

＊
No.2 a を定数とし，x の2次関数 $y=2x^2-4ax+8a+10$ のグラフが x 軸と接するとき，取りうる a の値をすべて挙げているのはどれか。

【国家一般職・平成21年度】

1 -1，5
2 1，3
3 2
4 $2-\sqrt{5}$，$2+\sqrt{5}$
5 $1-2\sqrt{2}$，$1+2\sqrt{2}$

＊＊
No.3 放物線 $y=x^2-2x+3$ と直線 $y=2x+k$ が接するとき，その接点の座標はどれか。

【国家専門職・平成17年度】

1 $(0,\ 3)$
2 $(1,\ 2)$
3 $(2,\ 3)$
4 $(3,\ 6)$
5 $(4,\ 11)$

＊＊
No.4 **x についての２次方程式 $x^2+x+p=0$ の２つの実数解のうち１つが１より大きく，もう１つが１より小さい。このとき，実数 p の取りうる値の範囲として正しいのは，次のうちどれか。**

【市役所・平成23年度】

1 $p<-2$
2 $-2<p<0$
3 $0<p<2$
4 $p>2$
5 条件を満たす p の値は存在しない。

＊
No.5 **絶対値を使った関数に関する次の文中の空欄ア，イに当てはまる語句の組合せとして，妥当なものはどれか。**

【地方上級（全国型）・令和４年度】

$y=x^2-|x|-2$ のグラフを考える。たとえば $x<0$ のときには $|x|=-x$ になることに注意すると，このグラフの概形は（　ア　）である。同様にしてグラフを描いて考えると，$y=x^2-4|x|>0$ となる x の範囲は（　イ　）となる。

	ア	イ
1	図Ⅰ	$x<-4,\ 4<x$
2	図Ⅰ	$-4<x<4$
3	図Ⅱ	$x<0,\ 4<x$
4	図Ⅱ	$x<-4,\ 4<x$
5	図Ⅱ	$-4<x<4$

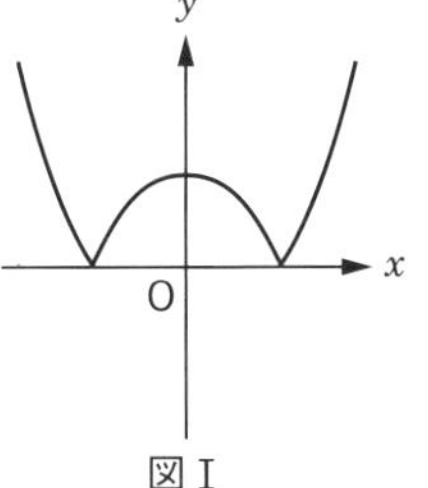

図Ⅰ

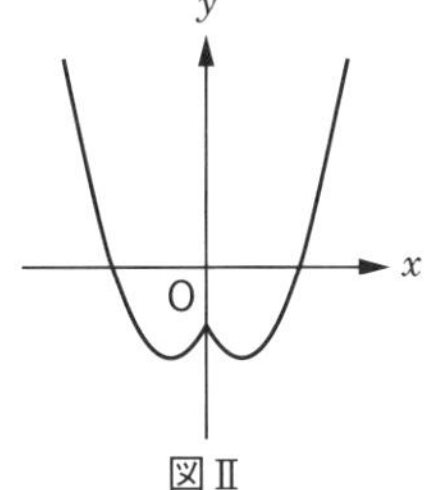

図Ⅱ

＊＊
No.6 **関数 $y=|x^2-2x-7|$ のグラフが，直線 $y=k$ と３点で交わるとき，k の値はいくらか。**

【市役所・平成20年度】

1 2
2 3
3 5
4 7
5 8

実戦問題の解説

No.1 の解説　2次関数のグラフ――係数の大小関係　→問題はP.476　正答1

与えられた放物線の特徴をグラフから読み取り，係数a，b，cの大小関係を判定させる問題である。グラフは上に凸か下に凸か，x軸やy軸との交点はどこか，対称軸と頂点の位置からわかることはないか，などに着目する。

STEP❶　まず，a の符号を判定する。

グラフは下に凸であるから，x^2の係数は正である。すなわち，$\boldsymbol{a>0}$　…①

STEP❷　次に，y 切片に注目し，c の符号を判定する。

$y=ax^2+bx+c$におけるcの値は，$x=0$のときのyの値，すなわちy切片にほかならない。図より$-1<c<0$　ゆえに，cの符号は$\boldsymbol{c<0}$　…②

以上，①，②より，直ちに$a>c$と判明する。したがって，この段階で直ちに選択肢**3**，**4**，**5**は誤りとわかる。ゆえに，正答は**1**か**2**に絞られる。

STEP❸　最後に b について調べ，正答の選択肢を絞り込む。

対称軸，すなわち頂点のx座標は，$x=-\dfrac{b}{2a}$であり，与えられたグラフから，$-1<-\dfrac{b}{2a}<0$すなわち，$-\dfrac{b}{2a}<0$より，$\dfrac{b}{a}>0$である。よって，aとbは同符号であるから，①より，$b>0$　…③

以上，②，③より，$b>c$となるから，**2**は誤りで**1**が正答とわかる。

［別解］グラフよりx軸との交点は（-1，0）であるから，$x=-1$のとき，
$0=a(-1)^2+b(-1)+c=a-b+c$　よって，$b=a+c$
また，$c<0$であるから，$b=a+c=a-(-c)<a$　ゆえに，$a>b>c$と求められる。

No.2 の解説　放物線がx軸と接する条件――判別式の利用(1)　→問題はP.476　正答1

2次関数$y=ax^2+bx+c$のグラフがx軸と接するとき，**接点のx座標**は，2次方程式$ax^2+bx+c=0$の**重解**として求められる。よって，この2次方程式の解の判別式をDとすると，係数a，b，cは，$D=b^2-4ac=0$を満たしている（重要ポイント2(1)）。

STEP❶　与えられた2次関数の式で $y=0$ と置き，x の2次方程式を導く。

$y=2x^2-4ax+8a+10$において，$y=0$を代入すると，

$$0=2x^2-4ax+8a+10=2(x^2-2ax+4a+5)$$

よって，接点のx座標が満たすべき2次方程式は，

$$x^2-2ax+4a+5=0 \quad \cdots①$$

STEP❷　2次方程式①の判別式 D を求め，$D=0$ より a が満たす方程式を導く。

①式の判別式は，$D=(-2a)^2-4(4a+5)=4(a^2-4a-5)$
となるから，$D=0$より，$a^2-4a-5=0$　…②

STEP❸ a が満たす方程式②を解いて，a の値を求める。

②式の左辺を因数分解すると，$(a+1)(a-5)=0$ となる。

よって，$a=-1$，5となり，正答は**1**である。

No.3 の解説 放物線とその接線――判別式の利用(2)

→ 問題はP.476 **正答3**

放物線と直線の位置関係（重要ポイント2(2)）は，**2次方程式の解の判別式を利用**して調べることができる。本問では，

放物線 $y=x^2-2x+3$ …①，直線 $y=2x+k$ …②

に対し，

直線②が放物線①に接する。⟺ 連立方程式①，②が重解を持つ。

これに注目し，まず x の2次方程式を作る。あとはNo.2と同様である。

STEP❶ 交点の x 座標が満たすべき2次方程式をつくる。

①，②式より，y を消去して，$x^2-2x+3=2x+k$

x について整理すると，$x^2-4x+3-k=0$ …③

STEP❷ ③の解の判別式 D を求め，$D=0$ より k が満たす方程式を導く。

③式より，$D=(-4)^2-4\times1\times(3-k)=4(k+1)$

となるから，$D=0$ より，$4(k+1)=0$ …④

STEP❸ k が満たすべき方程式④を解いて，k の値を求める。

④式より，$k+1=0$　よって，$k=-1$

STEP❹ 求められた k の値を2次方程式③に代入し，接点の x 座標を求める。

$k=-1$ を③式に代入して，$x^2-4x+4=0$

左辺を因数分解して，$(x-2)^2=0$

よって，$x=2$ となり，この段階で正答は**3**と求められる。念のために y 座標を求めると，①に $x=2$ を代入して，$y=2^2-2\cdot2+3=3$

ゆえに，接点の座標は(2，3)となり，**3**が正しい。

接点の x 座標の値は，②の重解に一致する。

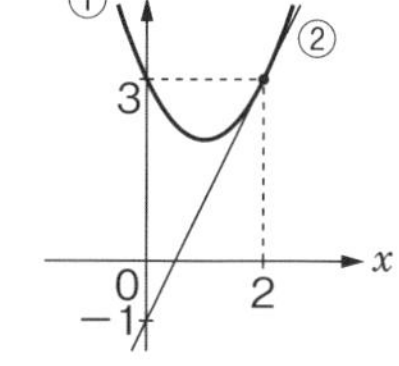

［別解］グラフの接線の問題に対しては，微分法を用いる方法もある（テーマ4重要ポイント2(1)）。接点の x 座標を t とすると，$x=t$ における微分係数 $f'(t)$ が接線の傾きを表すから，②より，$f'(t)=2$ である。ここで①より，

$f'(x)=2x-2=2(x-1)$　よって，$f'(t)=2(t-1)=2$

ゆえに，$t-1=1$　より $t=2$ と求められる。

No.4 の解説 2次方程式の解の存在範囲――グラフの利用

→ 問題はP.477 **正答1**

2次方程式の「**解の分離**」を行う問題の典型的な例である（重要ポイント3）。2次方程式 $ax^2+bx+c=0$ の解の存在範囲を調べるには，

2次関数　$y=ax^2+bx+c$

のグラフを利用し，これと **x 軸との交点**について考察するという方法が用いられる。本問では，与えられた2次方程式　$x^2+x+p=0$　…①

の2解が，$x=1$ を挟んであちらとこちらにあるような p の条件を求めさせている。このように指定された x の領域に実数解が存在するためには，

2次関数　$y=x^2+x+p$　…②

がどのような位置にあればよいか，をグラフを利用して検討する。

STEP❶　2次関数②を標準形に直し，対称軸の位置を確認する。

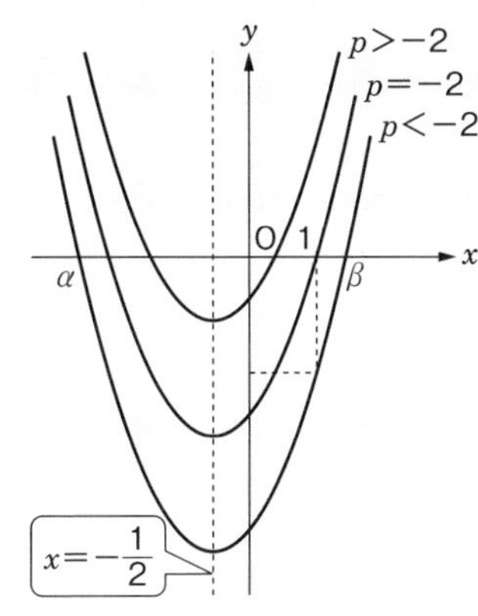

②式の右辺を平方完成すると，

$$y=x^2+2\cdot\frac{x}{2}+\left(\frac{1}{2}\right)^2+p-\left(\frac{1}{2}\right)^2$$

$$=\left(x+\frac{1}{2}\right)^2+p-\frac{1}{4}\quad\cdots③$$

STEP❷　2次関数②のグラフの位置が，p の値によってどのように変化するか，図を描いて考える。

③式より，2次関数②のグラフは，$x=-\frac{1}{2}$ を対称軸とする放物線であるから，p の値を変化させると，対称軸は変わらないまま，グラフは y 軸に沿って平行にその位置を変えていく。

STEP❸　2次方程式の解が，指定された x の範囲にある場合のグラフを考察する。

2次方程式①の解が，$x<1$ と $1<x$ の範囲にそれぞれ1個ずつあればよいから，②式が表す放物線が，x 軸と $x<1$ および $1<x$ でそれぞれ1か所ずつ交わるような p の範囲を求めればよい。x 軸と交わるのであるから，放物線の頂点の y 座標 $p-\frac{1}{4}$ は，もちろん負であることになり，$p-\frac{1}{4}<0$

よって，$p<\frac{1}{4}$ が大前提である。

また，対称軸が $x=-\frac{1}{2}$ であるから，放物線②が x 軸と2点で交わるとき，交点の x 座標のうち小さいほうは $-\frac{1}{2}$ より小さい。ゆえに，$x<1$ の範囲に交点がすでに1個存在している。

したがって，2つある交点の x 座標のうち，大きいほうが $1<x$ の範囲に存在すればよい。

STEP❹　2次関数②のグラフが $1<x$ に交点を持つ条件を求める。

前ページの図より，放物線が $1<x$ の領域で x 軸で交わるとき，

$x=1$ における y の値が負

であればよい。すなわち，$f(x)=x^2+x+p$ と置くと，

$f(1)<0$ より，$1+1+p=2+p<0$　よって，$p<-2$

逆に $p<-2$ のとき，②式が表す放物線 $1<x$ の範囲で必ず x 軸と交わる。

以上より，求める条件は $p<-2$ となり，正答は**1**である。

［注］２次関数②において，y の値が負になるような x が存在すれば，放物線は下に凸であるから，必ず x 軸と２か所で交わる。すなわち，２次方程式①は相異なる２つの実数解を必ず持つから，本問では「（判別式）＞0」が自動的に満たされている（**重要ポイント３の［例２］**）。

［別解］**解と係数の関数**を用いる。２次方程式②の２解を α，β とし，$\alpha<\beta$ と仮定すると，$\alpha<1$ かつ $1<\beta$ より，$\alpha-1<0$ かつ $\beta-1>0$，よって，$\boldsymbol{\alpha-1}$ **と** $\boldsymbol{\beta-1}$ **は異符号**である。ゆえに，これらの積が負となればよいから，$\boldsymbol{(\alpha-1)(\beta-1)<0}$ が成り立てばよい。左辺を展開して，$\alpha\beta-(\alpha+\beta)+1<0$

２次方程式①の解と係数の関係より，$\alpha+\beta=-1$，$\alpha\beta=p$ であるから，これらを上の不等式に代入して，$p-(-1)+1<0$　よって，$p<-2$

No.5 の解説　絶対値を含む２次関数(1)

→ 問題はP.477　正答４

絶対値記号を含む２次関数（**重要ポイント４**）の典型的な問題である。問題文にも示されているように，x の値の範囲によって $|x|$ を分類し，

２次関数　$y=x^2-|x|-2$　…①

および，$y=x^2-4|x|$　…②

の左辺を絶対値記号を含まない形に書き直した後，平方完成して標準形に変形すればよい。

STEP❶　①の左辺に含まれる $|x|$ を，x の範囲によって場合分けをしておく。

一般に，実数 a の絶対値の定義は（**テーマ１重要ポイント２(1)**）

$$|a|=\begin{cases} a \cdots a\geqq 0\text{ のとき} \\ -a \cdots a<0\text{ のとき}\end{cases}$$

であるから，$|x|$ は $x=0$ を境目として，次のように場合分けができる。

$$|x|=\begin{cases} x \cdots x\geqq 0\text{ のとき} \\ -x \cdots x<0\text{ のとき}\end{cases}$$

STEP❷　STEP❶の結果をもとに，方程式①を書き直し，そのグラフを描く。

方程式①が，２つの放物線を合わせた形のグラフを表すことに注意！

・$x\geqq 0$ のとき

$$y=x^2-x-2=x^2-2\cdot\frac{1}{2}x+\left(\frac{1}{2}\right)^2-2-\left(\frac{1}{2}\right)^2=\left(x-\frac{1}{2}\right)^2-\frac{9}{4}$$

・$x<0$ のとき

$$y=x^2+x-2=x^2+2\cdot\frac{1}{2}x+\left(\frac{1}{2}\right)^2-2-\left(\frac{1}{2}\right)^2=\left(x+\frac{1}{2}\right)^2-\frac{9}{4}$$

以上より，$x \geqq 0$ のとき $\left(\dfrac{1}{2},\ -\dfrac{9}{4}\right)$ と，$x < 0$ のとき $\left(-\dfrac{1}{2},\ -\dfrac{9}{4}\right)$ をそれぞれ頂点とする放物線となるから，①のグラフは右図の実線で示す曲線となる。

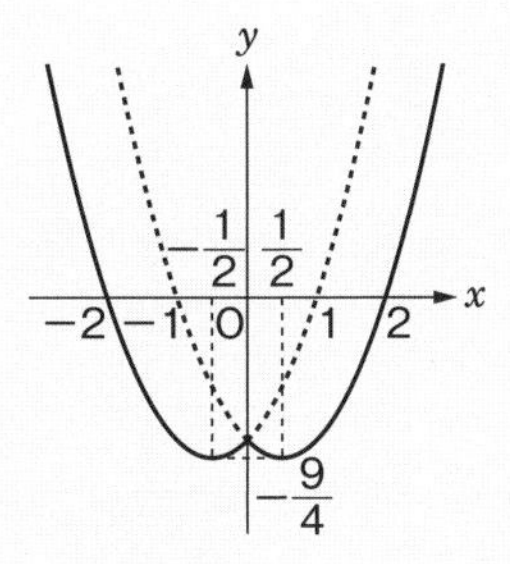

よって，（ア）には図Ⅱが当てはまる。

STEP❸　②についても，STEP❶，STEP❷と同様の操作を繰り返す。

・$x \geqq 0$ のとき…… $y = x^2 - 4x = (x-2)^2 - 4$

・$x < 0$ のとき…… $y = x^2 + 4x = (x+2)^2 - 4$

ゆえに，$x \geqq 0$ のとき $(2,\ -4)$，$x < 0$ のとき $(-2,\ -4)$ をそれぞれ頂点とする放物線となるから，②のグラフは右図の実線で示した曲線となる。

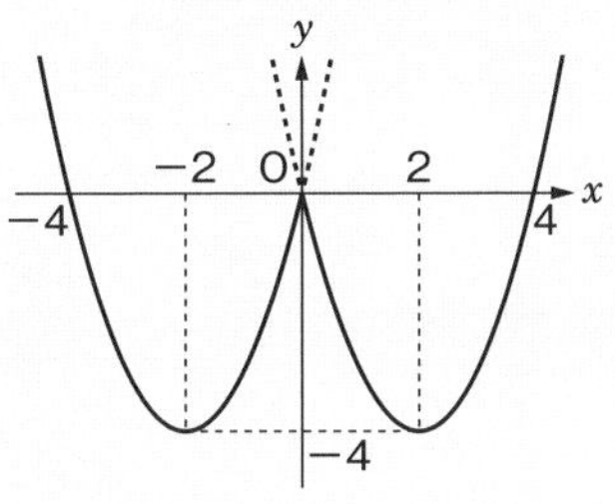

よって，$y > 0$ となる x の範囲は，$x < -4$，$4 < x$ となり，これが（イ）に当てはまる。

以上より，正答は**4**である。

［補足］ 2次関数 $\boldsymbol{y = a(x-\alpha)(x-\beta)}$ $(\alpha < \beta)$のグラフ

$y = ax^2 + bx + c$ の右辺が簡単に因数分解でき，

$y = a(x-\alpha)(x-\beta)$　…①

の形に表される場合には，グラフを描く際にいちいち標準形に直さなくてもよい。放物線①と x 軸との**交点の x 座標は，$x = \alpha$，$x = \beta$** であるから，まずこの2点をマークする。次に，**放物線の対称性**に注目すると，頂点の x 座標は，2点 $(\alpha,\ 0)$，$(\beta,\ 0)$ の中点，すなわち，$\left(\dfrac{\alpha+\beta}{2},\ 0\right)$ の x 座標と一致する。

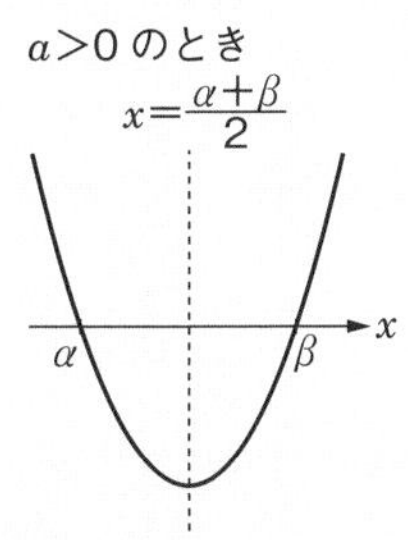

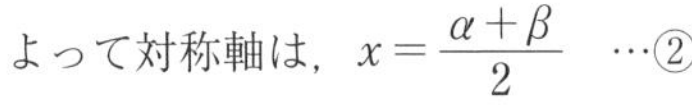

よって対称軸は，$x = \dfrac{\alpha+\beta}{2}$　…②

頂点の y 座標は，②式を①式に代入して，

$$y = a\left(\frac{-\alpha+\beta}{2}\right)\left(\frac{\alpha-\beta}{2}\right) = -\frac{a}{4}(\alpha-\beta)^2$$

となり，a の符号によってそれぞれ，$a > 0$ のときは負，$a < 0$ のときは正の値をとることがわかる。

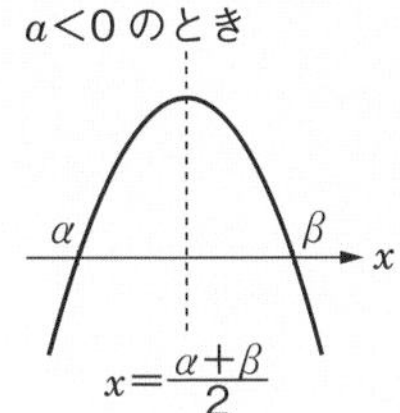

本問の2次関数のグラフは，すべてこの方法で描くことができる。

No.6 の解説　絶対値を含む2次関数(2)

→ 問題はP.477　**正答5**

与えられた2つの関数に番号を付け,

$$\begin{cases} y=|x^2-2x-7| & \cdots① \\ y=k & \cdots② \end{cases}$$

としておき，①と②のグラフを描いて，これらの交点を考察すればよい。ここで，②は「yが常に一定値kをとる」ことを示しているから，x軸に平行で点（0, k）を通る直線である。①は2次関数に絶対値記号が付いているから，No.5でも行ったように，絶対値記号の中が0になるようなxの値を境目として場合分けをすることが基本である。しかし，**重要ポイント4(1)**にもあるように，**$y=|f(x)|$は常に$y\geqq 0$の領域にある**ことに注目し，以下の手順でグラフを描けばよい。

ⅰ）まず，$y=f(x)$のグラフを描く（$y<0$の部分は点線で）。

ⅱ）次に，$y<0$の部分を，**x軸に関して対称に**折り返す。

本問では，この手順で①のグラフを描き，kの値を変化させながら②のグラフを重ねて描いていけば，交点の個数がすべて求められそうである。

STEP❶　$f(x)=x^2-2x-7$ のグラフを描く

$f(x)$は，$f(x)=x^2-2x-7=x^2-2x+1-8=(x-1)^2-8$

と変形できるから，$y=f(x)=x^2-2x-7$のグラフは，(1, −8) を頂点とする放物線となる。

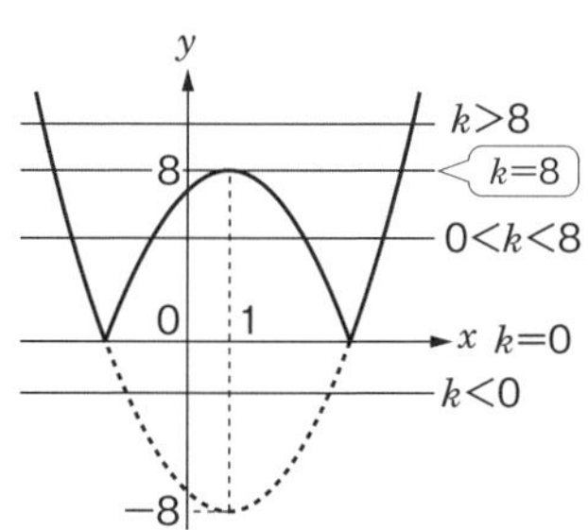

STEP❷　$f(x)<0$ の部分を，x軸に関して対称に折り返す。

この操作によって，$y=|f(x)|$すなわち①式のグラフが，右図の実線で示す曲線のように求められる。

STEP❸　kの値を変えて$y=k$のグラフを描き，交点の個数を調べる。

右上図のグラフより，①と②の交点の個数は，kの値によって右表のように分類できる。

$k>8$	2個
$k=8$	3個
$0<k<8$	4個
$k=0$	2個
$k<0$	0個

ゆえに，求めるkの値は$k=8$である。

以上より，正答は**5**である。

自然科学　第5章　数学

最大値と最小値

必修問題

2次関数 $y=x^2-4x+3$ $(0 \leqq x \leqq 3)$ の最大値と最小値の組合せとして正しいのはどれか。

【国家専門職・平成11年度】

	最大値	最小値
1	1	0
2	3	−1
3	3	0
4	4	−1
5	4	0

難易度 ＊

必修問題の解説

2次関数の最大・最小問題の，基本的かつ典型的な例である。x の範囲すなわち関数の定義域が $0 \leqq x \leqq 3$ と制限されていることに注意して，**グラフを描きながら**考察を進めればよい。一般に2次関数の値域に関する問題では，頂点の x 座標，すなわち**対称軸が定義域に含まれているかどうか**が重要なポイントになるが，しっかりとグラフを描くことによって，これをビジュアルにとらえることができる。

STEP❶ 与えられた関数 $y=x^2-4x+3$ のグラフを描く。

与えられた2次関数を標準形に直して，

$$
\begin{aligned}
y &= x^2-4x+3 \\
&= x^2-2\cdot 2x+2^2-2^2+3 \\
&= (x-2)^2-1 \qquad \cdots ①
\end{aligned}
$$

よって，この関数のグラフは，(2, −1) を頂点とし，$x=2$ を対称軸とする放物線である（右図）。

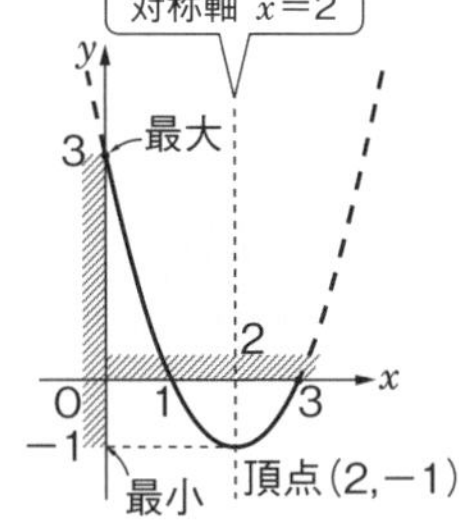

STEP❷ 対称軸が定義域に含まれているかどうかを確認する。

定義域は $0 \leqq x \leqq 3$ であるから，対称軸 $x=2$ はこの定義域内に含まれている。

STEP❸ 定義域に注意し，グラフを利用しながら値域（y の値の範囲）を求める。

2次関数①のグラフで，定義域 $0 \leqq x \leqq 3$ に対応する部分は，図の実線部分であるから，この関数の値域は $-1 \leqq y \leqq 3$ である。しかも，$y=-1$ には $x=2$,

$y=3$ には $x=0$ がそれぞれ対応しているから，$y=x^2-4x+3$ の最大値と最小値は確かに存在し，それぞれ，

$x=0$ で最大値 $y=3$，$x=2$ で最小値 $y=-1$

をとる。よって，正答は**2**である。

正答 2

［注］一般に，関数 $y=f(x)$ の値域に属する値のうち，最大のものが存在すれば，それがこの関数の最大値である。同様に，関数の値域のうち，最小のものが存在すれば，それがこの関数の最小値である。本問の場合には，値域の最大値3と最小値-1をとるような x がそれぞれ存在するから，確かに「最大値と最小値は存在する」と断言できる。しかし，たとえば，定義域が $0 \leqq x \leqq 3$ ではなく，$0 < x \leqq 3$ の場合には，値域は $-1 \leqq y < 3$ となり，最小値 -1 は存在するが，最大値は存在しない。y の値は限りなく $y=3$ に近づくが，最大値は確定しないからである。このように，最大値または最小値のいずれか一方（または両方とも）存在しない場合もありうる。

［注］STEP❶でグラフを描くとき，本問の場合には x 軸との交点がすぐに求められるから，いちいち標準形に直さずにグラフを描いてもよい（テーマ3の実戦問題 No.5 の解説中の［補足］を参照）。与えられた関数の右辺を因数分解すると，

$$y=x^2-4x+3=(x-1)(x-3)$$

となるから，$y=0$ とおいて x 軸との交点の x 座標を求めると，

$$(x-1)(x-3)=0 \quad より，x=1,\ x=3$$

となる。**放物線の対称性**より，その対称軸は x 軸との交点（1, 0)，（3, 0）の中点（2, 0）を通るから，対称軸は $x=2$ である。よって，頂点の y 座標は右辺に $x=2$ を代入して，$y=2^2-4\cdot2+3=-1$ と求められる。

このように，2次関数 $y=ax^2+bx+c$ が，α，β を実数として，

$$y=a(x-\alpha)(x-\beta)$$

と因数分解できる場合には，対称軸は $x=\dfrac{\alpha+\beta}{2}$ となり，この値を上式の x に代入することにより，頂点の y 座標が求められる。

FOCUS

関数の最大・最小問題は，数学の全分野を通じて常に重要な位置を占め，公務員試験でも頻出のテーマである。応用面では，物理学や工学の分野のみならず，経済学でも重要な役割を果たしている。関数の種類としては，テーマ3で学んだ2次関数が大半を占めるが，まれに3次関数なども出題されることがあり，これに対処するために微分法の基本事項も復習しておきたい。また，関数の形にもよるが，絶対不等式を利用できる場合もある。

POINT

重要ポイント 1　最大・最小問題の解法（1）——2次関数

まず，$y=ax^2+bx+c$ を，**標準形** $y=a(x-p)^2+q$ の形に直す。

平方完成して

$$y=a\left(x+\frac{b}{2a}\right)^2-\frac{b^2-4ac}{4a}$$

テーマ1，重要ポイント3(1) を参照。

(1) 定義域がすべての実数の場合（x の範囲に制限がないとき）：最大または最小の一方だけが頂点で起こる。すなわち，

$a>0 \Rightarrow x=p$ で最小値 q をとる。最大値はない。

$a<0 \Rightarrow x=p$ で最大値 q をとる。最小値はない。

(2) 定義域が指定されている場合（x の範囲に制限があるとき）：**対称軸 $x=p$ が定義域に含まれているかどうか**で，場合分けをする必要がある。

①対称軸 $x=p$ が定義域に含まれるとき

$a>0$のとき	$a<0$のとき
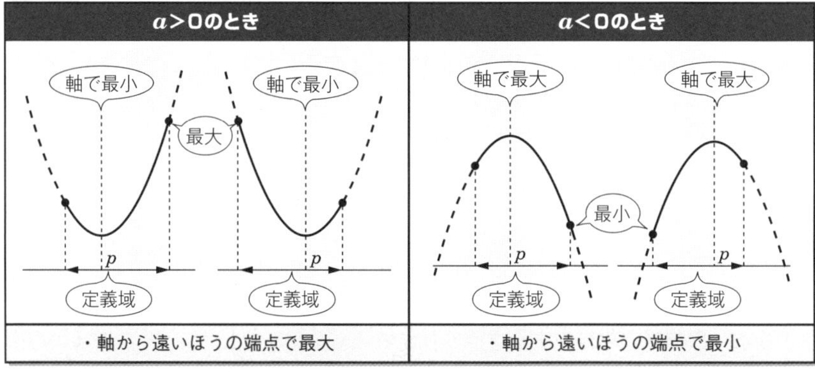	
・軸から遠いほうの端点で最大	・軸から遠いほうの端点で最小

②対称軸 $x=p$ が定義域の外にあるとき

$a>0$のとき	$a<0$のとき
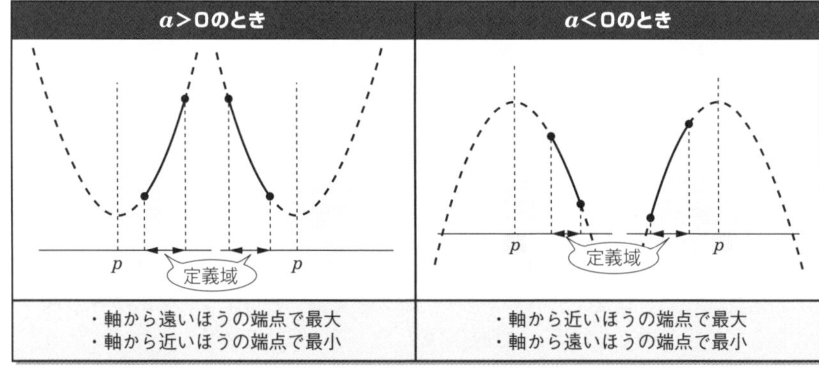	
・軸から遠いほうの端点で最大 ・軸から近いほうの端点で最小	・軸から近いほうの端点で最大 ・軸から遠いほうの端点で最小

・必ず**グラフを描く**こと！　そうすれば確実に正解が得られる。

重要ポイント2 最大・最小問題の解法（2）――いろいろな解法

(1) 微分法の応用　関数 $f(x)$ が与えられたとき，これを微分して得られる関数を $f(x)$ の**導関数**といい，$f'(x)$ と表す。$f'(x)$ に $x=a$ を代入した値 $f'(a)$ を $x=a$ における $f(x)$ の**微分係数**という。$f'(a)$ は，点 $(a,\ f(a))$ において曲線 $y=f(x)$ のグラフに引いた**接線の傾き**を表す。

y　$y=f(x)$　接線　O　a　x

接線の傾き $=f'(a)$

①微分の基本公式

$(x^n)'=nx^{n-1}$　　微分すると次数が１つ減る。

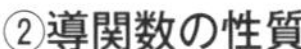

②導関数の性質

$$\begin{cases}\text{定数倍の微分}\cdots\cdots(kf(x))'=kf'(x)\ \ (k\text{ は定数})\\ \text{和と差の微分}\cdots\cdots(f(x)\pm g(x))'=f'(x)\pm g'(x)\end{cases}$$

③関数の増減：x のある区間で，$\begin{cases}f'(x)>0 \text{ ならば，} f(x) \text{ は単調に増加}\\ f'(x)<0 \text{ ならば，} f(x) \text{ は単調に減少}\end{cases}$

・$y=f(x)$ が $x=\alpha$ で**極大または極小**となる。$\Longrightarrow$ $f'(\alpha)=0$

逆が成り立つとは限らない。

・$y=f(x)$ のグラフを描くには **$f'(x)=0$ の実数解**を求め，その前後での $f'(x)$ の符号の変化を調べて**増減表**を作る。

［例］$f(x)=x^3-3x$

$f'(x)=3x^2-3=3(x-1)(x+1)$ より，$x=\pm1$ で $f'(x)=0$ となり，右の増減表を得る。

$f(x)=x^3-3x$ の増減表

x	…	-1	…	1	…
$f'(x)$	+	0	−	0	+
$f(x)$	↗	2	↘	-2	↗

● ３次関数　$y=ax^3+bx^2+cx+d$ の３つのタイプ（図はいずれも $a>0$ の場合）

①極大値と極小値を持つ場合　**②極値を持たない場合**

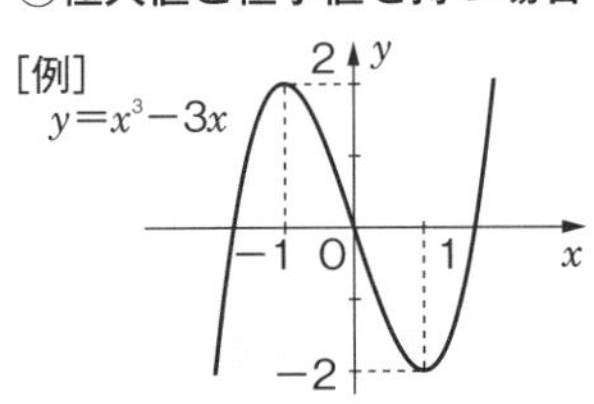

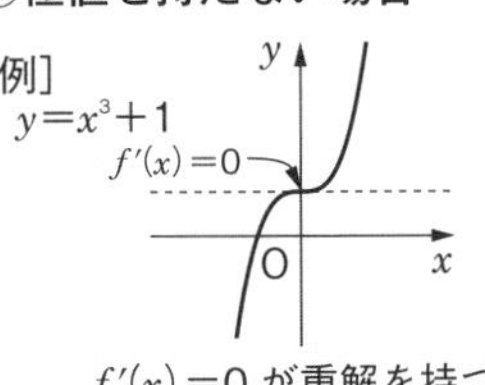

$f'(x)=0$ が重解を持つ。

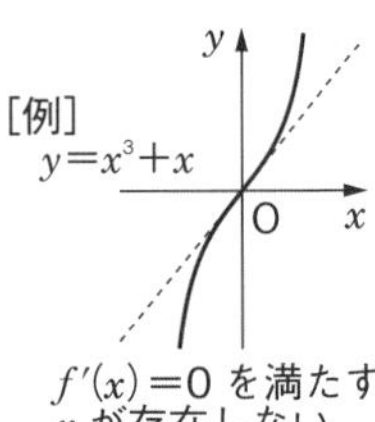

$f'(x)=0$ を満たす x が存在しない。

(2) よく用いられる絶対不等式

①実数の性質：すべての実数 a に対し，$\boldsymbol{a^2\geqq0}$　　等号は $a=0$ の場合に限る。

［発展］すべての実数 a，b に対し，$\boldsymbol{a^2+b^2\geqq0}$　　等号は $a=b=0$ の場合に限る。

②相加平均と相乗平均の大小関係：$a\geqq0$，$b\geqq0$ ならば，

$$\frac{a+b}{2}\geqq\sqrt{ab}$$　　等号は $a=b$ の場合に限る。

実戦問題

* No.1 実数 x，y が $y=x-4$ を満たしているとき，x と y の積の最小値は次のうちどれか。

【地方上級・平成25年度】

1 -4
2 -2
3 0
4 2
5 4

** No.2 $x^2+y^2=1$ を満たす実数 x，y について，$4x+y^2$ の最大値を M，最小値を m とするとき，$M-m$ の値を求めよ。

【市役所・平成16年度】

1 5
2 6
3 7
4 8
5 9

** No.3 図のように，壁際の土地をロープで囲んで敷地を作る。ロープの全長は36m，敷地の形は長方形である。ただし，ロープはコの字形に置くこととし，壁際の辺にはロープを置かないものとする。このとき，敷地の最大面積はいくらか。

【市役所・平成24年度】

1 154m^2
2 156m^2
3 158m^2
4 160m^2
5 162m^2

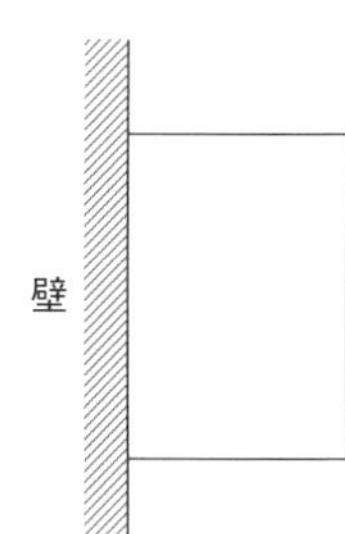

＊＊＊
No.4 図のように1辺の長さが30の正方形の紙の斜線部分を切り取り，点線に沿って折り，直方体を作る。x の値を変化させると直方体の体積も変わるが，体積が最大となったとき，その体積はいくらか。

【国家専門職・平成17年度】

1　600
2　800
3　900
4　1000
5　1200

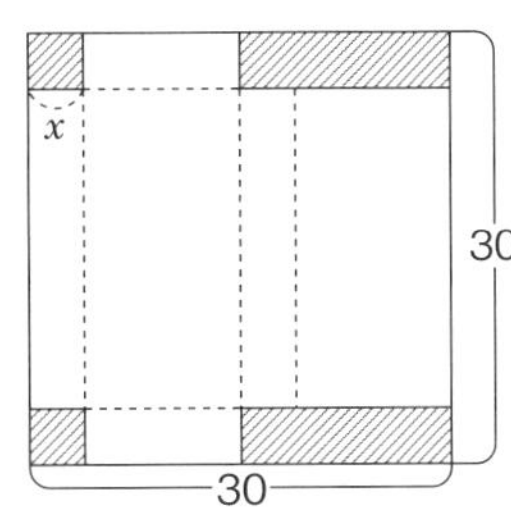

＊＊＊
No.5 ある工場で，材料Xを x〔kg〕と材料Yを y〔kg〕用いて製品Pを作るのに要する費用は $x^2-4xy+4y^2+(x+y-1)^2+5$ で表される。この製品Pを作るのに要する費用を最小にするときの x は何kgか。

【国家一般職・平成15年度】

1　$\frac{2}{3}$kg
2　$\frac{5}{6}$kg
3　$\frac{7}{6}$kg
4　$\frac{4}{3}$kg
5　$\frac{8}{3}$kg

＊
No.6 $1 \leqq x \leqq 3$ のとき，$x+\frac{2}{x}$ の最小値はいくらか。

【市役所・平成17年度】

1　0
2　$\sqrt{2}$
3　$\sqrt{3}$
4　$2\sqrt{2}$
5　3

実戦問題の解説

No.1 の解説　2次関数の応用——条件付きの最大・最小問題(1)　→問題はP.488　正答1

独立変数がx，yと２つもあるので，一見複雑そうに見えるが，

$y=x-4$ …①

の条件から一方を消去すれば，xだけ（あるいはyだけ）の関数になる。このように，独立変数どうしが一定の条件（関係式）で結びついている場合の最大・最小問題を，**条件付きの最大・最小問題**と呼ぶことがある。本問の場合，xとyの積は，xyであるから，yに①の右辺を代入して，

$xy=x(x-4)=x^2-4x$

そこで，$f(x)=x^2-4x$と置くと，**$f(x)$はxの２次関数**となる。すなわち本問は，xの範囲に制限がない場合の，２次関数の最大・最小問題に帰着される（**重要ポイント1(1)**）。正確を期すために，**本問の$f(x)$のように簡単な場合でも，必ずグラフを描いて確認する**ように心がけたい。

STEP❶　積xyを，xだけの式で表し，$f(x)$と置く。

上に示したように，$xy=x^2-4x=f(x)$

STEP❷　２次関数の標準形を導く。

$$f(x)=x^2-4x+4-4$$
$$=(x-2)^2-4 \quad \cdots②$$

STEP❸　頂点における$f(x)$の値を求める。

②式より，$f(x)$は，

$x=2$のとき，最小値-4

をとる。よって，正答は**1**である。

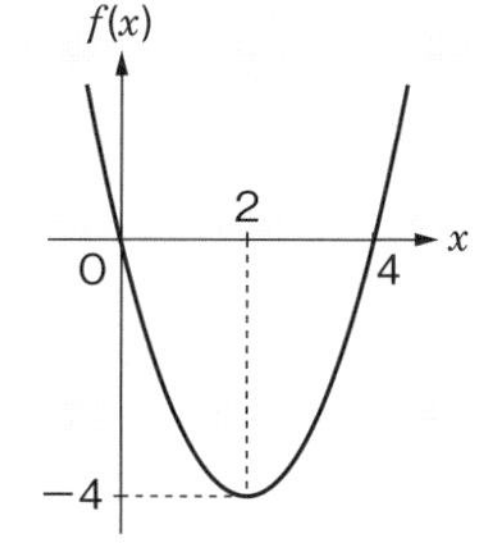

［注］本問の場合，標準形に直さなくても，グラフを描くことができる。すなわち，$f(x)=x(x-4)$の形から，$f(x)$のグラフは$x=0$，４でx軸と交わる。したがって，**放物線の対称軸は，x軸との２交点の中点を通る**から，$x=2$である。よって，最小値は$f(x)=2(2-4)=-4$と求められる。

また，xではなくて，yを変数にとることもできる。その場合，yの式でxyを表すと，$xy=(y+4)y=y^2+4y=(y+2)^2-4$となり，$y=-2$のとき最小値$-4$をとることがわかる。

No.2 の解説　2次関数の応用——条件付きの最大・最小問題(2)　→問題はP.488　正答4

No.1と同様に，本問でもxとyの２つの独立変数があるが，

$x^2+y^2=1$ …①

という関係式で結びついている。したがって本問は，**条件付きの最大・最小問題**の例である。ただし，No.1ではxとyの範囲に制限はなかったが，本問では，xとyが常に$x^2 \geqq 0$，$y^2 \geqq 0$を満たしている。したがって①から**xとyの範囲に制限がある**ことがわかる。

そこでまず，x または y の値の範囲を定めておいて，①の y^2 を $4x+y^2$ に代入すれば，２次関数の最大・最小問題として処理できそうである。

STEP❶ 条件式①より，x の範囲（定義域）を求める。

①式より，$y^2=1-x^2$　ここで，**(実数)$^2 \geqq 0$**（重要ポイント2(2)）に注意すると，$y^2 \geqq 0$ より，$1-x^2 \geqq 0$　ゆえに，$x^2-1 \leqq 0$ となるから，左辺を因数分解して，$(x+1)(x-1) \leqq 0$

これを x の２次不等式として解いて（テーマ２重要ポイント4(2)），

$\boldsymbol{-1 \leqq x \leqq 1}$ …②

STEP❷ $4x+y^2$ を x だけの関数で表し，これを $f(x)$ と置く。

①式より，$4x+y^2=4x+(1-x^2)=-x^2+4x+1$

ここで，$\boldsymbol{f(x)=-x^2+4x+1}$ と置くと，定義域②における $f(x)$ の最大値および最小値が，それぞれ問題に与えられた M，m に対応する。

STEP❸ ２次関数 $f(x)$ のグラフを描き，②の範囲で最大値・最小値を求める。

$f(x)$ を標準形に直して，

$$\begin{aligned} f(x) &= -(x^2-4x)+1 \\ &= -(x^2-4x+4-4)+1 \\ &= -(x-2)^2+5 \qquad \cdots③ \end{aligned}$$

③より，$f(x)$ の頂点（2，5）は定義域②の外にある。したがって，$f(x)$ のグラフを②の範囲で描くと，右図の実線で示した曲線となる。よって，$f(x)$ は

$\boldsymbol{x=1}$　**で最大値**　$f(1)=4$

$\boldsymbol{x=-1}$ **で最小値**　$f(-1)=-4$

をとるから，$M=4$，$m=-4$　である。

以上より，求める $M-m$ の値は，

$M-m=4-(-4)=8$

よって，正答は**4**である。

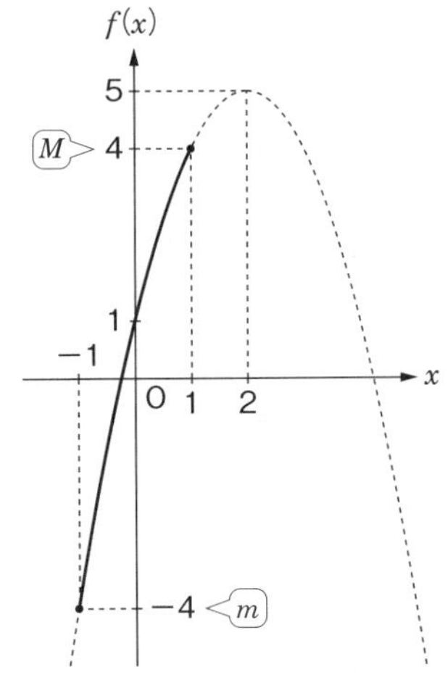

[注] ③が導かれた段階で，慌てて「最大値は $M=5$」などとしてはいけない！本問は**対称軸が定義域の外にある場合**（重要ポイント1(2)②）に該当するから，$f(x)$ の最大・最小は定義域 $-1 \leqq x \leqq 1$ の端の点で起こる。このような事態をしっかり確認するためにも，**グラフを描いて条件を視覚化**しておく必要がある。計算だけに頼ることがいかに危険であるか，実感してほしい。

No.3の解説　2次関数の応用――面積の最大値

→問題はP.488　正答5

本問のような文章題，もしくは図形への応用問題では，何か**ある数量を未知数xと置いて，文章で与えられた条件を数式に直す**作業が不可欠となる。本問では，長方形の面積の最大値を求めるのであるから，その横の長さ，または縦の長さをxと置いて式を立てればよい。このとき，なるべく係数に分数が入ってこないようにxを選ぶとミスを防げる。さらに，「ロープの全長は36m」という条件によってxの変域が定まるから，本問はNo.1，No.2と同様の「**条件付きの最大・最小問題**」の例であることがわかる。

STEP❶　変数xの範囲（定義域）を定める。

右下図のように，長方形の横の長さをx〔m〕，縦の長さをy〔m〕とする。ロープの全長が36mであり，壁にはロープを張らないことに注意すると，

$\mathbf{2x+y=36}$　…①

が得られる。①がxとyの関係を表す条件である。ここで，x，yともに長方形の1辺であるから，$x>0$，$y>0$でなくてはならない。よって，①式より，

$y=36-2x>0$

これより，$2x-36<0$，すなわち，$2(x-18)<0$

ゆえに，$\mathbf{0<x<18}$　…②

（同様に，$0<y<36$　が必要である。）

STEP❷　長方形の面積をxで表す。

長方形の面積をSとすると，$S=xy$となる。また，①より$y=36-2x$であるから，yを消去すると，$S=x(36-2x)=\mathbf{-2x^2+36x}$　…③

STEP❸　2次関数③のグラフを定義域②において描き，最大値を求める。

③式の右辺を標準形に直すと，

$$
\begin{aligned}
S&=-2(x^2-18x)\\
&=-2(x^2-18x+9^2-9^2)\\
&=-2(x-9)^2+162
\end{aligned}
$$

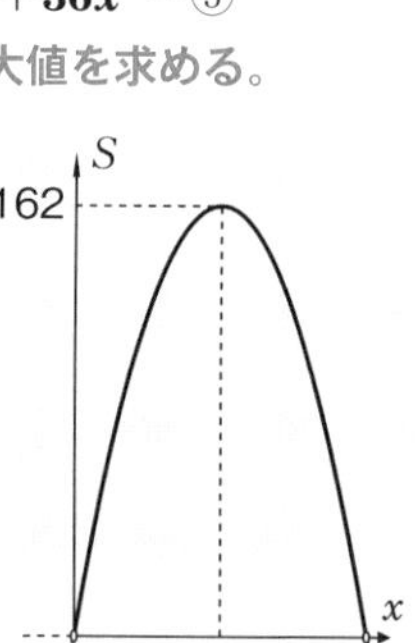

ゆえに，②における③のグラフは右図の実線で示す曲線（放物線の一部）となり，その頂点（9，162）でSは最大となる。すなわち，$x=9$〔m〕のとき，Sの最大値は162〔m^2〕となる。

よって，正答は**5**である。

［注］必修問題やNo.1と同様に，本問で扱われている2次関数も$y=a(x-\alpha)(x-\beta)$のタイプである。

すなわち，③を変形すると，$S=-2x(x-18)$

となるから，Sを表すグラフは，$x=0$と$x=18$でx軸と交わる。ゆえに，**放物線の対称軸は，x軸との2交点の中点を通る**から，$x=9$となる。した

がって S の最大値は，右辺に $x=9$ を代入して，

$S=-2\cdot 9(9-18)=2\cdot 9^2=162$ と求められる。

［参考］２次関数の場合でも，微分法を応用して増減を調べる方法は有効である。ただし，標準形に直せばグラフの概形を描けるから，微分法を用いることはそれほど多くはないが，解答のチェックに使うことができる。

③の右辺を $f(x)$ と置くと，$f(x)=-2x^2+36x$，ただし $0<x<18$

$f(x)$ を x で微分して，$f'(x)=-4x+36=-4(x-9)$

よって，$f'(x)=0$ となる x は，$x=9$ となり，これは定義域に含まれている。

$$f(9)=-2\cdot 9^2+36\cdot 9=162$$

となるから，定義域に注意して増減表を作ると，右上の表が得られる。ゆえに，$f(x)$ は，$x=9$ で最大値162をとる。

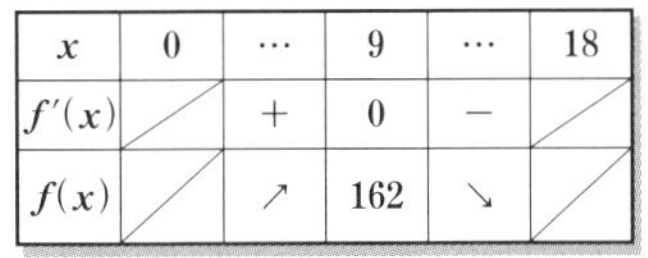

x	0	…	9	…	18
$f'(x)$	／	＋	0	−	／
$f(x)$	／	↗	162	↘	／

［補足］前ページの解説では，変数 x として長方形の横の長さを選んだが，縦の長さを x に選ぶこともできる。すなわち，x と y を入れ替えて，下図のように縦を x，横を y とすると，①と同様に，

$$x+2y=36$$

これより，$2y=36-x>0$ となるから，定義域は，

$$0<x<36$$

また，$y=\dfrac{36-x}{2}$ となるから，面積 S は，

$$S=xy=\frac{1}{2}x(36-x)=-\frac{1}{2}x^2+18x$$

と表される。右辺を標準形に直すと，

$$S=-\frac{1}{2}(x^2-36x)=-\frac{1}{2}(x^2-36x+18^2-18^2)$$

$$=-\frac{1}{2}(x-18)^2+162$$

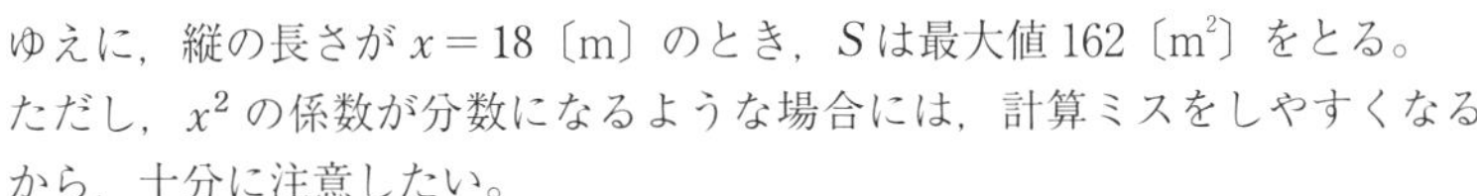

ゆえに，縦の長さが $x=18$〔m〕のとき，S は最大値 162〔m^2〕をとる。ただし，x^2 の係数が分数になるような場合には，計算ミスをしやすくなるから，十分に注意したい。

No.4 の解説　３次関数の最大・最小問題――微分法の応用　→ 問題はP.489　正答４

本問では変数 x が指定されている。すなわち，展開図を組み立てて直方体の形をした平たい箱を作ったときの高さが x である。組み立てた形を予想しながら，底面の縦と横の長さをそれぞれ x で表してみる。その結果，仮に体積が x の２次関数として表されるのであれば，No.3 と同様に解決できるが，（縦）×（横）×（高さ）を求めると，x の３次関数になりそうである。この場合には，微分して増減表を書くほかに手立てはない。

STEP❶　まず展開図を組み立ててできる直方体を描いてみる。(図(b))

ここで，直方体の底面は長方形となるが，下図(b)のようにその縦の長さを y，横の長さを z とし，直方体の体積を V とすると，$V = xyz$　…①
となる。さらに，y と z をそれぞれ x で表してみよう。図(a)を見ると，展開図の縦のラインに注目して，$2x+y=30$　よって，$y = 30-2x$　…②
また，横のラインに注目して，$2(x+z)=30$ より，$x+z=15$
これより，$z=15-x$　…③

STEP❷　体積 V を x の関数として表す。

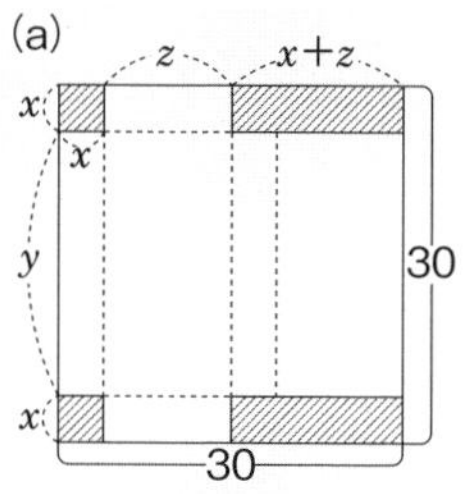

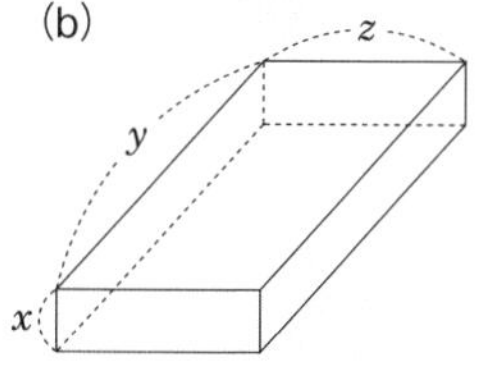

②，③を①式に代入すると，

$$V = xyz = x(30-2x)(15-x)$$
$$= 2x(15-x)^2 \quad \cdots④$$

ここで，$f(x) = x(15-x)^2$　…⑤
と置くと（係数はなるべく簡単にしておくほうが計算ミスも少なくて済む），④より，
$V = 2f(x)$　…⑥

ここで，**x の取りうる値の範囲**を求めておく。まず，x は直方体の高さを表すから，$x>0$ である。また，$y>0$，$z>0$ がともに成り立つから，②，③より，$15-x>0$
よって，$x<15$ が成り立たなくてはならない。以上より，x の範囲，すなわち $f(x)$ の定義域は，

$$\boldsymbol{0 < x < 15} \quad \cdots⑦$$

⑤式で，$f(x) = x(15-x)^2 = x(225-30x+x^2)$ より，

$$f(x) = x^3 - 30x^2 + 225x \quad \cdots⑧$$

ゆえに，$f(x)$ の最大値を求めるには，**3次関数の増減**を調べればよい。

STEP❸　$f(x)$ を微分して増減表を作り，最大値を求める。

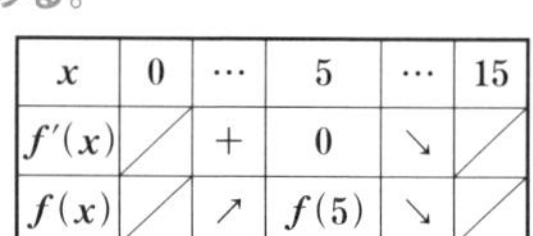

x	0	…	5	…	15
$f'(x)$	／	＋	0	↘	／
$f(x)$	／	↗	$f(5)$	↘	／

⑧式の右辺を x で微分して，

$$f'(x) = 3x^2 - 60x + 225 = 3(x^2-20x+75)$$
$$= 3(x-5)(x-15) \quad \cdots⑨$$

⑨式より，$f'(x)=0$ を満たす x は，$x=5$，$x=15$ の２つあるが，x の範囲が⑦であるから，**増減表**は右上のようになる。これより，$y=f(x)$ のグラフの概形は右下図のようになる（実線は定義域⑦の範囲のグラフを示す）。

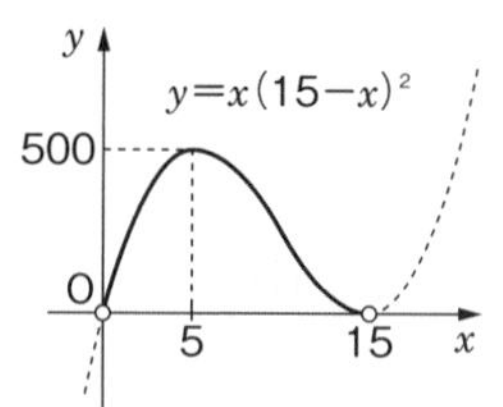

よって，$y=f(x)$ は，⑦の範囲で最大値をとり，その値は⑤式より，

$$f(5) = 5(15-5)^2 = 5 \times 10^2 = 500$$

ゆえに，⑥式より，体積 V の最大値は，

$$2f(5)=2\times 500=1000$$

以上より，正答は**4**である。

［注］本問の場合，増減表がきちんと書けていればわざわざグラフを描くまでもないかもしれないが，条件を視覚化することで，関数の変化を感覚的にとらえる訓練になるから，日頃の学習ではグラフを描くように心がけてほしい。

No.5 の解説　絶対不等式の応用(1)——(実数)$^2\geqq 0$ のタイプ　→問題はP.489　正答 1

本問のように，２つの変数 x，y を含む関数を**２変数関数**という。この左辺を $f(x,\ y)$ と置いてみよう。すなわち，

$$f(x,\ y)=x^2-4xy+4y^2+(x+y-1)^2+5 \quad \cdots①$$

①の右辺は x についても y についても２次関数となるが，変数が２つもあると厄介である。こういう場合は，まず，何か**絶対不等式が使えないか**，と考えてみる。そのためには，与えられた式の特徴に注目する必要がある。

STEP❶　与式の形の特徴は何か，を考える。

①には $(x+y-1)^2$ のように，**(実数)^2** が１つのかたまりとして入っていることに注意する。その前の３つの項の和 $x^2-4xy+4y^2$ に注目すると，

$$x^2-4xy+4y^2=(x-2y)^2$$

と因数分解できるから，与式は **(実数)^2 の和**という形になることがわかる。

STEP❷　与式を（実数）^{2} の和の形に書き直す。

STEP❶より，①は，次のように書き直すことができる。

$$f(x,\ y)=(x-2y)^2+(x+y-1)^2+5 \quad \cdots②$$

STEP❸　置き換えて，見かけをスリムにする。

ここで，$x-2y=a$，$x+y-1=b$ と置くと，②式は，

$$f(x,\ y)=a^2+b^2+5 \quad \cdots③$$

と書き直すことができる。ここで③式の右辺に注目すると，実数の性質として成り立つ次の絶対不等式

「すべての実数 a，b に対し，$\boldsymbol{a^2+b^2\geqq 0}$」

が使えそうである（**重要ポイント2⑵①**）。ただし，**等号が成り立つのは，**

$$\boldsymbol{a=b=0}$$

の場合に限る。この場合には $a^2+b^2=0$ となり，③より $f(x,\ y)$ は最小値５をとることがわかる。

STEP❹　変数を x，y に戻し，$a=b=0$ を満たす x と y を求める。

$a=0$ より，$x-2y=0 \quad \cdots④$

$b=0$ より，$x+y-1=0 \quad \cdots⑤$

すなわち，$a=b=0$ の条件が成り立つことは，④，⑤式が同時に成り立つことにほかならない。よって，④，⑤式を x，y の連立方程式として解いて，

$x \geqq 0$ かつ $y \geqq 0$ …⑥

を満たす x，y が求められれば解決する。ここで，x と y はどちらも材料の重さであるから，決して負にはならない。これが⑥の理由である。

こうして $f(x,\ y)$ が最小となる x を求める問題は，連立方程式④，⑤を解く問題に帰着することができた。⑤より，$y=1-x$　これを④に代入して，

$x-2(1-x)=0$　より，$3x=2$　　よって，$x=\dfrac{2}{3}$〔kg〕

このとき y の値は，$y=1-x=\dfrac{1}{3}$〔kg〕となり，x と y は⑥を満たしている。以上より，正答は **1** である。

No.6 の解説　絶対不等式の応用(2)──(相加平均)≧(相乗平均) → 問題はP.489 正答4

3次関数や4次関数など，x の多項式で表された関数を調べるには，高校の数学Ⅱレベルの微分法で対応できるが，そうでない場合には数学Ⅲレベルの知識が必要となる。しかし，本問のように特徴のある形の関数の場合には，微分法に頼らずとも，絶対不等式が利用できる場合もある。実際，本問と同レベルの例題は，高校の数学Ⅱの教科書でも扱われている。

STEP❶　与式の形の特徴は何か，を考える。

分数関数の形をしているので一見難しそうに見えるが，

x と $\dfrac{1}{x}$ をかけ合わせると x が消える（つまり，$\boldsymbol{x\cdot\dfrac{1}{x}=1}$ となる）

という事実に注目すると，**相加平均と相乗平均の大小関係**（重要ポイント2(2)②），すなわち，

$\dfrac{a+b}{2} \geqq \sqrt{ab}$　（ただし，$a \geqq 0$，$b \geqq 0$ で，**等号は $a=b$ のとき**）…①

が利用できることに気がつく。

STEP❷　不等式 $\dfrac{a+b}{2} \geqq \sqrt{ab}$ を当てはめてみる。

与式は $x+\dfrac{2}{x}$ で，変域は $1 \leqq x \leqq 3$ であるから，$x>0$，$\dfrac{2}{x}>0$ である。

そこで不等式①の両辺を2倍し，$a+b \geqq 2\sqrt{ab}$ として，a に x，b に $\dfrac{2}{x}$ を代入すると，

$x+\dfrac{2}{x} \geqq 2\sqrt{x\cdot\dfrac{2}{x}}=2\sqrt{2}$　…②

STEP❸　等号が成立する条件から，最小値を与える x を求める。

②式で等号が成り立つのは，$x=\dfrac{2}{x}$ のときであるから，$x>0$ の範囲で与式を最小にする x の値を求めると，$x^2=2$　より，$x=\sqrt{2}$　となる。

$1<\sqrt{2}<2$ より，$x=\sqrt{2}$ は，与えられた $1\leqq x\leqq 3$ の範囲にある。

以上より与式は $x=\sqrt{2}$ のとき最小値 $2\sqrt{2}$ をとるから，**4**が正答である。

［参考］（相加平均）≧（相乗平均）の大小関係は，その証明も理解しておきたい。

$$\boldsymbol{\frac{a+b}{2}\geqq\sqrt{ab}}$$ **（ただし，$a\geqq 0$，$b\geqq 0$：等号成立は $a=b$ の場合）**

（証明）$\sqrt{a}=A$，$\sqrt{b}=B$ と置くと，$a\geqq 0$，$b\geqq 0$ より，

$$\sqrt{ab}=\sqrt{a}\sqrt{b}=AB$$

よって，
$$\text{左辺}-\text{右辺}=\frac{a+b}{2}-\sqrt{ab}$$
$$=\frac{A^2+B^2}{2}-AB$$
$$=\frac{A^2-2AB+B^2}{2}$$
$$=\frac{(A-B)^2}{2}\geqq 0 \qquad (\text{実数})^2\geqq 0$$

ゆえに，$\dfrac{a+b}{2}\geqq\sqrt{ab}$ が成り立つ。また，等号が成り立つのは，$A=B$，すなわち $a=b$ の場合である。（証明終わり）

［別解］**微分法**を用いて増減を調べてもよい（ただし，数学Ⅲの範囲）。

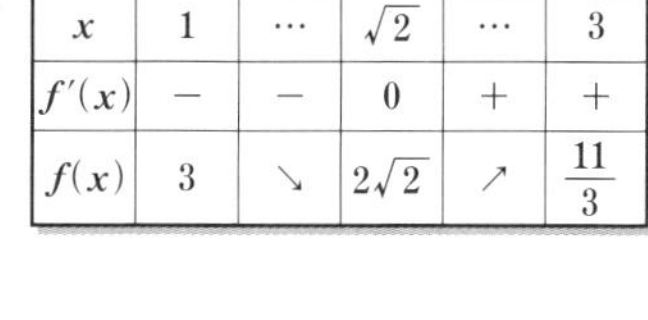

x	1	…	$\sqrt{2}$	…	3
$f'(x)$	−	−	0	+	+
$f(x)$	3	↘	$2\sqrt{2}$	↗	$\frac{11}{3}$

$f(x)=x+\dfrac{2}{x}$ と置き，右辺を x で微分すると，$\left(\dfrac{1}{x}\right)'=(x^{-1})'=-\dfrac{1}{x^2}$ より，

$$f'(x)=1-\frac{2}{x^2}=\frac{(x-\sqrt{2})(x+\sqrt{2})}{x^2}$$

よって，$1\leqq x\leqq 3$ の範囲で増減表は右上の表のようになる。ゆえに，$f(x)$ は，

$x=\sqrt{2}$ のとき，最小値 $2\sqrt{2}$

をとる。$1\leqq x\leqq 3$ の範囲で $f(x)$ のグラフを描くと，右図の実線で示す曲線のようになる。

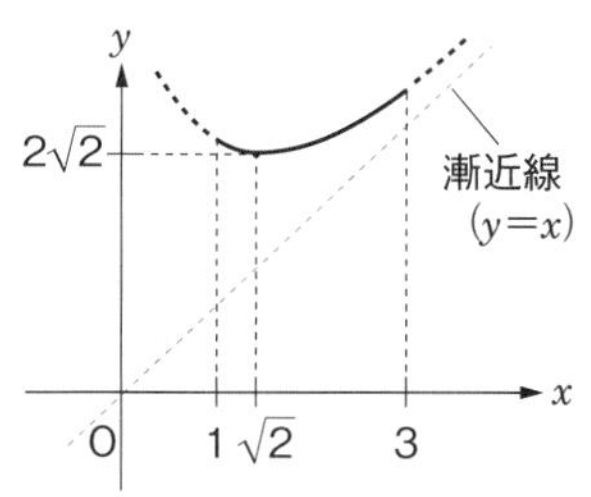

［注］微分の公式 $(x^n)'=nx^{n-1}$ は，n が自然数でなく，一般に実数の場合でも成り立つことが知られている。特に，$n=-1$ のとき，

$$\left(\frac{1}{x}\right)'=(-1)x^{-1-1}=(-1)x^{-2}=-\frac{1}{x^2}$$

となる。これは，経済数学でもしばしば用いられることがあるから，数Ⅲを学んでいない読者も，公式として記憶しておくとよい。

自然科学 第5章 数学

索引

物　理

化 学

【あ行】

【か行】

【さ行】

【た行】

【な行】

【は行】

【ま行】

【や行】

索引

生物

索引

数学

●本書の内容に関するお問合せについて

『新スーパー過去問ゼミ』シリーズに関するお知らせ，また追補・訂正情報がある場合は，小社ブックスサイト（books. jitsumu. co. jp）に掲載します。サイト中の本書ページに正誤表・訂正表がない場合や訂正表に該当箇所が掲載されていない場合は，書名，発行年月日，お客様の名前・連絡先，該当箇所のページ番号と具体的な誤りの内容・理由等をご記入のうえ，郵便，FAX，メールにてお問合せください。

〒163-8671　東京都新宿区新宿 1-1-12　実務教育出版　第二編集部問合せ窓口
FAX：03-5369-2237　　E-mail：jitsumu_2hen@jitsumu.co.jp

【ご注意】

※電話でのお問合せは，一切受け付けておりません。

※内容の正誤以外のお問合せ（詳しい解説・受験指導のご要望等）には対応できません。

公務員試験
新スーパー過去問ゼミ 7　**自然科学**［増補版］

2023 年 9 月 10 日　初版第 1 刷発行　〈検印省略〉
2024 年 9 月 10 日　増補初版第 1 刷発行

編　者　資格試験研究会
発行者　淺井　亨

発行所　株式会社 実務教育出版
〒 163-8671　東京都新宿区新宿 1-1-12
☎ 編集　03-3355-1812　販売　03-3355-1951
振替　00160-0-78270

印　刷　文化カラー印刷
製　本　ブックアート

ISBN 978-4-7889-3765-9 C0030　Printed in Japan
乱丁，落丁本は小社にておとりかえいたします。

新典社選書
117

ナルシシズムの力

―村上春樹からまどマギまで―

田中 雅史 著

新典社